国家出版基金项目
NATIONAL PUBLICATION FOUNDATION

《三联经典文库》

第二辑

2012年国家出版基金项目

《三联经典文库》编辑委员会名单

三联经典文库

141

上海产业与上海职工

（上）

朱邦兴　胡林阁　徐声　合编

生活·讀書·新知 三联书店

图书在版编目(CIP)数据

上海产业与上海职工 / 朱邦兴，胡林阁，徐声编.
-- 北京：生活·读书·新知三联书店，2014.1
（三联经典文库第二辑）
ISBN 978-7-108-04590-4

Ⅰ. ①上… Ⅱ. ①朱… ②胡… ③徐… Ⅲ. ①产业经济－经济史－上海市－民国②工人－生活状况－上海市－民国 Ⅳ. ①F129②D412.7

中国版本图书馆CIP数据核字(2013)第152786号

《三联经典文库》出版缘起

适逢生活·读书·新知三联书店八十华诞，为弘扬传统，接续文脉，回报读者，服务社会，我们决定策划出版《三联经典文库》。

1932 年 7 月，生活书店在上海创办，此后，读书出版社和新知书店相继成立。本文库第一辑、第二辑所选图书，来自于这三家出版单位及其分支机构，以及 1948 年生活·读书·新知三联书店成立后的出版物，始于 1932 年，截至 1951 年，两辑各一百种。此为第二辑，涉及政治、经济、社会、军事、思想文化诸领域，涵盖专著、文集、散文、小说、诗歌、传记、报道等体裁，既有直面现实、追求真理、讴歌真善美、抨击假恶丑的原创作品，又有引介世界各国先进文化、传播新知、开启民智的逢译之作，真实记录了那一代知识分子的思考与探索、理想与愿景和对中华民族文化传承与创新所做出的努力与贡献。

本文库所辑入各书，多为名家名作，在版本方面，以初版一印本或经著译编者审定、修订、增订过的版本为首选，因此本文库又具有较为珍贵的版本价值和收藏价值。

本文库还将编选续辑，使之成为恢弘文化工程。诚挚希望读者给予批评和指正，帮助我们完善编选工作，再现三联经典作品之风采。殊为遗憾的是，由于年代久远，一些原著译编者及其后人未能取得联系并奉付稿酬，诚盼版权所有者与我们联系。祈愿三联前辈所创造的精神财富能薪火相传，为中华文化的伟大复兴增光添彩。

《三联经典文库》编辑委员会

2013 年 8 月

凡　例

一、本文库为重排本，由繁体字竖排版改为简体字横排版。

一、以忠实于原作、整旧如旧为编辑原则，对当时使用的专有名词、外文译名，以及民国时期的语言和特色予以保留。

一、原书注释如旧，编者所出的注释，均以“编者注”标明，以示与原书注释的区别。

一、对原书残缺或字迹漫漶之处，以□示代。

一、对繁简文本转换时的“如右”、“见左”一类，对应改为“如上（前）”、“见下（后）”。

一、对原书中各种错讹脱衍之处，直接订正，不再以其他符号标示。

一、对数字、标点符号的用法，在不损害原文语义的情况下，做必要的规范。

一、本文库各书均前插原书书影、原书版权页和文库版“本书出版说明”。

一、本书出版说明的撰写，以客观中立为原则，扼要介绍本书的内容、版本流转、著译编者的情况。

本书出版说明

本书以上海劳动者为调查对象，取“五卅运动”前夕到抗战发动的1937年为时间段，全面调查了上海二十二种产业部门及其六十万左右职工的情况。在略述各主要产业发展史和概况之后，各章重点考察产业中职工人数、待遇、工作时间、负担、生活概况、知识程度、信仰、参加的斗争、运动组织等，以翔实的统计数据和多方的考察材料，呈现当时上海劳动者的生存状况、思想觉悟和民族情感，主要目的在于组织和动员广大职工加入抗日救亡运动。

本书最初由上海地下共产党员刘长胜、刘宁一、马纯古用化名（朱邦兴、胡林阁、徐声）和虚假的出版社编辑、发行。顾准也曾协助编辑，书中第二十四章“上海各业职员”的内容与顾准用“立达”的假名在《职业生活》杂志上发表的《上海职员与职员运动》完全相同。本书由香港远东出版社初版于1939年7月。此次出版，即以初版为底本。原书为一册，为方便阅读，此次出版拆分为上下册。

刘长胜（1903-1967），曾用名王相保，山东海阳县人。

1927年加入苏联共产党，后转入中国共产党。曾在莫斯科学习，后回国。抗战爆发后，到上海恢复和重建中共上海地下组织，任中共江苏省委委员、上海工人运动委员会书记等职。1947年，任中共中央上海局副书记。建国后，先后任上海工会主席、全国总工会副主席等职。

马纯古（1907-1979），曾用名天锡，笔名马亚人，湖北武昌县人。1927年加入中国共产党。自中学参加声援“五卅惨案”的学生运动起，一直在学校和工厂中从事宣传和组织活动。1935年任赤色工会上海工会联合会负责人。“八·一三”事件后，组织纱厂工人救亡协会，参与编写《上海产业与上海职工》一书中棉纺业部分。1949年后，任上海市劳动局局长等职。

刘宁一（1907-1994），原名史连甲，河北满城人。1925年加入中国共产党，曾任中共满城县委书记。1937年后，任中共上海市委工委书记，中共江苏省委工运部部长等职。新中国成立后，任国务院外事办公室副主任，全国总工会副主席兼国际部部长，中共中央对外联络部副部长等。著有《上海产业与上海职工》（合编）、《欧行漫记》、《与青年工人谈心》等。

生活·读书·新知三联书店

2013年8月

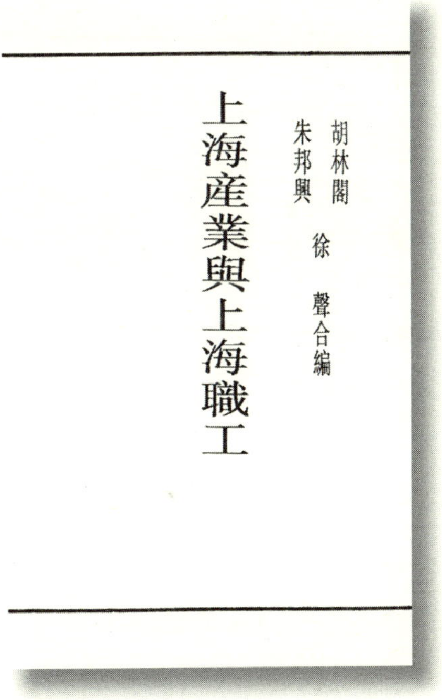
上海產業與上海職工

胡林閣 朱邦興 徐聲合编

香港远东出版社 1939 年 7 月初版书影

上海產業與上海職工

每冊實售 精裝國幣二元五角 平裝國幣二元

編者 胡林閣 朱邦興 徐聲 合編

出版者 香港遠東出版社

發行者 香港遠東出版社

經售處 全國各大書店

民國廿八年七月十五日初版

原书版权页

目次（上）

第一章　绪论

上海为全中国第一工业都市，产业劳动者的数目，几占全国总数六分之一以上。全国产业劳动者总数为三百五十万人，而上海则有六十万人以上。同时，上海又素为中国劳工运动的中心点和发祥地，劳动者的革命传统经验，文化认识程度，以及干部人才，均为全国其他各地所不及。在目前抗战建国伟大艰巨的过程之中，全国劳动者担负异常严重的责任，上海暂时虽受敌人控制，然这里劳动者的责任并不缩小，而其地位亦并不由此减轻。反之，上海劳动者的一言一动，仍可以影响于全国的政治局面。至于此时对于我国后方技术人才的补充，以及在将来收复失地和驱走敌人时的作用，更不容吾人忽视。本书因此首先以上海劳动者为对象，研究其在各产业中的历史、人数、待遇、负担、文化、生活习惯、过去和现在的一切活动，制定编辑大纲，分途搜集材料，从事写作，自去年十月初起，至本年三月底止，历时整整六个月，共得六十万字左右，包括二十二种产业部门，涉及六十万左右的职工情形，以便作为在抗战时期从事劳工运动人们的参考。然而在编辑完毕之后，感觉此书对于上海劳动者的生活与活动，仍不过只是作了一个大概的叙述，对于各业工人斗争情形，仅仅就记忆所及，举出其主要者，如此，则挂一漏万，在所不免。此外，如染织业、火柴业、肥皂业、橡胶业、西药业等等各部门所包含的劳动者，皆由数千以至一万以上，而本书独付阙如，不能不说是很大的缺点。再者，由于现代工业的分工精密，每一工人往往在一工厂内做了若干年之久，亦只能知道自己一部门的工作情形，而不能了解其全部。故在搜集材料访问工人之际，特别发生困难，每一事实，须经多方面的调查，反复互相印证，始能确定其可靠。凡此种种缺点与困难，皆使本书不能尽满人意；但是本书如果尽抛砖引玉的作用，引起各方面人士注意上海劳工问题及劳工运动，继续将有比本书更完善的出版，那就是达到了编者的愿望了。现在乘此书编完的时候，将上海劳工运动发展的经过以及吾人所感觉到的几点意见，述之如下：

中国——包括上海在内——产业劳动者的形成颇晚，从一八九一年上海棉纱厂成立以来，至多不过四十余年的历史，到欧战时期，中国产业乘机发达，上海产业劳动者始陡然增加，同时劳工运动亦开始迅速发展，自一九一八年起，不逾十年至一九二七年，劳动者在中国政治舞台上已占重要政治地位。其间所经过程，大概分为下列几个时期述之：

（一）由“五卅”运动以前到“五卅”运动：此时期上海劳动者于一九一二年曾参加辛亥革命中的上海光复运动，推翻满清官僚统治，有中华民国工党的组织，一九一六年华荣自俄回国，在上海组织中华工农联合会。一九一九年上海纱厂工人参加“五四”运动举行罢工反对北洋军阀官僚出卖民族利益。随着中国工人阶级的成长与壮大，一九二一年产生了中国共产党。一九二二年上海浦东吴淞一带，约有工会五十多处。不过组织多不巩固，内容尚不充实。本来中国劳动者，成长于与帝国主义拮抗的社会经济条件之下，他们亲眼看见中华民族工业受帝国主义的束缚不能发展，帝国主义为他们的主要剥削者和压迫者，故劳工运动开始的斗争，即朝着反帝与争取中国民族独立解放的目标迈进。到“五卅”运动，此种目标更特别鲜明。在“五卅”运动中，劳动者与资本家建立反帝的统一战线，举行大罢工，反对英日帝国主义对中国民众的压迫与屠杀，此时中国劳动者和中国共产党经过了数年为工人运动的艰苦努力，在这时孙中山先生也提出三大政策，遂与国民党取得亲密的合作。在国共两党共同努力及劳动者万众一心之下，当时的罢工运动，由上海扩大到全国，给帝国主义以严重的打击。“五卅”运动当时向帝国主义提出的条件虽未全部实现，然而上海劳动者已在“五卅”运动中广泛地组织起来，建立了有群众性的工会，改善了自己的生活，增加了斗争经验，提高了从来未有的社会地位，练成为中国的一个重要的反帝力量。同时在此时期，中国的劳工运动，已受国际劳工运动的影响，尤其是苏联劳动者十月革命的胜利与经验，更给中国劳动者以新的刺激和大的兴奋，使上海及全中国的劳工运动，勇猛的向前开展。

（二）由“五卅”运动，到一九二七年“四·一二”事变：在此时期中，上海处于帝国主义与北洋军阀联合压迫之下，环境虽然险恶，然而劳工运动，仍然继续前进。一九二五年五月中华全国总工会成立后，六月上海总工会接着成立（老工会），包含一百二十个工会，拥有二十万以上的会员。各业工会主要以反抗帝国主义北洋军阀统治，改善工人生活，发展工会力量，巩固工会组织为目标。此时期上海劳工运动的理论与方针在历次全国劳动大会的指导之下，已有明显的确定，同时国民政府在“五卅”的力量已日趋巩固，又为上海劳工运动一个极有力的声援。而上海工人当时对国民政府亦积极拥护，成千成万参加北伐，流血牺牲。一九二七年二月十八日，上海工人在总工会号召之下，举行第一次总同盟罢工，响应北伐军，第一日参加工人十五万，第二日增至二十七万，第三日增至三十五万，罢工工人袭击军警，解除军警武装。三月二十一日，上海总工会复号召第二次总同盟罢工，参加总罢工人数竟达八十万。罢工工人占领上海各个区域，驱走直鲁军阀，得到完全胜利。此次上海劳动者在民族革命运动中的英勇作用，在中国革命史上占最光荣的一页，同时上海总工会及其领导人赵世炎、罗亦农的名字，深入到每个工人的心坎，永垂不朽。

上海劳工运动，此时已发展至最高的顶点，在总工会领导之下的有千余工会，但整个中国革命，已经进入一个紧急关头，到“四·一二”事变，国共分裂，劳工运动遂随政治形势的变迁而发生变化，到了一个新的时期。

（三）由“四·一二”事变到抗战发动：此时期几占十年之久，上海劳工运动的情形在此时期，是异常复杂曲折的。先是一九二七年四月十二日上海总工会（老工会）突遭解散，由军警机关派员组织上海工会，组织统一委员会，指挥上海全市工会，嗣有一部分工会表示不满，呈准国民党市党部，另组织工人总会。但是总工会表面虽遭解散，然仍继续过去革命精神，秘密活动，领导工人斗争，反对恐怖压迫。总工会后又改名为工会联合会，此时环境异常恶劣，活动极端困难，工会首领不是遭枪毙，便是被拘捕监禁，其后仅存工会二十余处，组织缩小到极小限度。惟工联会在组织上非常脆弱，然因其继承原来的革命传统，在工人群众中的政治影响则颇大，以后凡是上海著名的罢工斗争，如法电英电罢工，电气电话罢工，纱厂的反 × 大罢工，一九三四年的美亚绸厂罢工，一九三六年的纱厂反 × 大罢工，无不由工联会直接或间接影响与领导，有他们活动的痕迹，他们很坚定的站在劳动者与整个民族的立场，与帝国主义及反动势力搏斗到底。同时另一方面，前述与党政机关有密切联络之上海工会组织统一委员会及工人总会，互相对立，意见分歧，故虽公开存在，但不能负起领导工人的任务。一九二九年八月，上海全市各工会，经市党部民训会整理登记之后，工人方面有从速设立总工会之请，并有工会筹备会之设立，惟国民政府是年颁布《工会法》，并无准许设立工会联合会之条文，筹备会遂又于一九三〇年发表宣言，遵令结束。一九三一年“九·一八”事变发生之后，上海一部分工会，于十二月十九日在邮务工会举行全市工界代表大会，成立上海特别市总工会。但另一部分工会，在南市水电业工会开会，亦议决成立上海市总工会，嗣经两总工会负责人员，举行谈话，捐除成见，实行合作，十二月底，举行执监联席会议，共同成立上海总工会。于是上海各工会自一九二七年“四·一二”原来的总工会解散之后，至此始有公开正式领导机关。

上海劳工运动，在此时期遭受严重的打击，“五卅”时期所争得的利益复被剥夺，言论、集会、结社的受限制，工人罢工完全视为非法行动，雇主得随时解雇工人，工人生活毫无保障，秘密的工联会的行动又颇受束缚，不能与广泛群众联系；公开的工统会与工人总会以及“九·一八”以后成立的上海市总工会，既多从事于调和内部意见以及防止秘密的工联会活动等等消极方法的工作，对于积极扶助与领导各业工会的活动，未能充分执行。而其所属各业工会，内容并不十分充实，且其领导者并非工人群众的首领，少数野心家常常利用工会的招牌招摇撞骗，进行出卖工人的勾当，因此许多产业里面的工人，怀疑工会，不要工会，甚至反对工会。

一九三五年中华全国总工会，发表宣言，提议建立工人统一运动，反对 ×× 帝国主义。到一九三六年底，×× 进攻中国加紧，上海工人发生抗 × 的怒潮，数年以来上海分裂的劳工运动，渐在抗 × 第一的目标之下走向统一行动，首先表现在是年年底的日商纱厂十万工人的大罢工。当时无论属于工联会的工人以及总工会下的工人，皆不分畛域，努力参加。同时职业界救国会、国难教育社、妇女救国会，皆有广大的工人群众，每次反 × 游行示威，工人为基本队伍。及至一九三七年国共第二次合作成功，“八 · 一三”抗战发动，工联会根据中华总工会的意旨已自动解散其组织，号召全体会员，参加各业工会，共同为统一工运而奋斗，与上海各业工人一致拥护上海总工会为本市工运领导机关，而总工会亦在广大工人群众推动之下开始了救亡运动，渐次注意到群众组织的工作。到国军西撤，总工会转为秘密，改名为工团互助会。而上海工人仍然是埋头苦干，努力救亡工作，充实工会内容，并有热心工人，组织工人救亡协会，配合全国神圣抗 × 战争，准备将来收复上海时发挥威力，继承自“五卅”及大革命时代以来上海工人革命的传统。

根据前面上海劳工运动发展各阶段来看，劳工运动不能与中国政治运动分离，而是隶属于政治运动，为政治运动中的一个主要环节。由劳工运动的开始一直到现在，反对帝国主义，争取民族的独立解放，始终成为主要的任务。而其斗争目标，尤其是朝着 ×× 帝国主义，上海的劳动者每个人都清清楚楚地看出，无论是在棉纺织业，丝织业，缫丝业，以及其他生产部门，都和民族资本的产业成了生死对头。尤其是东三省失陷之后，我国国民经济受莫大的打击，影响到上海各业的萧条与破产，劳动者生活状况更加恶化。因此他们认为摆在目前的只有两条路，不是自由平等的新中国，便是沦为日本的殖民地，在这种认识之下，遂愈益的站在抗 × 的前线，坚决拥护抗战到底，尽一切力量，献身于民族解放运动。

同时上海劳动者由于参考历来民族解放运动中教训，又实际体验到争取这个目标的实现，是又与树立一个坚决为保护领土主权、积极改善人民生活的政权不可分离，故在上海劳工运动的开始，即反对卖国的满清政府，反对北洋军阀，以及反对 ×× 妥协的亲 × 派汉奸官僚如汪精卫等。他们对于国内的每一政治事变，绝不采取中立静观的态度，他们渴望中国政治的光明，渴望孙中山先生的三大政策真正实现。他们清清楚楚地看到，伴着国共合作而带来的，是民族解放猛烈的开展，是人民言论的自由，是劳工福利的增加；伴着国共分裂而来的，是民族危机的加深，是 ×× 的乘机侵略，是民主自由遭受空前的迫害，是劳工一切既得的待遇复被剥夺，工时的延长，工资的减少。当一九三七年国共重新携手的消息传到上海之后，各业劳动者欢然互相庆贺，预期中国民族与上海劳工运动光明灿烂的前途。他们抚摸着在国共分裂后自己所受的创伤与苦痛，将更以一切力量，反对 ×× 汉奸对统一战线的挑拨，百倍的提高警惕性，监视对统一战线动摇的分子。

上海，也可说中国的劳工运动，在萌芽的时候，即脱离改良主义的影响而具有革命的性质。这不但是因为中国没有改良主义的社会经济基础，而且是由于中国的劳工运动，发展比较其他各国迟晚，各国劳工运动的经验，可供丰富的参考，中国劳动者极容易辨别改良主义的道路是失败的道路，而革命的道路，是胜利的道路。但是中国的劳工运动，虽然带着极浓厚的革命性质，然而对雇主的关系与态度，仍然是以整个民族的福利为前提，每个劳动者都清清楚楚地看出，在帝国主义压迫之下，当 ×× 要整个灭亡中国的时候，中国劳动者与雇主的利害是一致的，大家应当共存共荣，推诚合作。所以他们不但在“五卅”时期，与雇主建立反帝统一战线，即在大革命时代，他们亦未向雇主作过份的要求。细看当时各业工人对雇主所提的条件，其目的只不过求得生活比较安定，地位比较提高而已。至于“四·一二”以后数年的劳资纠纷，从大体上看，其起源不是由雇主的减低工资，便是由于增加工作时间，或是由于取消从前的某种待遇，或由于开除工人。各业工人罢工，十分之八九为不得已的防御战。在雇主之中，目光远大的固不乏人，但眼界狭小的亦复不少，他们不知改善劳动者的生活和工作状况，提高生产能力，与外商竞争，开拓市场，发展营业；他们只知道从消极方面向劳动者身上打算，维持营业的苟安。到抗战发动之后，劳资纠纷比以前大大的减少，有些工厂的雇主，已经注意到与劳方共同抗敌，自动改善劳动者的待遇，恢复“八·一三”战前的工资。然而从一般说来，劳资合作的程度，仍是非常不够，而须要继续共同努力。劳资合作的前提，除了双方须明白大义，以抗日为第一的理论了解而外，尤须资方提高劳动者的待遇，保障劳动者的生活。而其中工资问题，更应该特别提出解决。根据国际劳工局中国分会统计，本年（一九三九年）一月上海工人生活指数为一五九点三二，较一九三七年“八·一三”战前之一〇九点五一涨百分之四五点四八，其中以房租与食物之涨势为最劲，这个统计的正确性，我们虽然无从断定，但据日常生活经验，事实上是超过这个统计的。但是在工资方面，不但没有跟着提高，反而比较战前减少，许多产业部门，把原有的工资打八折、七折甚至打到六折。现在把各业工资的绝对数列表如下：

产业部门	最高（元）	最低（元）	普通（元）
棉纺工人	1.60	0.18	0.50
丝织工人	1.20	0.50	0.80
缫丝工人	0.50	0.24	0.40
针织工人	1.00	0.30	0.60
法商电工人	1.83	0.40	0.90
英商电工人	1.11	0.36	0.73
公共汽工人	1.66	0.33	0.83
出差汽工人	1.33	0.66	0.70
印刷工人	1.88	0.30	0.66
机器工人	1.80	0.30	0.80
木业工人	1.00	0.20	0.60
烟厂工人	1.20	0.20	0.40

续表

面粉工人	1.33	0.30	0.53
榨油工人	0.60	0.50	0.54
码头工人	1.00	0.35	0.60

（注）以上系将时工件工一并计算。

在上面表中，领取最高工资的，为该产业部门中极少数有特殊技术的工人，其余一般大多数工人，皆为领取普通工资及最低工资者。同时各业关于米贴，升工，偿工，自“八·一三”后，又多停止。工人一方面处于支出加增，另一方面收入减少的剪刀之下，当无可当，借无可借，唯有省吃俭用，如到沪西或杨树浦一带工人区域一看，十有九人面黄饥瘦，没有人色。

但上海在畸形的繁荣之下，各业的营业却有相当发展，例如怡和纱厂去年营业达一千万，统一纱厂达七百六十万，美亚、四九两厂达八九十万，阜丰面粉厂每天达二万，瑞榕铁厂过去经年营业至多不过三十万，而去年超过二百七十万，公共汽车在“八·一三”前每日平均收入至多不过六千元，而现在每天至少在万元以上。其余其他各业的真实营业现状，吾人虽不易知其底蕴，但以他们添造厂房，提高职员红利，可知是相当可观的。

现在上海如丝厂、绸厂、商务印书馆等等，各业均已普遍提出恢复战前工资及要求厂方酌量增加工资，在吾人详加研究之后，不能不认为劳动者是有理由根据，而资方是应当酌量接受的。

除了工资而外，关于上海各业的雇佣关系，吾人亦感觉有改善之必要。我国由于产业不十分发达，农村破产，失业人口集中于都市，雇主不但得以廉价雇佣工人，而且不与工人发生固定的关系，随时又可解雇工人。这种现象，上海在抗战以后更甚，例如华成烟厂，中华书局，阜丰面粉厂，其中大多数工人，在厂方服务达数年之久，而未得到正式工人地位，厂方仍认其为临时工，一过机会，即将其解雇，另雇更廉价的工人，还有美文绸厂，每年要工人填志愿书一次，而上海首屈一指的祥生汽车公司，甚至每月要工人填志愿书一次。至于以上海产业最大人数最多的纱厂来说，甚至连正式临时工的名义全不要，厂方可随时叫工人来就来，要工人走就走，工人的工作朝不保夕，天天都在失业的威胁之中。凡此种种现象，如不速加改革，劳资合作，是不容易实现的。

因此吾人感觉政府去年颁布的《战时劳工法令》对

于上海确实是对症下药，值得上海劳资双方共同研究，积极执行。尤其资方应要认清，提高工人的待遇与保障工人的生活，就今天说来，是对中华民族应尽的义务。工人的收入如果增加，地位如果得到保障，劳资的隔阂自然减少，双方的感情自然一天天融和起来，从事对外，提高了抗 × 的力量。

最后，恢复与建立工人的组织，为上海劳工运动中最重要最基本的工作。只有这个工作能够实现，上海劳动者抗敌与改善自己生活的种种伟大事业才能完成。各厂工人自“八·一三”以后，认识进步，抗 × 情绪提高，无数的在业失业工友，纷纷自动到后方参加游击战争，每个工人都注意政治的变化，留心他们自己的前途，拒绝参加汉奸工会，严厉地制裁、打击汉奸工会活动，在工房内车间内讨论积极进行节俭献金等等。自己应做的工作，识字，读书，看报等运动逐渐普遍地在工人中开展，其种种活跃情形，可说是自“五卅”以来未有的现象。然而由于数年来政治上的关系，厂方的束缚，以及劳动者的职业不能稳定等等原因，上海至今各业工人均乏健全的组织，更没有一个健全的总领导机关，工人的活动不能集中统一，其能力不容易发挥，这是非常可惜的事。例如邮政、商务等处虽有工会或类似工会性质的团体存在，然而内容均欠充实，组织尚不十分民主化；公共汽车，英商电车等处，虽亦有类似工会之团体存在，但分裂现象尚待解决，如公共汽车则查票、写票、卖票、司机各有一个团体。英商电车工人，甚至有七个团体；华成烟工会，只包括男工和一部分女工，不要其他大部分厂方所谓做了算了的临时工参加。邮务工会不要苦力工人参加，商务互助会不要学徒参加，这都是不应该的，应当很快的纠正过来。至于人数最多的纺织业，更因生活没有保障，工人的流动性厉害，女工年龄较大厂方即不要，现在尚无正式的有群众性的工人团体，更为最严重的现象。因此吾人感觉，以产业为单位，充实现有的工人团体，发扬现有的各团体民主精神，克服工人团体的分裂现象，以及根据产业工厂团结无组织的工人，为目前上海劳工运动中最迫切的工作。关于工人组织的内容与形式，当然可随着各产业的特殊情形、生活习惯而决定，不必机械地拘于一律，但是须真正地为工人谋福利，则为必不可缺少的要素。只有真正抓住工人的要求，才能广泛地团结工人群众。至于工会组织，则为工人群众的基本团体，各业工人应尽可能的争取这个组织的恢复与建立。在这个组织之下，全体工人得到教育，得到领导，得到生活的保障，铁一般地在这个组织之下团结起来，工人不可因为过去某些工会的负责人员不当，或工会有某些缺点，遂因噎废食，而怀疑工会的本身，甚至主张不要工会。每个工人对于工会的态度应该是一方面服从工会的领导，尽会员的责任，另一方面争取工会的民主，监督其负责人员。而工会负责人员，亦当克服过去办工会的一些缺点，接受全体工人的意见，充实工会的内容与事业，改善工人生活，提高文化教育，开办工人学校，使工人更相信自己的团结力量，克服过去少数落后工人依赖帮派老头子的习惯。提高工人的威信，发挥“五卅”时代一般办工会人员的精神，负责，公正，自我牺牲，真正为全体工人的利益和民族的利益而奋斗。至于充实与改善全上海各业各厂工会，恢复全上海工会的总领导机关，健全上海总工会，更为刻不容缓的工作，而总工会的领导朱学范先生等尤当首先负起责任。

上海劳工运动，如果将上述的问题一一解决，将数十万工人组织起来，我们相信这久经锻炼的力量，在目前民族革命运动的阶段中，将发挥超过“五卅”时代和大革命时代所发挥的力量。

第二章　棉纺织业

第一节　棉纺织厂的发展及其营业状况

现在上海的纱厂，不仅是纺纱，多半兼营织布，实际上是棉纺织厂。这个产业在我国发达甚早，在目前全部工业部门中占重要地位。远在一八八二年李鸿章即奏请上海试办机器织布局。一八九一年已有两个纺织厂，一个叫做上海棉纱厂，系官办性质，数年前筹备，到一八九〇年开工；一个叫做新中国纺织厂，亦筹备甚久，至一八九一年开工，全系私人资本。一八九三年上海棉纱厂为火焚毁。一八九四年又有两个纱厂在上海出现，这就是具有七百五十部机器的华盛记纱厂与裕洋纺织厂。在这两厂成立不久之后，英国资本家鉴于中国原料及人工之低廉，于上海杨树浦成立怡和纱厂。一九〇五年，上海有振华纱厂，无锡有振兴工厂，常熟有裕泰工厂，宁波有和丰工厂的建立。一九〇七年，上海有九成纱厂，南通有大生纱厂，崇明有济泰纱厂的建立。一九〇八年上海有同昌纱厂，江阴有利用纱厂的建立。自一九〇五年到一九一四年中国纺织业总共十七家，锭子九十七万，布机二千二百五十四台。自一九一四年至一九一八年世界大战爆发期内，帝国主义都集中精力应付战争，非但不能向远东投资，不能向远东输出纺织品，而且反需要纺织品的输入。战后数年各国打得精疲力竭，仍不能向外发展。在此时期内中国民族资本乘机活跃，纱厂大为勃兴，此时期就全国范围而言，新创立的纱厂共四十六家，资本总额为一万万零五百万元。但是此时期日商却参加中国的纱业市场，与中国民族资本作剧烈的竞争。自一九一四年至一九二二年，日商在华新创设的纱厂共三十家。锭数九十四万有奇。自一九一七年至一九二四年日商纺锭增加七倍之多。华商纱厂在剧烈的竞争之下，此时所遭受的命运是非常的悲惨的。兹举京沪一带纱厂的变迁结果，列表如下：

厂名	变迁情况
大中华纱厂	破产犹不足偿债
宝成第一纱厂	被并于日商
宝成第二纱厂	被并于日商
裕大纱厂	为日商债权人管理
华丰纱厂	为日商债权人管理
宝成第三纱厂	为日商债权人管理
元兴纱厂	为日商债权人管理
德大纱厂	亏本易主
大丰纱厂	亏本易主
常州纱厂	亏本易主
大纶纱厂	改组
裕泰纱厂	改组
苏纶纱厂	改组
厚生纱厂	卖给日商
振华纱厂	改组
太仓纱厂	改组
恒大纱厂	出租
福成纱厂	关厂
鼎新纱厂	关厂
久安纱厂	关厂

在这种情况之下，中国整个棉纺织业虽向上发展，但大多数属于外人资本，其中日人资本更占重要地位，至于中国民族资本的力量，反 × 渐消沉。由一九二二年到一九三〇年全国中外纺织工厂由九十八所增至一百二十七所。锭子的增加情形如下：

1922 年	2,452,728 枚
1930 年	3,969,552 枚
1934 年	4,731,146 枚

在一九三四年这四七三一一四六枚纱锭中，其分布情形如下：

华商	2,742,754 枚
日商	1,803,484 枚
英商	184,908 枚

由一九三〇年到一九三五年，中国市场受世界经济恐慌之影响，购买力异常衰退，加之在日商倾销之下，棉纺织业于是陷于空前的危机之内，各厂多停工减工，或者拍卖与日商，非常值得痛心而又特别可耻的，就是天津华商裕元，恒元等著名的九大纱厂，除一家之外，在此时期先后全部卖给日本人。一九三五年春上海著名的申新七厂，亦因负债由汇丰银行拍卖，几乎亦为日本人收买，后因引起全国舆论反抗，始由政府制止。

到一九三六年至一九三七年，国内农村丰收，内战停止，全国政治趋于安定，交通无阻，市场呈现起色，棉纺织业又渐渐活跃起来。及至“八·一三”前夜，全

国纱厂已达一百四十八家，其中华商九十六家，日商四十八家，英商四家。纱锭总共五〇五二七九六枚。其中

华商	2,296,392 枚
日商	2,135,068 枚
英商	221,336 枚

线锭总共五三二二七〇枚。其中

华商	173 枚
日商	350,284 枚
英商	8,670 枚

华商纱厂因集中沿海各地，自抗战发生以来所受影响最大，全国纱厂之在战区各地者，事业占百分之八十五，厂数占百分之八十六，资本占百分之九十二，纱锭占百分之八十九，线锭占百分之九十九，出纱占百分之九十二，出布占百分之九十六。战区之华商纱厂，大半毁于炮火，即能幸免者，亦多机件不全，天津，青岛，上海三地，损失最重者首推上海。

本来上海棉纺织业居全国的纱厂领导地位，总共六十五厂（详情见后面甲表）其中华商三十一家，日商三十家，英商四家。自“八·一三”后，国军从上海撤退，

租界四周及沪东区之日商英商纱厂先后开工。华商纱厂，振华则因厂主尤 ×× 出卖民族利益，甘为汉奸，其厂亦恢复开工。大丰纱厂厂主妄想与日人合作，与日人讲妥条件合股经营，自己以现有资本作为股本百分之五十一，日人补充资本作为股本百分之四十九。日人待条件讲妥之后，叫大丰老板将马达由租界搬至闸北开工。谁知待马达到厂，日人却不管一切，一脚将大丰老板踢开，任用日人管理，为所欲为了。

其余如恒丰，申新一厂、五厂、六厂、七厂、八厂，纬通，恒大，永安一厂、二厂、四厂，振泰，天生，鼎鑫，仁德，宝兴，大同，民生，美丰，上海纺织公司总共二十一家，纱锭七二六一三六枚，线锭七五三四六枚，布机五六八七台，皆沦入日人掌握之下，公开霸占，络续正在设法开工。例如恒丰纱厂，现在改为日本上海纱厂（详情见后面乙表）。

至于在租界内的纱厂，如申新二厂、九厂，永安第三厂，新裕一厂、二厂，统益，鸿章，崇信，勤丰，大同等十厂（只占原有厂数三分之一），纱锭三八八二七二枚，线锭四七三二〇枚，布机三〇七六台，侥幸残存，在国军西移，上海战事停止后，均先后恢复工作（详情见丙表）。此外由于战后纱价提高，新开设的纱厂亦复不少，如信和纱厂、安达纱厂、振中纱厂等（详情见丁表）。

根据以上中国数十年纱厂发展过程看来，可见民族资本的棉纺织业，与日商资本的棉纺织业，处在非常尖锐的斗争阶段，后者在中国的抬头与发展，完全建筑在对前者的削弱与屈服上面。所以今日民族资本的棉纺织业，与中华民族的命运打成了一片，只有在抗战胜利之后，日商势力在中国扫除，中国民族资本的棉纺织业，方才有了复兴的保障。今日的棉纺织业虽然在抗战中受了重大的损失，但这种损失将来是有代价的。迟早我们有向敌人算账的一天。

纱厂的营业，与纱厂的发展是有直接关系的。纱厂发展的时候，就是营业好的时候。这里所着重讲的，不是过去的营业，而是现在的营业。上海现在（一九三八年十月）每日棉纱生产的估计：（一）华厂约产纱线一千二百包，除本厂消费三百包外，流动市场者约九百包。（二）日本厂约产纱一千六百包，本厂消费其半，流动纱约八百包。（三）英厂出纱甚少，现在开工的杨树浦纱厂及怡和纱厂，仅产布匹，纶昌纱厂产高等线及布匹，出纱者仅公益纱厂一家，尚不够其他三厂布厂之用，而须购买中日纱厂之纱线。

各纱销路在“八·一三”战事爆发数月殊为萧条，九月上海仅成交二千二百三十包线。战事内移后，沿海及内地交通略见松动，上海各织布厂络续复工，消费既多，交易日增，本年六月份成交增至二万零九百包。华商纱厂之纱，原赖广州、汕头、宁波等口岸，转销西南各省，日厂所产之纱，以上海当地棉织厂为最大主顾，亦有运往北方日人控制区域，惟价格较华商出品低廉，故北帮及日人控制区域之内，全为日商所垄断，华纱几至绝迹。南帮则采办华纱甚为踊跃。去年八月份广东六八四六包，四川二六五包，长沙二一〇包，汕头九九六包，宁波一八一包，云南一四〇〇包，福建二七五包，温州一〇六包；九月份广东九五三七包，四川三三五包，长沙六〇〇包，汕头一一八二包，宁波二五九包，云南一三〇五包，福建一〇八包，温州十二包，泉州三〇包。

上海纱价标准，去年九月份最高四八六元，最低三九九点五〇元，平均四三〇点七二元，与前年同月比较，平均增加一三三点二二元。五福牌二十支九月份最高四五五元，最低三九八元，平均四二五点七〇元，与前年同月比较，平均增加一五〇点二〇元。人钟牌十六支九月份为三七五元，与前年同月比较增加一〇二元。至于金鸡牌二十支在战前平均为二八〇元，去年九月则涨至五一五元，与战前比较，相差几将一倍。去年九月份上海之纱价，为民国二十一年以来之最高价。

纱价高涨的原因：（一）棉花来源缺乏，受日方独占的影响。（二）战区纱厂被毁，生产比以前减少，市场上供不应求。（三）投机者造谣操纵。

待广州失陷不久，南帮销路颇受打击。有些纱厂已开始减工。例如怡和纱厂已开五日班，每星期只做五天。今后如原料的来源不能解决，及出口销路不能解决，则上海租界内此时棉纱业之繁荣，终归为暂时性质。

因世界各地反 × 浪潮之日趋激烈，故自抗战爆发以来日纱在印度，南洋等地之销路大为滞塞。中国内地之销路，更完全断绝。故上海日商纱厂出品之纱，往往窃用中国纱厂之商标，冒充华纱。如日商同兴纱厂所侵占之华商大丰纱厂，所出之纱，竟冒用常熟长丰纱厂和上海第一染织厂之商标，且此项商标，尚时常更换，以图保守秘密，日方之无耻，于此可见！

另有少数丧心病狂之民族败类，竟甘心为敌作伥，代日商纱厂推销纱布。例如华商申新第九纱厂，即常于夜间将日商同兴纱厂所产之纱，偷运入本厂打包间，用申新纱厂商标，打包出卖，此种无耻情形，该厂工友职员，无人不知，但在厂方当局高压之下，皆属敢怒而不敢言。一九三八年春季，上海慈联会主办之某难民织袜工厂，于申新九厂购来细纱数大包，作为织袜原料，但后来竟于纱包内发现日本纱厂商标之碎片，于是难民全体大哗，一直闹到慈联会，结果将经手购纱之郑某撤职，方才了事。故由此种尽人皆知之事实，均可证明一部分民族败类之目光如豆，丧心病狂。附笔于此，望国内人士，共起制裁。

（甲）上海市棉纺织工厂调查表（一九三八年十二月）

国别	厂名	简史	资本额	厂址	战后情况
华商	申新纺织有限公司一厂			白利南路周家桥	全部毁于炮火
华商	申新纺织有限公司第二厂		50万两	英租界宜昌路二号	继续开工

续表

华商	申新纺织有限公司第五厂	原名德大	130万两	杨树浦高郎桥	被日寇强占
华商	申新纺织有限公司第六厂	原名厚生	100万元	杨树浦兰路	日寇强占开工
华商	申新纺织有限公司第七厂	原名东方		杨树浦路四六八号	日寇强占作为兵站
华商	申新纺织有限公司第八厂		200万元	白利南路陈家渡	全部被日寇炸毁
华商	申新纺织有限公司第九厂	三新纺织局		英租界澳门路	继续开工
华商	永安纺织有限公司第一厂			杨树浦兰路	日占作马料堆栈
华商	永安纺织有限公司第二厂	（大中华）	1200万元	吴淞蕴藻浜	日占作伤兵医院
华商	永安纺织有限公司第三厂			英租界麦根路一五号	继续开工
华商	新裕第一纱厂	（溥益）		英租界西苏州路三七号	继续开工
华商	新裕第二纱厂			英租界劳勃生路八号	继续开工
华商	鸿章纺织染厂			英租界麦根路五三号	继续开工
华商	恒丰纺织新局		108万两	杨树浦华盛路一一六号	日方强占开工，改名大日本上海纱厂
华商	振华利记纺织股份有限公司		30万两	杨树浦兰路四号	因厂主为汉奸尤××，故已开工推销日货

续表

华商	纬通合记纺织股份有限公司		120万元	杨树浦平凉路	同上
华商	统益纺织有限公司		150万两	英租界莫干山路一〇号	继续开工
华商	大丰庆记纺织股份有限公司		150万两	闸北潭子湾	与日商同兴纱厂“经济合作”开工
华商	恒大新记纱厂			浦东杨思桥	
华商	振泰纺织股份有限公司			曹家渡苏州河北	与日商内外棉纱厂“经济合作”不久开工
华商	同昌协记纱厂		10万两	南市机厂街	
华商	永豫和记纺织股份有限公司		50万两	闸北光复路	
华商	崇信纺织有限公司		150万两	谈家渡一号	与英商合作开工
华商	隆茂纺织有限公司		25万两	杨树浦华德路	
华商	民生纺织有限公司		20万元	华伦路	
华商	经纬明记纺织厂		20万两	虹口岳州路	
华商	协丰益记纱厂		20万元	槟榔路二二三号	
华商	宝兴纺织公司		50万元	宝山县顾家宅	
华商	勤丰织造厂				继续开工
华商	大同纱厂				继续开工
华商	振中染织厂			小沙渡路八四一号	二十七年下季新开

续表

华商	华洋织布厂			小沙渡路药水弄	二十七年秋季开
华商	崇新染织厂			英租界戈登路蒋家弄	二十七年秋季开
华商	安达纱厂			英租界哈同路	苏州迁来，已开工
华商	新生纺织公司	无锡庆丰纱厂迁来		英租界劳勃生路	正在建造厂房
华商	大丰恒织布厂			胶州路	继续开工
英商	怡和纺织公司怡和纱厂			杨树浦路四六号	继续开工
英商	怡和纺织公司杨树浦纱厂		590万两	杨树浦路	继续开工
英商	怡和纺织公司公益纱厂			劳勃生路一五〇号	继续开工
英商	纶昌纺织染厂			浦东陆家嘴	继续开工
英商	信和纱厂			莫干山路	二十七年下季新开
日商	内外棉株式会社第一厂			劳勃生路六二号	继续开工
日商	内外棉株式会社第二厂			劳勃生路六二号	继续开工
日商	内外棉株式会社第三厂			西苏州路一九号	继续开工
日商	内外棉株式会社第四厂			西苏州路一九号	继续开工
日商	内外棉株式会社第五厂		3300万日元	西苏州路一四号	继续开工
日商	内外棉株式会社第六厂			西苏州路一四号	继续开工

续表

日商	内外棉株式会社第七厂			西苏州路一四号	继续开工
日商	内外棉株式会社第八厂			戈登路一四五号	继续开工
日商	内外棉株式会社第九厂			麦根路六〇号	继续开工
日商	上海纺织株式会社第一厂			杨树浦路一一六一号	继续开工
日商	上海纺织株式会社第二厂			杨树浦路一九七〇号	继续开工
日商	上海纺织株式会社第三厂			杨树浦路一九七〇号	继续开工
日商	上海纺织株式会社第四厂		600 万两	兰路一五号	继续开工
日商	上海纺织株式会社第五厂			兰路一九号	继续开工
日商	上海纺织株式会社第六厂			临青路	继续开工（毛织品）
日商	日华纺织株式会社第一厂			浦东陆家嘴	继续开工
日商	日华纺织株式会社第二厂			浦东陆家嘴	继续开工
日商	日华纺织株式会社第三厂			劳勃生路九八号	继续开工
日商	日华纺织株式会社第四厂			劳勃生路九八号	继续开工
日商	日华纺织株式会社第五厂		1100 万元	劳勃生路七二号	继续开工
日商	日华纺织株式会社第六厂	原为华商宝成纱厂，现名喜和工厂		劳勃生路六八号	继续开工

续表

日商	日华纺织株式会社第七厂			劳勃生路八六号	继续开工
日商	日华纺织株式会社第八厂			吴淞蕴藻浜	继续开工
日商	同兴第一纱厂		1500万日元	戈登路一八一号	继续开工
日商	同兴第二纱厂			杨树浦路二〇八六号	继续开工
日商	东华纺织株式会社		240万日元	华德路一六八七号	继续开工
日商	公大第一纱厂		1000万日元	平凉路二八〇号	继续开工
日商	公大第二纱厂	（老公茂）		杨树浦路四号	继续开工
日商	大康纱厂	（大日本分设）	5200万日元	杨树浦腾越路二号	继续开工
日商	裕丰纺织株式会社	（东洋纺分设）	500万日元	杨树浦路二八六六号	继续开工
日商	株式会社丰田纺织厂		1000万日元	极司非尔路二〇〇号	继续开工

（乙）日商强占上海各纱厂调查表

厂名	纱锭数（锤）	线锭数（锤）	布机数（台）	强占者
恒丰	54,916		610	大日本纺织株式会社
申新七厂	59,848	8,400	452	钟渊纺织会社
申新六厂	73,000	5,578	422	上海纺织株式会社
申新五厂	66,928			同前

续表

振泰	24,000		608	丰田纺织株式会社
纬通	33,024			同前
嘉丰（嘉定）	12,000		414	同前
永安二厂（吴淞）	50,000			东洋纺织株式会社
永安四厂	74,000	17,005		同前
永安一厂	38,000	7,400	1,229	日华纺织株式会社
鼎鑫纱厂	28,592			东华纺织株式会社
大丰纱厂	30,000		72	同兴纺织株式会社
大华染厂				同前
振华	13,548			厂主为汉奸尤菊荪
上海	15,200			不详
恒大（浦东）	20,160			不详
苏纶（苏州）	51,368	3,320	1,008	内外棉纺织株式会社
总计	644,584	41,703	4,815	

（丙）上海租界目前华商开工各纱厂调查表

厂名	纱锭数（锤）	线锭数（锤）	布机数（台）	备注
永安三厂	63,180		240	
申新二厂	63,884			
申新九厂	95,616		516	
新裕一厂	28,060			
新裕二厂	24,920		504	
统益	79,700			
鸿章	30,936		440	
勤丰	4,240			
大同				

续表

合记	33,024			
崇信	34,000			
总计	456,560		1,700	

（丁）“八·一三”后上海租界上新开纱厂调查表

厂名	锭数（锤）	现在情况	出品商标	备注
荣丰	15,000	开工	金桥	、
安达	10,000	开工	飞虎	
信和	9,500	将开工		青岛迁来
新生	9,000	未开工		无锡庆丰纱厂迁来
广勤	6,500	同前		无锡迁来
华新	20,000	同前		青岛迁来
德丰	8,300	同前		
振中染织厂	（织机数未详）	开工		
崇新染织厂	（同前）	开工		
总计	78,300			

第二节　棉纺织厂生产管理及职工人数

一　前言

在资本主义社会里每个资本家都是为了利润而生产，因此相互竞争非常厉害。我怕你成本太低，你怕我赚头太大。工人都成了他们竞争的牺牲者，因为成本的低廉，利润的雄厚，是靠榨取工人的血汗才会弄到的。

我们晓得资本家利润的泉源，是剥削工人的剩余劳动得来的。剩余劳动愈多，资本家获利也愈大。怎样使剩余劳动增加呢？最好是工人日以继夜的一秒钟也不停的工作。什么健康、人道，资本家根本不理睬的。工人想在极度的疲劳下松口气休息休息，也是极不容易的，因为管理得太严了。

资本家对工人的管理，自然主要的为了生产的延续和增高，多赚洋钱，同时也是为了维持他的统治，防止这些产业军人的团结反抗，好进行他们对工人的剥削。

所以一个工银劳动者，在现行工场管理制度下，在经济上成为附庸的被剥削的阶级，在政治上成了不自由的被压迫的阶级。

二　两种管理制度

谈到纱厂的生产管理，那更是繁杂苛暴了。这是有两个原因造成的：第一，纱厂的工人，一般说来，是比其他产业部的工人多，这样就造成繁杂的管理制度；第二，纱厂中女工和青工占多数，所以造成更苛暴的管理制度。这是纱厂管理的两个特点。

在过去纱厂，大体上都是采取包工制，就是把整个生产的进行，用招标的方式，包给工头，由工头去招进工人进行生产。很明显，这种制度对工人剩余劳动的剥削，要经过包工头分赃，这是资本家所不愿意的。同时由于资本主义的自由竞争，更一天天走向资本垄断的今天，一方面失业工人增多了，另一方面农村破产涌到都市找工做的农民激增了。这样一来，资本家为了赚洋钱，取消了包工制，不怕麻烦的直接雇用工人进行生产了。

三　各厂管理情形

要弄清各个纱厂管理情形，那是够繁难的，只就上海来说，纱厂有六七十家，这还是比较大的，在这许多厂中，莫说华商与英商管理不同，日商和前两商管理又不同，就是同一老板开的厂，管理也有差别。为了篇幅的限制和简明起见，我们拿华商的申新，英商的怡和，日商的内外棉作代表。因为这三爿厂是最大的，特别是申九有模范厂的称誉，就先说它吧。

申九系由总经理聘任正副厂长各一人，管理全厂事务，下设工务，事务两部，前者管理整个工场实际生产，及机器保全等，由工程师一人负责处理。后者管理银钱收支及各种杂务，由主任一人负责处理。兹列表如下：

- 总经理——厂长
  - 工务部（工程师）
    - 运转科
      - a. 职工——主任　考工　领班　工头　工人
      - b. 职务——监督生产　制订工作法
    - 保全科
      - a. 职工——主任　领班　工头　工人
      - b. 职务——保全机器寿命修理等
    - 调查科
      - 一　试验股
        - a. 职工——股长　领班　工人
        - b. 职务——试验原料及生产品
      - 二　检查股
        - a. 职工——股长　领班　工人
        - b. 职务——检查出入货物
    - 电整科
      - 一　电气股
        - a. 职工——股长　工头　工人
        - b. 职务——管理电气
      - 二　整理股
        - a. 职工——股长　工头　工人
        - b. 职务——修理电灯马达
  - 事务部（主任厂长兼）
    - 会计科
      - a. 职工——主任　科员
      - b. 职务——管理全厂银钱出入
    - 工账科
      - a. 职工——主任　科员
      - b. 职务——管理工人工资
    - 物料科
      - a. 职工——主任　科员
      - b. 职务——采买厂内所需物料
    - 庶务科
      - a. 职工——主任　科员
      - b. 职务——管理职工膳食及杂务
    - 惠工科
      - a. 职工——主任　科员
      - b. 职务——管理工人工房　工人子弟学校及工人俱乐部
    - 栈务科
      - a. 职工——主任　科员
      - b. 职务——保管原料及生产品

上表是说明申九行政管理的系统，我们不能一一加以说明，只就工务部直接管理生产一部分情形叙述叙述。

工务部最高管理是工程师，自工程师下有考工，领班，指导员，工头等，这些管理生产的指挥官不仅有正副之分，而且数目极夥。

工程师是计划管理生产的首脑，直接在资本家手里领得很大的薪资，在资本家雇用下整日绞尽他的脑汁对工人施以利诱压迫，达到极高度的剥削，来效忠他的主人资本家。

在工程师之下的叫做考工师，是工程师的下手，职务和工程师差不了多少，只不过比较繁杂些，他们不但监督工人生产，还要负责各种机车的修理和人事的纠纷的调解。

考工师有正副两个，但都是长日班，到车间时间是极短的，差不多整天都在工务处白相，高兴时才到车间跑跑，临时发生什么问题，由领班或工人去求见解决。然而他们每月的薪俸，将等于整日勤劳的工人一年的工资。

领班在考工师之下，他们是日夜班，他们是直接指挥工人生产的指挥官，好比那军队里的营连长，指挥兵士作战一样。值日班的，在早晨六点半到车间，九点至九点半是休息半个钟头，再到车间至十一点午餐，饭后又到车间至三点可以休息半个钟头，再去监管工人，直到下午六时交班。值夜班的接班后，工作时间也和日班一样，除上午九时下午三时休息半小时外，其余时间都在督促工人生产，不过事实上值夜班的是要马虎一点。

在领班下面，还有所谓小领班（这是申九特有的），而且这种职务的人还相当多，每个领班之下有两三个，他们都是厂里练习生升上去的。职务是在领班指导下专门管理工人生产，因为他们在三年练习生时代，资本家对他们监管工人的技术培养得很够的，所以这批先生们是不会辜负资本家的委托来压制工人的。然而，由于资本家对他们也是极尽剥削的能事，工资和工作也和工人差不了许多，头脑比较清楚一点的，多同情工人反对资本家。

小领班下面还有指导员，都是女的（旁的厂叫堂倌或拿摩温），她们是不做生活的，只是负责招添工人和管理工人做生活，她们大半是漂亮一点的女工抽出来的。

在指导员之下，工人之上，细纱间还有所谓摇车头，落纱头之分，在织布间还有帮接头等等，都是多多少少可以管理工人的，不过她们本身也一样做生活，工钱比较大一点罢了。

其次说到英商怡和纱厂管理，大体上也和中国厂差不多，只是名称两样，和管理没有中国厂那样繁杂罢了。

怡和的管理在总的方面也分工务、事务两部，在事务部方面，虽说没有如申九一样有惠工科这一科，然而却不像申九那样有名无实的虚设，有些地方对工人比申九好得多，这点留在后面再谈。

在直接管理工人生产的工务部方面，最高的是大班，等于中国厂的工程师，负有全厂生产营业之责，其次是二班，等于中国厂的考工，管理生产进行，工资支付，机器保管等职，再其次就叫车间总管，等于中国厂的领班，不过职权比中国厂领班高些，可管二三个车间。这三种职员，都是外国人，一般工人都喊他们叫“老毛”。大班很少到车间，只有二班和车间总管在车间时间比较多些，每天除上午七点至九点，中午十二点至二点和下午四点至五点五个钟头外，有七个钟头在车间里，不过事实上不会有七个钟头，他们可以自由离开车间，特别是夜班，他们简直大揩其油了。

在车间总管之下，雇用来管理工人生产的，通通是中国人了。比如细纱间，顶高的中国职员是大头脑，是直接管理工人生产的监工头，虽说他们也像工人一样六进六出（上午六点进厂，晚上六点放工），可是事实上，每天有三个钟头的休息，即上午七点至八点，中午十二点至一点和下午四点至五点。就是在车间内，也不做什么事，只不过外国人来时，陪他们在车间里巡行跑跑。在大头脑之下，就是先生了，他们自然也监管工人生产，不过主要的是结算工人工资呈报账房和给工人手折签字等事，他们没有一定时间休息，但是休息时间却很多。

先生之下就是总招工，大多数是女的，这等于中国厂里的总管拿摩温。只有细纱间，粗纱间和织布间才有，她们的职务重在招收工人，同时也有停工人的权，只不过须要通知外国人罢了。然而外国人那里有法辨别工人呢，所以女招工往往为一般工人生活的操纵者，她们又是不做生活的。

在女招工下面的就是拿摩温（女的多喊叫堂倌），每车间都有，有的车间如细纱间每排都有，她们又不做生活，专负监督工人生产之责，常常打骂工人，拍上级职员马屁。

摇车头在拿摩温之下，只细纱间有，专门管落纱的。在摇车头下面的叫帮接头，她帮助工人做生活，也可以替代拿摩温的职务，所以一般人叫她叫做野鸡拿摩温。再下就是落纱人了，只有粗纱间和细纱间才有，就是每个筒管的纱满后把它取下来，在落纱之下的就是接头工人了。

至于日本厂里，那又同上面两样了，它有大班，二班，三班之分，大班也和华商英商厂一样，负全厂生产营业之责，二班则负事务之责，管理车间生产的是三班，相当于中国厂的领班，不过比中国厂领班权大些。同时不像中国厂领班一样整天在车间，他们却适得其反，可说整天在写字间里，只是每天上午九点和下午二点半时到车间跑跑，所以有人说，东洋厂生活比中国厂好做些，然而，我们千万不可忽略的，他所以采取这样的管理，正是他毒辣手段的焦点。

在三班之下有“小东洋”，相当于中国厂的副领班，但是他的职权可以超越其他车间，到车间时间也是有一定的。

在“小东洋”之下，所有的职工都是中国人了。最高的是监查员，好比中国厂的总管拿摩温，不仅是管理考验工人做的生活，还有偿罚工人的权柄。

在监查员下面的是堂倌，和中国厂堂倌一样，只是管理生产不做生活的，招添工人也是她们的责任。同堂倌地位并齐的是指导员，这是东洋厂的特点，虽说中国厂如申九也有，但职务是两样的，东洋厂的指导员是专门教生手的。

在堂倌下面就是摇纱头，帮接头，落纱人等，这和中国厂、英国厂都是一样的。

四　各厂特点

上面已经谈过，工场的生产管理，目的不外两个，在经济上是保障他对工人剩余劳动的剥削，在政治上保障他对产业工人的统治。然而因为资本家因资本高低的不同，和政治背景的差异，反映在管理上也有显著的区分。

首先拿中国厂来说，由于中国是一个半殖民地的国家，帝国主义在中国不但在商品推销上，就是在商品生产上都占绝对垄断的地位。中国资本家虽有雄厚的资本，亦难与帝国主义相抗衡，所以在这些厂内的管理是比较严格些，封建些，以加重工人剥削的方法，来维持他们生产的延续。

在申九是有惠工科的设立，它是专门为工人办福利事业的，所以申九惠工科下面设有工人子弟学校，工人俱乐部和工房等，这当然是好的，但可惜还不够尽善，还没有能真正名符其实。比如：工人子弟在学校念书，还要和外面学校一样的出钱。俱乐部，不过只一些破旧的乐具，在事实上，工人却没有去开心过，因为厂方要工人做那超过体力所能支持的劳动，那里来的精神去拉那破旧的胡琴呢？说到工房，管理很坏，还带有想把工人关起来免使工人去活动的作用。这些，是申九当局应加以改善的，使惠工科真正能做到它有惠于工人的作用。

申九老板比较顽固些，不及永安、鸿章、新裕等老板开明；这也表现在管理上，由申九跳别的厂找生活，是十靠九稳的，因为别的厂家都说“他是在申九苦生活中锻炼过的，一定做得上我们的生活”，反之，就不成了。有一个女工原来在福新烟厂做，跳到申九做了一天，就吃不消，回家去躺在床上卅六个钟头爬不起来，生活的沉重，不难想象了。所以在申九厂门口，挂了一块永久招工的招牌，因为它每个车间工人总是永招不足的，除了实在不能维持生活的可怜工友而外，是没有人愿意去的。

其次在英商厂里，就比较中国申九厂管理得马虎些了。对工人生活不像申九厂那样紧，罚工钱的事也比较少。在“八·一三”后对工人的抗日活动采取默许态度，甚至赞助；但比起永安这些厂，又相差很远。

至于说到东洋厂里管理的特点，我们干脆的说是建筑在麻醉中国工人的民族意识和分散工人团结的两个目标上来管理的。它利用同英商甚至比英商还强的经济政治力量，得到比中国资本家更多的利润，实行惨无人道的榨取，偶然在生活上给工人少许的便宜，博得一部分工人（当然是落后的）说“东洋厂生活写意些，中国老板顶坏”，这样以便进行他民族麻醉的宣传利诱，特别是“八·一三”后 × 方这种毒辣阴谋用得最巧妙厉害，这是值得我们警惕的。

在上海的产业工人当中，棉纺织工人的数目是相当可观的，“八·一三”前中外纱厂职工，将近二十万。现在虽然受了 × 方侵略的影响，但总数仍在十万以上，分布在华商、英商，以及 × 方的纱厂里，兹将约略调查的结果写在下面：

华商纱厂的工人	共 17,000 余人
申新二厂	2,100 人
统益纱厂	2,400 人
申新九厂	5,200 人
永安三厂	2,800 人
新裕一厂	1,400 人
鸿章纱厂	1,500 人
新裕二厂	1,600 人
大丰纱厂	1,500 人

英商纱厂的工人	共 17,000 人
怡和纱厂	10,000 人
纶昌纱厂	3,000 人
公益纱厂	3,000 人
大同纱厂	1,000 人

日商纱厂的工人	共68,500余人
内外棉一厂——九厂	14,000人
裕丰纱厂	5,000人
公大纱厂一厂——三厂	10,000人
东洋纱厂	2,000人
丰田纱厂	8,000人
日华纱厂	3,000人
上海纱厂一厂——六厂	12,000人
喜和纱厂	3,500人
大康纱厂	8,000人
同兴纱厂	3,000人

以上的调查，系根据各厂工友口头估计，并不十分精确，如丰田大康，或者没有这许多人，不过日商纱厂，除原有以上各厂以及侵占的大丰恒丰沪东的永安申新等厂一并计算在内，最低限度七万人是有的。所以现在上海十万余的棉纺织工人，大部分是挣扎在日寇的剥削之下，当此全民抗战的现在，这支庞大数目的产业军，是应该值得社会人士注意的了。现在再举数厂，工人在各部门分布数目，以供参考。

华商申新九厂

科别	人数
清棉科	67人
腾纱科	371人

续表

电气科	33 人
梳棉科	122 人
摇纱科	870 人
整理科	81 人
并条科	158 人
并捻科	238 人
调查科	119 人
粗纱科	413 人
成包科	90 人
庶务科	73 人
细纱科	1,545 人
保全科	216 人
准备科	212 人
整理科	58 人
织布科	410 人
保全科	85 人

华商申新二厂

厂址	间别	男工人数	女工人数
（南厂）	清棉间	60	
	梳棉车	8	20
	粗纱间	20	74
	细纱间	36	224
	摇纱间	34	308
（北厂）	梳棉车	16	40
	粗纱间	30	144
	细纱间	40	402
	摇纱间	14	338

续表

	洋并线间	4	34
其他	打包间	50	
	保全部	65	
	整理部	123	
	皮棍部	15	

华商永安三厂

科别	男工人数	女工人数
清棉科	82	2
电气科	14	
物料科	2	
粗纱科	88	406
打包科	72	
细纱科	80	724
修机科	32	
摇纱科	68	770
准织科	5	
准备科	26	100
杂工科	59	
织布科	22	130
拣花科	5	33
试验科		11
保全科	96	

至于英商日商纱厂，其车间人数的分配以及男女人数的分配大致是相似的。总之，在纱厂里粗纱、细纱、摇纱、及布机车间，为广大工人集中的地方，是棉纺织

的重要部门。

第三节　棉纺织工人与职员的工作时间

一　工人的工作时间

在英美法等国家里，实行着“八小时工作制”，一天二十四小时，工人是分三班来做工的。但是在上海，纺织工人却是一天两班，整整地工作十二小时。

纺织工人工作时间的不同，可分做下列三种：

（一）**日夜工**——百分之九十九的女工和百分之五十以上的男工，都是日夜工，他们最迟在头次“回声”——即早上五点钟就要起床，赶快吃一点泡饭，就提着饭盒子去上工了。有些工人，他们的家住得离工厂远一点，甚至四点钟就要起床；尤其是女工，她们有时三点钟就起来烧饭。顶迟五点三刻就要进厂，六点钟一敲，就赶快要接着“交班”的人做生活了。

在上海，大部分的纱厂里，日夜工都是一个礼拜调班一次，就是一个礼拜日工（从礼拜一到礼拜六，共计六个日工），一个礼拜夜工（星期日晚间上工，到下星期日早上放工，共计七个夜工）。英商怡和纱厂，是两个礼拜调班一次，还有杨树浦日商大康纱厂却是没有一定的规矩，常常日夜工翻来翻去。

在厂方生意不好或者是天气太热的时候，常常是六个日工，六个夜工（即是夜工从星期一晚间上起），工人做日工时礼拜六晚上放工，一直要到下礼拜一晚上才上夜工，中间可以休息四十八小时。纱厂工人叫它做“大礼拜”。

抗战爆发，国军西退以后，棉纱的生意特别好，纱价打破以前几十年来记录，所以每一家纱厂都开“礼拜工”，就是做夜工的人，在最后一个夜工（星期六晚六时到星期日早六时）比平日还要再多做几个钟头，同时星期日晚间六点上夜工的工人也要提早几个钟头来上工。做这种“礼拜工”，厂方照各人的工钱，比例的算出，每个钟头给二分多钱到六七分钱的工资。另外在吃早饭（星期日早）和吃晚饭（星期日晚）的时候，每个工人给三只大饼，或是三分钱。有许多不讲理的厂，给工资就不给大饼，给大饼就不给工钱，如申九、新裕。

因为“礼拜工”是按照钟点给工钱，所以一般工人又叫它做“做钟头子”，但这样“钟头子”工作，对工人的身体康健，非常有害，工人往往把身体累成终身不可除愈的“劳病”，耗费许多医药费，结果仍不免缩短自己的寿命。所以可以说任何代价都不能赔偿工人在这方面的损失。

大部分的纱厂“礼拜工”都是要做到早上九十点钟，下午两三点就要上夜工。工人接连做十五小时以上。

沪西华商新裕纱厂，用的方法更加巧妙：厂方规定礼拜日早晨十点钟放工，下午两点半钟上夜工，同时又规定：粗纱间细纱间女工，上工最早的一组另加赏钱。拿摩温一元，摇车头一角，换纱头换纱人三角，接头人二角。这样一来，各组女工互相竞争，最早的上午九点多就进厂，放工的出去，她们接着就做，这样一直做到第二天早晨六点钟出厂，为了几角钱，整整的做二十个钟头，而结果，除去最早开车的一组几个人以外，大多数的人都得不着赏钱。

在这样的情形之下，新裕纱厂里，就是礼拜日，车子也不停了。

做日工，除去吃饭的时候休息一刻钟到半个钟头以外，很少有“揩油”的机会（可是这也不一定，在生意好，工作忙的时候，女工规定的吃饭时间都要取消的，有一部分胆小的女工，简直就连饭都不敢吃）。做夜工的时候，在英商怡和纱厂，华商永安纱厂等等的地方，工人可以换班的揩油睡觉，但至多也不过个把钟头。在压迫得最厉害的像华商申新第九纱厂，日商上海纺织株式会社等地方，职员先生换班的在车间里监视，一夜工夫莫说是睡觉，眼睛闭一闭就要罚洋五角！

做日工，比较好一点；做夜工，才真辛苦呢；因为纱厂工人大都是几十个人一间地挤住在那上海有名的贫民窟，叫“石灰窑”的草棚里，那里人非常繁杂，一天到晚，非常吵闹，做夜工的人，白天里睡觉，很不容易安静的熟睡，所以整夜做起来，特别觉得辛苦！

（二）**长日工**——纱厂里各部分有些机匠，揩车，扫地和打包间，铜匠间，木匠间的男工，以及很少数打印子的女工，是长日工，就是只做日工，不做夜工的。

做长日工的人，大多是修理、装置、清洁等与整个生产过程没有直接关系的，像保全部等所属工人就是这样。另一部分像打包间等是因为生活不多，只要日工做做就够了。但是也有许多地方，像庞大的申新第九纱厂，打包间就是日夜工。

长日工的工作时间比较少一点，早上六点钟上工，像永安三厂到下午五点就放工，其余有的五点一刻，有的五点半，只有日商纱厂，长日工也同样要做到六点，讹一分钟都不行。

长日工有时也做“礼拜工”，那总是在生活忙，或是有特别的事情，比如厂里要洗地板，擦机器等的时候，长日工做“礼拜工”，从早上七点做到下午三点半放工，给一天的工钱。

长日工有时加做夜工，就是在下午六点放工以后，再加上四五个钟头，到夜里九十点钟放工，工钱照钟点比例算给。

做长日工的人，都很怕加夜工，因为长日工的生活大多很重，做了十二个钟头以后，骨头都要散了，再加上夜工，实在有点吃勿消，而却又只能多得几分钱，至多也不过一两角。

（三）**长夜工**——做长夜工的厂很少，只有英商怡和纱厂和沪西几家小织布厂，有很少的人是做这种长夜工。

“长夜工”的产生，完全是由于厂内封建势力的存在。这就是有许多工头，他们为了要使他们的“自家人”生活写意，就把几个“自家人”日夜工的生活，改成长日工和长夜工，叫“自家人”做长日工，而把长夜工给别人做。这种“长夜工”因为太不合理，同时又对于厂方毫无好处，所以经过了工人反对，许多地方都取消了，现在有长夜工的地方已经极少！

吃饭，是纺织工人十二小时工作中唯一可以坐下来休息一下的时候。普通，吃饭都是半小时。有的厂是十点到十点半，有的是十点半到十一点，有的甚至迟到十二点半到一点钟才吃饭。压迫得最凶的华商申新第二、第九纱厂，女工吃饭只准十分钟，过一分钟就要罚工钱。

纱厂里，吃饭时机器从来是不停的。工人分两批去吃饭，头一批去吃饭的时候，另一批人做生活；等头一批吃完了回来接做生活，第二批的人才去吃饭。上海沦陷以后，杨树浦有几家日商纱厂，完全把工人当做亡国奴看待，吃饭的时候，也不给工人停，强迫工人在车间里一面做生活，一面吃饭。中国工人，简直连牛马都不如！

在“五卅”反帝斗争以后，上海纺织工人每天有两次休息，就是上午九点起休息一刻钟，下午三点起休息一刻钟（夜工也是一样，即上半夜九点一次，下半夜三点一次）。这每天半小时的休息，完全是中国工人弟兄姊妹们用自己的血肉斗争所换来的，但是到了“一·二八”战争失败以后，日商纱厂首先就废除了这每天两次的休息。接着，许多华商纱厂为了进一步的来剥削同胞的工人，以补偿帝国主义所给予他的损失，也就跟着日本人学，把这个休息废除了。目前，只有开明一点的华商鸿章纱厂，还保存着这个规矩。但是，这个特殊的恩惠，却也只有一部分男工可以享受，大多数的女工姊妹，是没有的。另外，去年夏天，当天气奇热的时候，华商永安三厂规定每天关马达半小时，让工人跑出去透透气，并且还预备药茶和盐开水给工人吃，同别厂比较起来，这真是待遇工人最好的厂了。

东洋厂里，东洋领班每天上午九点到十点，下午三点到四点是休息的时间，在这两个钟头里，东洋人到“吃茶间”休息去了，中国工人，都趁这唯一的机会，到坑房间去休息一下“揩油”。但是，这也是危险的事，假使被“值日”的（即是不休息的）那个东洋人看见了，轻则吃几句排头，重则两个耳光，一只火腿！

“八·一三”抗战以前，英商纱厂是比较自由些的地方。有许多“门槛精”的男工日工夜工都有乘隙休息的机会。可是“八·一三”以后，英商纱厂都改用中国工程师，这机会比以前少得多了！

压迫得最凶的申新纺织第九厂里，“揩油”两个字，是“谈也勿要谈”，被领班捉住了，不停生意也要罚洋五角！同时因为申九的工钱太小，所以有许多做活工钱（就是照所做纱的多少计算工钱）的女工，往往在上工前一小时就进厂来做工，为的是多做几分钱，多吃一碗饭！

无论是那一家纱厂，在生意好的时候，就叫工人做“礼拜工”，“做钟头子”，“加夜工”。但是在生意不好，棉纱的销路停滞或者花衣的来源不便的时候，却不管工人死活的开“三日班”，“五日班”，就是每个星期只做三天或五天。这样一来，工钱更加少了，本来就是在痛苦的条件下生活着的纱工，便只得再退一步，半饥半饱的在死亡线上挣扎了！因为，百分之九十以上的纱厂工人，都是“做一天，吃一天”的啊！

厂方生意不好的时候，就指定工人“压班”（又叫“派停工”或“压停工”），就是临时由厂方指定某某几个工人或某部分停工一天。在生活最苦的像华商申新第九厂里，就是在生意好的时候，工人也要“压班”，这是因为厂方自己也知道生活太苦，在许多生活最重的部分，工人吃不消，常常要停工，所以厂方就额外的每一部分多雇几个或几十个工人。因此在每天却有大批工人吃不消而自动停工一天或两天之后，工作还是不致于停顿。当然停工也停工资，或者停肚皮呢。如果那一天自己停工的少，厂里工人多出来了，于是厂方领班先生就叫某几个工人“压班”。这种巧妙的手段，对于厂方有很大的好处，因此，对于工人也就很不利。就是在一九三八年下季，上海棉纱生意空前的兴旺，纱价打破过去最高记录的时候，申新九厂有几个部分，每个星期每个工人平均都要“压班”一次。这不是因为工作少，而是因为工作过重，厂方为着加紧剥削起见，就自动的把平常的“额外”数目加多了，不管工人要不要停工，厂方加以停工即“压班”，保持着劳动强度的水准。此外“压班”有时发生在工作少的时候，即工头为着把“自己人”带到厂里做工，就把原有工人实行“压班”。

工人生病，做不动或是自己家里有事，可以向厂里请假一天或几天，这就叫做“停工”。待遇工人好一点的像永安三厂，新裕纱厂等地方，工人停工几天还没有关系，在日商纱厂里可就不同啦，工人常常因为停工而被开除，罚工钱，最少也得吃排头。今年夏天，杨树浦日商同兴纱厂里，曾经有一次，一个木匠因为生病停工，被东洋人捉去，用砖头把脑壳敲碎，脑浆都打了出来，因而后来变成了疯子。这些事情发生在日寇的企业里，是不足为奇的事，最不合理的就是华商申新纱厂，工人停工两天，到关饷（即发工钱）的时候，厂方就把工钱扣下来不发了。华商新裕纱厂，在生意不好的时候叫工人“压班”，而在生意好的时候，工人停工一天就罚洋五角。中国资本家用这种不公平的手段来压迫自己的同胞，实在不应当。

停工最多不能过两个星期，否则就有“停生意”的危险。但是，这也不是一定的，在厂里生意好，熟手工人少，天热工人难招的时候，工人就是不去告假，随随便便的停工几个月，厂里也还是要的。

“打钟头子”，也是纱厂里工人请假的规矩，就是工人在厂里做工的时候，忽然生病、受伤，或临时有要紧的事，可以向领班请假出厂，这叫做“打钟头子”。这个请假的时间，没有一定，只要领班答应，请假几个钟头以后，仍旧可以回去做生活，工钱是照请假的时间的比例扣除的。中国厂里，有时请假一两个钟头，并不扣钱，如新裕即是。

总而言之，上海棉纺织工人的工作时间，完全是以帝国主义者及中国民族资本家们的利益来决定的，最多的时候（一九三八年下季）一个星期一六八小时之内，长日工要做到九十九个钟头（占全部时间百分之五十九），日夜工要做到九十六个钟头（占全部时间百分之五十七），最少的时候，一个星期只有三十六小时的工作可做（三日班），平均算起来，一天十二小时的工作，是不折不扣的。

加上了上工、放工来回走路的时间，再加上吃饭、洗衣服等等琐碎的事，我们可以说：上海纺织工人的全部时间，都是在为资本家们劳动，和准备劳动。就是连六七小时的睡眠，也是为的要恢复自己的精力，好继续地去为人家制造利润啊！

在半殖民地的上海，帝国主义的铁蹄下，中国的纺织工人，新兴的无产大众们，整天二十四小时，在鞭鞑，侮辱，饥饿，屠杀的剥削网下面忙忙碌碌，结果不过是“造成了别人家千万的财富，饱不了自己的儿女爹娘”！

二　纱厂职员的工作时间

职员和工人，同样都是资本家的雇佣，不过职员的工钱比较大，工作比较惬意就是了。

在纺织业中，除去极少数的高级职员以外，大多数的中下级职员，也都是在恶劣的条件下工作着的。我们只要拿最大的华商申新第九纱厂来做例子，就可以知道上海纺织业中一般的情形了。

申新第九纱厂的职员和工人一样，六点钟上工，六点钟放工，不过在这十二小时当中，有一小时的休息（上午下午各半小时），一小时的吃饭，实际上每天工作十小时。

运转部的职员，比较是最辛苦的，因为他们做的是日夜工。他们和工人一样，星期日晚上要提早一个钟头上夜工，而到最后一个夜工又要延长两三个钟头放工，不同的就是在这两个夜里，职员可以在饭后睡眠二——三小时。

假使是做日工，那么星期日晚上要上夜工，星期日白天里就非要休息休息。若是做夜工，那么星期日又要到早晨九点才放工，白天里也没有精神出去游玩，所以，运转部的职员，平常娱乐，交际的时间是非常少的。

运转部保全科的职员是长日工，工作比较稍轻一点，但是每个星期日要做礼拜工（早七时到下午四时，除去吃饭休息，实际工作七小时），也不能出去白相，不过他们在每星期内的任何一天，可以休息半天就是了。

事务部的职员工作是最轻的，他们都是长日工，星期日又不做礼拜工，平常工作时间是上午七时到下午五时，吃饭二小时，而且是终日安坐，写写字，敲敲算盘就完了，不过每逢到了节底年终结账的时候，他们却特别的忙，有时要工作到十四小时。

以上都是申新九厂的情形，在上海其他的华商纱厂，英商纱厂和日方纱厂中，职员的工作时间，大致都差不多。

纱厂职员们在长时间工作的啮食之下，大多是身体孱弱，精神萎靡，一点也没有时间去从事学习，研究。所以，不但是为了要改善职员的生活，主要的还是为了要使得中国的棉纺织工业能够在不断研究中有以改进，我们都认为缩短职员们的工作时间，改善职员的生活条件，是刻不容缓的。不过这须要职员工人合作，共同争取。

第四节　棉纺织工人的劳动强度

一天十二小时的劳动当中，大部分的纺织工人，都是忙得手脚不停的。每天到最后的两三小时，完全是在极端疲乏之下的强制劳动，轧伤轧死等等悲惨的事，也就在这个时候层出不穷。十二小时的工作，本来就超出了“人”的劳动力以外，更何况上海纱厂里的工人大部分是青工，女工和童工呢？“为了两顿吃不饱的饭”，上海二十万棉纺织工人们，不得不在这非“人”的待遇下挣扎！

纺织工人的劳动强度，随着他们工作和工钱计算法的不同，因而也有轻重的分别，我们分别的记在下面：

一　因工作不同而分别

（一）**拿摩温**　拿摩温是“NO.1”的译音，也就是工头，也有叫“堂倌”的。纱厂里每一个车间都有一个拿摩温，在重要车间如细纱间，布机间里，每一组就有一个拿摩温，再有一个总拿摩温。拿摩温是一天到晚不做生活的，他只要把工人的工作分配好了，然后就背起两只手在车间里走来走去，看看这个工人，看看那个工人，有的地方生活来不及做，他高兴就相帮做做，不高兴还要骂工人懒惰。拿摩温虽然也算是工人，但是他本身并不参加生产的工作（日商纱厂例外），不过是资本家管理工人的爪牙，所以他们的工作当然是很惬意的。至于修机工人的拿摩温，那总是有熟练技术的，他们看看工人修理机件，非到机器有特殊的毛病，普通工人修不好时，他才亲自动手。

（二）**书记**　说起来书记好像是小的职员，在厂里工人也叫他“先生”，但是事实上书记和工人是差不多的，纱厂各车间里的磅纱的，抄号头的，打印子的男女工人，都可以叫做书记，他们的工钱和普通的工人差不多，但是工作却比较惬意一点。有的时候坐在椅子上写写“日报表”等类的东西，有的时候到车间去跑跑，抄抄号头。在体力的劳动上，他们是比较轻一点，但是一天到晚老写各样的数目字，脑子是要用得很多的。

做书记的每天实际的工作不过八九小时，剩下的时间可以揩揩油，有的女书记还可以把自己的枕头、衣服、绒线衫带进厂里去做。有许多地方还可以偷着看看书，报纸。

（三）**技术工人**　纱厂的铜匠、木匠、机匠、电气匠等工作比较普通的工人要轻一点，但是却也是一天到晚忙得不歇。比方：做梭子的木匠，就是坐着做工作的，可是做新梭子，一天起码要做三十只，修坏梭子那更没一定，一天修五六百只都是有的。又如布机间的机匠，就拿日商内外棉纱厂来说吧，自动织布车每个机匠要管七十——八十部（自换杼子）或是一六八部（自换梭子）。这许多车子，完全由他一个人管，出了毛病就找他，所以往往这部车还没修好，那部车又坏了，忙得要死。但是也有的时候，一天当中只坏十几部车那就比较安闲一点了。但是，在细纱间翻车（例如纺纱机本来是纺二十支细纱，现在忽然要改成纺四十支细纱的时候，就要把细纱车的机器重新调换一下）或是布机间翻车（例如织布机本来是在织斜纹布，现在忽然要改织哔叽，也得调换机件）的时候，机匠可要忙死了，不但一天十二小时没有休息，并且还要把几十斤或几百斤的机器，扛来扛去，甚至于累得受伤吐血。

（四）纺织女工　精纺部（就是细纱间，是纱厂里最大，工人最多，生产上最重要的部分）的纺纱女工，因为工作的不同，又分做接头人，落纱人，落纱头，摇车头几种。摇车头每组只有一个，工作很轻，工钱反而比较大（平均大约七角多），其次落纱人，每组有好几个（内中有一个是落纱头），工作较重，工钱也较小（大约五角半），工作最苦工钱也最小的是接头人（大约四角到五角）。从这样的事实当中，我们可以得到一个结论，就是“工钱越小，工作越苦”。这个不合理的规律，正和整个资本主义社会不合理的规律是一样的。

接头的女工，在精纺的过程中是最主要的工作者，她们专门把切断了的纱头捻接起来，使得精纱的工作能够继续。她们每个人所接纱头的数目没有一定，是按照各人的工作能力来决定的，最多的一个人做到五十木管（四百根头），最少的也有十几木管，普通平均大约是一个人做三十五木管，一天到晚就管理那二百八十根纱头，这里断了这里接，那里断了那里接，忙得一下也不得休息。接头的女工，在车间里地位顶低，大家都可以欺侮她，在压迫得特别厉害的厂里，接头人连吃饭的时间都不准休息，站在机器旁边，噎一口冷饭，接几根头，再吃两口饭，赶忙再去接。——吃饭的时候都是这样，不吃饭的时候工作的忙碌更是可想而知了。

落纱人的工作，比较轻一点，但是落好了纱之后，还要揩车（用一个毛刷子把纺纱车上的花衣揩去），在华商申新纺织第九厂里，落纱的女工，就是揩好了车也不能休息，工人若是在车头上休息一下，职员或工头看见了，马上要吃排头，如果车子揩得不清爽，他就说工人是在“揩油”，马上可以罚洋五角。如果车子实在已揩得很清爽，没有话说，他就叫工人扫地，厂方总归是想尽了法子，叫工人一息也不能歇！

（五）**织布女工**　布机间的织布机，可分为两种：一种是旧式的，一种是新式的自动车。旧式的车子，一个女工要管理四——八部，新式自动车，每个女工要管理到二十部。剥削得最凶的像日商同兴纱厂，布机间女工每人最多竟然管理三十部自动车。自动车上面，织布的经纱或是纬纱只要断了一根，车子马上就会关起来。女工看见车子关了，马上就要去接好断头，再重新开车。天气好一点，纱不容易断，织布女工的工作还比较好做一点，如果遇到干燥的天气，纱脆了容易断，工人简直就来不及！这部车还没弄好，那部车又关了。女工连走路都来不及，都是在车间里跑来跑去的。

抗战发生，上海沦陷以后，日商纱厂更残酷的向失去了祖国护卫的工人进攻，布机间东洋领班新添了“抄关车”的方法，东洋人拿了一个本子跑来跑去。看见有什么地方有一部车子关了，马上就把号码抄下，罚洋三分。这样“抄关车”，每天要抄十几次，工人一看见“抄关车”的东洋人来了，都急得乱跑，赶快去开车，就为了少罚三分钱！

在杨树浦日商纱厂里，“八·一三”以前三个工人的工作，现在是叫两个工人做。平均劳动的强度，增加了二分之一，可是，在强制的压榨底下，出品反比较战前为多，我们只要看看下面的表，就可以知道在敌寇的纺织工厂里，那些同胞的姊妹们，目前是在怎样高度的压榨下挣扎了！

时间 布料	“一·二八”以前（每人当车8部）	“一·二八”以后至战前每日每部车平均出布（每人当车16—20部）	“八·一三”后每日每部车平均出布（每人当车20—30部）
平布	48码	45码	50码
斜纹	46码	40码	52码
竹布	36码	35码	40码

（六）**小工**　纺织工厂的各部分，都有许多小工，那就是不要会什么技术，专门靠出卖气力吃饭的工人。因此做小工的人，工作比前几种人都要苦。杨树浦有一家日商纱厂，坑房间的墙上曾经发现过两句话：“战前本是荣华客，现做小工苦伤心！”

纱厂里面，推纱，扫地，揩车，倒筒管，拆花衣包等等工作，和布厂里面揩车，加油，扫地，落布，堆布车，倒筒管等等的工作，都是青年男工或男童工去做，这都是叫做小工。小工的工作，是繁重的，忙得连大小便的时间都没有，同时小工的地位又很低，大家可以欺侮他，所以休息的时间也就更少，厂里职员等对待小工也特别苛刻。

推纱的小工，整天的要把粗纱，细纱一袋一袋的用车子往各处推。休息一息，纱马上就堆了起来，领班看见，起码吃排头。扫地的小工，每天要扫二三十方丈(大约要放五百部机器）的地板，揩车的每天要揩一五〇部左右的织布车，还要扫车下的花衣。布机加油的小工，平均每人每日要加二百五十部车（每部车上下一共七十九个油眼，自动车一百二十多个油眼），有许多油眼在机器里边，加起油来，一不小心就要把手臂轧断，又有许多油眼在机器底下，加油的人要睡在地上或爬在地上，油才加得进。加油的小工，一天到晚在车间里忽起忽卧，忽爬忽跑，整整的十二小时，到下午四五点钟的时候，他们说："腰都痛得要断了。"倒筒管的小工，在日商纱厂里，一个人要管五百部车左右，每部车一天最少倒三次，平均每天一千五百次，要把十几斤重的铁的筒管箱举起来，倒出了筒管，再弯下腰去检出好筒子和坏筒子。常常检得两眼发黑，直不起腰来。纱车，布车，筒管车，每次都要推四五百磅，气力小的人连推都推不动。但是小工们都一天到晚要在车间里到处推着跑。

提起了纱厂里面做小工，纺织工人们，没有不摇头叹气！

（七）**童工**　童工的工作，在比例上讲也不算轻（但是却只有两角多钱一天），大都是细纱间里摆粗纱，布机间里差纱，或是拣花衣，拣坏纱，穿经纱头等等，也是一天十二小时到处奔跑，不得休息，同时因为年纪小及经验少的缘故，所以最容易挨打，打了以后还不敢哭。

我们看华商申新第九厂，一九三八年七月份“工人年龄统计表”上面，十岁以下的童工占百分之零点五，我们不知道这些可怜的孩子们，在痛苦的磨折中，怎么还能生存！

二　因工钱计算法种数不同的劳动强度

（一）**活工钱**　（即按件计资制，有人称之为“件工”）就是依所做的纱或布的多少来计算工钱，纺织工人又把这种做法叫做“做自家生活”。因为越做得多工钱越大，所以做“活工钱”的工人都是一进厂就拼命的做。有些特别穷苦的工人，为了要多做几分钱，往往五点钟就去上工，一直做到放工还舍不得走，这样劳动的强度是特别的大了。纱厂里的粗纱间，钢丝车，筒子间，摇纱间女工和打包间男工，是“活工钱”。线厂里的并线间，布厂的布机间，杼子间女工，也是“活工钱”。这种工资制度本身就督促着工人拼命的做下去，所以资本家的剥削程度是最高的。

（二）**死工钱** 又叫“呆工钱”（即按日计资制，或称之为“日工”）就是每天的工资是一定的，做一天，算一天。工人又把它叫做“做厂家生活”。因此，“死工钱的工人，总是马马虎虎把自己应做的生活做完了，就想法子休息休息，或者是站在车子旁边，慢慢的做，只要挨过十二个小时，就可以得到一天的工钱了。在这一点上，“死工钱”的工人比起“活工钱”的工人劳动的强度要小一点——但这只是相对的而不是绝对的，而且主要的是因为某种工作性质所限制，而资方不得已采用的。

纺织厂里清花间，弹花间，细纱间，经纱间，布房间等女工，以及各部分男工，拿摩温，技术工人，小工，童工都是“死工钱”。

三　职业病及其他

因为各厂资本家态度的不同，所以工人的劳动强度也就有很大的区别。在上海纺织业中，眼光远大点的像华商永安纱厂，英商怡和纱厂，纶昌纱厂等，工人工作的强度比较轻，工作的分配也比较合理。但是在日寇的纱厂里以及目光如豆的华商申新纱厂里都是根本就不顾工人的死活，拼命的把重生活往工人身上加，我们看下面的事实，就可以知道：怡和纱厂清花间当车男工，是每三人当两部车。申新第九纱厂清花间当车男工是每二人当三部车，还要兼扫地。

随着资本主义经济危机的增长，上海纺织工人们的劳动强度也一天天增强起来。今年夏天，我所见一个东洋厂织布的老女工在叹息：“‘五卅’以前多好呵，一个人当两部车，我们拿一张凳子坐在车子旁边，疲倦时可以打瞌睡，都把自己的衣服带进厂里去做。后来慢慢的不同了，先四部，后来又加到六部，后来用自动车，一个人也不过管八部，‘一·二八’上海打仗以后算最坏了，十六部，但是也没有现在这样不讲理呵！三十部车，叫人跑都来不及！”

在纱厂里，工人有肺病是最普遍的现象，车间里空中飞满了花衣，极容易由口鼻而吸进气管里面。工人害肺病的数目，现在虽没有统计，但是据我所接触的纱厂工人，十个之中，就有七八个有肺病，记得前年一个女工，刚刚到一个纱厂粗纱间做三天，就咳嗽吐血了。

由工作时发生的不幸事件，在纱厂里是很多的。机器压断了手、膀、足，是时常在车间里发生，尤其是压断了手的最多。从前申新一厂的八个门警，七个都只有一只手，这些人原来都是厂内工人，压断手以后，向厂方交涉，才得这种职务。其他各厂的门警，常常也由压断手的工人来充当，只不过没有申新一厂那样多。当门警并不是养老饭，厂方待你做了三两年，就要借故将你开除。例如内外棉七厂的一个断手工人，改做门警不到一年半，就被日本人开革了。

第五节　棉纺织工人工资

和上海其他各个产业的工人比较起来，棉纺织工人的工资，要算是低的了。工资最高的技术工人，工头，每天也不过一元六角，至于最低的工资，每天只有一角八分四厘。连自己一个人吃饭都不够！

关于棉纺织工人们每天的平均工资，一九二九年上海市社会局曾经有过一个调查，结果如下：

业别	调查人数	工人类别	每日平均工资
棉纺业	7,558	男工	5角5分
同前	27,574	女工	4角5分
同前	1,161	童工	3角
棉织业	2,558	男工	7角2分
同前	7,128	女工	5角4分
同前	394	童工	3角5分

这个表上所载的工资数目，完全是一九二九年所调查的，那时候，正是在“五卅”以后，“一·二八”以前，是上海纺织工人工资最高的时候。因为以日商纱厂惨杀华工顾正红的事件为着火点的“五卅”反帝斗争，它的主力队伍就是纺织工人，所以“五卅”斗争在部分胜利的条件下结束之后，上海纺织工人的待遇，获得了许多

的改善，所以从“五卅”——“一·二八”这一段时间，纺织工人的工资可算是最高的了。

如今，八九年的当中，上海经过了“一·二八”和“八·一三”两次侵略的炮火，作为上海棉纺织工业骨干的日商纱厂，已一再改低了工人的工资，其他华商、英商纱厂，在对比的竞争下，也争相仿效。所以，提起上海纺织工人的工资，真是“每况愈下，今非昔比”了！

我们拿一九三八年七月华商申新纺织公司第九厂的工资来作为例子，就可以知道：在物价高涨了几倍以后的今天，“孤岛”上纺织工人的工资，却反而比十年前要减少了。

申新九厂 1938 年 7 月份工资报告表

科别	工资计算法	最高工资（元）	最低工资（元）	平均工资（元）	备注
清棉科	论工	0.900	0.400	0.545	最高工资是工头，只一人
梳棉科	论工	0.700	0.450	0.517	
	论货	0.509	0.477	0.497	
并条科	论货	0.587	0.442	0.502	
粗纺科	论工	0.950	0.300	0.456	
	论货	0.719	0.433	0.501	
精纺科	论工	1.100	0.238	0.452	最高工资是指导员，即女工头

续表

	论货	0.851	0.267	0.545	
摇纱科	论工	0.796	0.412	0.573	
	论货	0.747	0.184	0.473	
腾纱科	论工	0.780	0.366	0.581	
	论货	0.565	0.243	0.434	
并捻科	论工	1.000	0.371	0.468	最高工资是工头
	论货	0.648	0.257	0.462	
成包科	论工	0.120	0.306	0.547	最高工资是工头
	论货	1.273	0.556	0.703	最高工资是打包装车工人，极少，全厂不过十几人
准备科	论工	——	——	0.544	
织布科	论货	——	——	0.603	
保全科	论工	1.600	0.420	0.590	
电气科	论工	1.600	0.430	0.702	技术工人，最高工资只拿摩温一人
整理科	论工	1.650	0.400	0.795	
调查科	论工	1.060	0.500	0.568	
庶务科	论工	0.910	0.350	0.528	
整理科（布厂）	论工	——	——	0.513	
保全科（布厂）	论工	——	——	0.521	

注：本表“工资计算法”栏中有“论工”与“论货”之分，本节后将详述。

申新纱厂是华商纱厂中工资最小的厂。它的工资，不但比不上英商纱厂及其他华商纱厂，就是连日商纱厂都比不上。（申新纺织公司的创办人，就是一九三八年初在上海阴谋组织伪“市民协会”未成而逃到香港去的荣宗敬，申新九厂布厂主任是日本留学生，“八·一三”战事正紧的时候，还买了五十部日本织布机，目前申新纺织公司的一、三、四、五、六、七、八等七个厂都已被日寇轰毁或强占，仅余的二、九两厂在英租界潭子湾继续开工，由荣宗敬之子主持，但却仍为日商同兴纱厂代销纱布——《工人半月刊》一卷四期详载。）

华商纱厂中，以永安纺织公司第三厂（第一厂在虹口兰路，第二厂在吴淞蕴藻浜，均已被日寇强占）工资比较最高，工人平均工资每天都有六角左右，最低的做小工的工人，每天也有四角六分。

此外如华商鸿章纱厂，工钱也比较高，我们从下面的调查表，就可以知道一斑了。

华商鸿章纱厂 1938 年 10 月工资情况

科别	最高工资（元）	最低工资（元）	备注
保全部	1.14	0.44	最高工资为技术工人、工头
钢粗部	0.88	0.48	
精纺部	0.82	0.28	
摇纱部	0.77	0.48	
洋线部	0.77	0.48	

续表

拣花部	0.55	0.38	
清花间	0.77	0.46	
成包间	0.98	0.44	
整理部	2.70	0.46	最高工资为技术工人、工头

英商纱厂的工资，平均起来，要比华商纱厂为高，下面，我们就拿英商纱厂中最大的怡和纱厂的工资来作为例子：

部别		车间	工人性别	每日最高工资（元）	每日最低工资（元）	每日平均工资（元）	每日工头工资（元）	备注
粗纱间	钢丝车	老车间	女	0.60			0.90	
			男	0.50			0.90	
		新车间	女	0.60			0.90	
			男	0.50			0.90	
	条子车	老车间	女	0.60	0.42		0.90	
			男	0.85	0.65			最高是机匠，最低是加油
		新车间	女					
			男					
	一号粗纱	老车间	女	0.85	0.46		0.90	
		新车间	女					
	二号粗纱	老车间	女	0.73	0.35		0.90	
		新车间	女					
	三号粗纱	老车间	女	0.85	0.35		0.90	
		新车间	女					

续表

小纱间	老车间	男	1.10	0.30			
		女					
	新车间	男	0.80	0.75			
		女					
细纱间	老车间		0.56	0.48			
	新车间		0.60	0.40			
摇纱间		女	0.60	0.40			
筒子间			0.80	0.30			
经纱间		女	0.90	0.70			
布机间	老车间	女	0.80	0.50		1.00	
		男	1.00	0.50		1.00	最高工资为机匠
	新车间	女	0.80	0.50		1.00	
		男	1.50	0.50		1.00	最高工资为机匠
布房间	老车间	女	0.53	0.42			
		男	0.60	0.50			
	新车间	女	0.90	0.70			
		男	0.55	0.50			
洗布间			0.75	0.55			
染布间			0.60	0.57			

怡和纱厂还有一部分是“哔叽部”，工资如下：

部别	每日最高工资（元）	每日最低工资（元）	每日平均工资(元)	备注
羊毛间	0.45			工头 0.80，加油 0.70，机匠 1.00
哔叽间	1.20	0.80		工头 1.30—1.00

续表

修补部		1.00	0.30		
绒线间		0.55			
回丝间	钢丝车	0.80	0.60		工头 1.00，机匠 0.10
	回丝车	0.62	0.53		帮接头 0.80，验纱 0.48
	绒毯车	1.60	0.70		
	铁车间	1.00	0.50		
	穿头间	0.60	0.30		

在日本的纱厂里，一般的说起来工资是最低的。平均起来，大约要比英商纱厂低百分之十到十五，比华商纱厂低百分之五到十。（个别的说起来，比华商申新纺织公司稍为还要高点。）我们拿日商纱厂中工资最高的同兴纱厂来看，就知道了。

同兴纱厂 1938 年 11 月工资情况

部别	职别	最高工资（元）	最低工资（元）	备注
始纺部	男工	0.48	0.40	
	女工	0.70	0.50	
粗纺部	男工	0.48	0.40	
	女工	0.70	0.50	
精纺部	男工	0.51	0.40	
	男工头	0.82		
	接头女工	0.78	0.50	

续表

	落纱女工	0.80	0.75	
	摇车头	0.95	0.90	
摇纱部	男工	0.42	0.42	
	女工	0.65	0.48	
打包部	男工	0.78	0.58	
荒卷部（即筒子间）	男工	0.45	0.40	
	女工	0.76	0.40	
糊付部（即浆纱间）	男工	0.70	0.46	
经通部（即穿头间）	男工	0.40	0.40	
	女工	0.72	0.28	
机织部（即布机间）	男工工头	1.10	0.81	最高工资只有总工头一人
	男工（技术）	0.81	0.32	
	男工小工	0.40	0.30	
	织布女工	0.92	0.45	
	织布女工（组长）	0.89	0.72	
	差纱女工	0.40	0.20	
仕部（即布房间）	男女工同	0.55	0.36	
木工间	男工	0.67	0.46	
写字间	抄号头	0.70	0.50	
	翻译	1.30	1.00	

棉纺织工人的工资，因为厂的不同，往往相差很大，例如同样是一个精纺部落纱的女工，在华商永安三厂可以做七角四分钱一天（永安三厂头等工钱），但是在日

商内外棉九厂却只有四角钱一天，相差几乎有一倍！

一般的比较起来，抗战以后，上海开工的四十四家纱厂中（一九三八年下季纱厂开工者计华商十家，英商四家，日商三十家），工资最高的是英商纶昌纺织染公司（因为它出产的都是高等纱、线、布匹及毛织品等），其次要推华商永安三厂，再次是一般华商纱厂及英商纱厂。工资最低的是日商纱厂及华商申新九厂。

日商纱厂的工资，各厂互不相同，内外棉和同兴不同，上海纱厂和日华纱厂又不同。甚至同是内外棉纺织株式会社的厂，做同样工作的人，工资又各不相同，例如布机间的机匠，在内外棉一、二两厂，大都只有四角五分到五角五分一天，而在内外棉七厂或九厂，则可有五角到六角五分一天。

日商纱厂的工资，还有一个很大的特点，是值得特别提起的。就是：工资分做许多级，使得做同样工作的工人，工资各不相等。例如日商日华纱厂的工资，就是分成下面三级二十二等：

（一）特级　共分五等，每等相差四分钱。特级的工钱，只适用于工头。

（二）优级　共分五等，每等相差四分钱。这是适用于熟练工人的。

（三）普级　共分十二等，每等相差三分钱。这是适用于普通工人的。

照上面的等级分起来，“特一等”的工资和“特五等”的工资相差了二角钱，“优一等”和“优五等”也相差二角钱；而“普一等”和“普十二等”的工资竟然会相差到三角六分。在同一工厂做同样工作的工人，每天工资相差的数目竟然会这样大，真是值得我们惊异，而同时又可以看出日人分化中国工人手段的毒辣！

工人照那一等的工钱，全是由该部分的日籍领班自由决定。而且时降时升的玩弄不停，新工人和常常停工的工人，犯规多的工人，性情强烈、不肯拍日本人马屁的工人，工资的等级就低；做工巴结，不犯规，不请假，又肯低声下气的工人，则东洋人喜欢他，工资的等级可以定得高。所以日本资本家把华工的工资分成繁多等级，他最主要的目的，就是企图在政治上制造中国工人大众内部分化散漫，不团结，对斗争冷淡，争取增加工资不以集体力量，而以个人，顶多一部分人去争求。此外又因工资等级时降时升的把戏，有可能暗示一部分落后工人，以为厂主“公道”“不亏工人”等。而在经济上，则又鼓励着工人努力生产，到月底可得工资升级之希望，借以加紧他对于半殖民地中国的工人阶级血汗的吮吸！

在华商纱厂中，也有把工资分成等级的，例如永安三厂细纱间落纱女工的工资就分成四等，每等相差三分，即是零点六五、零点六八、零点七一、零点七四，喊落纱（即摇车头）的工资，也是分成零点九二、零点九五、零点九七三等的。

前面业已说过，纱厂工人工资的计算法，分成论工（也叫死工钱或呆工钱）和论货（也叫活工钱）两种。论工，就是每天的工资有一定的，只要工人做了一天，就可以拿一天的工钱。论货，是每天的工钱没有一定的，按照工人所做的纱或是所织的布的多少来决定，工作做得越多，工资也就越大。

纱厂里的男工，除去打包间打包的男工以外，工资都是论工计算的。女工当中，也有一半是论工计算的。

论货计算工资的女工也不少，例如：

（一）日商同兴纱厂布机间织布的女工，就是这样，每织布一码，工资是三厘六（二等布）到三厘八（头等布）。

（二）日商同兴纱厂筒子间，女工每做纱一磅，得工资三厘。

（三）日商同兴纱厂并线间女工，每做纱一袋，得工资七分。

（四）其他像粗纱间，钢丝车，摇纱间，杼子间的当车女工，都是论货计算工钱的。

资本家把工资分成两种不同的计算法，完全是根据工作性质而又适合于他自己的利益，便利剥削工人而定的。

纱厂里面发工钱，叫做“关饷”，一律是每月两次，有的厂在一号及十五号，有的是五号、二十号，各厂不同，没有一定的。

“关饷”都是以元为单位，不到一元的零头工资，是不发的，存在厂里，下次再发，例如一个工人半个月做了五块九角的工资，那么“关饷”的时候，只关五元，剩下九角是要存在厂里的。

有许多不讲理的厂，还有“存工”，就是每个工人最初半个月的工资不发，存在厂里做抵押品，以防备工人“跳厂”（就是从这个厂跳到别的厂去做）。“跳厂”的时候，“存工”就被没收了。这是厂方的一种特殊剥削。

一般的说起来，一个纱厂工人，他们的工资大约是：

（一）工头或特殊技术工人，每天工资约在九角左右。

（二）普通技术工人，每天工资约在五角以上。

（三）大部分靠卖力气，工作很机械而不要什么熟练技术的小工，每天工资约在五角以下，即每小时的报酬平均不到四分。

（四）男女童工，每天工资三角左右。

棉纺织工人的工资，大部分是根本就不够维持自己和家属的最起码生活的。他们只能在痛苦的剥削中“苟延残喘”，不死罢了！

在上海的工人中，提起了做纱厂，都认为是“穷途末路”的事。

但是，我们也不能悲观，难道上海十几万的纺织工人就只有“死路一条”了吗？不，请看看纺织工人英勇的斗争史吧，“五卅”反帝运动之后，上海纺织工人的工资，就曾大大的增加过，一九二七年冬季，全上海日商纱厂反日大罢工的结果，工资也增加了百分之十。所以，我们知道：要增加棉纺织工人的工资，改善这非人的生活，全要靠棉纺织工人们自己团结起来，自己去争取。

纱厂职员的工资，比起其他产业的职员，也要低得多，有许多下级职员，工资反而没有工头或工人高。我们拿华商申新九厂职员的工资来看：

职别	每月最高工资（元）	每月最低工资（元）
厂长	400	
工程师	300	
主任	200	100
考工	120	60
领班	60	30
事务员	60	30
副班	30	20

其他的华商纱厂，职员的工资都与申九差不多。

日商纱厂的职员，日籍的工资比较高，华籍的职员和练习生，还不及华商纱厂的工资高。

英商纱厂的外籍职员，工资很高，竟有每月七百多两银子的。华籍职员，工资也比一般的为高。

第六节 棉纺织工人的年赏节赏，升工赏工，米贴，抚恤金及惩罚

一 年赏节赏

资本家为了鼓励工人努力生产，又订出了各种“赏钱”及处罚。在赏的方面：

年赏，是一年一次的赏钱，在每年年底，资本家结算了自己不劳而获的利润之后，然后在成千盈万的红利当中，抽出几千分之一，分开来赏给职员和工人，作为一种鼓励，一种欺骗和一种收买。

年赏的多少，是没有一定的，外表上总是按照资本家所得红利的多少来决定的。但是上下都差不了多少。例如华商申新第九纱厂的年赏就是：

保全部工头	100元
女工头	50元—70元
女书记	30元—50元
堂倌	20元
普通男工	5元
普通女工	3元—5元

年赏，是要在该厂做到一年以上的老工人才有的，

不到一年的工人是没有的。所以“年赏”更有稳定工人情绪，限制他们“跳厂”的作用。

永安三厂，虽然工人来厂不到一年，但是也可以把年赏按照做工时间的长短，打个折扣发给的。

日商纱厂里，有许多地方，根本就不给“年赏”。可是在生意特别好，厂家赚钱特别多的时候，却有时也给一点“甜头”给工人吃吃，欺骗欺骗。例如一九三八年九月里，日商同兴纱厂就发给工人“半年赏”的，做满一百天以上的工人，最少的赏五角，最多的赏七八元，重要车间里的工头，有赏到二十元的。这个“半年赏”的数目，是由各车间的领班自由决定的，没有一定的标准。以前，一般的东洋厂也是有“半年赏”和“一年赏”的，但是条件却非常苛刻的，“半年赏”一定要在半年或一年之间，一个工不停，才可以发给。在一年以内，假使停工到三天以上，就没有了，所以这种赏钱，很少的工人能够得到。

在“一·二八”以前，工人每到端午及中秋节，还有一角钱的“节赏”。可是现在连这一角钱都没有了。

纱厂职员的年赏节赏，要比工人高得多，赏钱的数目，要超过自己正当的工资，因为这个缘故，所以纱厂里的部分职员，容易极力的帮助资本家压迫工人，甚至穷凶极恶的对付工人，什么手段都用得出，为的就是拍资本家的马屁，好多分一点红利。

例如：华商申新纱厂职员的年节赏就是：

端午节	赏工资1月
中秋节	赏工资1月
年赏	赏工资2月
红利（年底发给）	赏工资2年

再如华商鸿章纱厂职员的年赏，它的数目是与工资相等。一九三八年底，因为营业发达，职员年赏的数目甚至增加到等于四十个月工资的总数。

二　升工赏工

升工和赏工，就是每一个月或每一“关饷”，在工人应得的工资上再加上几天工资的意思。

“五卅”运动以后，上海各纺织厂的待遇最好，拿那时日商内外棉纱厂来做例子吧，就有：

（一）红簿子赏（又叫存金费），每人每月一元二角，工人领六角，其余六角存厂内，到离厂时发给。

（二）洋钱赏，就是工资一元另加赏钱一角五分。

（三）月头赏，凡在一个月中不停工者，到月底赏一元。

"八·一三"抗战以前，日商纱厂还有下列三种赏工：

（一）四工赏——每月不停工者赏四天工钱。

（二）加一赏——工资一元，加赏一角。

（三）成绩赏——看工人工作成绩来决定，最多每月一元。

可是抗战以后，加一赏就取消了，成绩赏也比以前少得多了。现在日商内外棉纱厂只有一个"四工赏"，日华纱厂只有一个"加一赏"，其余如同兴纱厂等就只有"成绩赏"。可是只有工头、组长，和做"活工钱"的女工才有，其他的工人是什么也没有。

同兴纱厂的成绩赏如下：

组长：最多一元，以下分六等。每等少一角。

当车女工：头等五角，二等四角，其余无赏。

华商纱厂中，目前赏工的情形各不相同，例如：

（一）申新纱厂　工人半月不停工者，赏工资一天。

（二）鸿章纱厂　共分赏罚六等。

头等	赏 6%
二等	赏 3%
三等	赏 2.5%
四等	罚 2.5%
五等	罚 3%
六等	罚 6%

但这个规矩，抗战以后就取消了。

（三）新裕纱厂　叫做“包子赏”，只是在厂家生意好的时候才有的，每月一次，以细纱间做例子：

工头	5 元
摇车头	3 元
落纱头	1.3 元
落纱人	8 角
接头人	1 角

新裕纱厂在生意好的时候，为了使得工人星期日早去上工，还有一种早上工的赏钱，这个赏钱，不但是和“包子赏”同样的不平均，并且还只有最早上工一组的几个人能够得着。赏钱的数目是：

工头	1 元
摇车头	8 角
落纱头	5 角
落纱人	3 角
接头人	2 角

有的时候，不赏钱，而赏脂粉等耗费品。

新裕纱厂还有一种“清洁赏”，就是工人工作做得特别清爽，或是车子揩得特别清爽的时候才有，这种赏钱，数目不大，普通都只是一两角钱。

三　米贴

“五卅”以后，上海各纱厂都有“米贴”，就是一种变相的赏钱。那时，每天在工作的时候，由厂方发给工人每人一张“米贴票”，放工出来的时候，可以拿“米贴票”到写字间去领三分钱。

有的厂，“米贴”的数目是按照米的市价而增减的，总是每天发半升米的钱。

最近几年，“米贴”完全取消了。

四　抚恤金

工人因公死亡，可以拿到抚恤金，华商申新纱厂规定是二百元——五百元。一九二七年十月里，申新九厂细纱间轧死了一个女工，后来因为这个女工已经怀孕，所以厂里给了三百元。

其他别的纱厂，情形也大致差不多。

日商的纱厂里，情形就大不相同了。例如：一九三八年十二月日商同兴纱厂布机间跌死了一个揩玻璃的小工，结果厂里就只给二十元了事。

再如一九三八年十月，日商内外棉纱厂细纱间有一个工人被机器把右手臂轧成三段，厂方本来打算不管，后来经过工人大家的要求和捕房的主持公道，才把他送进医院医治，可是医好了出来以后，日本人只叫他在厂内送信，后来竟然把他开除，可怜这个一只手的人，就从此失业了。

抚恤金，是要经过许多工人帮忙争取才会得到的，否则资本家就装聋作哑的不管了。比如：申新第二厂曾经有一个工人从屋顶上跌下来跌死了，因为没有人帮忙讲话，所以结果一个铜板也没给。

申新纱厂的职员，进厂以后，厂方就替他保一千元的寿险，如因公死亡，则他的家属可得一千元。

五　惩罚

资本家订出了一条条的规则，简直把工人限制得寸步难行，从规则的表面上看去，似乎是很有道理的，你看申新九厂的规则：

甲　工人犯下列各条之一者开除。

一　调戏女工；

二　具有危险思想或行动；

三　在工房内赌博；

四　工作不力，屡戒不听；

五　侮辱职员；

六　其他。

乙　犯下列各条之一者，罚工钱五分至一元。

一　工作不力；

二　与他人殴打；

三　损坏公物；

四　消耗公物；

五　偷窃公物（重则开除）；

六　不遵命令；

七　其他。

但是我们再看实际的情形，例如申新第九厂筒子间，罚工钱的规则是：

打一个大结	每个 5 分
结打好纱没拉直	每次 5 角
纱头没拉断	每根 5 分
接头时纱绕三个手指	每次 5 分

照厂方讲起来，这些都“消耗公物”啊！

华商纱厂中，要算申新纱厂罚工钱最凶。往往有的工人，做了一天，工资还不够罚！

华商新裕纱厂在生意不好，工人又多的时候，常常叫工人“压停工”，但是在生意好，工人又少的时候，却不准工人停工，停工一天，罚洋五角。这种事情，完全以资方的利益为转移，未免太不公平！

另外像华商鸿章纱厂等，罚工钱普通是：

做错事	3 角—5 角
偷懒	2 角—3 角
毁坏机件	5 角—1 元

日商纱厂中，那更不用谈了，比如内外棉纱厂，偷东西罚二角至一元，重则开除，织布女工织出一点坏布，就要罚三十码布的工钱。有时候，日本人不高兴，也可

以乱罚工钱，像内外棉九厂细纱间，有一次失去了一个“盘头”，找来找去找不到，结果东洋人大怒，全车间罚工钱一日。

再如日华纱厂除去罚钱以外，还要罚减工钱的等级。

日商同兴纱厂更没道理，罚则如下：

一　坏布罚五分至一元；

二　每部车每日织布不及四十码罚一元；

三　穿拖鞋罚一元；

四　接生头，白花，油花，揩车不清罚五角至一元；

五　单头纱或并头纱，罚五角至一元；

六　坏纱每根罚一分；

七　坏筒子每只罚一角。

照这样的罚工钱规则，在日商纱厂中，真是不胜枚举。总而言之，只要日本领班高兴，随时随地都可以罚工钱。

上面我们都是讲的关于“罚工钱”的惩罚。下面我们再要把各纱厂中打骂工人的无理情形，写作一个简单的叙述。

纺织工人们，和其他各产业的工人一样，是依靠出卖自己的劳动力来吃饭的。“劳工神圣”，早已是一句流行的口头禅。工人和资方完全是一种雇佣上的关系，劳动力买卖和剥削的关系，别无其他。工人如果真做错了事，依照所谓“章程”罚工钱或开除。在这不平等的资本主义社会里，似乎还可以说得过去。但是资方决不应当无理的打骂工人。

在日商的纱厂中，当然我们不用提，因为他们根本就是强盗的坯子，但是目前许多华商纱厂中，却仍旧非法的用拷打的手段来对付自己的同胞，这种事情，不但是违反中央政府的法令，违反自己本厂的规则，并且根本就不是举国一致，抵抗外侮时期，中国人对中国人的态度。

在“五卅”反帝斗争以前，上海各纺织公司中，职员对于工人的打骂，是任所欲为的。但是经过了“五卅”运动，工人阶级起来英勇的斗争以后，一切无理的打骂，完全是取消了。一直到“一·二八”以后，由于那时政府对于 × 帝国主义采取了妥协政策的缘故，上海日商纱厂中首先就恢复了打骂，接着少数糊涂的华商纱厂也就“争相效法”。到了一九三六年冬天，纺织工人们在长时期的压抑下爆发反抗的火焰，造成全沪日商纱厂的同盟罢工。当时工人所提出的条件中，第四条即是“不得打骂工人”。后来，在工人的持久斗争中，日寇终于接受了这个条件。

等到“八·一三”抗战爆发，国军西退以后，跟着上海各纱厂的恢复，打骂工人的无理行为也重新的恢复了，目前大部分的纺织工人们，都正在拷打，侮辱甚至于屠杀的痛苦深渊中挣扎！

首先我们讲华商纱厂，目前的情形是：

不打骂工人的：永安三厂、新裕纱厂

有时打骂工人的：鸿章纱厂、统益纱厂

经常打骂工人的：申新纱厂

永安三厂之能够成为华商纱厂中的模范，并不是偶然的，不但工钱大，管理好，而且对于工人，从来没有随便打骂的事。职员先生和工人间，一方面是认真的“公事公办”，一方面却总是客客气气。至于新裕纱厂除去少数糊涂的职员以外，大部分的职员决没有打骂工人的事，职员和工人中的感情极其融洽。

其次，鸿章纱厂中，大部分的先生仍是很好，只有少数比较糊涂，他们误认为打骂工人可以讨好老板，所以把打骂工人作为一种拍老板马屁的手段。内中有一位杼子间的领班，就是这样，但是后来工人一致反对，跑去告诉了工程师，这位先生反而吃了工程师的排头，这真是叫做“出力不讨好”，可笑又可怜！鸿章纱厂还有几个职员，更是糊涂得混蛋，他们常常违反政府和厂方的命令，从中压迫工人的爱国活动，例如一九三八年冬季，就曾阻碍工人推行节约救难运动，又曾禁止工人写信慰劳江海关的华员等等，这些先生们，不知他们的身上是不是还有一点点中国人的血液？

谈到统益纱厂也还没有完全取消打骂工人的恶习。例如一九三八年九月里，有一天夜工里，细纱间有一个女工坐在地上休息，被一位姓 × 的先生看见了，马上跑过来就是一皮鞋，这个女工立刻就站了起来去做工作，但是那位先生还要追上去打她一个耳光，后来女工不服，和他说理，他还要停女工的生意呢！

华商申新纱厂里，待遇同胞工人的残酷行为，说起来真真叫人不相信！其他的事不要说，只要看下面的一件事就知道了。

一九三八年十月，一个夜工里，申新九厂细纱间北车间有一个推纱的男工，推了一车子纱经过南车间，当时南车间一个女工头就叫他把纱留下来，但是这个男工不肯，他说："这是北车间的纱，我留在此地，北车间的领班找我要，我怎么办呢？"女工头见他不肯，就恼羞成怒，和他吵起来。后来被领班看见了，就跑过来帮忙辱骂这个男工，但是推纱的男工自己理直，不肯服输，于是领班就把考工吴××（绰号小吴）找来，小吴来了，一句话也不说，上去就打，然后又用绳子把这个男工绑起来，叫几个走狗来，把他毒打了一顿，最后又赶出大门。可是这个工人被打得受伤太重，不能行动，就倒在厂门外的马路上，这时正是夜半一时，巡捕房的卡车出来查街，就把这个工友带到捕房里去，问明白了被打的原因，当夜就派了卡车到厂里来，把考工小吴和领班 × × 在车间里带上了铐子，捉将去了。结果把小吴罚了二百元，并承认该被打工人的医药费，诊治期间，工资照给，才释放出来。中国人打中国人，结果还是捕房里外国人出来主张公道。像这样的事，说起来真是叫人气死！

厂方糊里糊涂的打骂工人，结果刚刚是给日寇汉奸和托派挑拨劳资纠纷，破坏中国产业的一个大好机会，这不但在华商纱厂中是如此，就是在英商纱厂中也是一样。

例如：一九三八年秋季，英商杨树浦纱厂中有一个新来的英国职员，叫做“长脚老毛”，常常动手打工人，结果被工人起来将这个“老毛”打了一顿，一直打得跪在地下求饶。可是汉奸阿二阿三便乘机挑拨工人，后来几乎引起很大的罢工风潮。

英商纱厂中，自从发生了上面的一次事情以后，打骂工人的事就再没有发生过。

在日寇的纱厂中，情形大大的不同了，有些地方，简直是人间地狱！打骂侮辱不用说，屠杀都是常事。

日商内外棉纺厂，因为九个厂中有七个都在租界上，而且另外两个也是在靠近租界的越界筑路地段，所以待遇工人，比较要算是日商纱厂中最好的了。厂内日籍职员平时对待中国工人，小打小骂是有的，过重的拷打却不常有。

沪西其他的日商纱厂如日华、同兴因为是在越界筑路的地段，所以厂内的待遇，便比较要恶劣得多。平时，不但是日本领班等可以随便打人，就是汉奸的工头，也都是狐假虎威地在厂里作威作福，呼一喝二的打工人。尤其是当前线中国军队撤退，日军占领某较大城市的时候，这一班强盗更是神气活现的逢人便骂，见人就打。例如在徐州失守的时候，沪西喜和二厂（即日华纺织株式会社第五厂）的日籍领班，便在厂内吃酒庆祝，后来吃得酩酊大醉，便跑到车间里来，强迫女工陪他跳舞，后来全体女工都反对，那些醉鬼才怏怏而去。江西马当山要塞失守的时候，日本鬼子也特别凶狠，强迫两个女工，拿着筒管互相对打，你打我的头，我打你的头，一定要打得重，打得轻都不算，日本人在旁边看得开心，任意侮辱！

在日方军事统治下的杨树浦，日商纱厂里华工的待遇更是牛马都不如。我们举几件残酷的事实在下面，那都是在一九三八年内所发生的。

1. 杨树浦公大第二纱厂里有一个工人，因为拿一本《大众歌声》在唱歌，被东洋人看见，结果捉到日军司令部去，到现在没有回来。

2. 大康纱厂有四个工人，因为反抗汉奸的无理打骂，因而被该工头指为游击队，结果四人全被枪毙。

3. 申新六厂（在虹口高郎桥，已被日强占）有一个工人，因吃香烟不谨慎，而把一包花衣引起了火，结果日本人认为是游击队放火，就把这个工人和他的介绍人另一工人一齐枪毙。

4. 上海第二、三厂有两个工人，因在厂内从事爱国宣传，被东洋人捉去枪毙。

5. 同兴纱厂一个女工，夏天在车间里发了痧，好了以后被厂方知道了，一定说是传染的时疫病，马上捉去，交给日海军，在辽阳路一块空地上，浇上火油活活烧死。

6. 大康纱厂一个中国翻译，因为和日本人在开顽笑时，不慎一拳打重了，结果被该日人诬为游击队，立刻送到海军司令部枪毙。

上面所举的，都还是华工在日人厂内所遭受的屠杀，至于放工以后，在厂外被日本海军惨杀、强奸、轮奸而死，奸而后杀的，还不知有多少！

一九三八年秋季，公大第二厂里有一个女工，就是被日本兽军轮奸而死的，尸首放在怡和纱厂的后门外，用一张芦席盖着，满身都是血，怡和纱厂里几千工友，放工出来都亲眼看见的。

日本海军常常拿中国工人当做玩物，叫他们光腿跪在木柴上，两手高举过头，举一个水桶，日本兵就在桶里洗面。这样举着不放，一直等到有第二个人来，叫第二个人跪下去，才把第一个人放走。有人计算，杨树浦某一日商纱厂门口的岗位上，在两个钟头之内，就这样换了十八个人。中国工人，简直在过着亡国奴的生活！

还有一个纱厂，因为一个工人放夜工出来，没有对日本哨兵行礼，结果被罚跪在地下，两手伸向前装做一只狗的样子，这样一直从早六点跪到晚上六点，这个工人，辛苦的给日寇做了一夜的工，又接连地给他跪了一天！

又曾有一个工人，被日兵罚跪在马路上，叫他双手高举一块十几斤重的大石头，一直举了三个钟头，然后打了一顿才放他走。

至于在厂内，打骂的事更是不用提了。尤其是童工和地位低的小工，更是被打得一塌糊涂。地位稍高一点的如机匠等，东洋人对他还不敢任意发狂。

当中国军队在台儿庄大胜的那天，沪东 × × 纱厂几个东洋人在写字间里看报，越看越气，后来竟然跑到车间里来，抓住一个女工就打，一直把她打倒在地上，还用皮鞋去踢，三个东洋人打一个女工，把她打得面孔发白才住手。日本人完全拿中国工人来做出气的工具！

对于女工的侮辱，更是家常便饭，厂里日本领班常常随便就在车间里把女工抱起，哇啦哇啦的说："阿拉上海开房间去好吧！"

沪西苏州河北岸潭子湾与日商"经济合作"的华商大丰纱厂工房里，十一月某夜就曾有七个日兵跳墙进去，把女工强奸了好多人！

为了要吃饭，整千整万的中国工人们，不得不到 × 方的铁蹄下，去作最伤心的挣扎，忍受着侮辱、拷打、戏弄、屠杀！他们无时无刻不在伸着头颈儿，企望着那遥远的西方，等待着祖国的援救！

第七节　棉纺织工人的负担，生活概况与家属

一　纱厂工人的负担

纱厂工友的工资，少的一角八分四厘一天，多的也不过八九角一天，大多数是从四角到五角，比较其他产业部门，工资要算小的了。

他们每年平均的收入，最少的不到一百元，最多的也不过三百元，普通都是在一百五十元到二百元的样子，在这样微薄的工资里，大部分的开销都是用在吃饭的上面，我们看下面的一个调查表就可以知道了。

调查次数	调查家数	平均每家人数	全年生活费实数（元）	食（元）	衣（元）	房租（元）	灯火燃料（元）	杂项（元）	总计（元）
第一次		4	252.00	64.3	9.3	9.5	7.2	9.5	100
第二次		2	180.00	66.7	6.7	10.0	10.0	6.6	100
第三次	230	4.76	390.12	56.0	9.4	6.4	7.5	20.7	100

他们要吃饭，穿衣，住房子，多数有年老的父母，

幼小的儿女或弟妹，要靠他们维持生活，所以负担是很重大而困苦的。

例如某厂有位工友，三角八分钱一工，要养活母亲，自己和弟妹四人，只能饱一顿饿一顿的苦捱。又有一位做小工的工友，半个月只能拿四元多钱，要养活自己和一位老母，也不能够吃饱。还有一位工友的家庭，大大小小有十个人，有三个人在纱厂做工，每月总收入只有三十元上下，每月买米就要去掉二十四元，加上油盐柴炭等开销，钱就用光了，小菜和房租就成问题了。申九有弟兄二个青工，一个二角八一天，一个三角二，除扣去两顿饭钱一角八，每月共拿十二元，家中母弟各一，伙食约十五元，房租二元，现在把兄弟卖给人了，还是不能维持，要靠叔父津贴。

像这样负担太重入不敷出的，在现在十家纱厂工友中，要占六家。另外有一个工友，家中五人，有三个人做纱厂，一个人做小生意，自己是二房东，平时生活，才能勉强维持，因为他的嫂嫂和妹妹歇了几个工，没有拿到工钱，就没法渡过难关。现在纱厂工友一人工资，只能养活半个人，一家六口，便须有四人做工不发生意外，才能生活下去。此外，也有少数工资较大，一家人二三个人，都在做工，或六七口人，只有一二个不做工的，或者是有人在其他产业部做工，工资较多的，在努力俭省下面，还能积存一点钱，但这样家庭，是不到十分之一的。

因此，一般纱厂工友的生活，都是很苦的。

首先拿对“食”的支出来讲，人是不能不吃的，做工的人更是不能不吃饱的；但最近米价比“八·一三”以前，涨了百分之三十，小菜的价钱，平均要涨四五倍，肉价将近一倍，煮饭用的燃料也飞涨了；所以大多数的工友，只好不吃鱼肉，少吃蔬菜，大多数只买点黄豆芽，干咸菜来混混饭，苦一点的家庭，便只能让做工的人吃干饭，不做工的便吃稀饭，真是在半饱半饿当中过活。至于在外面或厂中吃饭，花费更大，例如申新九厂，每顿便要扣去九分，九分钱的米，够工友吃一天了，然而厂方不顾工友苦处，规定非吃不可，你不吃也要在工钱中扣去，这在无形中更增加了工人的负担。除了吃的东西，房租也涨价了。以前许多工友住在浜北，自家盖有草棚，现在都被敌人火烧了，大家只好挤到租界上。以前工房里的一个前楼，不过三块半钱，现在出十元也不易租得，以前在二层阁楼上搭一个铺，不过五角，现在也要一元五角以上了。各厂工房，都住得满满的，连老法学堂的教室，也变成工友们的寝室了，实在没法的，便只好住难民所，或是睡弄堂了。因此，不但工友的卫生受害，房租的负担，也加重了。再谈到衣服，工友们的工钱没有加，他们亲手织成的布，价格却涨了一倍，工友们连吃饭都成问题，那里有钱去添置新衣呢？我们看看马路上上工下工的男女工友的衣服，大多数不是式样过时，颜色古旧的吗？大多数工友对衣食住的支出，都感觉得困难，所以，其他的负担，便自然削除了。只有少数工资大，家中做工的人多的工友，对于自己子女或弟妹的教育，非常关心；可是，他们对于每学期要收六七元乃至十多元的小学校，是无法把子弟送进去的，只好送进收五角钱一个的老法学堂，或两三角钱一月的夜课学校。年青的工友，对于本身的前途，也非常看重，不少的要求家庭每月拿三五角钱，在晨夜下工以后，到相近的补习学校读书。因此，这类工友，也有一些教育费的负担。此外还有一些男女工友，从家长那里讨得一毛钱，在礼拜六或礼拜天，去小戏院看江北戏或听上海戏的；爱听戏而没有多的钱的工友，便到工房附近的荒场上，那里也常有江北戏，大京班，变戏法，打拳的，花上两三个铜板，就可入坐看看，因此，他们也有最低限度的娱乐费。至于亲朋间的交际，因为太穷，总是尽量节省，对于厂里职员同事的婚丧，大致是不送礼，除非自己亲密的亲朋有事，才送点礼。

大多数生活不能维持的工友，虽然没有教育等费的负担，却有一笔惨痛的负担，这便是对于高利贷的重利。大多数入不敷出的工友，在没有钱买米的时候，便只好去借印子钱和皮球钱，领了工钱再去还。没钱买米再去借，长久在“寅吃卯粮”下挣扎，便使每月的工钱的一部分，不能不贡献到高利贷者的手中去，这种靠放高利贷为生的人，差不多每个工房都有。印度阿三当中，有许多是放印子钱的，他们每人都有几个中国人做助手，这些助手，就是专门靠从中揩油来生活的，这些放印子钱的人，他们豪奢的生活，便是建筑在工友这种惨痛的负担上面的。

此外，工友们还有许多意外的负担，如医药费，婚丧费等，还有许多的子弟，被人勾引，把工钱输得精光。自己的东西，一不小心，被人偷去，这些都是常有的损失和负担。

二　棉纺工人的生活概况

从前面工人的负担里面，可以推测到他们生活状况的大概，现在为读者明了起见，有更详细说明之必要。

（一）**食衣住行**　如果你来到沪西，苏州河南岸的那些草棚中间，当你的头碰着道旁人家屋檐的时候，你会看见：在几根竹竿撑着的破芦席或破铅皮下面，有许多人挤在破棉絮里睡觉，瘦得像鬼一样的小孩子成群的在污泥里边爬。有的人在喝着土红色的麦麸粥，有的人家里的污水烂泥比外面还要深，人们正从那破木头搭的“桥板”上面来来往往。你不会相信这里也是人间世界。你不会相信这样的“鬼窟”会和那骄奢淫逸的南京路同时存在于一九三九年的上海。你更不会相信创造华丽美观的上海主人反而住在这里。

（甲）食　纱厂工人一天三顿，大多是做一次煮的。放工回来，煮好饭，吃过了以后，把剩下来的一部分装在饭盒子里，预备第二天带到厂里去吃，再留下一点第二天早晨做早饭吃。有许多工人家里，有老母亲或是妻子在家里烧饭的，那就做两次烧，比较要好得多了。

纺织工人，只有放工回来的一顿晚饭（做夜工就是早饭）是吃的热饭热菜，比较舒服一点的。上工以前的一顿，大多数是吃的“泡饭”，就是把冷饭用开水淘一淘就吃，这种不十分热的泡饭，再加上冷菜，匆匆忙忙的吃了去上工，是很不舒服的。有的时候，能够花几分钱买两只大饼或是饭团吃吃，那已是很不容易的了。上工前的这一顿饭，是一定要吃饱的。因为接着要做好几个钟头的生活呢，有许多厂在十点多钟吃饭还好一点，有的厂要到十二点吃饭，那才真讨厌呢。要是早饭吃得少，到了十一点钟的时候，真饿得两眼发黑，肚子里咕咕叫，像申新九厂的养成工和包身工就是这样，她们才真苦呢，早晨吃的是陈饭煮的稀饭，薄得好像水一样，饱饱的吃了两三碗，但是一次小便之后，就又饿起来了。

中饭全是在厂里吃的，工人把饭带进厂到饭间里用开水淘淘，半冷半热的吃下去。

设备得比较完全的像华商永安纱厂，饭间里有蒸饭箱，可以蒸饭蒸菜，这样吃起来对于工人的健康上好得多了。华商统益纱厂，现在亦已在试办。

华商申新纱厂，中饭一律要吃厂方的包饭，工人自己带饭进去是不允许的。至于住在厂里工房中的工人，那更是一律吃包饭，男工五块钱一月，女工四元半。一顿粥二顿饭，小菜是三荤二素，所谓“荤”说起来真正可怜，三个“荤”加起来：每个人至多不过吃一寸见方，二三分厚的一块肉。所谓“素”更加不用提了！

申新九厂的包身工和养成工，吃的包饭是四块钱一月，六个人一桌，四样小菜都只有半碗，总是黄豆芽，霉咸菜，老青菜皮和阜丰面粉厂卖不掉的面所做的酸味面筋，等等。

说起杨树浦日商纱厂里的包饭，那更是不用提了，包饭老板多是汉奸，借着东洋人的势力来压迫中国的工人，七块半钱一月的包饭，十个人一桌，一荤两素一汤，谁要是讲一声小菜不好，汉奸就去报告东洋人来打。今年春天初开厂的时候，日人强迫工人非吃包饭不可，后来杨树浦人口渐渐多起来，什么东西都有得买，工人就大都自己烧或是在外面吃包饭了。

纺织工人们，无论怎样穷，一天三顿总是要吃的，否则无论如何也吃不消那样沉重的工作。普通，都是两饭一粥，中午在厂里的一顿吃饭，早晨或是晚间吃粥或泡饭。“八·一三”以后，因为工钱减少物价反而高涨，所以大多数的人家都已改成两稀一干了，一天三顿吃些什么呢？说起来也真可怜！

“八·一三”以前虽然工钱比起现在并大不了多少（部分的厂里，现在的工钱比“八·一三”以前还稍大一点），但是物价却比现在低得多，上好的白米，七八块钱一担，牛肉猪肉一块钱四五斤，黄鱼更是便宜，二三个铜板一两，并且那时候许多工人住在浜北，自己家里有草棚子，一个月只要出几角钱的地租，就是在租界上租房子，也比较便宜。所以无论怎样穷苦，每个星期总得买点鱼肉吃吃，就是平时，一天两顿白米饭，青菜萝卜总归少不了油的。一天到晚劳动不停的工人们，是需要吃点油荤才能支持的。可是现在不同啦，工钱没有加，但是米，煤，房租都贵起来了，肉一块钱二斤，鱼也十几个铜板一两，就是青菜都要廿几个铜板一斤，在这种情形底下，饭是不能少吃的，只好在菜上面省了。

许多人家都吃两顿粥一顿饭了，鱼肉吃不起了，平常能够吃点黄豆芽，豆腐干的已经算是不错了。

有许多人口多，开销大的工人家庭，连两粥一饭都吃不起，放工回来，一个人喝两大碗麦麸粥（从面粉厂里买来的小麦麸皮煮的粥），就算是晚饭了。

住在小沙渡石灰窑草棚里的纺织工人大多是经济环境最坏的，这些贫困的家庭中，常常是做工的人勉强可以吃得饱，不做工的家属，就只好饱一顿饿一顿的苟延残喘！

（乙）衣　抗战以前，物价较低，纺织工人们生活较易维持，所以穿衣服的开销，要占全部支出的十分之一。每年冬夏两季，两套老布衣服总是要添置的，但是“八·一三”以后，租界上的物价大大的增高，尤其是日常生活上所必需的东西，特别涨价。同时房钱又更是贵得岂有此理。在这种情形之下，饭是不能不吃的，房子是不能不住的，所以结果只好在“衣”这一项上来节省了。今年冬天，大家都是把旧棉袄拿出来补补，马马虎虎的对付一下，很少有人再添置新衣了！

有许多穷苦的工人，不但没有钱添置新衣，就是连一套旧衣服都无法保持，天气冷起来，他们就把夏衣典当了，拿当的钱去把棉衣和棉被赎出来，等到三四月里天气暖了，再把冬衣送进当店里去，而将夏衣赎出来。这样一出一进，每年两次，贫穷的工人遭受了又加一层的剥削！

纺织工人，普通都是有两套衣服，一套在做工的时候穿的，叫做“油衣”，文明一点就叫做“工作服”，另一套是到厂外来穿的，比较干净一点、漂亮一点。普通男工的油衣，都是破旧的蓝老布短衫裤等，考究一点的像华商永安三厂，统益纱厂，申新纱厂，男工在做工时都要穿工装，就是用海昌蓝布或蓝阴丹士林布做的西式背带裤。这种“工作服”是厂方强制要做的，例如申新九厂，就规定工友四季都要穿“工作服”，由厂方叫裁缝来定做，然后在工钱里扣下一元七角，假使工人不做，那就不能进厂工作。

又如一九三八年下季，纱价涨了一倍多，统益纱厂的股东们，看见工人生活实在太苦，一方面又怕工人要求加工钱，所以就趁此机会在中秋节时每个工人发布一丈四尺（内中七尺是由厂方赏的，其余七尺硬叫工人出钱买，每个工人在工钱内扣去一元七角二分)，规定每人要做一套“工作服”。所以在这样的情形之下，工人虽然是连饭都吃不饱，但是却不得不忍气吞声的添置新衣，给厂家撑门面，真是叫做哑巴吃黄连，有苦说不出。同时每当在这样做工作服的时候，厂方经手的职员，还要趁此机会在当中大揩其油，这也是“敢怒而不敢言”的事！

女工的“工作服”有的厂也是规定一律的，例如统益纱厂就是一律蓝短衫黑裤子，大部分的纱厂里女工都是要围上一个围裙，因为围裙上特地缝有一个或两个口袋，是摆坏纱筒管，杼子，或其他剪刀工具用品。

日本纱厂里，都没有一定的工作服，男工随便穿什么衣服都可以，女工也是只要围上围裙，别的是不管的。

在厂外，工人们衣服就各有不同了，普通纱厂的男工，大都是蓝老布或蓝斜纹布的中国短衫裤或西式工装(大约三块多钱一套)，橡胶鞋也有穿黑的，灰的各种颜色的，工钱大一点的也有穿绸短衫裤，皮鞋，长衫的，但这些是极少数的人，而且要在礼拜天出去白相的时候才穿的。日常来来往往，破衣破裤是很平常的事。

有些女工们的服装，比较考究点的尤其比较有知识点的女工，很多的被人叫做“学生派”，因为她们大都是长旗袍，皮鞋，到冬天外面加上一件绒线外套，插上一枝自来水笔，完全像读书的学生一样。特别是江南各县如上海、苏州、无锡、常州各女工欢喜这样打扮。江北籍的女工，在服装上和江南人不大相同，她们总欢喜穿红红绿绿的绸衣，浅口子的绣花鞋，粉红袜子等花花绿绿的衣服。

上面讲的都还是些比较有钱一点的女工，至于大多数的女工们，都是穿的短衣。但是同样江南籍的女工往往穿蓝黑灰等比较大方点的颜色，而江北籍的女工还是欢喜红绿等衣饰。

有很多的工人们，终年在痛苦的生活中挣扎，根本就谈不上新衣新鞋。我曾经听说过一个女工，她和她的娘两人共穿一套衣服。早晨她穿起娘的棉衣去上工，娘就在家里睡觉，晚上她放工回来，钻到棉被里去。再把棉衣脱下给她娘穿了去烧饭！

至于说到包身工，那更是惨痛，包工头每年只给她们两套衣服，冬夏各一套，在夏天的时候，她们常常是回到家里换上破衣，把日间在厂里所穿的衣服赶快洗净，以便次日上工时穿！冬天一套衣服穿上后，总要足足穿几个月！

一九三八年夏天，正当日寇围攻徐州，抗战进行得如火如荼的时候，上海青年的纺织工人中大大的盛行穿大红袜子白跑鞋，尤其是在女工当中，更是风起云涌的争相仿效，青年的纺织工人们常常磨擦着牙齿，表示聚集在心头的仇恨，他们说："我们要把敌人踏碎在脚下！"

（丙）住　纺织工人，大多数是住在"工房"或草棚里的。"工房"有的是二层楼房，有的是平房。它的式样，和上海普通的弄堂房子差不多，不过没有石库门，也没有天井，几十家公用一个自来水龙头，并且大部分都没有装电灯。工房建筑的非常简陋，墙很薄，柱子很细，下起雨来，十家就有九家漏得一塌糊涂。弄堂里的路，全是用碎鹅卵石铺的，高低不平，十分难走。

抗战以来，大批的工人由浜北逃到租界上来，各厂的工房，都十分拥挤，每家都搭起阁楼，所以平房都变成二层，而楼房加上二层阁及三层阁，都变成四层了，平均起来，每一间房子起码要住五个人以上。拥挤、污秽、混乱、疾病、死亡、偷窃、烟酒、赌博、打架、吵嘴……一切因为贫穷，因又被人剥削而造出来的罪恶，一齐汇集在这些“工房”里面，成千成万的劳苦工人，在那里挣扎！

工房的地皮，是厂方买来或租来的，房子完全是厂方造的，工房里的二房东，一定要是本厂的工人，普通是一个簿子（就是家里有一个人在该厂做工）或二个簿子就可以租一座房子，假使这个工人不做了，厂方就要把房子收回，交把另一个二房东，并听凭这新二房东出租给谁，厂方是不管的。

房钱的大小各厂不同，但都是从工人的工资上扣除的。

有的工房是在工厂的外面，有的工房，是在工厂的里面的。现在我们将各厂工房的情形，分别的叙述在下面：

（1）日商的内外棉纱厂的工房最多，全在沪西小沙渡一带。我们列表如下：

工房名称	属厂	所在地	房别	房价
南英华里	内外一、二厂	劳勃生路	楼房	一律平房每月2元，楼房每月4元
北英华里	内外一、二厂	劳勃生路	楼房	
南大旭里	不定	劳勃生路	平房楼房	
北大旭里	不定	劳勃生路	楼房	
梅芳里	内外一、二厂	劳勃生路越界筑路	楼房	
东京里	内外五厂	东京路	平房	
金绣里	内外九厂	槟榔路	楼房	
东瀛里	内外三、四厂	北英华里后越界筑路	楼房平房	
江畔里	内外三、四厂	药水弄越界筑路	平房	
阳城里	内外一、二厂	北英华里后面	楼房	

（2）日商日华纺织株式会社第三、四厂工房在劳勃生路，该厂对面，叫做和丰里。第五、六、七（即喜和一、二、三）厂工房，就在厂内，约三百家，每座每月五元，两个簿子才能租一座。

（3）日商同兴一厂工房在澳门路，房子比较漂亮，前楼每月三元，后楼每月一元五角，灶坡间公用。同兴二厂在杨树浦临青路，工房叫成城里，大德里，战前每座四元，现在竟加到六元。

（4）其余如日商大康纱厂，裕丰纱厂，公大纱厂，上海纱厂株式会社等都在虹口有工房，情形大同小异。

（5）华商大丰庆记纱厂，自与日寇合作之后，亦在浜北新搭工房十五间，规定女工住宿，每人每月五角。

（6）华商申新九厂工房，是在厂内，一共分成四区：

第一区　单身男工房

第二区　单身女工房

第三区　善成工房

第四区　家庭工房

这个工房，只准厂内工人住宿，厂外人一律不得进去，房钱每人每月三角，工房内有理发室、浴室、会客室、消费合作社、洗衣处（不问大小每件一分）及女宾留宿室等等，因设备比较完善，所以除星期日外，工人要出外，一定要请假。

（7）华商申新二厂的工房有申新里，溥益里等等，皆在厂外。

（8）华商统益纱厂也有统益里，统益东里等工房。

华商新裕纱厂有少数工房，是给拿摩温，摇车头等住的，普通工人不能住。

英商怡和纱厂有新康里等工房；公益纱厂有自建公益里等工房，都在厂的旁边。

住在日本纱厂的工房里，常常要受到非法的无理的搜查，比如沪西日商喜和纱厂工房中，在一九三八年冬季就被日人及汉奸无理的搜查了两次，每家翻箱倒箧，弄得一塌糊涂，并且日兵及汉奸还趁机抢劫，把许多工人家里的东西都抢去了。搜查的理由，就是因为工房的墙上发现了一个大标语："打倒 ×× 亡国奴！"

住工房的工人花很少的房钱（二三元或五六元）从厂方租来的房子，除去自己住以外，再分租给别的工人。

尤其是抗战发生，租界上房价高涨以后，许多二房东，大多是大大的提高了房租，分租给从浜北逃过来的工人，用剥削同阶级弟兄们的方法，来补偿日寇所给予自己的损失。

这种行为，在客观上必然造成了工人兄弟们中间许多冲突和矛盾，破坏了工人阶级的团结和统一。没钱租不起房子的工人，只有用芦席布幔在荒野搭帐幕居住。所以工房的建设是一个迫切的问题。

住在工房里的工人，虽然是非常的拥挤、污秽，但是比较起住在草棚里的工人，还要好得多了。沪西小沙渡西边有一个名叫石灰窑的地方，是草棚最多的所在地，棚户约有五千多家，居民约万人，全是黄包车夫、苦力、小贩以及纺织工人。另外在延平路一块空地上，和苏州河南岸的空地上，到处建有许多草棚。这些草棚，都是工人们自己出钱拿材料搭起来的。普通一方丈的地皮，每月要付地租一元左右，搭一间草棚起码要二十元的材料，普通都是用毛竹做柱子，硬铅皮芦席或稻草做屋顶，墙也有用土，也有用木头，也有用芦席的，在大风大雨的时候，草棚子总是东倒西歪，到处漏水。

草棚都只有一丈来高，中等身材的人，进去都要弯腰。草棚区里的道路，都没有铺石子，每逢落雨，行走异常不便，因此常常有人用泥土，煤屑或垃圾等物填上去，这样日积月累，道路一天天的高起来。目前在石灰窑里主要的几条道路，都比道旁的人家要高出一尺，因而下雨的时候，街上泥水往道旁人家屋子里流，弄得水深及膝！

这些棚户区域里，根本就没有电灯和自来水，一班住户，都是用苏州河里污浊的水。淘米、洗衣、刷马桶都是在苏州河的边上。吃的水也是苏州河里挑来的，不过用矾打一打就是了。一九三七年冬季和一九三八年春季，当战事西移的时候，苏州河里经常的有死人死马顺流而下，但是一班贫穷的棚户，还是吃河里的水，所以结果瘟疫流行，死亡率大增，尤其是到一九三八年夏季，霍乱、伤寒，两种病特别猖狂，北英华里东边空地上经常堆积着的棺材，蒲包，大部分都是来自人间地狱的石灰窑。

火警的袭击，更屡次造成了棚户居民的灾难，每逢火警发生，往往一烧就是几百家。稻草芦席之类，见火就着简直是无法施救，并且这些草棚，都是在越界筑路地段，没有救火龙头的设备，所以公共租界的救火车开去了，也没有水，并且草棚当中道路非常狭窄，曲折迂回，所以草棚的中心部分，救火车根本就无法驰入，一九三八年十二月石灰窑北部有一次大火，就烧毁了五百多家。

最可恨的是一九三八年九月延平路草棚的一次大火，完全是汉奸地主放起来的，因为该地主想把这一块地皮收回造厂，所以逼着棚户拆屋搬家，但是一班棚户往那里去呢？后来地主见棚户不肯搬，就叫了一个东洋流氓来恐吓棚户，那个日本流氓，跑来大叫一顿。在棚户区的进口地方，竖起了一块大木牌，上面写着“日本地产公司”的几个字，然后叫汉奸对棚户说：“假使你们再不搬走，我就要放火来烧了。”谁知当晚九时许，汉奸真的就放起火来，棚户们从梦中惊醒，抢救不及，结果被烧去了一百多家，还烧死一个大人，两个孩子。这地方是在越界筑路的地段，几千个失去了祖国护卫的棚户们，眼看着汉奸们在旁边哈哈大笑，也无处去申诉！

我们特别要提到过着非人生活的纱厂包身工和养成工，她们都是住在工房里，每间工房，一楼一底，日夜两班要睡一百零八个人，床是用木头搭的，上下两层，夜里睡起来，如同罐头沙丁鱼一样的，一个抵一个，动都不能动。

（丁）行　纺织工人大都是住在厂的附近，上工放工都是自己两只腿跑跑（有的工人讽刺地叫它做“坐十一号汽车”），逢到星期日，大多要洗衣服，做鞋子等等，就是有工夫出去玩玩，也不过到附近去跑跑，用不着乘什么车子。

只有一样是值得叙述的，就是女工们上工放工时常常乘的“羊角车”（就是乡下用的独轮手推车），每张车子最多可载十个人（两边各四人，车头上两人）。普通几个小姊妹凑凑，一个人出三四分钱，就可以推一两里路了。这种“羊角车”，是纺织女工们特有的。包身工的包工头老板，为了防避包身工逃跑，也常常用这种车子接送包身工。

（二）**婚姻丧礼**　因为上海的纺织工人全都是来自江苏和浙江、安徽的农村，所以，他们的婚姻制度，主要的还是从农村里带来的封建性质的“买卖婚姻”，这也是因为中国纺织业的发达，还是近三十年来的事，三十年只是一个很短的期间，在这当中，资本主义的剥削关系，并没有能够把纺织工人封建的生活习惯冲刷干净，更何况，半殖民地的上海，还有它半封建的一面呢！

可是，另一方面，资本主义的文明，也解放了许多青年工人的头脑，他们和她们，有时也自动地起来，自己去寻求终身的伴侣，这就是所谓“轧姘头”。

总而言之，在上海的纺织工人当中，从最封建的“指腹为婚”一直到最进步的“自主婚姻”都是有的。现在分别的写在后面。

（1）买卖婚姻　买卖婚姻制度，在纺织工人的婚姻中占主要的地位。那就是先由媒婆或是自己的亲戚朋友在男女两家之间奔走说合，等到一切的条件谈妥（主要的条件是女人的身价，叫做“礼钱”），然后再找算命先生“合八字”。“八字”合得对了，男家先付出“礼钱”（即是身价）的一部分，这就是订婚。

一切买卖的谈判，完全是由父母（父母死了则由其他长辈）作主，就是所谓“父母之命，媒妁之言”。在男家方面，男子本人有时还可以自己作主，至于待嫁的女子，大部分在父母的高压之下，同时自己又要害羞，对于自己的“终身大事”，差不多半点意见也不能参加。自家的终身利害，完全是在父母的“生意眼”里，媒婆的“乱吹牛皮”里，和算命先生的胡说八道里来决定了！

女工的身价，没有一定，最多有到二三百元的，最少也要几十块钱。面孔生得美一点的，身价高，面孔生得丑一点的身价低。女家的父母，完全是把自己的女儿当货物来卖，男家也就把她当货物来买。有许多女家父母比较明白一点的，讨价不多，一方面还注重一点男子的品格、性情，那许多“生意眼”太厉害的糊涂父母，就只知道一味要钱，什么都不管，甚至于把自己的女儿卖给人家作妾当娼都可以做得到。在厂里做工的女工，因为在女家能替父母赚钱，出嫁后又能替男家赚钱，所以身价特别的贵，甚至有五百元以上的。“礼钱”有时是折做衣服首饰或是别样礼物来计算。这是有许多女家，比较要一点面子，不愿意担负“卖女儿”的名声而想出的折衷办法。

大部分的买卖婚姻，都是又有“礼钱”又有衣服首饰的。在上海纱厂沪西的小沙渡，曹家渡，沪东的杨树浦等处工人的住宅里，常常可以听到工人在谈论，谁家一百块礼钱，两只金戒，谁家又五十块礼钱，三床绸被，两只皮箱等等的话。

订婚的谈判，是非常麻烦的，往往要拖延到好几个月才能成功，新式一点的家庭，两方面都要托亲戚朋友，进行缜密的调查，然后才决定，有些时候，甚至还在星期日把男女两方约到戏院或是游艺场，酒菜馆等地方，由男家请客，双方见见面，谈几句话，或是轧几趟朋友再订婚的也有。纱厂里有地位的拿摩温，老女工，往往是最欢喜给青年的工人做媒的。

订婚以后，什么时候结婚是没有一定的，有的马上就结婚，有的甚至过几年之后才结婚。结婚以前，礼钱一定要付全的，结婚的仪式大都是很简单，尤其是“八·一三”战争以后，纺织工人都挤住在租界上的阁楼和草棚里，住的地方太小，不能铺张礼仪，经济又比较困难，大都是在门口挂上一块红布，烧香点烛的拜一拜天地公婆，请几个亲戚朋友和做媒的人来家吃一桌酒席就算了。三天之后，新郎新娘都还是照常进厂做工，两个人都重新回到那残酷的剥削下面，去度那苦痛的“蜜月”去了。讲到接新娘子，也是看钱的多少各有不同，阔气一点的花上十块二十块雇一顶花轿，再花几块钱请一班军乐队和吹鼓手，把新娘子大吹大擂地招来。普通一点的花上四五块钱雇一辆汽车也可以，再蹩脚一点用一部黄包车也就对付过去了。

买卖式的婚姻，因为它的本身就是一种商品的交易，所以它最大的缺点就是男女两方失去了经济地位上的平等。于是结婚以后一切悲惨和不合理的事，都可以从这个坏的根源上发生。

双重的压迫，沉重地加在半殖民地中国广大的劳动妇女们的身上。

对于男工，买卖式的婚姻同样是不利的。因为纺织业的男工们，除了极少的每天能够做到八九角钱以外，大多数的男工，都比较女工的工钱还少，三四角钱一天的工钱，除了自己的开销，平均起码还要养活半个人。那里还会有积蓄来购买女人呢（照目前情形计算，最便宜的结婚，连礼钱和婚礼开销起码也得要一百二十元）？所以，很多的男工为了娶一个女人而致终身负债，生活更陷于悲惨！还有很多的男工，他们自己既然没有力量买女人，同时又是“借贷无门”的，那就只好终身不娶。在上海纱厂里三十多岁还没有结婚的男工，是随时随地都可以找得到的。

到目前为止，“买卖式的婚姻”还是流行在上海纺织工人中主要的婚姻方式。

（2）招女婿　招女婿的事情并不多，但是在纺织工人当中，却也常常听说。

有些老太太，她只有一个女儿在纱厂里做工，她要靠女儿养她的终身，所以有时就招一个单身的男工来家，做“养老女婿”，这样一来，自己老年的生活问题解决了，女儿的婚姻问题也解决了，这是“一举两得”的事。

在男子方面，自己本来是单身无靠的一个流浪者，现在不花钱就能够得到一个妻子，白天里两夫妻都去上工，有老太太在家里烧烧饭，洗洗衣服，当然也方便得多了。所以单身的男工，都情愿被人家招去做女婿。可是也有许多老太太手段非常厉害，她把女婿招来了以后，完全把女婿当儿子一样的管起来，有时候生怕女婿要变心，所以特别比管儿子还要凶，放工回来不给女婿出去玩，就是到星期日休息的时候也要叫女儿和女婿一块出去一块回来。每逢关饷的时候，都要亲自查查工折子，数数敲几个印子，算算一共有多少工钱，关饷以后，要叫女婿把工钱全部交出，一点油也不许揩。

这样的婚姻，在男子方面当然可以说是“自主”，但是在女子方面，依然完全是由老太太一个人独断独行，所以它的结果，仍旧是不能“美满”。

（3）童养媳　和“买卖婚姻制度”同样的，“童养媳”这个名称也跟随着纺织工人，从中国落后的乡村，来到这资本主义化的上海。带着浓厚的封建意识的纱厂工人的父母们（因为上海的纺织业发达还是近三十年的事，所以纺织业中很少有“两代工人”），都把给儿子娶媳妇看做自己的责任。但是在残酷的经济压迫之下，他们却又没有能力花上几百块钱给儿子买一个女人，所以就不得不事先准备，在儿子有十岁左右的时候，就到自己家乡的乡村里，花上二三十块钱（价钱的高低，是看年纪的大小，年纪越大的越贵），买一个三四岁或是七八岁的穷家女儿，带到上海来，亲自抚养，等到童养媳有十二三岁的时候，就托人介绍到纱厂里去做童工，学生手，然后一直就在厂里做工。等到男女都有十七八岁左右的时候，就可以正式成婚。

做童养媳的女工，有百分之五十以上都是受着公婆和丈夫的虐待。一天十二小时做工回来，烧饭洗衣服是固定的事，挨打挨骂更是家常便饭，因为打死了也没有“娘家”来帮忙说话的啊！“童养媳”，这种婚姻制度，比较起“买卖婚姻制度”更不合理。尤其是对于女工方面，更是一种残酷的遭遇。

（4）指腹为婚　几百年前留下来的这种订婚的方法，就是今天，一九三九年的上海，在纱厂工人中依然是没有完全消灭，但是却也只是极少数了。

当两个男工或是女工，他们或她们间的感情太好了，而恰恰两人都是快要生儿女的时候，他们就约定，如果一个生的是男儿，一个生的女儿，那么两方面就互相订下婚约，待到孩子年长的时候结婚。

这样，完全凭着父母感情用事的婚姻，当然很少会有好的结果。

（5）抢亲　当“买卖婚姻”的交易谈好了，订了婚以后，有时候，男家因为筹措不出全部的“礼金，”因而女家也就不肯交“货”。在这种情形之下，“抢亲”的事就很可能发生了。我亲眼看见这样一幕“抢亲”的悲喜剧！

杨树浦日商纱厂的工人，每两个星期可以到上海来一次，出入的口子，就是二白渡桥。有一次，礼拜六的傍晚，正当成千成万在敌人铁蹄下讨生活的劳苦同胞们，像潮水似的从桥北涌过来的时候，抢亲的事情就发生在桥的南堍。

听说，这样的办法，往往因为强迫的造出了“既成事实”而取得女家的“追认”的，但是却也有因而打官司，进法院，闹得一塌糊涂的。

几世纪前的“古物”仍然能存在于资本主义化的上海，这并不是纺织工人们的罪过啊！

（6）自主婚姻　工人都叫它做“轧姘头”，在上海的下层社会当中，由于劳苦的贫穷的青年工人们，性的要求不能得到合理的解决，所以“轧姘头”的事情特别的盛行。青年的纺织工人，整天十二小时的混在一起工作，大的车间有几千人，小的车间也有几十人，所以轧姘头也就更加容易。在上海流行着一句话，“上海滩不轧姘头猪头三”。

在纺织工人当中“轧姘头”的事情真是太多而又太不费事了。男女两方面，只要互相中意之后，很快的就能成熟。

“轧姘头”这件事，虽然是“自主”，虽然是青年男女的性的结合，但是却不容易继续下去，因为这些男女工友还不能了解男女结合的主要条件，所以这种婚姻常常不能继续下去而成为正式的婚姻。青年的工人，无论是男女根本就不把它当做一件正式的婚姻大事来看待，都只是把它当做在痛苦的生活中一种寻求刺激的方法，发泄被压迫者的苦闷的方法而已！

因为这个缘故，所以“轧姘头”在结合之前两方面都不经过慎重的选择，在男的方面，唯一的标准就是看女的漂亮不漂亮；而女的方面，也只看男的有钱没有钱，衣服神气不神气，同样的，在结合之后，既不正式同居，也是很快的就容易“拆台”，只要一点小事情争吵一下，或是有一方面家庭干涉，或是有一方面跳厂（就是到别的厂去做），或是有一方面家里给他或她和别人订了婚，那么，这个“姘头”很容易就拆散了。我们听工人唱的十调里有这样的一句“……露水夫妻认的什么真呀喂”，就可以知道“轧姘头”的意思了。

“轧姘头”叫做“露水夫妻”，它的意思就是，太阳一出就要烟销云散，所以常常因而吃醋争风，打架甚至仇杀的事，也是有的。“轧姘头”之成为一种罪恶的行为，只有罪恶的资本主义社会制度应负其责！

虽然大部分轧姘头的事往往不能有好的结果，但是却也有不少的从“姘头”到正式婚姻而且能够“白头偕老”的，这是因为，男女两人都比较认真，同时封建的压迫又比较轻的缘故。

我们讲到纺织工人的自主婚姻，除去了“轧姘头”以外，我们还要深切的注意，在上海二十万纺织工人——新兴的中国无产大众当中，由于最前进的政治潮流的存在，所以最前进的婚姻制度亦随着它而生长。不少青年的革命工人，他们已经从残酷的压榨中觉醒，为了争取自己的终身幸福，他们已经起来和顽固的封建黑暗势力作了无情的斗争。他们知道，在中华民族的解放斗争中，去寻求自己的伴侣，在工人阶级的革命浪潮中，去觅取自己的情人。这样的婚姻，是最前进的婚姻，是爱情的结合，是战斗的结合。

这种婚姻，因为它的基础是建筑在最前进的政治潮流上的缘故，所以前进的青年男女工人们，选择对象的标准不复是“金钱”，“漂亮”，而是“政治思想”，“爱国热情”，“知识程度”，“斗争能力”等等了。同时，这样的结婚之后，既不会有压迫，奴役等悲惨事实发生，又不致今天结合，明天离异，这是真正合理的婚姻，大胆的说，在半殖民地半封建的中国是从来未有的。

我们不可否认，这样的婚姻是最合理最前进的婚姻，它不但远胜过“买卖婚姻”和“轧姘头”，并且也远胜过资产阶级及知识分子们的“自主婚姻制度”。

关于女工的婚姻，我们特别值得提起“轧流氓”的事，以便姊妹们警戒！

在上海的工人区域里，到处住有许多专靠敲诈欺骗维持生活的流氓，这些人大都是外表穿得很漂亮，有的是西装皮鞋，有的是绸衣服，高领子，头发梳得发亮，白袖子卷得高高的，乍看上去简直是“一表人才”。有些年青的女工们被他们的外貌所炫耀，被他们的甜言蜜语所欺骗，往往就和他们去“轧姘头”，进一步嫁给他们做妻子，但是结果因为流氓的挥霍无度，一定要把自己全部的积蓄都被流氓丈夫骗去用光，衣服首饰也都拿去当光，自己一天十二小时做工回来，还要替他烧饭洗衣服，无理的虐待更是不用提起，弄到最后，甚至于会被流氓丈夫拖去卖给妓院。

这种罪恶的事，在知识程度特别在部分落后的纺织业女工中常常会发生，值得我们予以注意。

（7）离婚　到法院去打官司，然后“依法解决”的事很少的，因为穷苦的工人们一来缴不起“诉讼费”，“律师费”等等的钱，二来判决赡养费几千几百，也没有方法偿付。所以，在工人当中，离婚的谈判多是在茶馆店里举行，男女双方都请几个朋友，到茶馆店里去“吃讲茶”，双方谈好条件，男家给钱三五十元，中间帮忙谈判的人分一点钱，就简单的完了。这样的解决，虽然比较省事省钱，但是因为它没有法律上的根据，所以有时事后又别生枝节。

上海纺织工人的婚姻制度，从最进步的“自主婚姻”一直到最落后的“买卖婚姻”都是有的，它的复杂正说明了上海社会的组织的复杂。

到目前为止，“买卖婚姻”仍旧在纺织工人的婚姻中占绝对优势的地位，这也说明上海纺织工业正具有浓厚的封建性的缘故。

同时，新兴的“自主婚姻”的出现，却更有力地表现出：在国际帝国主义及中国封建势力所构成的剥削网下面，上海二十万的纺织工人，已开始在醒觉。

不合理的婚姻制度，本来就是不合理的社会制度的组成部分，要粉碎上海纺织工人们罪恶的婚姻制度，只有纺织工人们自己起来，先粉碎上海这罪恶的社会制度。

“红白事”对于工人是两个“难关”，“红”的婚姻的事，倒还可以延迟，但是“白”的丧事，却是非马上就办不可，人死了睡在家里，这一笔钱是非用不可的。

和婚姻制度同样的，上海纺织工人在丧礼上完全是传统的用着封建式的习惯。

人死了以后，除去赤贫的工人或是死者是很小的孩子，无论那一家都照例的请一个道士来家“开锣”（道士开锣，最少一块钱），据说：人死了灵魂不散，一定要道士来开一下锣，灵魂就散了。这种迷信的仪式，一直很有力的流传在上海的中下层社会。

谈到买棺材的事，比较经济上还能够周转的工人家庭，总得花上三十到四十元买一只白皮棺材（是用普通的木头做的不髹漆，完全白颜色）。再要穷一点的二十元，十几元都可以买到一只棺材，最穷的人家花上四五元，也可以买一只棺材，不过那是用装货木箱的板凑成功的，碰碰就要散，就要漏的。

“八·一三”以后，大量的纺织工人被炮火从浜北赶到租界上来，他们两手空空的猬集在人间地狱的贫民窟里，非人的生活使得他们的死亡率大大增高，一切的丧礼，完全变为不可能，因而，在劳勃生路两旁的空地，以及沪西一带比较静僻的马路上，我们经常的看见大一包小一包堆积起来的死人。有的用破席子包着，有的用烂棉絮包着，还有的就用破报纸包着，放在那里，等待着普善山庄来收殓，同时，在这些死尸当中，常常也有可以看见很不错的棺材摆在那里，这都是因为战后四郊封锁，以致弄得死人无处送了。

叫和尚来家念经，也是可以见到的事，普通都是请五——七个和尚（这些和尚都是吃荤的）来家念一天或是一晚，“超度亡魂”。念经的价钱，每个和尚至少要一元，另外还要供给一天的三顿饭。

有许多工人的家庭，经济能力不够，但是也尽量设法到处去东借西挪，请和尚来念一次经。甚至于借“印子钱”，“皮球钱”也要念一次经，多少工人，因此而弄得终身负债！

为了迷信，无数被压迫的工人阶级，因此遭受着更多的磨难，几千年来，统治阶级为被压迫者预备下的“鸦片”，它的余毒一直遗传到上海工人的当中，谁能说，这不是帮助了他们的统治呢？谁能说，宗教不是资本家的阶级斗争武器呢？

（三）**娱乐交际和嗜好** 纱厂工友，因为工作太忙，除了婚丧以外，平常和亲戚少有来往，又加以工钱很少，请吃饭请看戏等交际费，他们是拿不出来的；所以，即使有亲朋来玩，也不过招待香烟一枝清茶一杯就是了，买瓜子，点心来招待都是很少的。至于他们是怎样去交际活动呢？亲族不用讲了，从小就认识的，同住在一个地方的日子混多了，往往成为好弟兄或小姊妹，但大多数要好的朋友，是同厂同车间的人，他们天天混在一起，面孔很容易熟的，加以下工的时候一道出厂，在马路三三两两的可随便高谈，自然就认识了，进一步便结拜成弟兄，或小姊妹，平时大家来往，有事大家帮忙。求上进的，便约同去读书，爱娱乐的，便约同去看戏，就是过半数没有钱的，也可以到某一个小姊妹家里去谈谈天，或约起几个弟兄去跑跑马路。人类是社会的动物，穷困的纱工，也有他们的交际行为。

交际行为，大部分是以娱乐为中心的；纱厂工友也有他们的娱乐。他们文化程度高一点的，有许多喜欢唱歌，抗战以来，多喜欢唱爱国歌曲。例如沪西日商的内外棉第九厂，有几个工友下班，共同唱最新的歌，由一个比较会唱的人教，大家同唱。沪东东洋厂，也常有工友们，在车间里，趁着机器闹哄哄，低唱《热血》、《工人自叹》、《义勇军进行曲》等歌曲，下工回到工房里，也三三两两，一道小声的唱，或由一人吹口琴，大家静听。至于运动方面，青工们很喜欢踢小球，“八·一三”以前，沪西有不少由他们组成的小球队；最近内外棉五厂也有人想组织球队，但是因为没有空场，竟未成立得起来。本年十一月，日华纱厂还有几个工友，在厂中下工后踢小球玩，被东洋人看见了，认为犯规，每人罚工钱二月，以后，大家都不愿踢球了。此外乒乓也是他们所喜欢的，申新九厂工房有个俱乐部，除象棋，胡琴以外设有乒乓，但以系厂方人事科管理，对工人不客气，去打的人很少，他们情愿借学校的地方去打一下。至于打拳，中年和青年的男工，都很喜欢，十分之七八都会一两套，打得好的很多，以前在沪西有不少的场子，在最近因怕东洋人干涉，空场又多已建筑房子，打拳场子是大减了。日商内外棉纱厂，有一次几个工人在厂内打拳，被东洋人看见，结果硬要罚他们连做二十四小时的工。摔跤也和打拳一样，以前英华里有四五处，现在也停止了。话剧也是纱厂工友们所欢喜的，“五卅”的时候，他们便演过话剧，去年纱厂工友救亡协会，庆祝双十节，也曾借沪西大戏院演话剧，那天虽然下很大的雨，到的人数却有千人左右，演到汉奸害人，大家都大声喊打，事后都说工友们演得好；去年双十节，女青年会演戏庆祝，中国纱厂女工友去参加的，也有五十人左右。至于百分之八十的文化落后的男女工友，他们的娱乐，也跳不出中国封建遗物的范围，在沪西一带的，每逢礼拜六和礼拜天，不少的约起弟兄们或小姊妹们，买一角一张的票，在沪西大戏院，高升大戏院，天乐大戏院去看江北戏，本地男女工友，便花一角二分钱，到小沙渡路明月茶楼去听本滩。热天有“大礼拜”的时候，不少的就去各大公司的乐园玩耍，顶考究的便到大舞台或共和台去鉴赏辉煌的布景和神奇的机关，沪西和高升等是不要看的。看电影的很少，大半都到新闸路的西海，看一角钱的坐位。钱不多的，便到大旭里隔壁荒场，俗名沪西大世界，又叫地舞台，那里像庙会一样，有三四十个棚子，吃饭摊子占三分之二，有大京班三处，江北戏二处，本滩一处，玩戏法的一处，打拳的二处，说书的一处，每种戏只要花上几个铜板就可以入座，每逢礼拜六下午和礼拜天总是人山人海。纱厂男工友去的很多，女的较少，所唱的戏，多是《汾河湾》，《狸猫换太子》，《武松打虎》一类的杂戏。至于对他们连一个钱都不花的娱乐，便是几个人一齐去跑马路，他们的一间住所，要住上八个十个人，有客人来是坐不着的，就是放工回家吃饭以后，要想平静休息一下，也是办不到的，这些都是造成跑马路的条件。何况舒适的柏油路，红绿的霓虹灯，热闹的夜市，五光十色的商店陈设，不时掉换的收音机中的音乐，不要一个铜板，便可得着享受呢？跑马路一成了习惯，在任何地方都是坐不久的，总是想到马路上跑跑才舒服，做工的时候，沪西工友，放工后便到大自鸣钟一带跑，星期日还有不少跑南京路的，落后一点的，便趁此成群结伙，调戏女人。女工友跑马路的较少，有少数爱到女青年会参加各种讲演会，展览会，娱乐会等等，还有少数星期日约同到兆丰花园玩玩，大多数是到小姊妹家里谈谈心，听听书。至于他们看书，男的多半是《隋唐演义》,《罗通扫北》,《包公案》,《彭公案》等，字再认得多一点的，也爱看《三国》,《水浒》等，至于女工友，除了上面的书以外，还喜欢看《唐伯虎九美图》,《胡必松九美图》和各种杂剧，新一点的，便爱读张恨水的《啼笑姻缘》,《落霞孤鹜》等书，许多不识字的，由一个识字的看了讲给她们听，或者由这个识字的人念，大家围坐着静听。

还有些纱厂工友，染有嗜好。例如年青男工，不少的抽香烟，收入多一点的，抽金鼠牌或金字塔，大多数是三个铜板两枝，一个铜板一枝的零买。中年男工和少数女工多好饮酒，每天放工回来，一分钱买包花生米，打五个铜板老酒，饮了以后，再吃饭睡觉。至于叉马将，也有许多男女工友喜欢，在星期六和星期天，不少叉三百止五百止（即输完为止）的马将，他们能赢得十个八个铜板，都很高兴。他们打牌的原因，是没有正当的娱乐，至于最近越界筑路日寇汉奸所开的“娱乐社”，纱工因为输赢太大，并且爱国心重，去赌的很少，纱厂职员，去的倒不少，例如新裕纱厂有位职员，到梅芳里附近某“娱乐社”去赌，不但把领的薪金输完，并且把毛线衫也当了八元来输了。至于花会听筒，因为手续简便，大小不论，纱厂工友，不少去上当的，这种嗜好，比吸香烟，喝老酒，甚至比叉马将更是危险，望纱厂工友万勿染上为要。

三　纱厂工人的家属

纱厂方面的男女工友，在上海没有家属的很少，“八·一三”以后，家属逃难回老家，一个人留在上海的，也不能说没有，但在男工中，还不到十分之一，在女工中更见稀少。所以，大多数在上海都有家属关系。

那些单身的男工，因为纱厂的工钱小，个人单独吃饭住房子等开销又要大些，每月工资仅只能维持自己，即使有点余存也不多。老家都是破产的农民，虽也常常写信来喊他带钱回去还债或养家，他们大多数拖延，把每月多的一点钱，好的便拿来读读书，交朋友；一些不长进的便拿去玩公司，赌钱。要想成家，（结婚）经费上也发生困难，因此，他们家庭的观念是相当的稀薄。

还有一部分是没有父母、兄弟、姊妹在上海，寄居在伯叔家里的男女工友，他们往往把所有的钱交给家长，有正当的用费，再从家长那里去拿钱。他们的生活费比较省俭并且要安定些，家长对于他们也要客气些，可以不负担家里的琐事。这部分人喜欢读书求上进的人很多，很容易受社会上好的影响。

也有少数结了婚没有父母和兄弟分居的小家庭，他们大多数夫妻都在纱厂做工，生活相当安定，好的也喜欢读书，求上进；不过，他们的家庭观念很重，对于国家和大众的事情，出点钱和出主张都可以，出头露面硬干便特别慎重了。

大多数便是生活在有父母兄弟姊妹的大家庭中的，他们的工钱，大多数都得交给家长，近来因为生活困难，他们很难从家长那里，取得零用钱，和正当的用费。女的还要负担家庭许多的杂事；百分之九十的纱厂女工是文盲，这便是最大的原因。

有部分的媳妇或女儿，和家长反抗结果，每月可在工资中取得一元或两元钱，作为私人用费。

还有顶少数的老年工友，他们还和儿女们一道在纱厂做工，他们传统的思想尚未肃清，认封建家庭的老法是对的，希望儿女们不要出去，反对子女去过问国家或大众的事情，甚至反对儿女去读书，反对儿女有朋友来往，连一个零用钱都不给儿女。稍为明白一点的，也赞成替国家大众做事。

青年男女工友的家长，大多数还是以前做过纱厂或各种苦工，而现在没有做工的人。他们有少数在家坐着不做事，有的则负责烧饭，大多数穷苦的家长，便做打草帘、草绳，卖煎饼，或其他小生意，以贴补家用。他们总希望做工的儿女媳妇，把年幼的儿子拖带成人，他们大多数是受了天灾人祸的乡下人，在故乡无法生存才带来一家人来到上海的；所以，封建的家庭观念很重，在上海总希望自己存点钱盖一个房子，进一步存点钱回乡买田；除了亲眷以外，不喜和外人来往。至于青年工人的弟兄姊妹，大多数都是纱厂的工人，或纱厂失业的小贩，少数是别种产业的工人，彼此大都相亲相爱；至于他们的子弟，大多数没钱读书，在马路上流浪，没有烧饭的，便天天吃冷饭。至于婴儿，工钱大的便月出七八元请别人养，工钱小的便不去做工自己养了。至于分居的兄弟或堂兄弟和其他亲眷，彼此常帮忙找工作，但经济是独立的；对于有钱一点的亲眷，不容易得着帮助的，他们不愿常去。

至于现在沪东的工人家属，还要受东洋人的压迫，即是，工友要带家属去的，须领大派司，注明合家人口，才能居留，家属不做工的便无小派司，不准出来乱走一步。

总结的讲，纱厂工友的家庭，旧势力仍然残留。由于工资太小，一人做工不能维持一家生活，失业的多，须得兄弟姊妹共营生活，如何去说服争取家长，这便是目前最重要的一个问题。

第八节　棉纺织工人的文化概况与信仰

纱厂工人方面，除了抄号头等少数工作，需要识字的人以外，大多数一字不识也可以的。加以资本家对于提高工人的文化，向来便漠不关心，甚至无形阻碍。尤其东洋厂，完全取压迫办法。最近曹家渡某东洋厂有三位女工，带了民众识字课本进厂，在吃饭时自习，东洋人看见了，竟把她们开除，现在东洋厂的工友稍为胆小一点的，连下工后在外面进夜校补习都害怕了。加以纱厂工友，大多出生在贫苦的农工人家，小时进过学堂的不多，每天要做十二小时的工作，空时太少，工资又小，很多想读书没有学费，因此文化程度比其他产业部门还要低些。一般的讲，一字不识的男的有百分之五十到六十，女的有百分之八十到九十。内中东洋厂的文盲，女的在百分之九十以上，男的在百分之七十以上，就是识字的，文化程度也非常之低。例如在内外棉第七厂中，男工七百多人，能够稍稍认得几个字的，还不到一半，其中能勉强看报的，不过十几人，女工三千多人，能认字的只有五六十人，还不到千分之二，其中只有极少数能够看报的，读过《三字经》,《百家姓》,《千字文》的，便算是括括叫的了。至于中国厂和英国厂，工人下工后可自由补习读书，识字的人男的大约有百分之三十五，女的大致有百分之二十，不过厂方的目的，只在使工人认识几百字，再高的文化程度，他们是不肯给工人的。所以能看报的，依然是很少，恐怕还不到千分之五。

可是纱厂工友中，是有不少聪明和天才的人。例如统益有位工友的漫画，他的线条的老练，恐怕许多专门家都会佩服，又例如内外棉九厂有位上手机匠，还发明了自动织布车上面的稀发钩，东洋的大班，还把这图样带回日本去了，这种人才，不是我们将来的史太汉诺夫运动者吗？发明后东洋人只是给他十元赏金，每天加五分工资连前一共四角五分一天，大家还说他不好，他也灰心丧气，可见在这种环境下，不知道埋没多少人才。至于一般的工友，天资好的也很多。他们的不能看报，并不是不可救药的，有一部分老工友是在老法学堂读过多年，报上的字大半都识，只是讲解不来，也看不大懂，经过半年的补习，大致便能看报，例如某厂有位三十几岁的工友，读书上进，最初大家都笑他年纪已老，可是他不顾众人的耻笑在半年内很有进步了。还有些青工，以前曾在小学念书，因家庭破产才进工厂，他们努力补习，三四个月便可看报，近年来还有少数的有学识的学生职员，因遇战祸破产失业而进工厂，这种人来到纱厂，自然影响到纱厂工人的。

一般纱厂工友的文化水准虽然低下，但他们求知识的活动是很动人的。远在“八·一三”以前，在沪西尤其是在沪东，不少的纱厂工友，在生活情形下面，下工后到补习学校去念书。“八·一三”以后，工友们更热心去求寻，还有一部分工友，住在越界筑路地方，便在自己附近的老法学堂补习。现在沪东纱厂的工友，因附近没有学校可进，便在工房里自己教自己。此外有些厂方，以前在工友要求之下，也在厂内为工友们开办学校，其中永安三厂最好，现在还在继续办理，规定工友们在放工后上一个钟头，早晚两班，共有二百人左右，分四个教室上课，由职员轮流教授。教材用高级国民读本和《老少通》，只是教法偏于认字，不大讲解，有些教员不准发问，以致许多字都未认得，这不能不算是美中不足。现在鸿章厂方也借麦根路大任小学，办了一个勤业夜校，该厂工人可以免费，因为教员不能了解工人生活，该厂工人去读的很少，反没有外人去读的多。至于申九，也在工房里请有女职员负责教女工认字，可是这位女先生不能负责，常常停课，读的人数也就很少。统益在“八·一三”以前在厂内也办过识字班，读的有一百人左右，新裕纱厂也办过，有六七十人读，现在都停办了，工友们只好有的到外面去补习，有的向厂里程度好一点的问问字，感觉得十分不便。一部分的好职员是热心工人的教育的，例如新裕纱厂经理的叔父，这位老先生现在都还抽闲去教几位女工识字的。所以希望该厂的工友们和职员合作，请求厂方赶快恢复工人识字学校，自从政府颁布“抗战时期保护劳工方案”以后，新裕厂方就预备遵照方案第一条办法。至于东洋厂方的工人，不因厂方的愚民政策就停止自己的学习，相反的现在也有部分工友，在外面进补习学校，甚至有带二三本课本，进厂教人识字的。至于所读的书，大部分（尤其是女工）是才开始识字的，读识字课本；有识一些字的，多爱读白话尺读，学写信；少数程度好的爱读时事常识，论文学，看报和作文；还有少数爱学英文，以便好脱离东洋厂的工作。近来东洋厂有极少数找人学日语，想考翻译，一般人对于他们这种行为，很看不起，最近新裕厂方还添教练习生们的日语，不知道它的用意何在。

“八·一三”以来纱厂工友们，以前对国事不大关心的，现在大部分都喜欢看报纸问消息了。中国厂对于工友们看报是不禁止的。不少的工友在早上上工的时候都买份《导报》或《时报》进厂，大家看看。其中有些厂的工友们更好，每个车间每月都由工友们凑钱，交拿摩温去订《文汇报》，每天放在车间中大家看。该厂还有一位老工友，不识一字，常常买报纸或杂志，回家叫他的儿子读给他听，这种精神真可令人起敬。沪西的东洋厂，只准看《新闻报》，其他报便认为犯法，但却常常散发奴化文件，例如最近发给工人一本小册子叫《廿七岁的她》，内容全是攻击国民政府和侮辱国府要人的。现在沪东一切纱厂除汉奸报纸外，其他的都不敢看。沪东东洋厂看见工友看报，便送到东洋司令部去处罚，轻的也要关四天才放出来，重的便会失踪，真是残酷。可是工友们还是千方百计想方法看报纸，大多数是在每礼拜日由家去厂的时候，买一份报纸看看。在台儿庄胜利的时候，工友们曾凑出一角五分钱设法买一张《导报》来看，这是多么动人的行为啊！

除了读书看报，还有少数的工友集合起一些人，自己买书籍研究。比方每人每月出一毛钱凑起来去买《大美画报》或《译丛》大家传看。东洋纱厂也有少数工友这样自修，至于话剧，唱歌，踢球等带有娱乐性的文化活动，也为许多工友所爱好，此处不再详谈了。

现在大部分的纱厂男女工友的文化活动，还限制在旧剧和旧小说故事的范围以内，真是一个严重的问题。所幸现在政府当局都提倡劳工教育，政府并在去年十二月颁布了“抗战时期保护劳工方案”，第一条就是普及教育，尚望工友们配合着这种顺利的环境，争取全体纱厂工友们的文化提高。

因为纱工每天要工作十二小时，文盲又平均在百分之八十以上，尤其是在女工方面，例如沪西有一位女工，已经有二十岁，做了八年工，只认得由家到厂的几条马路，连南京路也没有去过，像这样的事初听着觉得很奇怪，后来再一打听才知道女工当中，大部分还都是如此呢！这些女工友虽多数是没有十分明确的政治表示，但对于自由解放，生活改善的主张却都表示欢迎。多数的成年工人对老工会的信仰很深，他们知道托派不好，汪精卫是汉奸。在小学念过书和知道事情比较多的人，赞成孙中山先生和他的革命事业，他们也知道苏联很好。八路军平型关大捷以后，及新四军不扰民爱百姓的事实，由工友的乡下亲眷传到上海，他们很相信共产党，例如有一位工友说：新四军才配称游击队，爱人民会打仗。总括一句说，他们是着重事实，缺乏理论的修养的。

就拿思想较清楚，文化程度最高的来讲，对于报上和杂志的许多术语，很多弄不明白，例如把帝国主义认为是有皇帝的国家，问孟什维克是那国人，现在还在不在，晓得托派不好而不清楚第四国际的好坏等等。这种现象一方面是由他们的生活太坏，文化太低，另一方面没有通俗的正确读物供给他们，以致 × 方汉奸的麻醉理论乘虚而入。

至于在宗教上的信仰，纱厂工友方面是占少数。首先就从回教来讲，该教现已不传教，工友方面信仰回教的大致是湖北帮，原来出身回教家庭的人。小沙渡有回教堂，每年九月“禁口”一月（“禁口”就是从九月初一起，一天吃两顿饭，日出前吃一顿，日落后再吃一顿，白天里滴水不准入口，这样一直到九月底止），但纱工因为要做生活多不能实行。“禁口”在上海十万回教徒中，纱工恐怕不过几百人。其次信仰耶稣教的更少，因为该教虽倡言博爱，但来到中国的传教士，多嫌贫爱富，纱工们都说教会中人只爱钱不讲义气的多，所以不信仰它，加以星期日也要做杂事，没有功夫去礼拜，因此不怕沪西一带有四五个教堂，纱工不但入教的很少，就是听传教的也不多。此外还有中华理教会，规定不吸烟酒，常为穷人治病，加以在安徽、江、浙内地有相当基础，因此中年的纱工进了理教的还多。末了少数工人家属迷信仙姑，男工十之七八都参加了青红帮，拜有老头子，信仰关公，老年女工则常常拜佛烧香。和其他社会阶层一样，一年三大节，他们的家庭谁也要敬祖先。

第九节　棉纺织工人运动与组织

纱厂工人，从来就站在中国反帝运动的前线，在“五卅”以前，远在一九一八年，上海日本纱厂工人，同情北京学生运动，反对曹陆章三贼亲日卖国，要求政府释放学生，由内外棉，日华等厂发起，举行三万人以上的罢工。这次罢工，可说是纱厂工人走上中国政治舞台的序幕。自此以后，纱厂工人，可以说是上海工人运动的基本队伍，兹分三个时期述之：

一　“五卅”时代

当一九二五年“五卅”大罢工尚未爆发时，即有日本纱厂二月的同盟大罢工，其主要的条件为：（一）禁止殴打工人；（二）增加工资一成。由内外工人发动，大康、日华、同兴工人均起响应，参加者二十二厂，罢工工人约三万人，厂方态度非常强硬，工人因罢工二十余日，为衣食所迫，不得已依次复工。工人自遭这次压迫之后，渐有觉悟，乃于闸北潭子湾组织工会，入会者非常踊跃，对职工权利，竭力拥护。日商于五月七日召集纺织同业会议，议决取缔工会。内外棉三、四两厂首先不服，复起罢工，八厂、十二厂即起响应，七厂当局恐工潮延及工厂，借口存纱不敷拒绝工人入厂工作，工人质问经理，双方互有争论，结果发生冲突，厂主开枪击伤工人十余名，内中工人首领顾正红重伤毙命，震动全国的“五卅”大罢工于是爆发，恒丰，老公茂（即现在日商公大二厂），上海第一、第二、第三纱厂，同兴，东方，华东，日华，裕丰，大康，丰田，喜和，申新，华商，怡和，公益皆群起响应，纱厂工人为当时罢工工人中一支主要的队伍。

在同年八月二十日，由三十六纱厂工会，成立上海纱厂总工会，为当时全上海总工会一个重要支柱。会员约有一二〇〇〇〇人。其成立宣言大体如下：

去岁我们在日本纱厂的工人，因反对无人道的虐待，及要求增加必要之工资，而发生罢工风潮，几经波折，迁延至今年五月，日本资本家竟以残酷手段，对我工人，惨杀顾正红，因此激起学生诸君之义愤，以致有“五卅”南京路之暴举。嗣后帝国主义者，在中国到处杀我同胞，而我国人之反帝国主义运动，亦同时为猛烈之发展。我们上海各业总工会以及本会之成立，皆此反帝国主义运动有以促成之。上海各纱厂工人，为此次运动之发动者，同时亦为此运动之先锋及主力队伍。我上海三十六个纱厂工会十二万余工人在上海总工会指挥之下，两三个月来，坚持奋斗，未尝稍懈。现在上海总工会，依产业组合及权力集中之原则，联合我上海三十六个纱厂工会，于八月二十日，召集各纱厂工会代表大会，组织上海纱厂工会，制定章程，选举职员，即日宣告正式成立。我十二万余工友的纱厂总工会成立，是使我们的团结愈形坚固，势力更加雄厚，此后对于反抗帝国主义，争求民族之自由，及工人阶级之解放运动，当更加努力。我们认为反抗帝国主义及争求自由解放，都是长期斗争中的大运动，而且要全国民众都组织起来，一致参加，才能得到完全的成功。我们认为凡是在压迫我们的帝国主义，都应反抗。我们要取消一切不平等条约，恢复我们自由独立的地位，这是我们对于一般政治的要求。但工会是拥护我们工人自身的利益的，我们受中外资本家重重的剥削与虐待，工作时间从十二时到十六时，工资低少得不能生活及养家，还要遭他们的打骂及侮辱，至于女工童工悲惨之状，尤难尽述。我们过这种非人的奴隶生活，是何等的苦痛啊！这是我们不能忍受的，我们极迫切的要求改良生活，减少工时，增加工资，及改良待遇，我们要猛烈的从事经济的斗争。我们的总工会就是团结我们的势力，领导我们经济斗争的大本营。此外开办学校，阅报室，讲演会，俱乐部等，以提高我们的知识，娱乐我们的精神，以及教育我们的子女，这是工会的责任。……

纱厂总工会章程如下：

第一章　纲领

一　本会由上海纱厂组织之，定名上海纱厂总工会。

二　本会之宗旨如下：

1. 谋生活之改良，地位之向上，与上海各纱厂工人之福利。

2. 联络感情，实行互助。消灭一切地方上，职业上，性别上之差等，而谋全体劳动者之一致团结。

3. 促增知识之增长。设学校讲演团，图书馆，新闻阅览所，俱乐部等，俾促劳工阶级之自觉。

4. 统一纱厂工会之组织，并援助组合之组织。

5. 指挥上海各纱厂工会之行动，并规定共同战斗之目标。

第二章　组织

三　本会之最高机关，为上海各纱厂全体代表大会，由执行委员会召集之。各组合出席之代表数，由执行委员会用比例法决定之。

四　代表大会选举执行委员二十五人组织执行委员会。代表大会闭会时，执行委员会为本会之最高机关。

五　执行委员互选委员长一名，副委员长二名。委员长因故不能执行业务时，副委员长代理之。执行委员之下，设组织、经济、教育、总务、交通、会计六科。各科设主任一，副主任一，干事若干人，办理各科事务。

六　由委员长及各科主任组织主任会议，办理一切事务。

七　执行委员会认为特别必要时，得设特别委员会，并特别机关，且得任用编辑、顾问等人员。

八　执行委员会每年改选一次，无论何科，若欲于会员外任用其他职员时须经主任会议之通过。

九　执行委员会之各科，及特设机关之办事细则，由执行委员会另定之。

第三章　纪律

十　各组合厅履行代表大会及执行委员会之一切议决案。

十一　不得违反本会章程及无故退会。

十二　不得迟延或滞纳每月份之会费。

十三　不得有破坏本会及妨害会员之行动。

十四　各组合不得有互相争斗或排斥之行为。但因误解而致纷争时，应直接控诉本会，而受其仲裁。

第四章　经费

十五　各组合每月征收之月费，均由本会保管，各组合每月之支出，由本会根据预算表，每月支给。

十六　遇必要时，经执行委员会之议决，得向各组合征收特别费。

十七　本会财政困难时，得临时向外界之热心赞助者，募集捐款。

十八　各纱厂工友，应定期制作决算，供本工会之审查。

十九　代表大会选定审查委员七名，组织审查委员会审查本会之收支账目。

二十　本章程经上海各纱厂全体代表大会之通过，及总工会之认可施行之。

廿一　本章程如有不适之点，由三人以上之提议，过半数代表之同意，得修正之。

在纱厂总工会领导之下，一九二七年三月，各厂工会分别向厂方提出要求。其向日商厂方提出者大致如下：

（1）承认工会有代表全体工人之权，并由厂方给工会开办费，及给定会所房屋，月津贴大洋一百元，以供会内诸杂用。

（2）增加工资，拾元以内者加十分之三，二十元以内者加十分之二，三十元以内者加十分之一。

（3）每月四赏工，停一工不得扣除。停二工者扣除一工，以后并将四赏工，摊派在工资内计算。

（4）礼拜日及纪念日，如“二七”、“三·一八”、“五一”、“五四”、“五九”、“五卅”等日，端午中秋，阳历年底，均休息一天，阴历除夕元旦，休息五天以上，各休息日工资照给，如做礼拜工，以双工计算，阴历十二月，各工人全月加给双工。

（5）工人请假在六个月以内销假者，仍得照常工作。

（6）恢复“五卅”到现在失业工友的工作。

（7）不得无故开除工人及罚工钱，如果实犯厂规，及偷享私窃棉纱等类，须通知工会同意，宣布其所犯，而惩办之。

（8）重定平等新厂规改良待遇。

（9）工人生病，由厂方酌给医药费，并工资照给，如佯为生病者，由工会负责查明处罚。若工作受伤而残废者，除优给医药费外，并给予长年之工资，倘因伤而死者，须给五百元之抚恤金。

（10）粗纱间纱及二号纱，均添用男工。

（11）摇纱间拿纱赏罚务要分明。

（12）以后不得召用养成工及临时工，现有者须存长期工，添用工人均由工会介绍。

（13）每天工作八小时为限，午饭关车一小时，其茶水必用锅炉煮沸，不得以阴阳水为饮料，以重卫生。

（14）创设工人学校及医院。

（15）提高童工工资，工作不得过重，须适合其力量。

（16）女工生育期内休息六十天，婚嫁期内，休息一礼拜，工资均照给。

（17）摆筒管事，须添用男工，不得以女工兼做。

除（10）、（11）、（12）、（17）四条而外，华商各厂工会向厂方所提出者，大致与向日商所提出者相同。当时国共尚未分裂，工人组织统一，大家步调一致，所有这些条件，在广大工人群众斗争情绪包围之下，大半为厂方当局接受。故这个时期，为上海过去纱厂工人黄金时期，至今为一般年老工人及熟悉当时情形者所称羡。可惜这个时期甚短，及至同年上海“四·一二”事变（国共分裂），工会被迫解散，各厂工人首领或被开除，或被牺牲。各纱厂资方对于所允许的条件，多取消或变更。新的与政府接近的工会不易成立，例如怡和纱厂老工会被解散，新工会刚刚在筹备的时候，其负责人即被指为走狗而用手枪打死，再也无人敢来组织与政府相近的工会。以后申新一厂、八厂曾由国民党领导组织工会，统一纱厂由国民党领导组织互助会，然皆没有包括全厂工人。其负责人员多为厂中职员、巡捕、包打听或厂外党政人员，故工人多不愿参加。因此上海数十家纱厂可以说自老工会解散之后，工人是大半没有组织的。

二　“一·二八”时代

先是自一九三一年“九 · 一八”事变之后，× 方以武力侵占我东三省，全国民众奋起抗日救国，上海纱厂尤为热烈。日商纱厂工人八万余人，自动组织抗 × 会，并撤退出工厂，以表示抗日的决心。十月二十一日议决，推派代表列席上海市抗 × 执委会，报告工人情形，并请求设法救济。十一月一日日商同兴工厂开全体大会，即日退出，实行不合作主义。可惜我政府当时抗 × 策略尚未肯定，国内政治分裂，工人运动不能统一，

纱厂工人抗 × 活动多受阻碍，不易发挥其力量。“一·二八”前夜，三友实业社数千工人，自动捣毁日军事防御物，及至次日十九路军在上海发动战事，沪西丰田、日华、喜和、内外棉等十七个日商纱厂，工人六万人，在共产党策动之下，罢工响应十九路军，组织罢工委员会、武装纠察队、工人义勇队，成群结队上前线参加战争，几次而且是几十次号召后方群众大会示威游行，反对当时政府不抵抗主义，和压迫抗 × 战争，检查日货，监视奸商。待十九路军退出淞沪战事停止后，各纱厂工人犹单独罢工两个多月，后来终于在经济政治种种压迫之下，忍痛复工。

三　一九三六年时代

自“一·二八”以后，全国棉产多为日商垄断，华商纱厂因为市场不景气及原料缺乏，纷纷减工。民族资本家不知放大眼光，对外抵抗，反而对工人进攻非常凶猛。工人因为国难当头，十分隐忍。日商则趁火打劫，加倍剥削工人。其详细情形如下：

（1）生活加重：例如细纱间接头女工，从前每人至多派五十至六十木管，此时则竟增至八十至九十木管，粗纱值车女工，从前每人值车一台，尚有助手一名，现在则一人值二台，反将助手减去。其他各部，工作莫不增多。

（2）工资减少：从前细纱间接头每一木管，给工资一分至一分四厘，现在减至七厘至九厘。从前粗纱亨斯[1]为七分至九分，现在则减为五分至七分。

（3）处罚增多：大便时间在二十分钟以上者罚，夜工在车旁稍闭一下眼者罚，偶在地上坐坐者罚，每天十二小时，除吃饭十五分钟而外，简直无一分钟可以休息。

（4）严厉禁止工人一切活动，动不动即将工人开除。

在这样的压迫之下，故在一九三六年上季各日商纱厂常常此起彼落地发生斗争，作为同年下季大罢工的前哨战。二月六日大康纱厂八千工人为反对厂方打死工人梅世钧，一度怠工。旋因工友们没有组织，当时即被镇压下去。十三日喜和纱厂工友三千人，反对厂方开除职工，一致罢工。十四日日华纱厂工人二千人，反对厂方缩短吃饭时间，及计划开除老工人，举行怠工。三月九

［1］注文：原文如此。——编者注

日裕丰纱厂工人四百人，反对开除工人，要求改良待遇及增加工资，全体举行罢工。此时期各厂工人皆缺乏坚固组织，加以环境非常恶劣，故结果大多失败，尤以裕丰损失为最重大，工友之被开除者达一百多人，被捕者达三十人以上。

然而高压政策是决不能使工人永久屈服的。加之本年下季全国棉产丰收，纱价又涨，成本既廉，售价提高，而日商对工人进攻如故，于是伟大的一九三六年大罢工，如火如荼一样地爆发了。其中经过详情，大致如下：

首先沪东杨树浦日商上海第四厂千余工人，于十一月八日宣布罢工，要求增加工资。十九日沪东沪西浦东之丰田、公大、喜和、上海、大康、裕丰、日华、东华等厂，联合发表宣言，响应第四厂的罢工，提出五项条件：

（1）普加工资十分之二。

（2）吃饭停车一小时。

（3）不准开除任何一个工人。

（4）不准拷打任何一个工人。

（5）反对礼拜日多做钟头。

这次罢工波及全上海的日本纱厂（后来甚至牵动全青岛的日本纱厂），参加罢工者达十余万人以上，为“五卅”后对日商最大的一次，罢工当时形势非常严重，日本海军陆战队全体出动，分别驻守各厂，直接对工人施行恐怖政策，压迫工人复工，但罢工工人的态度则坚决、镇静，获得上海各界人士赞助。上海各界救国联合会，并散发米粟，援助罢工。工人罢工坚持至十一月廿六日，上海市地方协会会长杜月笙先生出任调停，会同工人代表向日本纺织联合会会长船津谈判多次，始决定七项条件：

（1）工资增加百分之五。

（2）每月赏工制现改为奖励制，成绩优良者，酌量升级加工。

（3）不得无故开除工人。

（4）不得打骂工人。

（5）每日工作十二小时，礼拜日十四小时，其多做二小时工作，另加工资。

（6）吃饭停车三十分钟。

（7）各厂工人即日复工。

在这十余日内，有些纱厂劳资直接谈判，其条件大体与这互相类似。有先行复工厂方无意履行条件，复工后而又罢工者。

这次日商纱厂联合大罢工，若拿工人所提的条件来看，其性质虽多偏于工人生活与经济方面，但是只认为这是一个经济斗争，则是一个非常肤浅的错误见解。这次罢工显然是由于日商历年高压所引起的一种反 × 斗争，含有极严重的政治意义，对于当时争取国内和平统一（不久即发生西安事变），共同抗日，是一个重要的推动。至于这次大罢工的主要缺点，就是在工人方面没有组织，事先没有工会，事后没有产生统一的集体领导机关，以指挥全体罢工工人。所谓日商纱厂联合会，是少数热心分子成立的团体，没有与广泛的群众取得联络，各厂工人都非常散漫，对罢工后的消息几乎无从知道。

在斗争中比较起核心作用的，有国民党方面所领导的福利会（属于总工会）与忠义会（属社会局），有共产党方面所领导的赤色工会及青年团，此外还有救国会与基督教青年会的部分会员，可惜以上各部分团体，在罢工工人中都缺乏广泛有组织的群众，且彼此又没有联络，取得亲密的合作。汉奸走狗因此乘虚而入，从中挑拨离间。甚至某些带封建性的工人组织，不知不觉变为亲日派汉奸操纵的机关，与日商互通声气，工人今日前往登记，明日即被厂方知道开除，甚至以假借发米救济罢工工人为引诱，实行拘捕罢工中的热心分子。

至于托派破坏罢工的手段更来得狡猾，他们高喊“不替东洋人做工”，“工人武装暴动”，“到华界包围市政府社会局去”等口号，企图转变当时罢工工人的对日商目标，增加抗 × 阵线内部的对立，把热心的部分工人首领，送到盲动冒险的道路之上，从侧面以假面具的方式来帮助日商破坏罢工。然而 × 方汉奸托派的阴谋，终被罢工工人识破。十二月廿六日以后，大罢工取得部分胜利而结束，日商纱厂工人在温习这次大罢工的宝贵经验后，将由各党派共同举起抗 × 大纛，一致向前迈进！

在以上三个时期中，上海纱厂工人，主要以日商纱厂工人，在反 × 民族阵线上，确实占伟大光荣的地位。

但是最可惜的，这将近二十万的战士，自一九二七年之后，即失掉了工会的组织，十余年来，始终未恢复原来的阵地。纱厂工人因为有此重要的弱点，故资方的进攻亦特别凶猛。五卅时代所争取的一切待遇，其他许多各业工人有些由于他们有组织，尚能保持不变，而在纱厂工人方面莫不丧失殆尽。男工工作，多为女工童工所代替，开除罚扣，漫无标准。吾人在检讨十余年纱厂工人运动的教训之后，不能不指出组织纱厂工人，是今后的急务。

第十节　棉纺织工人在统一运动中

一　纱厂工人救亡协会

“八·一三”的战号，掀起了全面抗战的序幕，数十年的耻辱，将随这个伟大抗战的掀起和胜利而洗雪。迎接这民族解放神圣事业，每一个同胞的热血都在沸腾着。上海纱厂工人，当然不是例外落后的。大家鉴于一九三六年大罢工时代的经验，感觉到各自为战的损失，于是开始注意到工人行动的统一与组织。在“八·一三”

的前数月，沪东沪西各纱厂工人，即纷纷组织别动队，进行军事训练，在抗 × 第一的目标之下，各派工人都有参加，及战事爆发后，于是首先沪东沪西日商纱厂工人推选代表到总工会，要求领导全体纺织工人参加神圣的民族解放战争，分配前方工作，不幸要求数次，均没有得到结果。可是大家并不灰心，相反的，大家相信团结就是自己的力量，伟大的力量产生于伟大的团结。存着这个信念，当时的热心工人自己团结起来，分途进行向各厂工人联结，帮助各厂工人组织。这时流离在街头的失业纱厂工人，更是主要的联络对象。经过一个时期的筹备，纱厂救亡协会于是成立了，内部包含各种派别的男女纱厂工友，成为当时纱厂工人统一运动的中心。这时总工会改变了以前的态度，不但不再拒绝，还马上派员指导，朱学范先生并亲自出席训话，纱厂工人由此经验到，靠自身的团结与努力是能够争取大家的合作的。

纱厂工人救亡协会的组织是这样的：分组织、宣传、募捐、戏剧、壁报、学校、前方工作和失业登记八部。在组织方面，根据各工友的特长和志愿编入各部工作。特别值得注意的，就是许多青年工友，都要求到前线工作，都想拿枪瞄准射击敌人。

在宣传方面，大家编成宣传队，经常到各马路，各难民收容所宣传，在那里暴露 × 方的奸淫烧杀活生生的事实，吸引一般同胞们包围他们，有的感动得掉泪，有的兴奋得磨拳擦掌。在双十节那天，大家并且率领自己的子弟出去宣传，这些生长在穷苦人家的孩子，虽说读的书不多，但讲起日寇的罪恶却有条有理。记得那天整天下雨，特别下午厉害，由于他们年小，又加上那激昂响亮的抗战歌声，也吸引了无数男女撑着伞围绕他们。有一位将近五十岁的老太婆，向他们说："请你们替我找个学打枪的地方，我要学会打东洋赤佬去，我家里人都给东洋赤佬炸死了。"

还有好多会写会画的人，出身在纱厂工人队伍里，由于他们的作品，收得不少的宣传效果。如像 × 方飞机轰炸我无辜难民的悲剧，× 方轮奸我妇女的兽行，以及 × 方挑拨离间失败后的窘态都在画上表现出来。

在宣传方面，女工姊妹们也是出了相当气力的。

至于募捐的成绩，则不十分好。所募的数目不多，但这是因为当时各厂停工，失业人多，但是被劝募的群众，也尽力出钱。

谈到戏剧方面，纱厂工人人才还不少，不过因为地点不好找，所以出演得不多，在双十节的那天，借了一个戏院，把许多戏的滩簧大鼓，采用原有的调子换上抗日的内容，确实得了观众的赞赏。

纱厂的壁报，每天总要发出百张左右，都由纱厂工人自己耐烦地一张一张的写出。不消说，它亦吸引了成千成万的同胞站在它的面前，提高了他们抗战的认识和觉悟，增强了我们抗战的力量。

为了干部的训练，纱厂办了一个政治训练班，参加的有五十人，讲的是中国的、日寇的政治形势与转变，和中国人在过去的革命中的光荣史，及今天在民族解放抗战中应有的任务等等，这样一来，这四五十人就变成了有力的播音机，把这些新知识，普遍的传到纺织工人的队伍里去了。

至于到前方工作，因短时间训练不够，以及受着各种的限制，去的人较少，但是到前方的并不是没有，最显著的是三天之内动员了五百多人参加了 ×× 队，陆续到前线服务的也在千数以上，而且去的人很英雄，这些中间有不少是女工。

最后是失业登记，这可算是安定后方的一种重要工作，凡是来登记的工友每天给他一毛钱救济费（由募捐来的），在登记和登记后进行宣传组织的工作，武装了好几千人的头脑，并且帮助他们参加了实际活动。至于这几千工友去影响了的群众，当然更多了。

二　各厂的活动

上面是谈纱厂工人救亡协会的反日斗争，那么各个纺织厂工人是不是就没有反日斗争呢？我们的答复是："有的，而且还多。"比如永安三厂，在"八·一三"以前有读书的组织，鸿章有俱乐部的组织。在"八·一三"后他们抛弃了书本，走出了俱乐部，在反日斗争中动起手来了。他们比那些公子哥儿，小姐太太走出华丽学堂离开迷人的跳舞场直爽吧！他们才真起劲啊！为了唤醒广大的群众，自己把平时极度穷苦生活下忍吃忍穿积蓄下来的工钱买油印机，编印了很多的宣传品，组织宣传队，男女并肩的各处宣传。强烈的太阳光晒焦了他们的皮肤，大雨湿透了他们的衣服，但他们毫不退缩。回家之后母亲问他们为什么要这样，他们回答说："前线的战士，为了我们而流血，衣服打湿算得什么。"

他们还募了许多旧衣服，送给难民。他们还进行了多次扩大募捐，成绩却皆不甚差。在每天募捐宣传以后，他们不怕疲倦，接着大家就坐在地上替前方战士缝马甲，男的就编印第二天用的宣传品或找宣传材料。他们还要抽时间写壁报。这不过是个例子，还有别的抗 × 分子或小团体的活动，因为篇幅的限制，不能够一五一十的介绍。在各厂的活动中，工人一般的都是着重统一行动的。

三　国军西移以后

纱厂工人的反日斗争，并不因国军的撤退就停止了，他们是采取了新的方式在继续着他们的艰苦奋斗。现在各个纺织厂里，不管 × 方开的也好，中国的、英国的资本家开的也好，凡有纺织工人的地方，都有强大反 × 的伏流。甚至在部分的日本厂中，工人不畏惧那里的恶劣环境，还在不断的工作着，他们不仅在那里作个别口头宣传而且还把译报《文汇报》，《导报》，蒋委员长为广州失陷、武汉撤退《告民众书》和朱德、毛泽东诸先生的像贴在墙壁上。东洋赤佬发现了，便偷偷摸摸的去撕掉，可是那有什么用处呢？新鲜的报纸第二天又贴起来了。虽然这些方式，在今天是不大适合，但这里可以看见工友们的英勇精神。

在今年“八·一三”纪念日，东洋××纺织厂工友，在甬道旁的墙壁上，写了“纪念‘八·一三’”五个斗大的字，他们还借了一架油印机，一面印抗×标语，一面印一只狗嘴里衔着一块肉，你们猜那块肉是代表什么？狗当然是指×方。沪东日商工友在这天，在《译报》上发表了他们不忘祖国的信和捐款，上面有这样的一句：“我们募捐是在敌人的刺刀下进行的。”沪西东洋厂工友看到这封信后，他们就以同心会的名义，在《译报》上答复沪东工友说：“祖国有了你们是不会亡的，我们永远的搀起手来吧。”在“八·一三”募捐里，在群众拥护慷慨捐输之下，汉奸也不得不出了两毛钱。

在中国厂里，在“七七”、“八·一三”各纪念日都进行素食，自省运动，起码几十元，甚至多到一两千元。××厂职员工人在“八·一三”那天，身上还贴起国旗来，× × 厂在募捐的时候，职员们还向工人讲演抗战形势，车间里面贴满了标语，这些行动在舆论上反映出来，深为各界所赞扬。

还有 × × 和 × × 纱厂的读书会，在国军撤退后仍然恢复了。每周开会，把讨论的结果带回各个车间，进行抗 × 鼓动宣传。编印了《点心半月》,《好朋友》等刊物，几百份几千份的印出来，来结实纱厂工人对抗战胜利的自信心。

有趣的是在 × × 纱厂里，在“八 · 一三”全厂职工举行素餐的时候，由一个工友喊口令，口令一响那六七百人的饭厅里，马上肃静起来了。他们都严肃的闭着眼睛，站起来向我们英勇牺牲的战士致哀。外国人看见了，大姆指一伸，连叫几声“括括叫”！“八 · 一三”以后，由于上海环境的恶劣，各厂工人更感觉工人统一行动打破数年前分裂现象的重要。华商及英商对工人活动的态度渐渐的有了转变，不像以前一样横加压迫，有些对工人活动采取不干涉态度，有些甚至采取同情帮助的态度（不过这样的厂家极少），至于一贯固执，没有进步的厂家仍多。所以争取厂方的合作，为开展厂内抗

× 统一运动工作中之一。

四　劳动妇女战地服务团

本来我们在前面已略略提到了女工姊妹们参加前方工作，可是这在抗战中还是不可多见的事，所以我们觉得有把它在这里详细叙述一下的必要。

本来妇女所受的压迫是双重的，这是谁也不能否认的事实。而我们劳动妇女除同一般妇女受着双重压迫外，还要受着资本家的剥削，在纺织工厂里，我们就有十多万姊妹，在东洋赤佬的铁蹄下被剥削蹂躏着，在民族解放的抗战里，我们女工姊妹特别英勇，这不是偶然的。

上海劳动妇女战地服务团是十位女工（多数是纱工）组织成的。在女作家胡兰畦领导之下，参加了罗卓英将军统率的第十八军，在“八·一三”后不久——十月六日——就活跃于东战场了。

她们的任务是：（1）唤起民众（宣传，组织，鼓励）；（2）侦查汉奸；（3）慰勉战士，救护伤兵，纠察军队风纪；（4）查考地方公务人员工作实况。她们秉着热诚，不避风雨，不辞劳苦，高兴地努力地攒进农夫农妇的广大群众中去慰劳、调查、宣传、组织，把那些不负责任的保甲长和公务人员找回来了，逃走的壮丁劝回来了，胆怯的农妇们安定了，那成千的小孩子也鼓舞起来了，本部驻地——嘉定周围六十里的每一个村落都活跃起来了。

去年“三·一八”妇女节的一天，雨雪交加，空气冻冷着，道路泥泞着，但是二十里周围的妇女群众，都冒着雨雪来参加纪念会，一千多人中，有六七十岁的老太太，都支着拐杖前来，中年的妇女都抱着婴孩赶来，就在这个纪念会中我们的劳动妇女，把他们组织起来了。

从这里证明了妇女绝对的能够和男子一样做战地工作，成绩在某些方面比男子做得好。由这种事实，无情的击破了“妇女只能管家事”的荒谬传说和法西斯主张“妇女回厨房”的野蛮政策。

这一群英勇的，中华民族最优秀的女儿们，不只在敌我交锋的阵地上进行英勇的工作，还在敌人的后方——游击区域里，进行了五十天艰苦工作，在这艰苦工作中，无疑的她们更锻炼得坚实强壮了。她们不只在淞沪工作，随着抗战的持久阵地的转移，也跋涉了不少的地方，吃了不少的苦头，由淞沪到皖南，从皖南到赣北，由赣北到武汉。随着武汉的放弃，她们也走上另外一个地方了，也许留在敌人的后方，组织广大的群众，进行游击的战争了。

“她们的努力，热诚，经验，功绩在民族解放革命战争中，已写下了光荣的一页，随着抗战的继续，她们光荣的历史也继续的写下去。”（罗卓英将军语）

五　纱工在这一年中得到的经验教训和今后的努力

在这一年半的抗战过程中，纱织工人在反 × 斗争中，得到不少经验教训。第一，证明了团结才有力量，不然的话，纱厂工人救亡协会是不会产生的；第二，发扬了纱工素来反 × 光荣的传统；第三，各种艺术的智慧的劳动者在纱厂工人队伍中展露出来了，击破了工人只会干粗笨生活的胡说；第四，劳动妇女战地服务团人数虽不多，然而一年来的努力奠定了妇女在民族解放战争中的地位；第五，指明了我们只有深入广大的群众配合抗战，胜利才有把握。同时我们毫不隐瞒的指出纱工的弱点：第一，纱厂中的各党各派的合作还没有到应有的程度，大批落后的工人——尤其是在女工方面，还没有组织起来，参加救亡团体的还只是少数热心工人；第二，就是已有的各厂抗日组织，还不够坚实，对群众的宣传教育不够；第三，反托派汉奸的工作不够；第四，争取资方合作及向资方的斗争亦不够。

由于这些弱点，就产生了下面的各种现象：

第一，各厂工人还没有广泛组织起来，更进一步发挥自己的力量。第二，由于以前的组织不巩固，日人遂派汉奸龚剑臣，王竹平，李绪堂等在纱厂工人中活动，欺骗少数部分工人进行汉奸工作，甚至以抗日为招牌叫工人拿手榴弹炸毁内外棉纱厂，以便日人作为压迫租界当局的口实。在英商怡和纱厂内挑拨工人进行劳资过火的纠纷。由于对群众教育不够，以致还有部分工人对抗日意识模糊，日人即抓紧这点，采用摸彩方法奖励工人毛巾、肥皂、胭脂，刺激工人努力生产，使工人忘掉祖国。在去年中秋，日人装着假面孔，给工人吃月饼。这月饼其实比手榴弹，迫击炮还厉害，可是少数糊涂的工人偏说："这是东洋厂家比中国厂家好的地方。"第三，由于反托派反汉奸工作不够，汉奸有时竟毫无忌惮的活动着，甚至公认自己是汉奸，在厂内结兄弟，拜小姊妹，散发“维新政府的传单”。第四，由于对资方的争取及资方的斗争不够，一些顽固的厂方和部分不明白的职员，对工人的抗日活动还不了解与同情，比如鸿章纱厂，连工人的节约运动，都遭压迫停止。还有些厂方，如申九（鸿章也在内），私买日货。

以上这些弱点，只要我们纱厂工人注意，是可以纠正的。亲爱的纺织工友们，民族的解放，就是工友兄弟解放的先声。大家须加紧自己的团结，加强各党各派间的合作及男女工友的亲密合作团结，争取资方合作抗日，向资方不利于抗战的行为作斗争，光明是在前面的。

第三章　丝织业

第一节　丝织业的略史及生产营业现况

一　欧战以前的中国丝织业

那时完全是手工业生产，杭州、湖州、苏州这些地方的机坊，就是现代丝织业的前身。一家机坊两三架或四五架织机是不等的，它的生产方法非常笨拙，只有织工与助手的分工，大概一个织工应该会做一切织机上的工作，像农村里的织布工一样。机坊主也是徒弟的师父，职工的老板，还须兼做跑街和出店。织出来的绸缎是在茶会上成交出售的，经过中间人去行销国内。直到欧战时期，有了些改进，提花的龙头机出现了，可称为半机械的生产，但还是用人力工作的，这样机坊就渐渐扩大起来。拉机厂也开设了，如杭州的源正和，天章，文记等，就是当时最大的拉机厂。其在湖州一带更是兴盛，散布在城乡各地的拉机有数万台之多，有名的湖绉，就是这地的特产。

二 欧战后机织绸厂之新兴与内地手工业之破产

欧战使中国民族工业有了兴起的机会，当时一部分封建官僚的资产者，支出巨额的资金，从事创办新式丝织工厂，最著名的是杭州和嘉兴的惠成公司，上海的物华绸厂，它们都是那时设立起来的。这两家厂的资本，前者是百多万，后者亦将近百万，各有织机百数十台，几百工人。惠成的机器都是由日本买来的，听说刚创办时还是日本人当工头，和用日本女工，并且它还开着缫丝厂，由茧子到织成绸缎，可以由自己一家做成的。物华则自己开铁工厂仿造日本“重由式”的织机机械（不甚优良的），厂屋规模宏大，各部设备俱全，厂面前的那条路叫做物华路。听说它那精炼厂是同日本人合办的。那时都是真丝织物，畅销国内。美亚较迟，创办于一九二〇年，当时范围很小，资本仅万元，织机十二台，工人三四十人。蔡声白留美回国，与美人兰鲁宾氏合营过三年，连年营业发达，获利丰富，范围逐渐扩大，打通南洋销路，厉行新式的生产与管理方法，到一九三〇年代，美亚就以崭新的民族资本恣态，战胜了封建官僚的惠成与物华，一跃而为丝织界的霸王。它有九个绸厂，一个经纬厂，尚有附属工厂的——美章纺制厂，美艺染炼厂，铸亚铁工厂，织物试验所等，共计工人四千余人。

这时期里的另一面是——战后帝国主义对中国市场侵略的重又袭来，技术落后的内地手工业渐渐破产，城市里的新式机织厂则日见抬头。

三　一九二四——二八年为绸厂全盛时代

因技术的改进，战后帝国主义对中国绸业压力的不十分猛烈，所以，内地手工业虽渐渐破产，但新兴的机厂绸厂（电机厂）获利非常丰富，利润率总在百分之五十以上，甚至有一倍的，再因丝织工业的可分性，当时一部分破产的手工业主，一部分小资产成分的职工与乡村里的封建资本，拼命的从事小厂经营，于是小规模的绸厂像雨后春笋一般地发达起来了。有时我们走到南市、虹口、杨树浦这些地方的里弄里面去，总是可以听到铿锵铿锵的机声。这些小厂大多是人造丝织品，销售国内。一九二四——二八年这一时期是丝织业的黄金时代呵，这时期中，大厂也开设不少，例如锦云、美丰、大美、美文、达华等。

四　一九二八——三七年退化和畸形发展时期

一九二九年爆发的世界经济恐慌，一九三一年全国的大水灾，“九·一八”事变东北四省的沦陷，丝织业在这连续不断的浪涛中受到了很大的打击。首先是南洋销路处处受到外国倾销政策的压迫；其次，因水灾的结果，国内人民购买力降低，还有东北四省的广大丝织品市场完全被敌人抢去。这样一来，像美亚等大厂就开始在国内竞争，大部分的小厂确实经不起许多袭击而关门了。另一方面，一九三〇与三四年美亚两次减低工资，借口国难，完全靠压制工人，进行惨无人道的榨取，获得高额利润而发展起来。这一发展是很可观的。例如，沪东的恒丰，一九三一年开办时，只有九台织机，各部不全，到“八·一三”战前已有织机八十余台，各部完全齐备，自造厂房，厂主由坐电车到包车，现在雪亮的自备汽车买起来了。还有锦新、镜亚、远东等多家，都是由几台织机发展到几十台织机的。沪西的福星、万宝等厂，当时都只有十余台织机，沪战前都有百多台织机了。

抗战前绸厂之分布区域及人数概况见下。

地区	厂数	人数
南市（一区）	80	7000
法界（二区）	20	1500
沪西（三区）	60	4500
沪东（四区）	150	6000
闸北（五区）	22	2000
虹口（六区）	22	2000
共计	354	23000

上表系根据一九三七年各区工会调查登记所得，颇有遗漏。

据每日《译报》记者向丝织业同业工会访问之十月卅一日发表报告：战前全上海丝织厂五百二十六家，共有织机七千三百七十六台，全盛时代营业数字每年四五千万元。按此报告，每台织机以日夜两人计算，有织工一万四千五百名，准备部与织工部成对比，亦一万四千五百人，其他各部及职员与学徒约一万余人，共计约四万人左右。

五　抗战后丝织业之变动

南市、闸北、虹口多数被毁，部分移内地或搬租界，法界、沪西完全无恙，杨树浦被毁百分之十，也有几家移租界安全区。现在法界增加百分之三十，沪西增加百分之五十，沪东约减少百分之二十。计迁移内地有：美亚七厂搬香港，美亚五厂搬汉口，美亚六厂搬重庆。（各厂进行混杂。）

六　现在生产营业状况

战后除上面生产单位变动外，生产方法无改进，生产管理上则全数开日夜班，一部分取消休息日以增加生产，营业非常兴盛，其原因是：杭、湖、苏及闸北、南市等处均停止生产或被毁；海外有部分销路，抵制日货；内地销路畅通，多数厂家用私货做原料，成本减低，并且无比的减低工资，获利之丰要超过战前一二倍，所以，又在造厂房，买织机，形成一种畸形的发展。

第二节　丝织工厂的行政管理系统

丝织厂的行政管理系统，主要的可分两大部分：事务处，工务处。工务处派分——准备部、机织部、成品部、材料部、木匠间、铜匠间。事务处派分——会计、庶务。行政系统则为经理——厂长——工务总管——工场主任（各部主任）——技士——技工。其中最主要的是机织部，次之是准备部。经理权力最大，总揽一切，事务繁多之大厂，则设协理一二人，帮助经理办事。厂长则专门对内，工务总管则管理机织各部工务。工场主任，则该工场之一切秩序，技术等等均需负责。技士、技工则专门管理技术事务。若是合股经营公司性质的厂，经理、厂长二席，大多是由股东会推选，股份较大的往往被选，间亦有由股东大会聘请的。工务总管以下的各级职员，均是聘请或提升委任的。但事务处职员，则多系厂主或经理亲信，因须负责经济也。

上列之行政管理系统，有些小规模厂家，并不五脏六腑如此俱全，木匠间、铜匠间，多数小厂均不设立，人员方面亦简分经理、厂长、工头而已。

第三节　丝织厂职工数目，性别，年龄，籍贯

根据一九三七年各区工会登记数目二万三千人，加上未加入工会者（职员和一部分工人）估计约四万多人，男女约各占半数，机织部男工多，准备部女工多。年龄十八至三十五岁占百分之七十五，三十五至五十岁约占百分之十，十二至十八岁约占百分之十五。绸工很少有五十岁以上年龄的，同时也很少有十一二岁以下年龄的。他们或她们的籍贯，大多为浙东、浙西、江苏及其他地区，人数最多的，首为浙东的嵊县、东阳、新昌，次为浙西的杭、绍、湖州，再次为浙东义乌、诸暨，江苏的苏州、常州，其他地方的人，为数很少。

第四节　工作时间及劳动强度

一九二八年以前，多数厂家做长日班的，一天十四小时半工作，早上六点至晚上九时半（中饭晚饭各半小时），每月休假两天，日夜分班制倡行以后，每天改为十一小时半工作，这时有的把休假日取消了。丝织工人

的劳动强度，一般讲是紧张的，手、脚、脑、眼，甚至口、耳都须运用到。以前织机机械比较简单，以速度论，一分钟最快一二〇梭（即机轮周转一二〇转之意），以织物言，只是单经单纬的普通织物，那时艺徒很多，一台织机普通由织工及艺徒两人管理。近年技术改进颇速，新式织机每分钟达一七〇——二〇〇梭，多数改进为复杂经纬花色织物，艺徒已由失业恐慌而取消，一台织机现在专由织工一人管理着，丝织工人的劳动强度，这样就空前的紧张了。

普通一个丝织工人，只能有三十年的工作寿命——十五岁至四十五岁，身体中最易受损的，就是眼与脑。“朋友：趁着眼与脑还有用的时候，现在赶快做些为自己的事吧！”这是工友们的警语呵！

第五节　丝织工厂职工待遇

一　工资

计算的方法有三种：（1）以生产计，（2）以日计，（3）以月计。生产计算，通用于机织部，几分钱一尺或几角几分钱一码，按生产之多少支付工资。在一九二四——二八年这一全盛时代，织工每天可得二元左右，现在普通只有八九角左右，至多亦不过一元二角。准备部、木匠间、铜匠间，均系以日计算，过去每天约七八角，现在只有五角左右，有的还只有三角钱。职员完全以月计算，高级职员五十元——一〇〇元，低级职员二十元——五十元，迄今无大变动，职工工资每半月发给一次，存工十天，现在美亚每月发给一次，其他则甚为紊乱。

二　其他待遇

过去丝织业全盛时代，行着四种赏工制——生产快赏、勤工赏、功过赏、节赏。生产快赏的办法：一个账期内（半月）由厂方规定标准限度的生产额，超出规定限度的生产量，论其多少，分等级给赏。过去的快赏金，对工人的收入确是一笔很大的数目，有个别的要达本位工资百分之二十以上。勤工赏：完全稽考并奖励职工的勤奋，半月不请假，不迟到早退大抵可得赏五角，一个月可得赏一元，半年或一年不请假，守时间，则赏外加赏，另有更奖励之办法。功过赏：就是分红制，按工人出品之优劣，生产之快慢，鉴别记功。功过赏每年发给一次，每一“功”得钱多少，要根据各资方的喜怒与本年营业的兴盛与否来决定。美亚过去特别推行这制度，一九三〇年那次全美亚大罢工，主要为功赏钱数太少（按一九二九年发每“功”一元以上，一九三〇年则只有二三角，最多五角）。年节赏：一年分三节——端午、中秋、年节，每节由厂方赏给五角或一元作为酒席费。或直接由厂方备办酒席请职工吃一顿。北伐时代一时厉行各革命纪念日停工给工资，织工部、准备部五角，其他工资照给。一九三七年的大罢工，也为主要条件之一，结果得到胜利。以上这些待遇，现在全都取消了，一条也没有残留的！至于疾病抚恤，和女工生产，一向没有确实载之于规章而执行过，可说毫无保障，死亡是与厂方毫无关系的，一个钱抚恤金也没有；工人疾病请假，不仅是没有工资，而最起码的医药设备也没有，女工生产，按照一九三四年美亚罢工以前，美亚厂规定津贴十五元，以后被厂方取消了，其他各厂也无是项规定。职员病假不扣薪水。米贴与房贴，在绸厂里一般都是没有的，过去是厂方曾设备饭作，和外面比较，稍为便宜，听工人自由包吃，有个别的每月由厂方额外贴出多少柴米钱。较大的厂家有工房设备，里面还有老虎灶等，房钱每月杂工五角，织工一元，学徒可免，这是美亚厂的情形。可是现在一切都没有了，还有几家厂开着饭作，设着工房，但它的目的是便于管理和营业。

三　惩罚

可分三种:（1）成品恶劣与损坏,（2）生产缓慢,（3）品行不端。惩罚方式是——责备、警告、记过、罚生产、罚款、赔偿、开除。工人最感到痛苦的是一、三两项，因这二项无标准划一之条规可以遵循，一般的，倘工人偶一不得资方或管理人的欢心，随处可以被他找错处来责骂罚款甚至开除。

第六节　丝织工人的负担

丝织工人的个人负担，包饭每月八元，房金四元，杂费零用五元，如个人因嗜好或特殊消费——吃酒嫖赌，则所得工资不能养活。至于他们的家庭负担，可概说如下：

从前人家常常会称呼丝织工人为“贵族工人”，这就说明丝织工人从前的生活是相当好，因此便吸引了一部分小有产者来学绸厂。因为要在绸厂做织工，就要五十元的保证金，以及六个月自给的房饭费，有的时候也许还不止此，这就非一般人所能担负得起的了。要学准备部的杂工，只要介绍进厂之后，就可以有二角一天的饭费，不过有一时候也要三十元保证金，该项保证金系规定在三年（有时还要延长）之内，不能到别厂去做，如要离开，那么保证金没收。学绸厂的人多来自农村，当农村经济未急剧破产时，他们对家庭尚不十分需要担负，有个别的还可以由家里抽出一笔款子，和人家合伙开办小厂，年来农村经济急剧破产，绝对多数的农民贫困化了，现在这些工人普通也要负三人以上的生活担子（父母妻子）。杭州，湖州籍的绸工，他们大多是世代业织绸的，从破产的手工业中脱胎出来，家境是比较无产化的，他们往往阖家全进绸厂做工，但新式技术修养很差，失业之神时常会光临他们的全家，所以，他们生活的负担，有时一人参加生产要担负全家的生活，而且他们很少有往乡村这条退路的。

绸工很多是光身未娶的，假如不顾父母生活的话，在上海拿工钱过活，有工做是没有什么问题的。已婚嫁的一些工人，或夫或妻在乡的也有一些，要谈到经济负担，夫对妻总是本分一些。还有许多夫妇都在绸厂工作的，生出孩子多数是往乡下送，包给人家代养。在上海，多数的绸工只认上海是赚钱的地方，而非安家立业的所在。

第七节　丝织工人的生活概况

丝织工人可分两种现象来说，一是现代化的，所谓资本主义生产合理化的工厂锻炼出来的；一是手工业蜕化来的。前者属浙东的嵊县、东阳、义乌等地人，后者属杭、湖、苏州等地人。这两系统的工人，平常虽然没有剧烈帮派的斗争和倾轧，但他们生活习惯上差异很大。现在先说前一种，他们大多是青年，接受现代都市文明较为容易，在生活优裕的日期，衣食住行等有些带小资产阶级色彩，有的西装革履，行坐车（电车、黄包车），吃包饭，类似学生生活。其较为节俭的人，平日则着布的制服，大衣绸袍多有置备，房子则几人合租一间。他们没有专一信仰，并不迷信宗教，只能做习惯上的盲目敷衍，绝对能使他们诚心信仰，人家相信关公兄弟会，他们则相信友谊互助会，人家相信拜老头子吃讲茶，他们相信团结工友御外侮（当然并不完全如此），他们的进取心较强，许多人相信现社会需要改革，把自己的生活改好一点。至于嗜好，他们百分之五十是抽卷烟的，平时欢喜打麻将、押牌九赌博的人，约有百分之四十。吃酒嫖妓就少了，但在丝织业全盛时代，一批上等工人，则吃花酒嫖幺二，胡闹过一时。若遇婚丧之事，他们有的也发发请帖和讣闻，铺张铺张门面，礼物多数用绸轴和钱币，受礼方面当然要张张筵宴，迩来则日益就简。假如男工和女工恋爱了，不经过什么麻烦仪式，直接实行同居的很多。过去的婚事，多数由家长主张，在乡下定亲的，现在不然了。说到娱乐，他们许多以唱歌、踢球、吹箫、弹琴、玩公园、看电影为娱乐。他如游大世界，逛公司，看戏观剧，亦不乏人。有许多人并且自己会唱绍兴文明戏，有时甚至参加客串表演，因为他们平时有舞台上当众讲话的经验，故在工人斗争时有许多人能在广大群众中演说，有条有理，一点也不慌乱。

第二种湖、杭、苏州籍工人，生活较为落后，旧习惯的传统很深，很多人染上点“流派”，他们的服装，多着蓝布褂裤，扎起裤脚，穿双缎面鞋子，打扮得上海人所称的“白相人”模样，食住行大概与前一种工人相仿佛，但不能注意卫生，滥吃酒肉，往往一间小房子，“着地铺”上住了许多人，不整不洁。不少的人信佛，信命运，亦有人相信耶稣与天主，因此常常迁就现实，比较缺乏远大眼光。烟、酒、赌，系他们或她们所具有的嗜好，当然也有洁身自好的。他们对婚丧的礼节比较看重，终是尚习旧俗而已。他们亦缺乏正当娱乐，逛游艺场，看舞台是有的，打麻将恐怕是他们最好的娱乐了。说到交际，除朋友亲戚来往外，大概他们都有拜兄弟或拜老头子的。

第八节　丝织工人的文化

一般讲，来自浙东的工人，文化程度比较进步一点，因为美亚当初招收艺徒有学识程度一项的规定。男工大概高小程度的有百分之三十，初小程度的有百分之四十，稍识字的有百分之二十五，不识字的有百分之五。女工方面：高小程度的约百分之五，初小程度的约百分之十，稍识字的约百分之二十，其余多不识字。至于杭州、湖州、苏州等籍工人，文化比较落后，能看报的人只有极少数，稍识字的约百分之二十。百分之七十至八十是不识字的，女工文化程度更低。

自从抗战发动后，工人看报的百分数激增了，研讨时事也增加兴趣了。一些热心分子亦参加各种文化活动，如新文字活动，抗 × 革命理论的研究运动。在美亚大罢工中，他们自己出版过《罢工日报》，前年上海市三区绸厂工会，曾刊发《绸工》。平时很多工人欢喜学习，把看书看报作为生活的一个环节。最近几个月来，绸厂女工成群结队在附近学校读书。

第九节　丝织工人的找工作及服务章程

丝织工人的流动性很大，一个工人往往一年工夫会换几家厂，其原因，由于小规模经营很多，这些小厂非常不稳固，没有办法给工人以生活和工作的保障，时常会因为设备不完全和营业关系，减少了工人们的收入，于是工人在工作时也惴惴不安，终是拣来拣去地要换厂。本来各大厂是比较好的，然而压迫工人又那么凶，工人之害怕进大厂，仿佛如怕进牢狱一样，要是市面稍为好一点，像美亚这种厂就会喊不到人做。加上现在流行着租机制，虽然在生产方面是集体的，而雇佣关系，因分散租机就不明显了。横加上租机人的剥削，谁安心在那里做呢，假使别处有办法的话。不租机的厂，则厉行临时工制，在雇用书上逼迫写着临时工的字样，厂方不和工人确定雇佣关系，保留着随时随地开除工人的权利，由这样几种关系就是造成丝织工人流动性的原因。

丝织工人找工作是比较容易的，假使你是熟练工人，社会关系也有一点，那在市面景气的时候，要想换厂家毋须等上半天或一天的，他们都是彼此介绍工作，大多没有什么保证麻烦的手续（现在几家厂则填雇用书），只要有缺额，讲讲面子，就可以推荐人了。但是过去工人待遇优越的时候，或失业恐慌闹得非常厉害的时候，那介绍工人就得花钱了。数目三十元、五十元都没有一定。

工人进厂以后，当然须得遵守厂规和服务章程，但丝织工厂的厂规和服务章程，非常不统一，五花八门，各行其是，有几家厂简直把规则和章程当为是压迫工人的工具，却忘记了这是应该共同遵守的。至于职工服务章程内容，美亚是如此：

上海电机丝织厂同业公会公订工人雇用契约

十八年三月奉社会局批准备案

立雇用契约　籍隶　省　县家住

现年　岁兹由　君介绍投到

美亚织绸厂股份有限公司充当　工言明每日工作　小时工资每

计国币　订期　逾期解约。如果双方同意，得续订之，进厂之后自愿听从管理员之指挥，并遵守本厂呈奉上海特别市政府社会局核准之厂规及工场规约，如有违犯本契约者遵照上海特别市政府颁布之本市职工服务及待遇规则办理，特具此据存证。

中华民国　年　月　日

二寸半身

本人相片

立契约人通讯处

介绍人通讯处

注意此纸及照片退职后概不发还

立契约人在此国难时期自愿遵守厂中廿六年十月十五日所订之工资率及待遇规则办理，决无异言，特此附志。

第十节　丝织工人活动

一　帮派组织

丝织工人一般讲是很散漫的，经常稳固的组织可以说没有过。讲帮派，虽然喊着嵊县帮、东阳帮、杭帮、湖帮、苏帮、杂帮，但实际上帮派的组织也没有的。帮口的划分，只表现在同乡观念与生活习惯上，很少为利害冲突而有意识把它组织起来，不像有些部门的工人，分了什么帮什么派之后，就这帮与那帮会像对敌人那样有组织的斗争。

嵊县帮人数最多，地位最高（美亚等大厂职员多属嵊县籍），在丝织界中占很大的势力，他们主要分布在美亚、美丰、达华等大厂，及嵊县人开设的小厂里，这帮人同乡观念相当浓厚，平时常常有同乡会等活动，表现出大嵊帮的气概。东阳帮势力也不弱，它同嵊帮一样，由美亚派生出来，现在各绸厂差不多都有他们帮的人，同乡观念也重，但同乡会的活动也没有成功。以上两帮人，照理很可把整个丝织工人领导组织起来，但是没有。他们仅只做了一般的领导工作。杭帮、湖帮、苏帮，这几帮人数较少，文化程度亦较落后，许多由于手工业蜕化来的，所以年纪亦比较大，不像嵊帮和东阳帮人，一出世就在新式工厂里受锻炼，大都为青年人，这样他们在工人活动中，就比较落后了。

二　政治活动

自从一九二五——二七年大革命，在丝织工人中燃起了解放的烽火以后，虽不断遭受到风吹雨打的摧残，活动热情从没有熄灭过。大革命时代，丝织工人除支撑自己的工会以外，有的还专门从事政治活动，如办在法政大学的党务训练所，农工班里就有不少丝织工人参加，他们受训出来，分配到各党部各工会去干工作，但后来因政治信仰的关系，大部分被淘汰了。可是他们被淘汰后，一部分仍在工厂里照旧干下去。

一九二八年以后，丝织工人在政府领导下的政治活动是很少，但是，在各丝织厂的墙上和屋角落，常常会发现传单和标语，根据“五卅”老工会的精神继续活动，好些工人这样被送进了牢监。一个时期，听说还有过暗里的丝织总工会，领导工人作反对资本家进击工人的斗争，如一九三一年的水灾捐款运动，“九·一八”事变后蓬蓬勃勃的组织义勇军运动。一九三四年全美亚工人反对资本家进攻和配合反对内战要求和平的大罢工，一九三五——三七年的救国活动，像美亚当时单独成立美亚救国会，无论大中小厂，差不多都有参加“职救”或“救干会”的，一九三五年北站赴京请愿大示威，一九三六年“九·一八”纪念外滩大示威，一九三七年要求释放救国七领袖大示威，这几次伟大的行动中，许多丝织弟兄勇敢热烈地参加了。特别是“九·一八”纪念示威那次，许多人还被打得头破血流，手折脚跛的呢。

“八·一三”抗战后，丝织工人虽没有自己统一单独的救亡组织，但沪西的国民战时服务团，南市的南市青年救亡团，丝织工人参加的为数很多，当时加入到别动队去的，这两团体就发动了几百人。现在浙东一带各县、镇、乡，深入民间的救亡工作者更为不少，嵊县的救亡工作，简直全是回乡的丝织工人在活跃着。上海目前丝织工人热烈做节约献金运动，反汉奸运动，反托匪斗争。还有些随军在前方的，辗转去西北的。一般讲，丝织工人的政治活动是相当发展的，但还不强，还感散漫。

三　斗争历史

（一）**大革命时期**　一九二七年大革命浪涛袭击到沪滨，把沉惑在高额工资茫长工作时间里的丝织工人，冲击得醒觉过来，他们好像一只睡醒的猛虎，虽然它年龄还轻，但求生的欲念决不会落后于其他的弟兄。上海三次革命起义，那段血写成的光荣历史，丝织弟兄们的鲜血，也有点滴参合其间。第三次上海起义时，闸北的横浜桥、青云路；南市的高昌庙、龙华路，那些与帝国主义走狗、北洋军阀恶势力搏斗的工人武装队，就有不少是美亚、文记、物华等厂的丝织弟兄。他们有一个刚胆的领袖，名字叫做何大同，他虽然不是三考出身的丝织工人，但整个上海的丝织弟兄，只有在他的领导之下，才完全一致团结过。当时丝织工会设在虹口物华路翔舞台戏院里，一些十恶不赦的吸血鬼，曾经被拘进过这个阎罗殿。但殿门口站着的并不是牛头和马面，而是面含笑容、结实武装的丝织兄弟，他们雄纠纠地严肃地护卫着这真理的殿堂，里面的重要人物，并没有现在所认为当然的“大人”“先生”，而都是工厂里好朋友中选拔出来的优秀分子，所以他们事情办得满好：工资加了三成，等经等纬等什么都有损失费，假期、纪念日，工资照给，男女工生病、女工生产都能得到津贴，工作时间减去了三点钟，要读书，厂里有学校，要娱乐，有现成的俱乐部。这种生活越过越有兴趣，做工越做越起劲，若说“劳动神圣”是真话，只有这样才是真呵！

后来大局转变，小市面当然不能单独保存，一种势力压迫另一种势力，本来翻身已变“正”，一下变动又转“反”了。上等领袖被牺牲（何大同被枪毙于南市斜土路！），中小领袖去逃生，不逃生的也罢手埋名，斗争中胜利得来的有些条件被取消了，只有工资暂时未曾动。

总结这次大革命的斗争有如下几个收获：

（1）政治方面　工人经过这次革命行动以后，觉悟程度提高了，他们知道要彻底解放自己，唯有改革政治，要改革政治只有自己兄弟们伟大团结的行动。并且还认识了什么是对的，什么是不对的，活生生的事实，他们嵌在脑子里。何大同这一个伟大的领袖，给他们的印象太深了，往后办工会的时候，许多工友们都拿他来比喻做模范。例如：一九三七年某区工会开成立大会时，有个年长的老工人就这样说着：“民国十六年工会真威风，何大同真好，永不对资本家妥协！美亚蔡 ×× 只有对他临过盆（屈服的意思），希望大家都学他；……那时工人也真正好，没有半调子，没有坏蛋，希望大家都恢复起民国十六年的精神！”

（2）经济方面　除普加工资三成外，还有其他附属条件，例如：津贴，奖赏。

（3）文化方面　因为工作时间减少了三点钟，在比较优裕的生活环境之下，广泛展开了读书求知的学习生活，部分的接受了前进的思想，参加了前进的活动。

（4）培养了斗争的精神　一九二七年前的丝织工人，没有什么斗争的行动的，大革命后则蓬勃地发展起来了。

（二）**一九二九——三三年时期**　大革命失败以后，虽然当时就取消了一些附属条件，但是加上的三成工资还没有减，因为那时营业发达，工人的斗争情绪及组织都还有一些存在，这几种关系使资本家不敢一下子就十分露骨的向工人进攻，还只是采取比较缓和的手段。一九二九年世界经济恐慌爆发了，资本家据此为由开始向工人进攻，第二年春季，丝织托辣斯的美亚，首创减九折工资，并剥夺一九二九年份的红利百分之八十，致引起大革命后全美亚第一次同盟大罢工。当时要求条件是：（1）增加红利；（2）恢复工资；（3）发还存洋。斗争的中心为增加红利，罢工一共坚持四十多天，终于因为资本家对工人进攻的决心，工人本身组织尚欠严密，部分代表被资方收买了，外面又缺少援助，在各种压迫欺骗之下，条件失败而复工了，这是美亚大规模斗争失败的第一次，也可以说是丝织工人大规模斗争失败的第一次。美亚首创减资成功以后，许多厂都照样从事减低工资，当时工人对资本家这初步的攻势，虽在意识上进行反抗，可是并不十分坚决，因为那时丝织工人的生活水准，确是相当过得去，不十分感到切肤之痛，经资本家一番软骗硬迫的功夫之后，许多是抱着不在乎的态度慷慨应承了。但也有做过英勇斗争的，例如祥昌、美丰、天衣等，特别是祥昌工友承续了大革命时代的精神，坚决地以血肉和资本家搏战，法租界马浪路荣华里祥昌厂门口，发生过几次惨案，祥昌的英勇兄弟们，有几位是牺牲在法帝国主义的屠刀之下的！牺牲当然会有代价，英勇的战斗当然能得到胜利的果实，他们的工会一直保持到祥昌关门为止，平时工资比上海任何一家绸厂都高些。美丰、天衣的斗争，都是被代表出卖了的，达华是给托派汉奸捣蛋，结果厂也关了门。

这一时期的斗争性质，是资本家向工人初步进攻，工人缺乏坚决斗争的精神，而采取个别应付式的退守战。当时资方的态度是：欺骗，敷衍与镇压。工人的号召是：加强与扩大团结，为保卫切身利益而斗争。

（三）**一九三四年的大罢工**　从一九三〇年美亚罢工失败，普遍减少工资以后，工人的生活急剧地恶化了，此后资本家更以改换织品降低工资，许多厂暗中放长码尺，用种种方法向工人进攻。一九三三年七月间美亚资本家还在“生产合理化”，“取消不平等的给工资，采用纱厂工人工资为标准”等口号宣传之下，将工资打九折，当时美亚第十厂，在一部分热心工人领导之下发动了罢工，后因其他分厂没有积极响应而失败。失败的教训，一方面固然事先准备不够，工人的觉悟性和领导力量薄弱；但另一方面，还是工人一般生活水准似乎打了九折并没有十分严重。此外经济危机与失业恐慌也有影响。但这并不是说就不会产生罢工斗争了，相反的，大规模激战的因素是在酝酿着，资本家不断减资裁工，胁迫着工人，要苟安的生活既不可能，而前途又预呈着可怕的危机，美亚的老工人常常这样的说：“当美亚厂创办时，经理先生蔡声白是以两脚代步的，可是现在由包车，车马，而乘自备汽车了。织机由十余台变成千余台，这是谁的功劳？可是给我们的报酬呢？是不断的减工资，失业，贫困与饥饿！”其他厂的工人当然也不会两样，这就是斗争因素的所在。

美亚丝织托辣斯爆炸了！

（1）发端　在资本家贴出布告前，工人由于热心分子的宣传，都已知道这次减资的事实了。果然，资本家是有计划地实行了。在一九三四年三月二日下午，减资的布告贴出来了，是将工资再打七折。这样，工人的情绪立刻愤怒起来。资本家是有计划的，很快企图将工人的斗争情绪加以扑灭，所以各厂厂长立刻召集他们注意的活动分子和年数较久远的老工人来训话，说资方如何如何不得已的苦衷，当时有几个厂的工人直截了当的说：“我们再也忍受不住了！”第二天早晨（三日），上工的钟声响过了，可是机器怎么也不再动了，第六厂的工人都肃静庄严的站在厂门口，拒绝上工。虽经厂长欺骗威胁，终于无效，工人都与之激烈辩论以后，自动地签了名，表示赞成罢工的坚决意志；并立刻组织起来，派代表到各厂去通知。九厂是六厂最近的一个，所以首先就响应起来了，当时九厂厂长尚在经理处大吹其牛，说九厂女工完全同意减资，绝不会发生事端，可是正当其时，急告的电话已到，立刻使这位厂长面红耳赤，不得下台，提起来真是叫人又好气又好笑！可是也不能否认当时对女工作用估计之不足，即七、九两厂完全是女工，平时受资方控制较易，故预计她们不易参加罢工，或认为是很困难等等，但是这种估计，后来受到事实的反驳了。至中午吃饭时，经罢工代表之演说后，五、十两厂不再上工了，四、七、八等厂也于午后罢工了，二厂因有工会组织，反而受了相当牵制和影响，一直到夜间才罢工，到这时剩下的只是总厂，而资本家雇了大批包探、巡捕来保护，企图作最后的挣扎，经过两次的包围与冲突之后，总厂工人也自动地响应起来，冲破捕探之威胁而自动参加罢工了。这样，美亚绸厂四千多工人联合大罢工也实现了。

（2）罢工委员会之产生及组织情形　罢工后各厂都选出罢委，组织罢工委员会，在罢工委员会之下，分成若干小组，并产生组长委员会。罢工委员会之组织如下：①总务，下分文书、会计两科；②组织，分登记、调查、编制三项；③宣传，下分宣传队、募捐队；④交际；⑤交通；⑥纠察。每厂两队或三队，每队十人选一队长，和总队长一人。总罢委会由各厂分罢委会选派代表二人或三人，共同组织而成，其各部组织情形，与分罢委会同，不过只在宣传一项之下，总罢工委员会则有编辑部，设主任一人，及通讯交通数人，负责出版《罢工日报》，共七期。各罢委会与总罢委会之关系，由该厂代表逐日报告，而总罢委会之各部有直接指挥各分罢委会各该部之权，即总罢委会宣传部有指挥分罢委会宣传部之权，其他类推。

（3）要求条件　各厂分罢委会与总罢委会组成之后，即提出与资本家交涉之要求条件问题，经各厂分会小组讨论结果，提出如下五项要求：①恢复原有工资（即一九三三年七月间九折未打时之工资）；②取消罚扣工资；③女工工资与男工平等；④不得开除工人；⑤罢工期内，工资照给。

（4）直接交涉与“三·一一”惨案　各厂工人因鉴于过去每次斗争中社会局调解之无效，所以这次经热心分子之提议，大家决定采取向资本家直接交涉之办法，事先由总罢委会发动签名运动，以一公函由交通队送往蔡声白（总经理），约定三月十一日下午二时在马浪路总厂当面谈判，届时工人代表四十余人准时前往，并为预防意外起见，特由纠察队二百余人及交通队一队计十余人备自由车前往保护。谁知竟如所料，资方拒不见面，而扬言请代表赴英租界山东路美亚绸厂发行所与经理谈判，代表因赴该处有失保障之虞，并且经理之失约甚为可疑，故一致要求经理到厂谈判。可是不多时法捕房已开来大批巡捕包探，对保护代表之纠察队及静候厂外探听消息之工人滥施拘捕与屠杀，美亚厂门亦即放以电流阻止代表出门，企图加以监禁与送捕房，纠察队见状即与巡捕冲突，誓死保护代表不退，因有多人受伤，而各厂工人闻讯均先后赶到援助，捕房方面继续开来大批安南兵和铁甲车机关枪来镇压，而工人亦以石块为武器与之对抗达两小时之久。厂方见事态扩大，不得已将代表全数放出，此时工人以目的已达，即整队退至西门公共体育场，开临时群众大会，由代表相继演说，即决定向市政府请愿，要求援助，本欲当时前往，后因时已将晚，并适值天雨绵绵，各工友身上早已完全浸湿，受尽饥寒之痛苦矣。但各工友均十分愤慨坚决，后经公安局阻止作罢。总计这次冲突结果，工人受重伤者十余人，轻伤者以百余计，失踪被捕者二十余人，后即释放。这次因与捕探冲突而伤者，大多数为女工，这又一次证明女工并不落后于男工。

（5）请愿　惨案发生后，工人的情绪更加高涨了，斗争的心更加坚决了，直接交涉之路已断，于是走由政府机关调解的这一条路。而一般的也都说："不管政府对我们会否帮助，但他面子上总还是一个大人，我们既然罢了工，也应该告诉他一声。"在直接交涉之前即有人这样提议。而现在这种声浪更高了，于是即向社会局、市党部、总工会及市政府各机关送呈文。十三日，美亚全体工人从闸北步行出发，闸北到市政府宣布了临时戒严，但是工人很沉静的冲破了各种阴谋破坏的阻挠和军警的威胁到达了市政府，提出简单的三项要求：①恢复原有工资；②要求惩办惨案主犯蔡声白，和赔偿损失；③要求向法工部局交涉非法滥施枪杀工友。市政府当时的答复是：①劳资纠纷由社会局调查与调解；②对控告蔡声白有"三一一"惨案主犯嫌疑可向法院申诉；③向法工部局交涉事，待调查属实后决定。当时工人表示不满，坚持更具体答复，直至晚上九时，始由总工会派代表演讲劝导后由市府汽车送回。

（6）几路袭来的进攻　到市政府请愿的结果，第二天（十四日）便来一张市政府、市党部、社会局的联合布告，其大意即是“望工友从速复工，勿受他人利用”等语。在南昌“剿共”的蒋委员长也来了一个禁止罢工的命令，说在“剿共”期内，工人不得有怠工等行动而致妨碍后方秩序等语。资本家更是狡猾的说根据法律，工人不得擅自罢工，十天以上而不复工者，作为自动解雇论，望工友即日复工，否则自十五日起停止膳宿，并另招新工等语。公安局警察亦到处拘捕募捐队队员，工人这时给以总的回答是：坚持到底，不达目的誓不复工。于是市党部干事余 ××（为公安局督察员，亦为 ×× 社员）开始以大公社记者名义到罢委会来探听情形，最后便露出狰狞的面目，向总罢委会威胁欺骗不成，反而在工人群情愤激之下被赶跑了。转瞬间即有包探便衣警察以会见罢委 ×× 等为名，企图实行绑架行动，在六厂施 ×× 被探捕抓住时，英勇的女纠察队员则用力将抓住施某那个探捕的手咬了一口，那只魔手因痛而放松了，施某也就乘机逃脱，于是这群探捕只得哭丧着脸回去了。在五厂中也发现了同样的事件，而五厂的一个罢委被骗绑走了，各工友立刻自动提出去包围公安局。

（7）包围公安局二十八小时之胜利　三月十八日，各厂在总罢委会统一的指挥之下，用各种标语，旗帜及宣传品浩浩荡荡从七厂旷场集合，开群众大会，宣誓不达胜利目的誓不回来的壮语以后出发。从上午八时起，将西门公安局包围得水泄不通了，四千余工友均席地而坐于公安局门口和附近马路上，交通也被阻住了。开始公安局不承认有其事，以后又承认为督察处之命令，要释放非等南京中央党部命令不可等语。可是工人坚决要求释放，否则誓不回去，一直到深夜，法界与南市一带的绸厂工友纷纷组织慰劳团，携带大批食品前往援助，并帮助包围，计到有元丰、金龙、锦新等八厂共数百人，一时欢呼鼓掌之声不绝于耳，美亚工人之精神为之一振。于是附近之工人及路上之旁观者愈聚愈多。西门一带的商店也纷纷捐送食物，并进行会议，准备以罢市来援助；震旦、大同等大学也派代表来慰问，和准备有力的援助，当时说如至明天不放，即以罢课相援助。公安局见工人意志非常坚决与团结，而各界的同情又非常的高涨和广泛，于是不得已在第二天中午的时候将被捕的人释放，工人群众在欢呼、鞭炮声不绝，和高呼胜利之后整队撤退。沿途经过各慰劳团工厂门口，均高放鞭炮和欢呼口号，一直回到七厂原处开群众大会而散。工人为了扩大宣传和募捐运动起见，而在各处遭到警察的拘捕与非难，莫不以一致包围行动而得到胜利。

（8）调解　①社会局两次召集了劳资双方调解，双方均坚持自己的要求，毫不让步，以致均无结果；②由于部分工人之请求以法律手续控告蔡声白，于是以总罢委会名义去请薛笃弼律师帮忙，而薛笃弼律师倒也诚恳的告诉了工人代表，诉讼对工人是无益的，工人既无许多钱，而且也犯不着去诉讼，所以不接受，但申言愿意为双方进行调解，经他数度与美亚经理蔡声白进行谈话以后，即向工人方面提出了折衷办法，就是将工资打八五折和九折之数，劳方认为不能接受，于是中止了他个人的调解；③关于“三·一一”惨案部分，由八厂工人之提议并介绍一位律师来，向特区法院控告，结果是失败的法院宣告蔡声白为无罪。此外也有人提议要求杜月笙，王晓籁等来调解，没有成为事实。于是罢工是一天一天地迁延着，等待社会局调解期的到来。此外厂方职员也一度来进行调解，但亦无结果。

（9）坚持扩大罢工斗争与对厂方厂长及个别职员的挟胁　由于美亚罢工的影响，上海其他各机工厂的怠工、罢工、总罢工和请愿示威，是很快的汹涌澎湃地高涨起来了，使美亚工人在精神上得到不少帮助，特别在当时冲突压迫这件事上。（记得当时罢工的橡胶厂，并派代表来要求美亚罢委会给以组织上的帮助，及药业、洋伞业的联合罢工与请愿，此外尚有烟厂、丝厂等斗争。）在内地湖州丝织工人由罢工发展为暴动，捣毁了县政府和替资本家宣传的《湖声日报》馆，但工人有二人却被屠杀牺牲。杭州也有丝织工人罢工。其次由于丝织工人罢工后，市面上丝织品的销路顿形紧张起来，于是一般开工的绸厂均利市加倍，这种现象使美亚工人募得了不少捐款，充实了力量，同时使资本家有些着急，急于出货起见，便不得不用其他的方法来应付市面上营业的争夺和进攻工人。当时美亚资本家的办法，一面加紧学徒训练所的生产，另一方面，将厂中原料运给其他绸厂代替美亚生产，可是这种企图很快给工人打倒了。为加紧训练所的生产起见，对学徒的压迫自然是更甚，而学徒不堪压迫并且受了罢工的影响，即与罢委会取得联络，在罢工工人群众援助之下，将学徒训练所主任陈唯中包围并提出要求，即发还学徒保证金及不得压迫学徒等等。学徒训练所也派了代表参加总罢委会联合一致行动，此时罢工声势更为之扩大。其次给那些替美亚生产的绸厂以警告，并将所有留在厂里的原料有组织地把它监视住，在十厂、二厂都将偷运原料的汽车加以驱逐或夺下偷运的原料。资本家见无法可乘，于是便想试用停止膳宿这一法宝，从局部的开始实行，其步骤将工人平时吃的菜蔬一律取消荤菜，只供给很坏的几碗素菜，这样立刻引起了工人的反抗，向各厂厂长要求恢复原状，责难各厂负责膳食的职员（即庶务），有的要求厂长担保恢复原有菜蔬。这类事件，在三、四、五、六、八、十等厂均有发生，特别四厂，将该厂厂长包围两昼夜之久，一直到签字保证和拿出一百元作为临时菜蔬补充费才恢复他的自由。而为了进行改善菜蔬这一个斗争起见，总罢委会曾进行有机的准备，如各厂从纠察队中挑选年壮力大而铁面无私的工人，组织一种特警队，专以包围厂长等任务之用，并为发生效力起见，决定互相掉换包围，即如六厂的特警队不包围本厂的厂长，而专对付其他不认识的厂长，可以使铁面无私的作用大大发挥。这一斗争的结果，大都得到了胜利，但事后大部分职员，特别是庶务，均溜之大吉逃走了。并且难免与军警冲突，如四厂工人包围厂长时与军警对峙了一昼夜之久，警察以开枪作威胁，工人将一警之手枪缴下（旋即送还其官长），并召集了各厂的特警队一齐去援助，军警准备冲四厂，工人则用自来水龙头作防御，一夜守到天亮，虽然在群众压迫之下厂长是签了字，可是这种胜利是不巩固的，厂长恢复自由之后立刻逃之夭夭了。当时工人虽然感到兴奋，但这种兴奋是盲目的，前途斗争的困难更加严重起来，并且由于困难的严重渐渐反映到工人中间和罢委里来，最明显的表示，便是各厂代表数次征求工人群众的同志，对资本家采取相当的让步（即将工人提出的要求减低些），当时工人虽然在表面上还是保持原来的要求，但这种坚持已在动摇中了。

（10）包围社会局与“四·一一”惨案　四月十日下午为社会局进行调解之最后一次（如这次不能解决将付仲裁），该日劳方代表如期到局，可是资方则声明长期停工关厂，故无调解之必要等语以为掩辞拒不出席，这样一来，根本就无从调解，而各厂之工人均照原定之计划，以要求迅速解决劳资纠纷与反对厂方停止膳宿等要求赴社会局请愿，并要求局方交出资方代表当面谈判（当时劳方坚持说资方代表确在社会局，还有人说确已看到过）。至午后五时许，全美亚工人四千余人均已先后赶到，将社会局，教育局，卫生局统统包围起来了，不论局长职员而至茶役，一律不许出入，当时局中职员当办公完毕回家之时，均被阻不能返家，于是教育局，卫生局方面均纷纷责备社会局，迫得社会局再三再四向工人演说：“关于劳资纠纷在二天内无论如何进行解决，并备汽车送工人回厂。”当时工人一致反驳：“你们不能回家可以在洋楼中逍遥，可是我们也不回家，而是在露天风雨打击之下鹄立呢！社会局进行调解已这么久了，所以今天无论如何要请资方当面来谈判解决，否则是不回去的。”但局方始终不承认有资方代表在局里，于是始终没有结果。天明后，各种不祥的空气已经传来了，都说有大批的警察和保安队快要调来了，远远的望到竹林中，警察正在砍准备屠杀的青竹棍，可是工人的意志还是很坚决的包围着不肯放松，一直到屠杀时还是向社会局门里冲。大批的警察和八百名保安队团团的将工人包围住，并以救火车四、五辆向工人用自来水冲击，随即施行青竹棍与刺刀，当时工人已受了一夜饥寒与风雨的吹打，又加以这样残忍的屠杀，工人当时气极而昏了过去者有几个人，同时哭声，叫喊声和受伤者的呻吟声震动了整个市中心区。救火员也受了同情之感而哭了，虽在警察的监视之下，亦自动的将自来水射向屋顶去。一面这样进行屠杀，一面将大批工友拘捕，并强把工人抓入市政府汽车送回，但是工人宁死也不去，在不得已的情形之下即开始整队步行回家，沿途进行广大的宣传，当时数千工人身上被大雨和自来水浸湿无余，满身受伤血迹与烂泥，所以沿途引起广大的同情，江湾一带的学校均表示同情和捐款。总计这次惨案的受伤者，不下百余人，而所有出席社会局的劳方代表均被拘捕了，这是劳方最大的损失。

（11）百余绸厂万余工人援助美亚工人斗争的同情罢工　上海数万绸厂工人自美亚工人罢工后，莫不表示同情，热烈捐款援助，因为息息相关，莫不希望美亚斗争之胜利。在知道美亚工人去包围社会局后，莫不关心援助办法，奈以时至深夜，天又大雨不止，至市中心路途又远，实远非包围西门公安局时环境之可比也。及至“四·一一”惨案发生后，闻讯之下，群情愤激，南市及沪东各地，立刻在援助美亚工人斗争号召之下，有百余家绸厂，万余工人宣布罢工，亦在沪东及南市集中地点开群众大会，并发宣言和进行募捐运动，表示着友爱的真诚。

（12）斗争的更严重化　由于援助美亚工人引起了广大的同情运动，政府立刻宣布临时戒严，禁止一切集会结社，并派了大批警察包探，到各厂来拘捕积极分子，计四、六厂被捕者有十余人，其他沪东恒丰厂等，参加同情罢工的又有数人被捕，此外官方工会及托派等均趁机活动，破坏罢工，因此同情罢工至第二天下午即先后复工了。而美亚厂的资本家，便公开的停止膳宿，驱逐工人出厂，当时十厂工人被迫迁至“五卅”公墓去住，四厂工人则在马路上过集体的难民生活，九厂女工多彻夜徘徊街头而无宿处，其惨痛之状，殊难笔述！同时资本家在大批巡捕保护之下，招收新工人进厂工作，及强迫学徒去复工，谓学徒现在去复工即可派以机子，否则永远不给机子做，在这种欺骗威胁之下，于是各厂学徒陆续的去复工了。继之二、五厂以单独行动为威胁，欲使总罢工委员会决定复工，这时总罢委会自大批代表被捕后，事实上已渐渐失掉控制力量，为了挽救危局起见，即准备召集群众大会以便冲破或减少当时白色恐怖的威胁，于是即决定四月廿一日再向市党部请愿，而准备在请愿行动的机会来召集群众大会。另方面也可挽救或迟延单独行动复工者的活动与分裂政策。

（13）决定复工　四月廿一日到市党部去请愿的工人约有千余人，工人提出的要求：①释放被捕工友；②要求进行调解；③要求立即恢复膳宿。很显然的，从这些要求中已暴露了严重的失败了。市党部当时的答复是：先复工后调解，被捕者待工人复工后释放，膳宿由市党部令厂方即日供给。当时工人虽表示不满意，但因罢工迁延日久，工人的损失浩大，元气急待恢复，在不得已的情形之下，于是只得接受市党部的答复而声明于二十二日复工。此时美亚工人之罢工可说是失败而完结了，共计斗争五十余天。

（14）大批积极分子之被开除　四月二十二日工人陆续的复工了，但资本家宣称厂已改组，复工工人须重新登记，这样一个个地加以留难与检查，最后还是贴出了布告开除积极分子一百四十三人，并声言要向法院控告工人赔偿损失等语，以为威胁，欲使被开除工人星散而不能团结起来。在当时被开除之工人，组织一个被开除工人失业委员会来领导工人继续斗争，以后即无结果而散了。

（15）罢工之余波　复工后工人对于减资问题，已自认为是不可挽救的失败了，斗争的目标也完全只注意在被捕代表之安全问题上，对市党部的诺言也由怀疑而采取行动的反抗了。在四月底廿七、廿八、廿九几天中，七、九、十等厂的工人都继续不断的每天实行短时间的斗争，即罢工半小时或一二小时不等，以督促当局之注意而释放被捕工友，一直到月底三十日被捕工友已由龙华警备司令部宣判徒刑三十天或四十五天不等而移送漕河泾监狱执行了，至是工友见已无可挽回，即停止了最后的斗争。

（16）美亚斗争的领导　事先许多热心分子就有相当的准备与活动，因鉴于一九三三年七月间罢工斗争之不能实现与十厂单独斗争之失败，和预计资本家正在准备更猛烈的进攻，所以，四、六、十总厂等厂的热心分子，一致担负起领导的任务。当时六厂是斗争的焦点，因该厂厂长兼试验所主任，所以将各种困难织物都拿到六厂来做，工人大吃其亏。当时发动特殊织物的五台织机工人，首先提出增加工资的要求，同时开展援助这五台织机工人斗争的运动，推动五台织机共十个工人的怠工运动。这里由极少数人的读书会，进到人数较多的友谊会（四五十人），集中力量援助这五台织机工人的斗争，结果经过将近一月的斗争，终于获得胜利，资方答应以每天一元二角为工资标准，如做不到此数由资方补足之。这样就掀动了工人斗争的情绪和对自身集体力量的自信，于是经过这种种友谊关系，更进一步的来组织全美亚工人友谊会运动，不久各厂都有联络了。七、九两厂全系女工，资本家压迫较易，当时估计这两厂罢工较为困难，但也有小小友谊会的组织。在减工资前，资方故意地放了阳历年假后再放阴历年假，欲使工人往返家乡用尽川资而形成经济拮据之象，在开工时实行减资，工人身无分文，难于罢工，至少也可难于坚持，结果这种恶计被识破了，年假期中返家与留沪的工友都更进行了友谊联络工作。资本家宣布减工资之夜，六厂的热心分子立即推动友谊会进行讨论，当即一致议决于第二天早晨（三日）起实行罢工，当夜并推派代表到各厂征询意见，当时各厂全答应响应。三日晨六厂罢工后，立即到各厂去通知消息，四厂，十厂的热心分子随即热烈进行鼓动工作，至中午均相继罢工了。罢工实现后，立即推动组织总罢工委员会，并决定直接交涉。“三·一一”惨案后，美亚同盟罢工已有扩大为全上海绸工总同盟罢工的趋势，在南市沪东的热心工人策动之下，组织援助美亚后援会。当时还组织了一个特别委员会，但结果特别委员会也只能注意到每天工人斗争中的小问题，关于这次罢工的目标和如何结束罢工等问题，未有相当注意。在整个斗争中罢委会的领导，全是有系统地进行着，从“四·一一”惨案发生后才渐渐失去了控制的力量。虽然客观环境很困难是一大原因（当时大批前进分子被捕），但在罢工的领导方面，当时的领导者能够发动罢工、领导罢工但却不善于结束罢工，如“四·一一”惨案后，工人的斗争情绪与元气已大损，而当时的策略还是坚持到底扩大罢工，甚至到复工后还是以继续罢工为号召，并且有的还估计这次斗争失败的原因是复工太早，从这里也可以看出当时对于如何结束斗争问题的疏忽啊！此外，还有的用清高的理论来掩饰工人的实际失败，如：“这次斗争失败了，但工人的阶级觉悟性提高了。”这不了解领导工人斗争能获得任何一点利益，都是好的而且是必要的，因为实际利益的获得，那怕是很小的，工人才觉到斗争是必要的。美亚斗争失败后，复工不到半月，资本家继续再减少工资并增加了苛刻的待遇条件，但斗争便不易于领导起来了。因不仅是一般工人的情绪不愿罢工，连有些前进分子也对罢工问题采取谨慎的态度了。

（17）各党派对美亚罢工的态度

①××党：在罢工开始的武装镇压事实上都给工

人冲破了。如总厂，七厂资本家均派了大批探捕警察监视工人行动，以图作最后之挣扎。各厂相继罢工后，×× 党立即派大批包探来监视，拘捕和绑架工人领袖与宣传队、募捐队队员。×× 局和 × 党部在“三·一一”惨案前，即工人来递呈文前，他们装着不闻不问的态度，所以 × 党部余 ×× 以大公社记者名义，不时到六厂总罢委会探听劳方情形，当工人起草呈文时，他要修改其中关于“三·一一”惨案之罪咎关于蔡声白之处为不当，而他的意见以为这是巡捕之错误，将工人斗争之目标转移开去。其次，当工人决定于三月十三日向市政府请愿之前夜，他煽动总罢委会中之动摇分子，广放谣言谓：“明日（十三日）南市闸北及租界当局均宣布特别戒严，所有警探一律总动员，明日去请愿必然难于成功。所以，为避免牺牲起见，最好是变更计划，或者延期，或者南市方面的工人向市党部请愿，闸北方面的工人向市政府去请愿。”当时总罢委会中有些人均信以为真，而对请愿问题动摇起来，因此罢委会里主张分歧了，而工人的情绪也受到了许多影响，但到第二天的早晨，经过大多数群众坚决的主张，终于安全的到达市府请愿。余某这次的意见失败后，即一翻狰狞面目公开威胁总罢委会诸人，谓须正式成立工会，以转变斗争目标，先复工，后由工会与资方交涉，罢委答以于胜利后再成立工会，现在已有罢委会可向资方交涉，至于先复工问题须由工人自愿为之。余某见不得计，即谓罢委会诸人之照片均已在公安局里了，如诸君不先复工恐难保自身之安全，语至此即以许多照片给各罢委看，当时各罢委坚决加以拒绝，而工人以余某竟敢胁迫罢委会与破坏罢工，均欲将其痛殴，于是余某只得懊丧而去，而采取绑票手段矣。

②官方工会：在美亚绸厂中只有第二厂有它的组织，不过并不发生多大作用，对美亚工人的罢工它是不拥护的。美亚工人罢工后，邮务工会曾派代表来慰问，并送来捐款十元，而当时邮务工会代表曾说："美亚绸厂这次工潮中定有反动分子在操纵，不然不会这样激烈，所以最好还是先复工而后由社会局来调解。"这些话正好代表当时官方工会的立场。可是到"四·一一"事件后官方工会就渐渐活动起来了，利用二厂原有工会之关系，开始分化二厂及五厂脱离总罢委会，在罢工过程中，官方工会曾影响五厂之代表向总罢委争取领导

权，以扩大罢委为名多多参加进来，结果有二人参加到罢委会，当时其他厂方面亦动员参加到总罢委会而保持原有的领导权。

③托派：以沪东后援会为关系，到总罢委会来帮助工作为名，而进行各种破坏工作，曾提供几个斗争纲领（可是当时没有深切注意而忘记了），同时唆使九厂总罢委会之代表陈 × 英（为托派陈 × × 之姘妇）在九厂破坏罢工运动，事为九厂工人所揭破，立刻加以监视，可惜当时总罢委会没有将此事加以讨论和严厉制裁。其次，当“四 · 一一”惨案后，上海绸厂工人之同情美亚工人罢工，总同盟罢工正在沪东南市开展之际，托派即在沪东一带大喊其“第二次大革命周期到了”、“工人快暴动起来啊！”这样“左”的口号，故意给捕房借口而拘捕镇压同情美亚罢工的斗争，另方面使工人群众莫明其妙的害怕起来，于是沪东方面的同情罢工运动很快受到打击而失败了；自然南市方面也受了相当的影响。此外，托派和官方工会都企图将美亚总罢委会从六厂工房移到别处去，以便他们的控制或破坏，因为罢委会在工房中与工人的关系很密切，一切出卖行动无从发生，一切破

坏威胁无从实现。可是总罢委会终于由一部分罢委的要求，将总罢委会从六厂工房移到外面去借房子办事，这样既费房租而各罢委吃饭又成问题，办事当然松多了，外来的威胁，法西包探的围攻，立刻使罢委会失去了自由。于是，由工人与一部分罢委坚决的要求搬回工房，并且决定按适中地址轮流办事，使总罢委会与各厂之关系更加密切起来，而官方工会，与托派法西斯蒂之企图控制或破坏等等，终被工人群众一致击碎了。

美亚罢工的经验与教训：美亚工人之罢工斗争，在当时那样困难环境下坚持了五十余天，并由美亚同盟罢工扩大为全上海绸厂大小百余家工人万余人之同盟罢工，鼓舞了其他各业工人之反资斗争的高涨，确有相当的政治意义以及表示着进步势力在工人群众中的影响。从这里得到一个很好的经验，即在资本主义经济危机及恐怖高压之下，有人说工人的斗争是不可能的，那么这次的斗争是很好的回答。或者也有人这样说，工人工资相当高的地方，要领导工人罢工是不可能的，这种论据也根本不成立（按美亚工人生活那时还比纱厂好得多，现在别论），美亚厂因为工资高则工人的负担亦大，发生过这几次大罢工，就是一个证明。其次在一九三四年时交通部国际电台也发生罢工，那里的工人基本上可称贵族化的，但终于不能消灭劳资的斗争，这因为是劳资间有着根本矛盾呀！

美亚罢工斗争的结果是失败的，工资被减了，工人受了很大的损失，虽然资本家也受了廿五万元以上的损失，但他仍可从工人头上刮削回去的，而工人的生活是不断的更加恶化了。因此，最重要的应该在这次斗争中得出教训：第一，斗争的目标问题，在美亚工人罢工斗争过程中，始终失掉组织工人的这个目标，即如何建立工会应成为组织工人的中心问题。我们细细观察整个斗争的过程，简直好像东碰西撞的全武行，斗争虽然非常紧张，但是都为的个别小问题，关于组织工人和争取胜利的目标上是相差得太远了。当时对组织工会这个问题，一些人解释说要等到罢工胜利以后召开群众大会时来通过成立工会，至少把这个问题看得次要了。第二，工人不善于利用合法的方式和争取部分的胜利，由于对合法存在的了解不够，所以将有些机会轻轻地放过了，例如余某提出之一面组织工会，一面复工，减资问题由工会解决时，当时工人不应害怕或反对他，而应抓住这个机会，只要资本家和党政机关正式承认了美亚工会之合法存在，暂时亦可复工，因为这并不是说斗争完结了，而是把工人强固组织起来，如工会与资方交涉无结果时，立刻可由工会发施号令罢工的，只要随时提醒工人留意，工会不要被少数人包办而出卖。其次，工人争取胜利，必须估计主观力量与客观条件，并不是说始终不可妥协的，所以对各种方式之调解，尽可与之周旋，如能得到部分的胜利，也未必不可复工的，而估计自己的力量有充分准备时，仍然可以提出原来的要求。所以美亚斗争在当时如采用这种方法，或许能获得部分的胜利。但当时有的人以为合法即是投降，调解即是妥协。第三，统一战线运用之不够：首先六厂在罢工前进行相当统一战线工作，如在本厂中吸收各帮派的工人于友谊会中，并进一步准备与各厂组织友谊会，但到罢工实现后，这一运动反而停顿起来，似乎罢了工已经不需要的样子，没有更紧的来进行这一运动。其次，对于一些特殊利益的工人没有加以注意。①学徒利益没有提到；②总厂方面有很多童工，他们每天工资只有两角五分，所以没有减资，但没有注意到他们利益的要求，所以，学徒童工很快的由厌恶罢工而被资方利用来击破罢工了；③美章纹制厂也因为反对减资而欲参加罢工，但总罢委会以为美章纹制厂的职工为特殊的半职员性的，所以始终没有加以吸收。此外，工人与职员的对立乃是普遍的现象，其实除几个赚高等薪俸的职员以外，很可以与之建立统一战线，而争取他们的同情与帮助。在美亚以外的绸厂，当时很希望并常常向美亚罢委会提议，在美亚绸厂工人组织基础之上，开展组织全上海的绸厂工会，但罢委会当时不仅没有抓紧这种重要的运动，而同样犯了等待主义的错误，对这一个提议答以争取美亚胜利后再进行。这种等待主义的错误，使上海绸厂工人不能很快的组织起来，而减弱了以后开展全上海绸厂工人之同盟罢工。虽然参加同情罢工各厂没有提出本身要求也是失败原因之一，但主要的还是建立统一战线的工作做得不够。美亚罢工处在高压的环境之下，同时又因本身有了以上这些弱点，遂使斗争遭到失败（至于其他尚有些小的和不能记忆的事还是很多）。假如没有这些缺点的话，至少在这次斗争中可以争取部分的胜利甚至完全胜利。

（四）一九三四——三六年在高压下的零碎战 自从美亚工人同盟罢工和全上海百余家绸厂万余工人同情美亚工人反资斗争大罢工失败以后，资本家对工人的进攻，非常大胆而积极了。工资减了又减，码尺长又加长，实际上工人所得，已达到蔡声白所提倡的“纱厂工资标准”了。最痛苦的还是把工作变成季节化，腊、正、五、六几个月内无工可做，一年最多也不过做七个月的工，工资又少，那能维持生活？一般工人都过着半失业的惨痛生活，所以时时有反对停工关厂的小规模斗争出现。由于主观力量的不够和客观环境的压迫，因此，那时的斗争，处处表现出疲乏无力，每个斗争不是无结果就是全部失败，得到部分胜利的要算最好了。这一时期中，有很多热心分子为了阶级利益而遭受到打击，不是被拘捕监禁，就是被开除，长期失业，有的因失业过久而没法改业了，不少热心分子是这样游离开去的。

在这时期中，资本家为了统治工人，防止工人的反抗，发明了“租机制”利用工人管束工人，资本家坐收丰厚利润，这是最恶毒的一种剥削方法。首创第一家为天衣厂，后来美亚及许多大小厂家都仿效了，资本家就把工人划分成两个营垒，叫工人自己压迫自己，这样在工人为自身生活而进行斗争时形成重大的阻碍。

这时期里的特征：工人力量薄弱，没有很大的抗争，只零星的做着小战斗，这样本身的生活急剧的恶化了。资本家则趁着大激战胜利的余威，狠命的进攻工人，加紧剥削，因此，许多资本家大大的发展了企业。有人说："这一时期市面不好，工人不能向资方斗争，一斗争老板就关厂，所以很少斗争。"这种说法我以为并不完全对，固然我们不能否认市面不好难于斗争的，但主要还是自己力量太薄弱，否则那看到要受饥饿与失业惨痛的关厂与停工斗争，总可以有较激烈的行动了，可是没有，这是一九三四年大失败还没有恢复元气啊，由此可见保护与蓄积力量的重要了。

（五）一九三七年工人的罢工　因为政府改用新币制政策，因为世界军需工业发展，丝织业直接与间接受了影响，故于一九三六年下半年丝织业渐渐恢复了景气。往年五、六月要停工的厂，这年非但不见有一台机停织，并且纷纷地添加织机，扩充营业了。绸价一天天上涨着，老板们嘴唇上的笑纹也一线一线扩大了开来，废除了多年的“快赏制”有些厂又搬出来了，为要加紧生产，对工人的管理也更进一步的严厉起来。

另一方面，因新币制的改革，物价一天天抬高，工人的生活一天天趋于窘迫。当时许多工人这样说：“今年幸气是幸气，大家有生活做，但是拿工钱都给钞票了，钞票，钞票比洋钿更不经用，工钱一发出，就光了，真苦啦！”绸业市面的确好转了，老板工头天天逼着要出货，织品从机上一落下就送出去了，任凭老板经理怎样欺骗说生意不好，工人还是一眼一眼看见的。于是各工人的脑子都发出问号——生意好，为什么我们反而更苦，更受压迫？老板多赚钱工人应多受困苦与压迫，对的吗？几年来消沉着的反抗情绪又蓬勃地苏醒过来了。

（1）沪西五厂联合罢工至全上海绸厂总罢工　一九三六年下半年，全上海的绸工，就普遍地存在着反对压迫改善生活斗争的酝酿，尤其是沪东沪西的工人，情绪特别高涨。八月，这一颗炸弹首先在沪西爆炸了，曹家渡有家益友厂，无故开除了一个姓杨的工人，闹出打架的事情，当时隔壁裕村厂有几个工人被打伤了，还有几个被警察抓去。这件事引起那一带全体工人的不平，天成，宝华，永丰等厂都与益友，裕村有朋友关系，就纷纷起来援助，这样大骚动展开了。很凑巧，八月廿五日邻近的福星厂工人为要求改善生活罢下了工，这给益友，裕村等五厂的工人一个很大的冲动和启示，于是激起了廿七日五厂联合罢工，亦提出了保障工人生计及改善生活的要求。未几福星厂工人罢工，斗争胜利了，工资加一成半，等经等纬给津贴，这就更鼓舞了五厂工人的斗争情绪和胜利的确信。果然，伟大的联合力量，不几天也就获得了胜利的果实。这五家联合罢工的胜利，就揭开了下一年大规模斗争的序幕。

三区工会之成立：九月下旬，宝华借故开除上次罢工为首的工人，致再次引起五厂联合罢工。正在相持不下的时候，有王某者，本非绸工（市党部农工股职员），由一姓杜工友介绍，相帮参与这次罢工设计。当时环境压力较重，王某因为他坚硬的靠山，鼓动了工人反抗的情绪，以工人团结力量去和环境搏斗，结果冲破了警局的压迫，领取得部分胜利。因此，王某广为交际，各厂活动分子或为求助，或为附势，一时听其言而趋者颇不乏人，且兼沪西各厂工潮日益广繁，七月间，王某随即提出组织工会之口号，即以宝华等五厂为基础，进行筹备三区丝织产业工会，大小各厂闻此号召，皆纷纷加入，至年底三区工会已筹备完竣，一九三七年一月遂正式成立。以后沪西各厂发生事情，均由工会发号施令进行办理，声势之大为大革命后所未有。

四区工会之成立：沪东区发生斗争，以恒丰，美丰为最早，恒丰压迫工人最凶，美丰进步分子较多，其很快响应了沪西弟兄们英勇斗争的号召，这二家次第于十二月间（一九三六年）奏起沪东绸工斗争的前奏曲，结果均得到胜利，工资加一成，等经、纬有津贴。此一胜利的事实，更激起全沪东丝织工人的斗争情绪，沪东区的工人顿时也沸腾起来了。当时有任某者，系社会局职员，适有沪东绸工领袖何某，邹某为伊同乡，因此任某得插足活动，一九三六年十一月间他们已将沪东各厂积极分子百余人结成调帖弟兄，进行筹备四区丝织产业工会工作；经美丰与恒丰罢工斗争胜利后，工会工作更加开展，翌年一月初，四区工会反比三区工会先期宣告成立。其组织情形概依工会法系统如下：

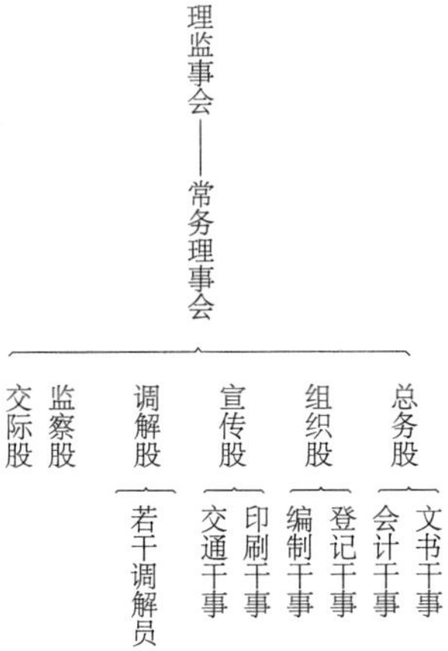

其行政系统：区工会——分工会——厂干事会——小组——组员

区工会可对党政机关递呈或对各区工会互相通报，并办理分工会难于解决之事务，分工会则不能对外，只管分会内事务，如向资方交涉，及该分会内组织事宜。分会成立之意义为补救区工会之不足，组织范围，一百人就可成立分会。（注：只有四区实行分会组织。）记得当时四区工会划分为美丰，恒丰，上海织造，振业，光华，天衣，周家嘴路，华德路，修安里，安乐坊，沈家滩，引翔港，三益里等十三分会范围。干事会就是各厂各部代表组织的，职务上分对内，对外，纠察。对内为掌管内部组织工作，对外则向上级工会或横面联络。工人五人为小组，小组设组长一人，纠察一人。

一区工会之成立：一九三七年二月，南市久华厂潘某等发起组织一区丝织产业工会，与三区有着密切的联系，经市党部李某的帮忙，征求一百人作发起人签名具呈后，当即领下许可证，设一区丝织产业工会筹备处于鲁班路，登报及散发宣言号召组织一区工会，当时各小厂前来报名加入情形非常踊跃。在一区范围内主要为美亚各厂有五、六、七、九，美经，美章等六单位，当时美亚厂方亦得知这次工潮难免波及，但为挣扎于万一计，各厂均严加戒备。活动分子已全被注意，或借故打击矣。美经为众目所望之厂，因人才较多，压迫亦重。美亚各厂亦惟美经是瞻，果然，三月初，美经和美章首先加入工会了，不数日，美亚各厂全行加入矣。须要注意的，此次发起组织工会，美亚显见比各小厂落后，一九三四年斗争时为发动机的美亚六厂，在各厂中更为落后。一区工会既得美亚各厂参加，声势当然浩大，各厂的斗争立即弥漫开来。

六区与七区工会的组织：这两区工会发动较迟，一九三七年三月十一日，美亚十厂未经布告而厂方私下减低工资，引起全厂五百余工人的骚动，真好像火上加油，马上火花四溅了。美十系租机厂之一，对工人的剥削比任何厂凶狠，在各区工潮汹涌之下，工人早已思动，只因才过新年，经济拮据，罢工资本尚未具备而暂时未动，但厂方既来挑战，故亦义不容辞。三月十二日傍晚，全厂工人在“五卅”烈士墓前开大会，一致议决通过罢工，向厂方提出要求：①增加工资三成；②取消租机制；③等经等纬要津贴；④改善卫生设备等项条件。这一声斗争的号角，把整个闸北丝织弟兄们的斗争精神吹起来了，于是，立即得到美二与恃新的响应，这二家也先后罢工提出条件了。此时，美十为加强力量计，遂与三区工会进行联络。王某当即介绍狄某襄助美十的斗争，同时进行筹备六区工会，终以上层意见不一致，未领下许可证，六区工会始终有名无实的停顿在筹备状态中，不能发号施令，成为闸北丝织弟兄团结的中心，因而形成六区斗争较为散漫的现象。虹口七区与沪东四区是密切毗邻的，所以四区工会发动组织时，虹口兆丰路，物华路，天宝路一带绸厂都纷纷加入，其大者如源盛（即物华）、久丰（锦云）、大甡等厂。后奉当局命令，四区工会与七区工会应划分组织，派市党部胡某为书记，以四区划分出去之各厂为基础，成立七区丝织产业工会。七区工会范围较小，斗争情形亦颇消沉，不像其他各区轰轰烈烈，于是七区工人所获利益最为微薄，其原因胡某敛财欺压手段高明，前进有为的工人干部缺乏，因此使工人热烈的情绪消退，工会就变成典型官办式了。

一九三七年三月，各区工会已先后组织成立，丝织工人的斗争，如火如荼一样由蔓延而炽烈起来，当时上海各种报纸皆把丝织工人斗争当为重要新闻去登载与评论。没有问题的，此次丝织工人的正当斗争，获得全上海舆论的同情与各界的援助。此时资方同业公会已振起精神来应付工潮了，不许各厂答应工人要求，他们违抗政府组织工人以利抗战的法令说："工人组织工会来要求改善生活，一钱不给。"工人罢工要求，各厂就以停业手段于对抗，这里同业公会为着阶级利益而抹杀了民族利益，误解了工人组织工会的意义，忽视工人组织力量在抗日救国过程中的伟大作用。果然，一部分资本家盲目地接受这一办法，本来个别罢工纠纷很易解决，这样就被牵制了。于是当局及工会的调解工作已感到困难，但工人的斗争情绪，正如山洪初泻，莫可抑止（事实上，上层矛盾亦尚愿斗争发展），三区王某就趁此时机组织上海丝织工人待遇改良委员会，冀希全上海丝织工人在他领导之下成为一股势力，三月二十七日在曹家渡白利南路旷场开全上海丝织工人大会，到二千余人（主要为三区工人，各区一小部分参加），正式通过组织待遇改良委员会，各区推代表参加，并决定次日（廿八日）全上海丝织工人总罢工，促彼同业公会觉悟。当时一部分先进工人的意见，认为在此国难期间，外侮当前，不得已不必总罢工，市面既有景气则先提出要求理直气壮，应该首先向资方据理交涉；本身则互相援助，实行统一合作，首先争取较明大义厂方的胜利，最后，则集中力量对付顽固者而收全胜。但终因操纵有方，工人情绪泛滥，故而未得按此意见斗争，以致造成以后的尴尬局面。

次日全上海绸工总罢工实现了，先由三区发动，工人分乘卡车数辆前往各区拦劝罢工，这样火趁风势，风助火威，不半日，全上海已听不到机声，创造了上海丝织工人空前伟大的总罢工。

（2）“八四七六训令”与同业公会非法顽抗　自三月廿八日全上海丝织工人总罢工后，社会局为维持威信并打击居心以总罢工来统制上海丝织工人者，于廿九日立即颁发鼎鼎有名的“八四七六训令”以裁决办法解决丝织工潮，训令内容：首先承认工人改善生活之要求为合理，在所提出改良待遇之要求中，裁定①增加工资一成；②实行市定公尺；③法定纪念日停工给资；④等经、纬给津贴；⑤租机制改承揽制（厂方须负雇佣关系之责任）；⑥女工生产四星期工资照给；⑦不准滥罚工资，并规定罚款作工人福利事业之用等十七条，饬令劳资双方遵行，工人应即复工，资方亦自复工日起履行条件义务。

当时全上海四万余绸工全体罢工，社会秩序顿形混乱，形成严重局势，社会局既发出“八四七六训令”裁定工人之要求，于是改委会卅日立即发出布告，通知各区各厂一律于四月一日复工。此时，改委会的命令已引起执行上的困难与分裂现象。一区美亚各厂厂方已拒绝工人复工，蔡声白坚决执行预为布置之压迫政策，但以理屈和工人团结力量的威胁，终于经党政机关派人交涉后于下午复工。沪东四区则于次日复工，据说是等社会局之复工命令云。

总罢工后，斗争的形势不特未见好转，且已露出恶劣现象。这次总罢工反促成了同业公会大资本家与小资本家的统一，把应付工潮委员会组织成立了，大家服从应付工潮委员会的节制（当然还是美亚操纵），每台织机每月缴纳两元为应委会经费，必要时更大量收特别费，谁家厂工人罢工，就决以停业于报复，未得同业公会之许可，不准单独实行“八四七六训令”或答应工人之任何要求，这样调解工作就更加倍困难了。另一方面，工人为实现“八四七六训令”而斗争的情绪更激昂了，野火变为真火的燃烧加倍猛烈啊！于是劳资双方就开始了肉搏战，全武行的出打时时都有发生，三区打洪昌，四区打锦新，六区美十与军警流氓的大冲突等，只是荦荦大者，固然，以打架作为斗争方式，领导者在领导工作上有着缺点，但一般工人的高涨情绪实亦有以致之。

延至五月初，经工人不断无比英勇的斗争，结果有大部分厂已实行裁定条件了，只有同业公会的巨头——美亚，天衣等厂，及为托派分子所捣乱的锦新（属四区）尚迟迟未能解决。此时南京中央政府已密切注意上海丝织工潮了，实业部派人清查上海丝织工潮原因，及指示解决办法（有人说系同业公会请来调解上层矛盾的）。此时蒋委员长亦在沪医病，见丝织业劳资纠纷迁延如此长久，申斥党政机关负责人员，饬令迅予解决。同时上海市长已由俞某实任，上层矛盾稍见缓和，从此各方面就集中力量压迫工人以弥平丝织工潮了。

（3）“五·一四”事件与各区大破坏及“六三”停止工会活动命令　同业公会的统一，党政机关的统一（皆指对工人一致而言），捕房对丝织工潮的厌恶，三者结成了一团庞大的压力，终于在五月十四日傍晚，以妨害锦新工人张祥林自由为名（张系走狗，曾被锦新干事会拍照），派大批探捕将四区工会团团包围，实行非法搜查工会，将工会印信文件及入会工人之名册全行劫去，并将正在吃大锅饭的锦新六十几个工人及四区理事邹某捕去，虽当晚释出四十余人，尚有二十二人留捕房予以起诉，并缉拿常务何某，以冀破坏四区工会之存在。

“五·一四”事件发生后，引起全上海绸工的忿怒，特别是四区工人，尤以切身利害攸关，情绪更为激昂，故一部过激工人致为托派所利用发生盲动罢工，当时他们的口号是：扩大事件，实行第二次总罢工，制造惨案，引起全上海罢工、罢市、罢课，造成广大力量收复上海租界。四区工会负责人措置得当，立即召集各分会负责人及四区内各厂之优秀分子会议，产生临时办事委员会，次日即恢复办事，布告各厂保持镇静，不可轻信谣言，滥施罢工，但必须严密组织巩固团结，与工会成立密切联系，准备有效之行动。劳资纠纷未解决，各厂工会照常进行调解工作，使整个四区工人不为事变而失去准备，给对方乘隙来进一步之攻击。其次，即为上呈党政机关要求向工部局提出为维护国家主权之外交交涉，同时通电中央及本市各党政机关及舆论界和各界同胞为维护国家主权共同奋斗。一方面，延请律师营救被捕工会理事及锦新工友。二十三日，全四区各厂代表赴市府请愿，要求：①立即派员交涉送回工会印信、文件、名册；②立即派员调查工会被劫情形，向工部局提出赔偿损失及惩办祸首之要求；③释放被捕工会理事及工人。

市府对前二项答复允予进行，第三项则说被捕人等触犯刑法，先不能横加过问，只好听候法律裁判。各厂代表听此答复后即在市府面前开大会（因工会里已不能召集大会），当即承认对市府前两项答复表示满意，对第三项则等廿五号判决再说，假如有人判罪（当时估计只有少数人判轻罪），则各厂愿意以集合经济取保，或在上诉期内进行有组织较激烈之行动。但托派（惜王某亦不辨别是非随声附和）拼命煽动总罢工，但卒为群众所坚决反对。然此辈早有决定，于廿三日晚由华德路分会，美丰三益里等处先发动，企图强奸四区全体罢工，以使工会覆没。当晚果然发动，但只有美丰及华德路数家小厂参加，其余则严格遵守工会指示，未予盲从，此时各厂方坚决执行同业公会拒绝复工之命令矣。幸而美丰领导转变，再提出取消租机制及补加工资之口号，经过无数次凶恶斗争，才能于一月后结束斗争。至于华德路分会罢工各厂，大多承认开除代表及缮写悔过书后才准工人复工，华德分会的办事处亦被捕房派巡捕驻守矣。

三区工会，在五月三日被拘捕多人，因又引起汹涌之罢工风潮及更“左”行动，不能在四区立足之托派，此时已集其主力在三区工会，且把势力伸展至一区，煽动美经工友以拿赴江阴军训川资为由，企图以殴辱职员酿成事变而扩大罢工，王某不察，亦与其互相呼应。然而五月廿五日夜里，前半夜已给厂方得知有企图行动消息，半夜饭放工后厂门即紧锁，已拒绝工人上工了。因经纬厂停工，其他美亚各厂无经纬可做，亦先后相继停工，至此丝织工潮又告严重，这样就来了总的更大的压迫。在美经数百工友以绝食邀资方觉悟的时候，就施以比一九三四年更残酷的压迫。

六月三日，社会局下了停止一、三、四区工会活动的命令，接着公安局把一、三区的工会理事及工人积极分子大批逮捕，资方则大批开除代表，在罢工各厂坚决拒绝复工，成了总包围形势。工人当然不为所屈，可惜为领导者领入歧途，先则盲撞瞎冲，继以请愿为唯一法宝，由总工会而社会局而市营部而市政府，最后则到南京行政院中央党部实业部请愿，真可说伟哉大愿！十六日晚，三十九位准备赴京请愿代表又被逮捕，三区工会亦受最严厉之搜劫，而成无政府状态，赴京请愿工作亦只能秘密进行矣（请愿代表系个别厂参加）。事实上，后来到达南京亦只能以工人汗血之资，请大人先生吃几顿大菜而已，还会有什么结果呢？

六区美十，经工人占据厂房，开大锅饭，进行十分英勇斗争后，已得全部胜利复工了。但资方终不甘心，一面收买走狗方某，对代表提起妨害自由及伤害罪之诉讼（因走狗曾被拍照及殴辱），一方面，利用厂长的同乡人，进行与别帮人对立，还买通警察，雇用流氓任意打击代表及积极分子。这样也就把美十的组织摧残了。恃新亦利用帮口对立（溧阳与杂帮）使工人自己火并。美二也因内部欠团结而致命，但都得到加资一成，实行市尺，法定纪念日给资等胜利。

七区为典型官办工会，无甚破坏。

（4）斗争结束　自一区美亚各厂总停工以后，斗争形势又形严重，那时当局只叫工人忍耐吃亏先去上工，并没有对资方有半点警戒的意思，资方看到如此情形，当然更威风十足了。六月十三日，美经工人为实现策略，全体上工去了，进厂工作数小时后，又一律罢工绝食了，将工场占据，斗争情绪十分高涨热烈，各区工人闻此消息，又全起骚动，纷纷商议援助，大有燎原之势。当局见此情形又现惶急，于十六日即召集党政警联席会议，当商定解决办法二项：①对命令通缉之工人继续拘捕；②会衔布告限令未复工工人，即日复工（逾期即作自动解雇论），并通饬厂方切实履行裁定之“八四七六训令”内开条件。此时同业公会方面，在工人力量之不可轻侮，党政命令尊严之须维持，营业景气等等情形之下也改变一些态度，只得接受履行条件。工人方面，亦因实力损失太大，领袖与代表大多被捕（全上海计有八十余人，重则判徒刑八个月，轻则四十天），斗争半年，无论人力，物力均十分疲惫，需要结束斗争而稍事休息。故六月二十日，美经工人接受当局劝告复工，然后，各厂到廿八日均先后复工了，然火药气味已弥漫整个中国矣。此时托派匪徒及其捣乱分子，还拼命拉着后脚，不过工人们已有正确之见解，不再给他们破坏了。至此丝织工人的斗争随告结束。由此，丝织工人从劳资斗争，而转身踏上抗 × 救国的战场。

（5）斗争的领导　一九三六年，救国会在丝织工人中已有相当成绩了，读书会和歌咏班纷纷都组织起来，研究学识，参加歌咏，发动救国的行动，这使许多青年工人活跃起来，他们又从沉闷抑郁的空气中复活转来了，产生了新的斗争情绪，确实这次大罢工的发动机是各救亡力量，然而，这一前进势力还敌不过反动力量的坚强。一区，四区工会领袖（何、周）的被捕，横加重重约束以后，等到可以控制而为己用了，才允许他们在工会做事，工会成立，基本上就是因为上层各人要造自己的势力。当时一、四、七区为 ×× 局潘某势力，三区为陆某势力，六区工会互相争夺未下不能成立。潘某以处理劳资纠纷的主宰执机关资格号召工人，陆某则依仗军法及党部势力相号召，后者见前者有广大领域，故刻刻企图发展自己，并主张消减对方势力，就利用工人中的戆大及短见分子作伥（嵊帮是他的基础），并与托派匪徒呵成一气，在各区工会中争权夺势，挑拨离间，搅成四分五裂不统一的局面。这里不能否认，各区工会有着重大的弱点，如领导不够民主，办事欠积极，经济不公开，非工人公务员的舞弊等等。

一部分工人领袖既然变节做了上层冲突的尾巴，而各救国会分子又只从事一般的浮面活动，他们那时缺乏严密广泛有组织的群众基础，及有经验的无产阶级战斗部署才能的干部，因此，在这伟大斗争中，前进势力就把握不住全盘的局势，于是，工人也跟着上层的冲突而对立着，所以，一些好的计划，都不能真正为大众利益着想有效地去执行，变成该做不做，不应做拼命干的现象。

大体上说这次斗争的领导，在工人斗争情绪一起，而立即抓住组织工会，这是对的，但区与区的对立，厂与厂的对立，这使工人有组织而不统一，违反了工人运动的基本原则。强奸总罢工，及常以打架拍照作为解决问题之方法，这就是用“左”的行动破坏工人组织。但斗争终于还得到部分的胜利，这对工人以后斗争的信心提高了，经过半年的长期斗争，确实尽了无产阶级练兵的作用。

（6）托派匪徒的无耻　托派匪徒非常无耻，处处做破坏工人利益的工作，尽其媚主子之能事，它提出口号要锦新成为上海的模范厂（锦新是托派大本营），要加工资三成，等经、纬工资照给。资方承认工资加一成，以后看人家如何再加，等经等纬津贴三角。托派认为加这一点一定不行。冲呀冲的，就把锦新工友们冲进牢监去了，四区工会也给它冲倒了。笔者亲眼看见托派匪徒像卖淫妇一样接待王某，就是当锦新在四区工会烧大锅饭的时候，王某送来一担米慰劳锦新工人，王某自己倒不觉得什么，而托匪楼宗芳等，在王某要来的这天早上，特别起早些，命令工友们打扫四区工会所在的一带地方，并密布纠察岗位，比及王某到时，吆喝清道俨若圣驾降临一般，讲话总是以“遵命”、“是”相回答，甚至弄得王某自己亦觉尴尬难堪。还有那次给张祥林走狗拍照时，亦是请商某等一道决定的。当四区工会被搜劫后，托匪韦梦生则去工会大施捣毁，胡说：“彻底施行破坏后，可以要捕房赔偿了。”他并且假衔工会命令强迫隆仁里，三益里一带工人罢工，使得四区工会，可以更进一步受捕房压迫关门，使各厂代表或积极分子都坐牢去。

（7）救亡组织　斗争就是前进的救亡分子推动起来的，他们在救国必须改善劳苦大众生活的观点之下，热心参加这次斗争，但他们此时并不主张劳资对立而主张有条件的合作，尽可能帮助以速解决纠纷，把工会变为真正团结工人的机关，使其负起救国家救民族的伟大责任。所以他们极其诚恳拥护工会，确切了解工会是工人自己的，而且认为组织工会是最好的团结全体工人的方式。但他们对当时工会亦采取善意的批评，并且自己首先积极地帮助做事，使工会真正能够领导工人去谋利益。不过那时当局对救国分子，还不肯采纳他们的正确意见，在这种环境之下，救国分子活动加倍困难。当总罢工发生时，他们提出在国难当前，不应总罢工，而须首先在较明大义厂方的厂内取得胜利，万不得已然后用分别罢工的方法，以促顽固厂方的反省。当四区工会被搜劫后，托派又要煽动总罢工扩大事态，他们则坚决主张以稳健行动保护工会，阻止对方对四区工会的继续袭击，执行了保护实力这一任务。以后一、三区工会破坏，工潮迁延不决，王某与托派决定不断请愿，他们则主张反对压迫，组织有计划的行动以结束斗争。然而此种正确主张，只有四区工会在后半期实行了一部分，所以四区工会损失最小。

这次丝织斗争，一爆发就以组织工会相号召，把斗争成为合法运动，很快的广泛开起来，工人由工会发号施令领导斗争，使资本家感觉难于应付，不得不给工人以利益。然而这次斗争有下面几点问题：

①统一战线工作做得不好，这一次大规模的斗争，无论在领导上或组织上，都是互相对立而又支离破碎的，给资方处处都有可乘的机会，幸亏是合法斗争，否则都要被人各个击破了。对资方亦全用一律的态度，许多小资本家，原本可以很快答应条件，然因总罢工后，形成同业公会大团结，给控制着了。还有美经不分皂白殴辱职员及学徒，造成工人完全孤立局面，那是更坏了。

②缺乏核心组织及得力干部，因为为了应付这非常复杂的局面，以及不致为野心家所操纵和出卖，工人在这种场合，应该有强有力为工人谋福利的核心组织，在工会中起骨干作用。然而这次斗争中核心作用的发挥非常不够，干部非常缺乏，在分配上又欠调整，同时更没有准备的干部。

③处置走狗问题不妥当，各区工会破坏，走狗为虎作伥尽了很大作用，四区和六区假如不是借拍走狗照相为理由，资本家不能公开利用走狗出面破坏，对这次斗争的压迫总得困难些。对走狗应该以群众的力量或以法律相制裁，何能在形势上以场面子处置之！因为走狗根

本上是不要脸的。

④斗争是组织工人和教育工人的最好方法，这次大规模的工会运动，因为工人需要为本身利益去斗争，才组织起来的，工人都是为改善自己的生活而踊跃地去参加工会。在斗争中工人们还认识出什么是对什么是不对，托派在四区工会捣乱，每次都是被群众击破的，市政府门前开会的那次，各厂代表都给托派及捣乱分子以严重的打击。

最后我说：一九三七年的大罢工，结果是部分胜利的，但工人花了最大的代价，资本家损失也不小。所以我加重说一句："在现阶段外侮严重的时候，中国劳资关系，是应该精神合作，资方应遵守政府的法令，自动改善劳工的生活，而工人亦须抱共存共荣的态度，努力参加生产，否则便要便宜民族的敌人。"

第十一节　丝织工人今后的任务

摆在丝织工人前面的，有下列几种任务：（一）争取资方的合作，共同救国。对一些比较明白大义的资方，要亲密的携手，对那些顽固的资方，甚至替日寇销人造丝的资方，则须站在民族的立场，对其严厉的批评，指责，以及检举。（二）争取生活的改善，今年上海丝织业的营业是不坏的，如美亚四厂赚四十万，美亚九厂赚三十万，而工人的工资仍打八折。有些绸厂，甚至在八折以下，在百物昂贵之下，工人是不易生活的，且各厂大半均无工房，在这房租高涨的时候，工人的损失非常浩大。还有许多绸厂，无休息日，星期日也工作，有事非请假不可，非常不便利，损坏工人的健康，这也是急须改革的。（三）最后加紧工人本身的组织，是一个最重要的任务。丝织工人的工会自在斗争中受到了压迫，工会工作无形停顿，现在急需恢复起来，成为丝织工一切活动的中心。当然，过去工会的弱点，如派别的对立，步调的不一致这些现象，是须要避免的。

末了，我感觉到丝织工人斗争的经验比较多，文化程度比较高，如果紧密地组织起来，确是抗日战线中的一支宏流。

第四章　缫丝业

第一节　缫丝厂的发展简史

缫丝业在中国的历史已有数千年，可是新式丝厂的设立并不算得长久，大约前清光绪四年前的光景，上海才有新式丝厂的建立，为英国资本，名宝昌丝厂；光绪六年，上海又有意大利式丝厂的设立；光绪七年有黄佐卿者，始开设公和永丝厂，聘请外国人当顾问，工程师。那时营业差不多完全向国外推销。一九二四年——二五年为全盛时代，全沪丝厂发展到一百一十三家之多，共有二万五千二百部车，规模较大的丝厂，雇用职工达二千余名以上。但是好景不长，一九三〇年世界经济恐慌发生之后，丝价惨跌，由一千三百两，跌到四百两。同时日丝与华丝又在国内外市场上作激烈竞争，一九三四年日本每担丝的成本合洋四百十一元，而中国则需四百七十五元，两者相差百分之十三，在这样的情形之下，华丝自然敌不住日丝。加之日本人造丝在中国市场的倾销，更加速中国丝业的危机，因此丝厂几濒于破产的状态。一九三五年夏季，上海开工丝厂只有四十三家，至十二月则仅为十五家，到阴历年底，更减为九家，不数日仅存三家。一九三六年以后，市面活动，丝厂又次第恢复，直到“八·一三”战前，全沪又有半数的丝厂开工。及至战事爆发，除怡和丝厂在租界开工之外，其余厂址因在战区，几陷于全部停顿。国军撤退，货栈中所存原料，尽入日军手中。全毁者有三十厂，六〇二〇部车，半毁者一厂，六八八部车，总共损失在一千万元之上。现在因为外汇低落，销路较畅，上海丝厂又发展到四十四厂，一万零八十六部车。大多在沪西建造新厂，开工者已达四十多家，不过设备多半简陋。多数丝厂为了车少与出品需要的切迫，打破从前的惯例，开日夜班工作，成畸形繁荣的现象。×× 汉奸皆计划统治丝业市场，同时每年下季照例营业减少，所以今年丝厂下半年究竟如何变化，正未可逆料也。

第二节　职工数目，性别，年龄，籍贯，工作时间

普通丝厂职员工人数目约四百人至五百人左右，目前上海丝厂工人大约为二万二千左右。男工仅占百分之五。成年工人年龄廿八岁以上至四十岁以下为最多，青工十六岁以上至二十三岁以下为最多，此外尚有大批十五岁以下的童工。江北人占全体百分之六十，本地人占百分之三十，其他地方人占百分之十。普通工作时间为十二小时，早晨六时上工，晚上六时放工。但童工须先到厂十五分钟以至廿分钟，做准备工作。正午吃饭，放工半小时，但各厂规定亦不一律。

第三节　工作状况

缫丝厂职工，除司账，监工，打杂，出店而外几皆为妇人与少女，大致言之，每二成年工人即有一童工。童工之工作为刷去茧上的废物，将丝头显出，以便调制。此项工作，皆于煮茧盆上为之，童工手指因常与盆中沸

水接触，致粗肿不忍卒睹。且此辈童工年龄，甚至有六岁以下者。工作时须站立，工作室中，因有煮茧盆之热水，温度颇较平常为高，空气亦甚潮湿，暑天晕倒者为极平常的现象。成年工人遇受处罚，彼等下手童工往往便成为泄愤的对象，事后彼等虽亦知自悔，不该虐待同一阶级的手足，然而童工则饱受苦痛矣。至于厂方对待这一群羔羊，则比对待成年工人更加苛刻。挨打受骂成了他们的家常便饭。

第四节　缫丝厂的生产管理

丝厂的制造程序，因各厂设备之不同，遂稍有差异，而大体步骤，则不外以下数端：

1. 烘茧　将鲜茧烘干。

2. 剥茧　剥去茧衣，并将“双宫茧”、“污茧”一律抉剔。

3. 选茧　分为两步，选上车茧及下脚茧为初选，上车茧中又选剔头号、二号为复选。

4. 煮茧　使渗透吸水，约经十分至五十分钟，茧上丝头随煮随寻，而资抽缫。

5. 缫丝　抽出茧层之丝，使之绞合成丝。

6. 扬返　将缫成之丝，自小篾上扬至大篾上。

7. 检验　自扬返上取下之丝片，放于墨板检验器上，用电灯光照之，观其是否合于原定匀度。

8. 包装　经检验后，打成丝绞，复以若干丝绞，打成小丝包，若干小丝包，打成大丝包，包一大包计重一百斤。

丝厂皆为无限公司性质，经理负全厂责任，在工务方面有工务主任管理一切，惟工厂管理多不科学化，任用私人是最普遍的现象。

第五节　工资待遇与生活状况

1. 工资各厂不一，大致情形如下表：

工作种类	每日工资（元）
车工	0.30—0.46
盆工	0.28
选茧	0.40
复摇	0.45
扯丝	0.40

2. 除工资外，一月不停工者有二升工，一九三一年以前，本有四升工的规定，以后被资方减少二升工。

3. 处罚最为厉害，不论出品的粗细，匀度，清洁，折头，产量，都有处罚规定。

丝厂工人大多数负担颇重，其家庭中的男子，多为小工苦力，因其收入不能维持全家生活，才令妇女入丝厂做工。她在平日异常节省，很少穿时髦衣服的。至于饮食方面则更为刻苦，离家很远来不及回家午膳的人，都带饭进厂，到午饭时间用开水泡吃，萝卜干，大头菜为她们的最好小菜。大多数工人皆住草棚，平房。文盲占百分之九十以上。小学程度的，占极少数。近年新式丝车的工人，有些工厂须经招考的手续，故识字的人又比较多一点，然和全体职工数量比较，仍微乎其微。

第六节　丝厂工人斗争的经过

丝厂工人工资待遇既低，她们的斗争性亦复很强，平均每年几乎都有罢工一次发生，其目标多集中在工资问题上面。爆发的地方，多半开始于虹口区，而后蔓延及全沪。兹将几次重要的，分述如下：

（一）一九二六年是丝厂工人运动蓬勃发展的时代。是年六月六日闸北允余丝厂工人要求将薪水零数实行洋码，厂方不允，遂举行罢工。盈余、兴德、久经、恒隆、豫丰五厂接着影响，总计人数达三五〇〇人。六厂共向厂方提出五个条件如下：

1. 工作时间每日上午六时起，至下午五时止，中饭休息一小时；

2. 工资每人每日增加五分，并须以大洋计算，月底发给，不准拖欠，同样工作应给同样工资。

3. 不准打骂工人，不准借故开除工人，产前产后须休息一月，工资照给，克扣赏工须依停工日期计算。

4. 不得借故开除罢工中工人代表，罢工期内，工资照给。

5. 集会结社罢工绝对自由。

当时上海总工会代表丝厂工人力向厂方交涉，同时上海各界妇女联合会又出面调停，厂方对工人所提条件，大体接受。计五条中加以修改者：第一条工作时间改为下午六时止；第三条待遇中产前产后得停工一月，工资照给一项，须以在厂工作满二年者为条件；第四条后半项改为罢工期内工资补发一天。

允余、盈余等六丝厂罢工胜利之后，六月廿六日闸北泰来等三十余厂接着罢工，参加罢工工人总共一四○○人。罢工的起因由于泰来处罚女工不当，拖发工人工资，以与资方勾结的穆志英成立伪工会，强迫工人交纳会费。罢工工人发出署名宣言，并正式提出五条条件：

1. 每日增加工资五分。

2. 上午六时上工，下午六时下工。

3. 不准扣除罢工期内工资。

4. 不准穆志英组织工会。

5. 不准滥罚及拖欠工资。

此次罢工，只有第三、第四二条得到胜利，其余均无结果。

在相同的时期之内，虹口一带丝厂，亦举行同盟罢工，参加罢工的人数约六○○○人。但因资方及军警共同压迫，没有得到结果。

（二）一九二八年国共分裂之后，丝厂资本家向工人进攻。三月七日闸北纬纶丝厂无故停歇工人数人，该段警察勒令工人出厂，纷扰之际，警士用枪柄殴伤工人数名，其中姜阿兴一名重伤毙命。全市丝厂工人因之哗然，遂于十日罢工，参加丝厂八十九家，男女工人共达六万四千五百余人，当向资方请求惩办指使行凶犯纬纶厂主徐可亭，行凶巡官及警士，与被害姜阿兴之治丧费，及其遗族之抚恤费。当时形势严重，当局乃将全案送交法院解决，工人亦于十三日复工。不料法院判决结果，凶犯徐可亭等无罪，而工人吕来发、朱阿大反判徒刑一年零六个月。各厂工人大愤，重新继续罢工，且群向资方解雇。上海工整会恐工潮扩大，于是出面调解，结果复工条件于七月十五日签定，其要点如下：（1）解雇问题，由党政军及劳资双方各派代表组织委员会审查，定一星期审查完竣；（2）前被通缉之工人十名，以审查会名义，函请军警当局，暂缓执行；（3）全市丝厂男女职工一律升工三天，以补助工人损失；（4）姜阿兴抚恤三千元存入银行，以每月利息，拨给尸属，三十年后，该款尽交尸属；（5）丧葬费由厂方给洋九百元。

（三）自世界经济恐慌发生，丝市不振，营业衰落，各厂将工人工资，一律折减，并取消蚕蛾津贴及礼拜赏工。一九三三年夏间，丝市稍振，丝价大涨，于是各厂工人要求恢复原薪。七月五日振丰丝厂首先罢工，更大批冲至其他各厂，要求一致行动。是日参加罢工丝厂十二家，男工四百三十一人，女工四千七百八十八人。次日继续罢工者，有懋丰等二十七家，参加工人约二万余人。至八日经上海市社会局召集调解委员会，签定下列各条件：（1）全市各丝厂女工工资自六月份起，照规定四角五分；（2）礼拜赏每星期二角，以七、八、九三个月为限；（3）升工每月二工，男女职工一律；（4）职工蚕蛾津贴，每元工资津贴二元，按月发给，暂定三个月，如三个月后，市面与现状相同，仍继续津贴。上项协定成立后，工人乃于七月十日开始复工，但后来厂方条件并非完全实行。

此时丝业虽有工会，然系官办性质，未能代表工人利益，其呈社会局呈文，甚至谓工人此次罢工，事前未提正式理由，是被人煽惑，有意扰乱。

（四）一九三六年丝业好转的呼声高入云霄，可是丝厂资本家并没有体谅到工人的苦衷，把工资再恢复一些。他们只知道在衰落时向工人压抑，好转时自己一味赚钱，他们不把工人当做自己的同胞，反把她们当做受外族压迫时的出气孔。女工们为了求生存，为了要挣脱这非法虐待的锁链，同时也可以说为了民族的前途，于是巨大的丝厂罢工，又爆发起来了。

上海新闸区的大丰、成丰、鸿泰、协兴、义昌、泰伦、复昶、东乡、美丰、积余、久余等十三家；闸北的复昌、积余等二十家，香烟桥区的益丰、洽源、和记、利源、宝福、兴昌、兴记、中国、中兴、福纶恒等十家；几乎全上海的丝厂，皆卷入罢工浪潮以内。她们提出：（1）女工工资恢复至四角、五角；（2）上午五时上工，十一时半放工，下午十二时半上工，五时半放工；（3）职工工资，凡在十六元以下者，普加一成半，十六元以上者，酌加一成。

在这里，我们可以明显的看到，她们在资方并没有什么苛求，所提出的条件也是最低限度的最低限度。在这最低限度的要求中，很明白的包含有一种对厂方谅解的要素。这显然的，工人不但顾全厂方的利益，而且更深一层的顾全民族工业的前途。然而结果当局对这最低要求，还是打了一个折扣。

第七节　丝厂工人抗 × 活动

“八 · 一三”战事爆发，各厂工人都有抗 × 活动，募捐，做棉背心，征收慰劳品，怡和丝厂工人并组织抗 × 后援团，请本厂经理及章乃器，沙千里诸名流到厂演讲。及战事西移，各厂工人参加节约献金运动，开始进行工人本身组织工作。

第五章　针织业

第一节　针织产业略史及现在生产营业状况

一九一四年至一九一六年，我国产业开始萌芽，各种新兴的工商业日渐发达，这个时期，就有在某洋行做职员的一个华人，首先试办用手摇机织袜子，于是中国的针织工业，也就产生了。

当时，土布袜与洋布袜尚风行于整个中国，针织的袜子只能销行于大的通商口岸，所以，针织袜如果要想更广大地发展，一定先要和布袜在市场上作激烈的竞争。但是在中国市场上，布袜却有着它悠久的历史和特质，在社会人士中有稳固的地位，一时也不容易倾覆。但是后来由于环境的变动和社会的进步，针织袜渐有战胜布袜的趋势，一般有志经商的有产阶级，看见了针织业广大的发展前途，于是在一九一八年初，开始纷纷向外人购买手摇织袜机器，当时并没有正式设立工厂，不过买极少数的机器，由自己的家属或亲戚朋友们来试办，同时这种新兴的家庭工业，还是只限在几个通商的区域里，没有能够广泛的发展出去。

跟着帝国主义向中国侵略的日渐加强，资本主义的文明也日渐输入中国，人民固旧的头脑渐渐开明，同时针织袜也有了新的改进，确实比布袜优良而又便宜，于是经过了一个时期，布袜受了淘汰，针织业在市场上遂建立了新的基础。因为社会需要的增加，家庭针织工业不得不改组，大规模的针织工厂就设立起来了。一九二〇年，在平湖曾有大的针织工厂建立，拥有手摇机一万架，由此可知在这极短的时期内针织工业的突飞猛进了。

大的针织工厂建立了，小规模的家庭针织工厂更像雨后春笋般地纷纷设立，机器的数量增加了，商品的生产也增加了，但是可惜所生产的仅仅只限于纱袜和线袜，质料粗劣，不能适合贵族阶级的胃口，于是外国商人乘机把大批电机织的丝袜，麻纱袜，羊毛袜等输入中国，销路非常可观。这种情形，使得经营针织业者一见倾心，于是资本雄厚的就购买电力机从事生产麻纱袜及羊毛袜等，资本薄弱一点的，就购买手摇机生产丝袜毛袜等。中国针织工业到这时可以说是又进了一步。

不久以后，外国人士到中国来的日渐增加，由于他们的影响，中国青年中的体育运动兴盛了起来，因而体育运动上所必需的运动衫，运动袜，背心等针织品，也迫切的需要起来，于是经营针织工业的资本家，就趁这个机会，购办了许多横机，按照外货的式样生产各种体育上用的针织品了。

这时针织工业更进入新的阶段，凡是各种针织品，都有着改进及惊人的发展，生产日夜加工，营业状况发达到极点，一年营业总结，无论是几架手摇机的家庭工业或是大规模的工厂，最多的盈余约三万至五万元，最少的也要在二千元以上。可是在这种获利千万的状态下，虽然肥了经营者的腰包，但是却苦了流尽血汗的劳动者，他们整日整夜的为资本家辛勤工作，却只能获得微薄的报酬，这一段时期，经营针织工业的资本家，个个都是获利千万，即所谓针织业的黄金时代（一九二三至一九三〇年）。

可是，好景不长，一九三〇年以后，由于世界资本主义国家商品生产过剩，而造成了不可解决的经济恐慌，千万的劳动者遭遇了失业的浩劫，购买力一天天的减低，接着××法西斯军阀侵略我中国，强占我东北四省，针织工业受其影响，生产量及营业状况一落千丈，受其影响最大的电力机厂都纷纷减少了生产品；其次本来生产真丝袜的手摇机厂，更改为生产人造丝袜，用道地的日货原料以减少成本；同时变本加厉的减低工人工资，进一步向贫苦的工人同胞剥削，以抵偿帝国主义所给他们的损失，挽救他们自己的利润，苟延他们骄奢淫逸的生活。至于数百元资本的家庭工业，无法继续其生产，唯有关门大吉，保全其资本。在这一个时期，最痛苦的要算是针织的工人了。仅只上海一个地方，失业的每天就要增加百人以上，成群结队的失业工人，无衣无食的流浪在街头，过着饥寒交迫的生活！

好容易挨过了数年，针织业才渡过难关，踏进新的黄金时代（一九三五年初至一九三六年底），当时各地农村丰收，市面有复活的趋势，针织品供不应求，资本家大大赚钱，可是另一方面却又为因营业的发达而增加工人的工资，因此大闹劳资纠纷，亦在此时期。

不久，“七七”抗战爆发，上海战事发生，于是针织生产完全陷于停顿状态，大部分的针织厂，完全在日方的炮火下倾覆。我军西移以后，租界上的针织厂又渐次开工。由于战后上海的畸形繁荣，结果这些针织厂反而大大获利，打破了历年来生产量与营业状况的纪录。

去年生产品大部分是线袜和卫生衫，其次如丝袜，人造丝袜，羊毛衫，羊毛袜等。此项货品大多数由内地商人来沪采办，丝袜大部分销于上海，供给有钱人的需要。在目前电力机最繁忙，日夜生产，每日生产量大约超过一万九千余打。手摇机针织厂生产人造丝袜及真丝袜，生产量每日约六千六百余打，有时甚至超过一万打。丝袜类生产量与线袜不同，是有时间性的，每年七月以后，生产量即逐渐减少，以上统计是去年七月以前生产的大略情况。七月以后，注重冬货，即羊毛衫，羊毛袜及卫生衫等，这些货物，也有一定的生产时期，每年十二月底，结束冬货生产。只有线袜的生产，没有一定的限度，日夜不断，终年不息。因为线袜普遍性最大，为一般人日常所必需，可以大量的生产，不必顾虑到销路。其余有季候性的货物，生产量都有限度，卫生衫每日约三百多打；羊毛袜约八百多打；羊毛衫每日百余打。

上海租界上的针织厂，从去年一月起到十一月底，无论大小针织厂，都日夜加紧生产。生产量日渐增多，营业状况空前兴盛，比起过去几年，大大不同，资本家坐收厚利，何止千万。但另一方面，上海租界四周的人民，在家破人亡之后，大量的集中到租界上来，这些人但求最低生活可以维持，无暇再去计算工资的大小，租界上的劳动力，因而大大便宜，针织工业的资本家，不但不实行“抗战时期同胞互济”的责任，反而丧尽良心，趁机剥削，不顾工人生命，减低工资。目前生产量比往年要增加百分之二，而工资却和往年一样，并没有按照比例增加。所以今年各针织厂一定要比往年获利更多。这只要看现在每日营业的数目，就可以明了了：现在大厂每日营业平均一千元至三千元不等；中等厂每日营业五百元至一千元不等；小厂每日营业五十元至一百元不等。资方在每一百元中间，要获利廿余元到三十余元。

我们如进一步研究货物的成本，更能够明了厂方盈余的实在情况，现在举出五种货物为例子，列表如下：

货物名称	原料（每打）		成本（每打）						
	名称	分量（两）	原料价（元）	工资（元）	装潢染色（元）	共计（元）	每打售出价格（元）	每打利润（元）	备注
线袜	六〇／二线	12.7	1.80	0.30	0.45	2.55	3.50	0.90	
丝袜	一三／一五真丝线	12.2/12.7	7.25/0.54	1.39	0.58	9.76	14.00	40.24	
羊毛袜	羊毛	17.8	6.63	0.55	0.20	7.38	12.00	4.62	
卫生衫	洋纱	200.0	9.40	2.84	0.60	12.84	23.00	10.16	
羊毛衫	羊毛	122.3	45.86	5.18	1.08	52.12	80.25	28.13	

以上的例子完全都是事实。这当中最可痛恨的，就

是目前上海大部分针织厂所用的原料，都是日商三井洋行“大富贵”牌及其他各种日货原料。资本家们只顾自己赚钱，丝毫不顾国家民族的利益，真可痛恨！

第二节　针织工厂行政管理系统

针织工厂的行政管理组织，形式上确实是非常完备；但是假使我们从它的实际上去观察，却很容易就可以看出其中种种的腐败现象。虽然各厂环境不同，不能一概而论，但实质上目前上海各针织工厂的组织及管理亦是大同小异，资本家封建思想太重，固执守旧，不能用科学方法，改良生产，同外货竞争；相反地，一天到晚只知道想尽方法，加紧剥削工人同胞的血汗，以求得利润的增加。这些资本家，目光如豆，固执死硬，说起来实在可叹。有许多厂家，虽然形式上也有完备的组织管理系统，但是有其名而无其实，仍旧是一种家庭工业的状态。

现在，我们把上海各针织工厂的行政管理系统，列表如下：

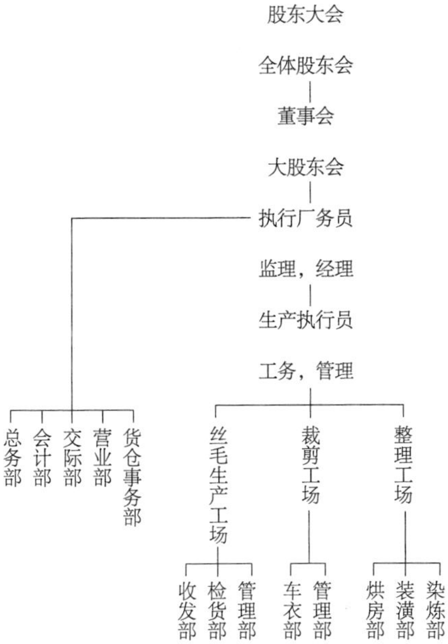

在整个组织之下，每一部分由经理挑选正副部长二人，负各主管部分内一切工作事务的责任。管理下级人员，一切工作，完全由下级职员担任，许多有亲有靠的高等职员，神气活现，对待工人威风十足。部长等人物，每天只在厂工作二三小时，即行离职，一切远大计划，连想也没有想到。一部分有威有势的中上级职员，简直是无所不为，无恶不作。依靠了监理或经理的势力，身负部长名义，厂务毫不过问。因此，往往一个有势力的跑街，都能任意干涉厂内行政，殴打无势无权的工作人员，有时甚至去向监理诬告，任意把被殴者革除出厂，同时他们自己根本就不守厂规，随时随地做许多破坏厂务的事情，一般下级职员虽然明明白白看在眼里，但是为了保全自己的饭碗，没有一个人敢说一句话。在这种无法无天的混乱情况下面，一部分糊涂的下级小职员，亦虚张声势，大拍马屁，对上级职员殷勤献媚，以保全自己十元八元一月的地位。

最倒霉的是一些无威无势的小职员，每天十小时至十二小时的工作着，幸而承经理先生赏识，也不过一个月得一二次空头奖状，否则即被请到经理室受经理先生一顿大骂。一般小职员受这种待遇实在是家常便饭，不足为奇的事。

针织工厂里的工作程序，大略如下：

营业部接得各商号或内地办货客人的定货单后，小职员们立刻忙碌起来，先由营业部将定货单交给货仓部部长入账，开始调查货仓所存货品是否够销，倘有缺少，即通知工场按照缺货尺码及数量制造。造好之后，集中收发部，再供给货仓部，由货仓部将货物分配，发给染炼部，烘房部整理，最后经过装潢部装潢，交进货仓部，由货仓部照客人定单配备妥当，通知营业部，由营业部派人将货物送往各定货商号及外地客人。

针织工厂里各部分的工作责任，大略如下：

生产工场收发部专管拟定货物之种类，尺码，样子，分配给工人制作，发出原料，收进制成货物。检货部检验工人生产品之是否合于规定，有无“毛针”，“跳丝”等毛病。如有缺点，则将工人所做一打之工资完全充公，工人等于白做。工头管理部负责工务管理，修理机器，维持工场秩序，压制工人等。

裁剪工场车衣部由收发部供给纱毛布匹，裁剪成各种运动衫，羊毛衫，卫生衫，运动袜等。

整理工场染炼部，按照货仓部所发染色通知单，将各种货物分别染色，最后装潢部负责钉贴商标，装盒等工作。

照上面的情形看起来，在生产工作当中，货仓部是站在支配一切的地位，因此，在工厂的实际管理中，货仓部也就是一个权威者了。若是烘房部，染炼部，装潢部等有犯厂规，货仓部有权直接处罚犯规者。如有不服，货仓部即报告总务部及经理，监理，严重处罚。工人在场内如有“轨外行动”，工头有权革除工人工作，并可将工资充公。

在上级职员离开工厂以后，厂内的事是谁也不管，无论工人打架，骂人，甚至赌博，小职员们始终是不闻不问，因为大家同样是被迫压的人啊！

第三节　针织工厂职工数目，性别及年龄，籍贯

针织工厂分成三个等级：大规模工厂雇用职员五十余人，男女工人二百六十余人；中等的工厂雇用职员廿余人，男女工人百余人；家庭针织工厂雇用职员只一二人，男女工人十余人。上海全市，大中等级的针织厂只有二十家，此外都是极小规模的家庭工厂。大概的统计起来，全上海针织业的职工约在四万一千人以上。

在这个数目当中，女性要占二分之一以上，男工的数目少得多。这完全是因为女工容易受欺骗压迫，容易

剥削而极少反抗。女工可以常常跳厂，男工就不能，进一个厂工作，必需要有保人，写填保单，然后才能进厂工作。男工被各厂资方排挤，这是目前极普遍的现象，在资本家这种政策下面，女性学习织袜的一天多似一天。

女工年龄十五岁至三十余岁，男工年龄十七岁至四十一二岁，职员年龄十三岁至五十余岁。在这种年龄以上或以下的绝对是少数。职员过了四十岁，厂方就要叫他回乡去吃老米饭，工人超过四十岁，眼力不足，也要被厂方无情的开除，有的厂里还有许多五十多岁的职员存在，那都是因为与老板有特殊关系的。

针织业织工的籍贯，大部分是绍兴人，宁波人，江北人，其次是南京人，安徽人，及本地人。

第四节　针织工厂工作时间与劳动强度

针织工人的工作时间，没有一定，完全是以资本家的利益为决定的，在生意清淡的时候，生产几乎停顿起来，一旦接到了商号的订货单，工人就忙碌起来了。资方常常强迫工人每天工作十四小时或十六小时，甚至希望工人连饭都不要吃才好。针织工厂都不愿意做存货，等到商人订货，然后再拼命地赶做，因为这样比较存货的利息优厚，他们不顾工人的体力是否够用，只顾自己赚钱。他们自由地行使他的统治权，丝毫也不遵守政府的工厂法。针织工人的工作时间，完全操在厂方的手里，要长就长，要短就短，这种情形，特别是在抗战以后，更在不合理的状态中。

因为针织工人的工资，是按件计算的，所以针织工人的劳动强度，也特别的大，每一个工人，进厂之后，就都拼命的赶做自己的工作，一分钟也舍不得耽误，这样一直做到放工，没有一个人不是做得腰酸手麻，头昏眼花，痛苦的生活鞭策着每一个针织工人在最大的强度下劳动。

特别是最近几年来，工资减了，失业的工人多了。物价提高了，饥饿，寒冷，停生意，一切的痛苦有力地威胁着针织工人们，他们拼命的工作着，连闭闭眼睛，去想一想家里啼饥号寒那种悲惨景况的工夫都没有！

第五节　针织工厂职工待遇

说到职工待遇，过去十几年来，在营业最兴盛的时代（一九二三年至一九三〇年），职工的待遇确实是比现在优良。可是自从 ×× 帝国主义疯狂的向中国侵略以来，一直到现在（一九三一年至一九三八年）这几年中，帝国主义的侵略和国内的天灾人祸，造成了弥漫整个中国的不景气，上海针织工厂的生产量，受市面萧条的严重打击，日趋减少。同时刻毒的资本家，为要保持其黄金时代的利润，竟不顾职工的生死，各厂一致减少工资。虽然资方也允许待以后营业恢复繁荣，仍将工资恢复，但这却完全是欺骗工人的一句空话。

当"八·一三"抗战还未爆发以前，上海各针织厂的营业及生产量即已恢复一九三〇年的情况，但资方竟丝毫不顾信用，违反以前的诺言，执意不肯恢复一九三一年以前的工资，因此曾一度引起劳资间的纠纷，但是后来因战事爆发，所以也没有得到结果。

等到国军西移以后，孤岛的上海，一切都畸形发展起来，同时由于无锡、常州一带的针织工厂都被日寇破坏，所以上海的针织工业特别大大的发达，完全恢复了以前黄金时代的情况。但是在这种情形之下，恢复职工待遇的事，仍是渺茫无期。最可痛恨的就是许多厂家，反而趁这个千万劳苦同胞流离失所，上海失业工人太多的时候，想出种种借口，来减低工资，使得数万职工，在生活程度高于往昔几倍的情况中，痛苦地挣扎着。现在，把资方所赐予职工的非人待遇，分别详细地记述如下。

一　工资

在一九二三年至一九三〇年，即所谓针织业的黄金时代中，上级职员每月工资四十元至五十元，下级职员十五元至廿元；资方认为忠实的每年增加工资十分之三至四不等。一九三一年至一九三四年底，针织业营业不振，几乎将工资减去半数，最少的也减去十分之三至四不等。一九三五年至一九三八年，生产营业已完全恢复，但工资并未复原，比较开明一点的地方恢复了一二成，有些固执刻毒的厂家，一点也不肯恢复。针织工人的工资，完全是按件计算的，一九二三年至一九三〇年间，丝袜每打工资二元八角至三元，工资高低，根据针数多少及长短而区别，做上等工资的工人每日平均收入约一元左右，纱袜，线袜，羊毛衫，羊毛袜等工资，每打三角至八角，收入也不少于做丝袜的工人，其每人每日收入，也有一元左右。那时工人的生活，也都相当安定，一九三一年至一九三四年，不景气浪潮冲到上海，资方趁此时机，扣减了每打工资的十分之四。工人受了这个打击，收入突然减少，同时物价上涨，支出增多，工人在此夹攻之中，饥馁冻饿的极度不安现象，遂成为家常便饭。一九三五年至一九三八年，资方营业惊人发达，经工人一再斗争，始于一九三六年恢复工资十分之二。但是等到抗战发生以后，资方又乘机将所恢复的十分之二，完全减去，回复到一九三六年前的工资。针织工人的工资，要恢复到黄金时代的状态，不加紧工人的团结与斗争，是难以实现的。

二　赏工

在针织工厂中，赏工是很少有的。大厂或中等厂里，职员每年年底发给双薪一个月，一年之内，告假不满一星期的，也可以得几十元的赏金。工人每月生产量超过廿五打的，可得价值二元六角多的机针十余枚。小规模的家庭针织工厂，无论工人或职员一律没有赏金。

三　酬劳

除了花红之外，别无其他酬劳。花红的数目由资方在盈余中提出百分之五，作为酬劳金，依照各职员的地位高低，薪金大小，比例分配。这种酬劳金，工人是一点也没有的。

四　惩罚

对于职工的惩罚，上海每一个针织工厂都有严格的规定，尤其是大中生产厂，更是厉害。如工人吃烟、喝酒、赌博、买针、赔袜、集会、结社、恋爱、相骂、唱戏等等，都在处罚之列。若有违犯，轻者罚洋一元，重者一月工资完全充公，甚至革除出厂。惩罚的规章厂方可以任意增添，工人都要一致遵守，有时一件极小的事，被资方或是老板娘碰见了，只要他们认为不如意，就马上要惩罚，罚规是装满在他们资本家的肚子里的，随时随地都可以拿出来加在工人身上，并且，对于工人的惩罚，比对于职员更加严厉。

第六节　针织工人负担

最近两年来，厂方营业恢复，资本家安稳地荒淫享乐，而工人相反地日渐困苦起来，生活负担一天天地增重，一家生活难以维持。在“八·一三”以前，一家父母妻子儿女每人每月生活费平均四元，按月支出大约共需二十元。可是抗战以后，房租昂贵，物价飞涨，劳动力价值反而狂跌。工人家庭决不能缺少的食住两项，都已涨价一两倍，每个家庭，以六个人计算，在目前最低限度也得三四十元一月的支出，但是这却完全超过了一个针织工人所能负担的能力。若是一个家庭里有二个人在厂工作，那么还不至于饿穿肚底，但是一发生不幸的事件，如生病、生产、请医吃药，家庭负担随着增加。既不能向厂方商借工资，亲戚朋友又都是和自己一样贫穷，在危急万分无法解决之下，只得去借印子钱或是皮球钱等高利贷。可是这样一来，工人身上又加了一重剥削。弄得好一年半年可以还清债款，弄得不好，终身受累无穷！另有许多工人，家属住在乡下，负担比较稍轻一点。工人除了家庭负担以外，还有他个人的支出，如香烟，老酒，朋友应酬等等，每月支出，也不在少数。

第七节　针织工人活动

一　帮口组织

在针织工业里并不明显。

二　斗争历史

在针织工业发展的过程中，劳资双方的矛盾也就跟着发展起来。不过当时针织工人的斗争，完全出于自发性质，每当斗争起来以后，领导人物反退缩不前，结果一方面虽然也获得了一小部分的胜利，工资增加了几分钱；但另一方面许多积极的工人活动分子，都在斗争结束以后，被资方借口革除。这就是因为在这些斗争当中，没有即时的抓住机会，把工人形成组织的缘故。工人今天与资本家冲突，只要达到了今天所要求的目的，明天就再也不谈劳资斗争的事，不准备资本家的反攻。这就是一九二六年前，上海针织业工人开始斗争的大概。

一九二七年，大革命的烽火冲到了上海，黑暗被光明突破，影响了被资本家残酷剥削下的针织业工人大众。他们觉悟起来，向不合理的剥削者展开了英勇的斗争，要求彻底取消买针，赔袜等苛刻的制度。当时资方见大势不妙，步步退让，针织工人的斗争情绪空前高涨，工人活动充分展开，工会发展很快，参加工会的工人，有如潮涌。因为凡是参加工会的工人，就有享受增加工资，改善待遇，废除买针赔袜等等特权。可是不久以后，国共分裂，政局转变，清党事件发生，工人罢工，怠工均被禁止，工人斗争力量也随之削弱，工人的一切自由，均重新被剥削干净，重新又回到痛苦的生活中去受人榨压！

一九三五年后，劳资纠纷又告复活，一直到全面抗战爆发，方才缓和下去。

三　工会活动

一九二七年后的工会，不能代表工人群众的利益，毫不负责执行工作，完全是一个空洞的官僚机关，所以也就根本失掉了工人的信仰。这一时期，虽然也有几个厂里，有一部分前进的青年工人，领导劳苦的工人大众向解放的路上前进，灌输新的知识；但是这些活动，范围都很狭小，不能在广大的针织工人中起什么作用，不久以后，就被资方一网打尽。

除此以外，托派在工人中亦有活动，一九三三年安徽人杨从虎混入针织工厂，负托派政治活动的使命，常与周围工人谈谈说说，一小部分工人，无形中受了托派的麻醉。

杨从虎去后，承继者是叶子红(假名)。在这个时期，恰巧联华毛织厂和启华袜厂合作扩充营业，资方另行招收新工人，开除老工人，因而引起了工人斗争。当时工人情绪非常高涨，叶子红趁这个机会，大肆活动，后厂方因急于开工，对于雇用工人问题，表示退让，斗争也就在短期内结束。但经此次斗争结果，两厂工人共同组织上海市针织工人互助会，叶子红又设法打入互助会，利用互助会名义，对内对外，到处活动；同时利用许多小规模工厂的斗争，又打入其中活动。此时，建新针织工人互助分会，迪安针织工人互助分会，光华针织工人互助分会在斗争中相继组织起来，托派一见针织工人组织发展，就开始破坏工人统一，挑拨内部冲突，造成混乱的局面，互相攻击。连华厂资方利用工人本身这种弱点，强迫互助会会员脱离工会，托派故意强调斗争，以致资方宣告停止营业。经各方调解，工人得了一小笔解雇金，即宣告解散。从此工人多明了托派的阴谋。

后来国军西移，战事停顿，叶子红的活动也就停顿了。

目前托派破产原因，主要的即是负责人盗用公款，在活动期内，私自利用公款，乱吃乱用，完全失去人格。在被工人大众发觉后，他们在工人中的欺骗，就完全揭穿了，许多工人都说："他们真正是为我们工人谋解放吗？这全是骗人的，他们是为了自己呀。"老脸厚皮的叶子红，还把所有做错了的事，完全推到别人身上去，但是他的屁话，没有一个工人相信。

最近，大概他是看见了反对他的文章，他又在针织工人中活动，造谣说是中共出卖无产阶级，国共两党常有冲突等等屁话，企图破坏民族统一战线；又说："目前抗战与工人切身毫无利益，无非他们叫我们工人上前线，帮助政府抗战，为了他们资产阶级的生存，而把我们工人的性命白白去送掉。”托派这类政治上的欺骗虽然巧妙，但针织工人大都醒觉了。去年，一般前进工人出版《针织工人》刊物，召集工人开会，反对叶子红托派，大家埋头苦干，联络清醒的工人，肃清托派的余毒，发扬正确的革命理论，着手组织全体针织工人，为抗 × 救国及争取自身的正当利益而奋斗。

第八节　针织工人生活与文化

针织工人的生活，因为经济收入的不同，也稍有高下之分。大约可分做三部分：（一）做真丝袜工人，每天十小时工作可获得工资七八角以上；（二）做人造丝袜，麻纱袜工人，十小时工作可获得工资五六角以上；（三）做粗纱袜工人，十小时内只能获得四五角以上。人造丝袜及纱袜大部分由小规模工厂生产，工作时间较做真丝袜工人多四小时以上，因此每个工人平均收入，每日亦有一元左右。但针织工厂生产，一年之中仅有八个月左右，还有三个多月的生活费用从何而来呢？大部分工人都只有东借西挪，等到渡过难关，恢复生产时再一一清理。

关于工人衣食住行，大多数很简单。他们吃的多数是包饭作里的包饭，七元左右一月，四个人包三客饭，每月每人摊派，平均五元二角五分左右。饭少人多，吃不饱是常事。住的大部分是阁楼，灶披间，一间房子里要住五六个人，像牛马一般的挤在一起。有家庭的工人，也一样的同别人并借一个房间，好像是一个大家庭在一起生活着。穿的衣服，在工人中间根本就谈不到什么好的，遇到经济上来不及，就向典当里送，至于冬天当夏天的衣服，夏天当冬天的衣服，那根本就是常事。在没有办法的时候，就是冬天也有把身上棉衣脱下来去当的。我们常常看见许多工人，战栗地度过整个严寒的冬天。去年，此种悲惨情形，要比往年好一点。

工友们凡是遇到厂方停工，大家就要东跑西跑，游玩看戏，或者是去赌博，有的去吃吃老酒，或者几个人一道去吃点东西。

针织工人的信仰非常复杂：有的信佛教，有的信仰基督教、回教、天主教。文化水准高一点的，因受资方压迫，希望解放自己，改善工人生活。有的落后工人，相信拜老头子，吃讲茶，寻是非。还有许多工人，除了他自己吃饭做工以外，什么事情都不闻不问，因为他们受到一部分借着工会来欺骗工人的坏蛋的刺激，他们就变成一切都不信仰的灰心者了。普通工人的娱乐大部分以赌博，喝酒为主要，还有些人跑公司，看电影，前进的工人们则在闲空时常看看书，报纸，讨论时事等。

针织工人的婚姻，一般都是依靠父母作主，多数采取买卖式，只有少数工人，是由男女双方同意而自由结合的。工人家庭中的丧事，简单到了极点，多数都买不起棺材，而向慈善机关请求施材，然后再由工人中募捐装殓送出。

针织工人中，受过中学教育的不过百分之一，小学教育的约百分之六，其余大多数是文盲。“八·一三”识字运动在针织工人非常普遍，法租界针织工厂的女工，许多成群结队到补习学校上夜课。并且还有一些热心工人，自动出一刊物，叫做《针织工人》，作为教育工人号召工人救国的中心，可惜出了几期，因为经费困难停刊了，现在方在设法恢复之中。

第六章　上海电力工业及电料业

第一节　上海电力公司（Shanghai Power Company）

一　沿革

上海电力公司之前身，为上海工部局电气处，成立于一八九〇年。当时发电厂在斐伦路里虹桥畔。原动力为内燃机，营业范围只供给用户电光，后以上海工商业日趋繁荣，营业蒸蒸日上，且工厂以电力为原动力者亦渐伙，于是电气处于一九一二年乃选定杨树浦路洞庭路沿黄浦江之空地一方为建设新厂之基地。占地约三百余亩，并装置锅炉及汽轮发电机燃烧蒸汽为发电之原动力，发电量亦增加。时厂中共有锅炉约八只，发电机二部，后又陆续增加斐伦路老厂。至是乃停止发电更为馈电站。至一九二八年九月，上海公共租界工部局以筹募收回公债为由，以八千一百万元之代价，出售于美商外力公司，乃更名为上海电力公司，其中八千万为工部局所得，一百万为西人职员之养老金及储蓄金与华人职工之养老金。迄至目前为止，现杨树浦新厂有锅炉三十只，汽轮发电机十五部，发电量约十九万余基罗瓦特。一九三二年后，越界筑路案解决，对于沪西越界之营业受中国政府之命令，另组沪西电力公司管理处以示区别。一九三八年营业收入为国币一千零五十二万五千余元，除开支外盈余三百六十九万余元，因战事损失八十二万余元。目下董事会主席为美人 W. S. Robertson，总经理为 P. S. Hoplemo。

二　行政管理概况

电力公司负指挥裁决之责者为总裁一人及副总裁一人，其下则总副经理各一人。工程处及秘书处（即总务）直属之。工程部设总工程师一名及副总工程师二名。输电及馈电用户工程及发电等三部直隶其下，购料委员会亦属之。发电工程部以下发电厂即杨树浦新厂（详见下部）。输电与馈电工程总办事处在南京路大厦。举凡高压线［分二种：（A）22000 V 由发电厂至分站；（B）6600V 由分站至分棚间］之装置，修理，维持设计及低压线之配备，敷设，修理，维持等工程，皆由之负责。所辖之部门有大线班，高头班，马达间，电灶间，火表间。大线班为敷设地下电缆工程之执行者，高头班系架空电线之执行者，马达间为修理，检查用户工厂马达之设施及保管与整理马达之部，电灶间为设计装置及修理用户电热用具之部，火表间系修理，管理，装置及检验公司自用与用户之量电表之部，而检查用户偷电，断绝用户电源及接用户电源等工作亦由之负责。其他尚有管理及维持输电工程部亦直隶于馈电工程部。所负之职务为指示发电厂值班工程师启闭馈电分站电开关命令，又指导分站值班人员工作及电量之配布以及意外事件（关于输电的）之处置等等。打样间（亦名设计间）亦直属输电与馈电工程部。购料委员会则除小件物品由栈房直接购置，煤炭由总工程师发电厂厂长化验师等负责外，其他若文具绝缘物，电气用具，建筑材料等皆直接由其购买。用户工程部所直辖之部门，为用户工程部，用户账室，样子间及用户付账处。其间除用户账室及用户付款处毋庸赘述外，用户工程系代用户设计，预计各区用电之数量，解决用户之困难及调查业务之开展之机关。样子间秘书处所辖之部分为总账室管理处等，其性质除总账室略去外，均分三部：即总务文书科，外人职员人事科，华员人事科。其中以华员人事科组织为特别严密，科长系一退职西探，名 A. L.Biggs，因利用金钱收买反动及认识不清之高低职工组成侦探网，侦查工人活动，挑拨破坏同事间感情，使互相猜忌，并放任工头压榨工人血汗以及舞弊等情；近且雇用公共租界捕房革职华捕沈姓者（陆连奎徒弟）为私人侦探，曾利用“八·一三”抗战爆发工友避难旅舍之际，阳为交好，实施暗地侦探及间谍工作；且又与一部分浅识工友结为同盟弟兄，以物质诱惑，使作虎伥，故而成为厂中工友活动之一大障碍。

发电厂工程之最主要者为帮浦间，车间，炉子间，电气开关间，方棚间，配电间等；其次要者为吊煤间及煤屑间，车部油帮浦间，皮带间等。

发电工作过程：自帮浦间吸水供给炉子间，并由吊煤车间自趸船上运煤至皮带车间，转运至炉子间作燃料，高热及高压之蒸汽遂由汽管导至车间推动汽轮及发电机，电流乃由是而发生。经配电间整理电压，以电力开启电气开关后，电流乃经方棚与开关而至汇电杆，再经配电室以电力开启馈电分站之电气开关，电流乃可输送至馈电分站，发电之任务，于此完成。

蒸汽经汽轮机后，废汽必须以冷水凝结之使化为水，再以水帮浦抽至炉子间，因水之温度尚高，用煤量可简省，方棚以油为绝缘物，但以方棚内热度颇高，恐失绝缘之效，故设油帮浦间，使油循环流行，并用冷水凝之。

附杨树浦新厂系统表如下。

各部所负职务依次胪列于后：

（一）运用工程师：计划每日应备之发电量，及应运用与不应用机器之纲要，管理煤来源及数量之调节，研究特殊事变之预防，以及所属各部人事管理。

（1）高级值班工程师——有命令及决定全厂（技术工场除外）机器运用之权，应负特殊事变之实际责任者。在办公时间外负厂中全责。

A 电气值班工程师——每班一人，履行高级值班工程师之命令，运用高压电气之决定及事变之应付与人事管理。

B 炉子间值班工程师——每班二人，事间值班工程师每班一人，职务相同，惟管理之范围不同，炉子间值班工程师有高低二级，每班每级各一。吊煤车值班铜匠之工作，亦由之指挥，惟无奖惩权耳。

正副厂长

- 一 运用工程师 正副
  - 值班工程师四人（高级）
    - 电气值班工程师三人（洋台）
    - 炉子间值班工程师七人
    - 车间及帮浦间值班工程师四人
  - 码头管理员——值班码头管理员四人
  - 各种油类应用工程师一人（校油）
- 二 维持工程师 正副
  - 车间及帮浦间维持技师三人（车间铜匠）
  - 炉子间维持技师四人
  - 吊煤车皮带间及煤屑车维持技师二人（铜牌间）
- 三 电气工程师
  - 高压电气间（铜牌间）
  - 车间帮浦间及电光（light）技师一人（马达间）
  - 吊煤车皮带间煤屑车及炉子间电气技师一人（马达间）
  - 校验技师一人
  - 助理电气工程师一人
- 四 化验室主任 正副化验师四人
- 五 统计及改良工程师 正副助理工程师四人
- 六 技术工场工程师 正副（外铜匠间）——助理工程师五人
- 七 工账间——直属于总办事处（以下不受厂长节制之部）
- 八 栈房——隶属于老厂账房
- 九 绘图间——直属总写字间馈电工程部

（2）码头管理员——记录每日由趸船运至厂中之煤斤，管理码头一切杂务暨各种船上人伕等等。值班码头管理员，职务与此同，惟受其节制，每班一人。

（二）维持工程师——各种油类（运用于机器的）特性之研究，如何节省机器之耗省及油之浪费。各种维持技师以所负责任之部门不同而异其名称。其职务为修理，装置，改良及维持机器之效能与人事管理等等。

（三）电气工程师——其职务与维持工程师同，惟纯属于电气方面耳。

（四）化验室——化验厂中各种应用之物料，如油类，石碳，金属等。

（五）统计及改良工程师——校验全厂各种机器之效能，统计动力燃料耗损及发电量等状况，设计改良机器之组织运用及效力。

（六）技术工场——包括车床、刨床、钻床、冲床、钳床、冷作、热作、木工、漆工、土木建筑、杂工、绕线、电焊、电镀等部。经常制造机器零件及厂中木器与修理马达方棚等。其工作系由以上各部及老厂所委托，故名曰技术工场。

（七）工账间——除病事假之登记，工账之结算及全厂职工之记录外，尚司理司阍部之工作，工资之付给，违法职工之处理及文具之供应等事。

（八）栈房——为供应一切物料（除文具）之处。

（九）绘图间——绘制新厂现有之各种机器电机及附件之内容，配布及相互之关系，以及房屋构造等等。

新厂管理方式，自一九三四年起，采用分部权力集中制。故除各部主任外，对于技术工务人事管理等，各高级人员无置喙余地。近且变本加厉，一切权力完全集中于厂长一人之手，即细微之事皆须听之裁决。

三　职工人数的变迁及其雇用情形

全厂（斐伦路老厂不计）除西人不计外，华人职工共约七百余人，其分布情形如下表：

建筑部——建筑工程部一人——领班一人——泥水匠八人——铜匠四人——漆匠二人——小工十五人

外铜匠间
- 铁匠——领班一人　电焊——准领班一人电镀——准领班一人
- 车床——领班一人　绕线——准领班一人
- 钳床——领班二人　漆匠——准领班一人
- 冷作——准领班二人　木工——准领班一人

以上各部分共机匠小工二〇〇人

电气维持工程部
- 车间及 Pump House 350V 及 440V 及装灯领班一人，工人十四人
- 炉子间吊煤间 350V 及 440V 领班二人，工人十二人
- 6600V 及 22000V 开关间领班三人，工人十五人
- 车间维持工程师（连 Pump House）领班七人，工人六十人左右

维持工程部
- 吊煤车工程师——领班二人，工人二十四人
- 四号炉子间维持工程师——领班一人，工人六十五人左右
- 三号炉子间工程师　一二号炉子间工程师　领班三人，工人九十人左右，出炭领班，工人二十四人
- 扛棒杂工——领班，工人三十人
- 三班头工人（由运用工程部炉子间工程师管理）皮带间机匠三人，小工三人，吊煤车机匠三人

运用工程师
- 车务工程师一人，开车十八人，加油二十一人，Pump House 加油六人，扫地八人，领班四人
- 电气工程师一人 22000V 及 6600V 配电员十一人（内含准备领班三人）400V 配电员一人
- 炉子间工程师，. 磨子管理员三人，磨子小工十二人，加油三人，生火四人，工人八人，Bunper 三十人——皮带间二十四人，领班三人，煤炭车四十五人，领班三人

高级工程师（可指挥以上三种工程师）
化验室——（验煤水分人一人，小工一人）工人四人
统计试验及改良部——工匠十人
栈房——出店六人（栈房直属老厂总栈房）
工账室及写字间——出店七人（工账室直属总写字间中国人员管理司）

一九三八年一月，厂方借口营业清淡，不能维持，乃大施裁员，计裁汰工友三百人左右，占工友总数（原有华人职工一千多人）四分之一，职员八名，占全厂十分之二。裁员方法：第一留职停薪，第二裁汰，当时人

心虽愤激，奈以国军西撤，时局混乱，且平日既无组织，只得逆来顺受，至四月底，厂长另出通告，无论留职停薪，或被裁之职工，日后重雇用时，一概视为新人员。被裁退之职工，四散各处，无从知悉。故日后重新被雇时，其薪给养老金，花红等之权利，又遭相当之损失。厂中技术工人，多隶籍宁波，约占百分之七十强，上海籍占百分之二十弱。小工以江北、安徽山东籍最多，占百分之九十强。在形式上同乡会等及类似此之组织尚无，惟无形中各自成帮，有时暗斗，亦甚剧烈。大都此部头目如属何地人，则何地人就占多数。一九三三年前，公司从未雇用临时工人，后因图赖去养老金，病假工资，假期工资及每年年底之花红之支出以及减弱工会力量起见，以后招募工人，大都作为临时工，在任何期间内，公司可任意解雇，经工会抗争后，乃承认临时工人之最长时间为六个月，六个月后，即视为长工，在临时工人试用期内，亦不得无故开除，迨工会解体后，公司将此诺言无形取消。

一九三六年以前，工人如被雇用，无试用等等之手续，自一九三六年后，凡新工友被雇，先试用三月，三月后如认为合格，方可正式录用，在试用期内，病假，假期等，无工资可得，人事科之记录亦以三月后之第一天为正式记录，故凡养老金之计算很受损失。此又一受无组织之影响。

四　职工待遇

（一）**工资**　依一般情形而论，工资可分为月薪（拿摩温），日薪（领班与工人），包工（技术工场一部分工人）三种。资方为分化工人之团结起见，拿摩温之薪资以月薪计算，表示以职员地位看待，凡膳食沐浴场所等，均与职员在同一地点。且其薪给与一般工人工资相较约高一倍左右。平均统计工头每人之月薪约一百三十元左右，最高者达一百六十元，最低者一百二十元左右，彼等能有如此之地位，其所具备之条件不过略懂英语善于钻营而已。至于本身技术，殆与一般普通工人相等。彼等自己获此待遇全属侥幸得来，故大都以压迫工友，逢迎西人为能事，而资方亦洞悉此中底蕴，故凡遇工人有所要求，辄指定拿摩温为工人之当然代表。且为维持彼等之尊严起见，苟有工人与拿摩温发生争执，对工人方面莫不尽抑制之能事，于是拿摩温之势愈张，而工人与工头间之鸿沟愈深矣。

工人以日薪计算者分（甲）领班与（乙）普通工人二种。

（甲）领班与拿摩温之职务之不同，即拿摩温为某一部分工人之总头目，领班为其下之小头目而已。惟领班亦有执行职务如拿摩温而待遇则否者。领班之薪给普通自每日一元八角起至二元五角止，每年加薪亦有一定之限度，惟已超过二元五角之数者其常年加薪之权益即属丧失，其唯一加薪之希望为特别加薪即慰劳加薪。按之实际，领班每年加薪之人数，慰劳加薪者年占百分之八十以上，故加薪之限制实无。职员享受之膳食盥洗室，彼等亦得享受，故事实上除薪水计算与职务范围不同外，其余与拿摩温无别。

（乙）工人之薪给虽皆系按日计算，然可分为数种：

（1）技术工人　普通技术工人之日薪，最低限度为每日一元二角，最高每日二元零二分。平均总计每人每日为一元五角左右，一元四角至一元六角者为众多。其他如木工铁工，泥水匠漆匠等为一元一角左右，最低八角，最高一元三四角。

（2）技术学徒　技术学徒之日薪最低四角七分，每满一年加一角一分，六年后以技术工人起用。资方为增进彼等技能起见，特资送工业夜校读书，最近公司为加紧剥削起见，特设一新条例，凡学徒工作不进步或读书成绩不良者，工资不得增加，学费亦须自理（此系罢工后现象），实则为资方剥削之借口而已。

（3）非技术工人　非技术工人之工资，以六角为最低，一元二角为最高，普通以七八角者为最多。平均每人约七角半。

（4）值班工人　此项工资可分为三种：

第一种　与普通技术工人同，以每日一元四角为最多。

第二种　最低八角，最高一元二角，以九角为最多。

第三种　最低六角，最高九角五分，普通七角左右。

（二）**每年加薪**　技术工人每日约二分至三分，其余均一分至二分。

（三）**慰劳加薪**　数目无一定，惟不能超过原有工资百分之五，然今年则又削为百分之二点五矣。

（四）**养老金**　凡华工工作满廿年者，不论因何解除劳资契约，均可得养老金，按现在之薪金及工作年限之百分之五。至一九三四年罢工之前，经工会力争始改为十五年。被裁汰或因病辞职或死亡之人员均得领受此项养老金之权，死亡者且可另得棺柩费六十元。

（五）**加薪之限制**　每种工人之工资约分五级，如技术工人等日薪以一元二角为最低工资者，其分级为一元二角，一元四角，一元六角，一元八角一分，二元零二分等。每年准许加薪每日二分。故工作十一年如未享慰劳加薪之机会，日薪不过一元四角。日薪至每级之最高额，如无主任之保举，则不准加薪，故五六年未尝加薪之工人比比皆是。工资在一元以下之工人，其常年加薪不过每日一分。超过一元六角者，三分一日。五年来生活程度之增高约一倍左右，而工资之增加平均在百分之三以下，生活与加薪不相应，使工人愈趋濒危之境矣。近年自罢工失败后，且颁布一新条例，凡记过超过六次者，不得享受加薪之权益，故待遇又苛一层矣。其他各种工人之工资，亦分成五级加薪，平均一分至二分不等。

（六）**加薪**　凡工人无故停工或请假者，除病假外一律无工资可得，即因婚丧请假亦然。但领班拿摩温等，每以主任之优待，因之破例者亦伙。

（七）年终花红 新工人工作未满一年者无花红。十年以下者半月，十年以上者一月。此项权利系工部局管理时由斐伦路老厂工友以斗争手段而获得者。

（八）假期 每年由公司规定之例假列表如下：

节日	工人放假日数	职员放假日数	工资
元旦	2	2	1日
旧历新年	5	4	无工资1日
外国清明	3	3	无工资1日
Whitsunday	1	1	1日
端阳	1	1	1日
夏假	1	1	无工资
美国独立纪念	1	1	无工资
八月银行假	1	1	1日
中秋	1	1	1日
双十节	1	1	1日
圣诞节	1	2	照给
孔子生日	1	1	无工资
总理生日	1	1	无工资

凡在例假自愿在厂工作者，工资以双倍计，惟在旧历新年时，除本日应得之工资外，另给双倍工资。凡工友在假期前后一天请假或无工旷工者，假期内无工资可

得（职员假期同，惟不扣工资，在假期内工作，他日可得补假）。运用值班工人逢假期不停，假期工作，工资如上述，每二星期内不旷工者得赏金一天。

（九）病假　工友有病，须至厂中请求本部主任允许至厂方雇用之医生处诊断，如认为暂时不能工作者，可酌量给假（工资在罢工前发给半数，今则全数照给），惟每日必须至厂由医生诊查一次，否则无工资可得，得医生特许者免。病势沉重或须动手术者，由厂方送医院疗养，住院费用由公司负担，医药费用由公司代付，因私受伤者例外。工人病假超过三星期者，其超过之日数无工资。病假超过六星期者，由公司给予百分之五养老金而解雇，病愈后即使起用照新工人待遇（职员以二月为期）。

公司密令医生，凡请病假之工友，无寒热不得予以病假，因公受伤者除外，故工友如患腹泻，目病，风湿症，胃病以及心脏病者，几无病假权利可享，即蒙医生予以病假，至多不过三天。因之很多个性较强之工友，每与医生争论，医生则报告其直属主任，工人则须受记过之处分。且至一九三六年起，每年病假之日数，不能超过以前每年之日数，否则医生必致解雇，医生为维持生计起见，不得不惟公司命令是听，强压工友，故病假情形，较一九三四年前更为恶劣。

（十）**膳食**　厂中有工人饭堂一所，由包饭作承包，惟燃料水电由公司供给。

（十一）**职员薪金**　职员薪俸，每年亦有增加，其规则如下：

每月十九元半者，每年加半元。

每月二十七元半者，每年加一元半。

每月三十七元半者，每年加一元半。

每月五十二元半者，每年加二元。

每月七十七元半者。每年加四元。至二百零五元为止。慰劳加无定，惟不得超过百分之五，限制条例与工人同。

（十二）**白俄待遇**　在“五卅”罢工时，工部局为维持营业及公共事业起见，雇用白俄为临时工，嗣后工潮解决，为便利压制华工起见，决定长期雇用俄工，所派之部门为运用工程部所辖之炉子间、吊煤车及配电部。炉子间内工作之白俄，大都为生火，次为机匠；吊煤车白俄之工作，为自江中驳船内运输煤炭至工厂中皮带车上。配电部白俄之工作，系配置440V直流电至炉子间及吊煤车，应用者月薪自七十五元起，每星期有例假一日，现在最高薪水一百五十元，值夜班时工程师默许假寐二小时，每年夏季且有暑假十日，工资照给，年终花红，系每月发给，每人每月十元，惟现已并入月薪计算。白俄所任之职务，与华工同，而薪金则超过二倍或三倍，依实际工作日数计算，超过华工薪金三倍至四倍，养老金又以百分之十计算，以各个薪金之比例比较，表面不过超过一倍，依实际所得计算，超过华工七倍至九倍，且俄工如工作优良，可擢升为码头管理员等工作，月薪二百五十元起，故莫不踊跃工作。较之华工工作优良，厂方视为当然之事，稍或不慎，记过惩戒，已属“幸事”，开除亦属常事，华工与俄工比较，具不啻天壤之别。且西籍技师等偶值华俄工中间有争执时，类多袒护俄工，故俄工日益跋扈，甚且任意指挥华工做非分内之工作，或殴辱华工，亦敢怒而不敢言。饭厅浴室之布置较华籍工程师所享受者尤为整齐宽大，厂中表面所持之理由为俄人工作勤恳，富于责任心，实则以之为钳制及压迫华工之工具而已。

（十三）**西籍职员待遇**　西籍职员月薪自三百五十元起，普通加薪为百分之八，慰劳加薪则无定，大概自百分之十至百分之二十，值班职员每星期有例假一日，非值班者假期与普通洋行同，普通服务满三年以上者，月薪约五百元左右，凡不租居公司住宅者，在饭厅内膳食茶点付半费，其余半数由公司付给，租居公司住宅者，不得受此待遇。每年有假期一月，工资照给，养老金百分之十，除薪金百分之五由公司代为储蓄外，更由公司依此数共同储蓄，每五年有长假八月，回国船票由公司购赠，惟此种优待，近已取消，彼等服务年限，因有合同契约，故较华俄工有保障多矣。

五　资方与工头的剥削

在工会组成以前，公司资方视各部工头（拿摩温）为工人当然代表，举凡一切对资方之要求，工人以毫无组织，亦以工头为当然代表，且亦不敢公举代表以撄其锋，工头等因个人之经济状况较优，待遇较佳，而于工作技术方面，自知未必较工匠为优，乃以个人之利益为前提，对各次之要求或提议大都敷衍了事，不敢据理力争，资方既洞悉其弊，乃故示工头等以若干优待，如改日薪为月薪（一九三〇年以前，工头之工资以日薪计算），告假不扣薪，病假最长期限由四星期展至六星期，膳食以及其他一切待遇与职员同；同时更抑制普通工友之待遇，例如每一星期中迟到不得超过三次，否则由工账间报告其直属主任处罚之，扣除工资一天至三天，后又改为不得超过二次，旷工二天以上，无工头之证明与理由，以自动辞职论。故工人之生活因资方加紧压迫而愈苦，且工头中之不明事理者，亦以压榨工友为特殊经济来源之一。例如车间值班工头（薪金按日计算，每星期有不成文之例假半天），于每次添用新工人时，索取相当酬金，计小工（每日薪金六角）二十元，加油（薪金八角）四十元，开车（薪金一元二角）六十元，否则务必加害至开除而后已。如小工升加油则酬金卅元，加油升开车酬金四十元，每年三节，使其不以送礼为名，勒索二元至五元不等。平时吸引工人至其家聚赌从中渔利。电气铜匠间某领班老雄鸡，每年三节，向其部下工友索诈，铜匠每次五元，小工三元，手续由一泥水匠代为征收。前年老雄鸡得疾病辞职，其继续执行者何人，则不得而知。惟剥削之事，则依然进行。学徒进厂工作，如由彼介绍者，则必须拜彼为师傅，膳宿俱由彼供给，按月所得除鞋袜零用二元外，皆由之中饱。外铜匠间车床间工头安鸿钦及木匠间工头小辫子（姓名不详，今春病故）等则又以另一种方法剥削工友。因外铜匠间工友分包工与点工二种，故方法亦各有不同，凡点工工友则就其每月工资提取成数，大概按月百分之十至廿；包工工友则由彼付给点工工资，其余之数则由彼中饱，例如某甲在公司中为包工，此星期工作所得为十二元，工头付与之点工工资每日一元，一星期工作六日共得六元，其余六元为工头之盈余，诸如此类情形，几各部皆有，不过程度略差而已。

六　职工斗争简史

一九二八年工部局移交电气处与电力公司时，公司曾特意通告中西职工，举凡中西职工不必互相惶恐，公司当局，绝不无故开除职工，尽可安心任事。迨一九三三年冬，公司突然食言，裁汰总写字间职员百余人，并散布空气：杨树浦新厂与斐伦路老厂，亦将裁员，以窥动静。同年年底公司对用户增加电费，其理由为增加中西职员之薪给，经工部局公董间之通过而实行。实则电费既增，加薪率且反无形减小。盖工部局管理时之公司加薪率早有制定，以最低工资加薪（见工资表），公司由美商接办后，则以之为最高工资，故形式虽属不变，实则无形减低，故工人极不满意。翌年春，对工友之压迫突然加紧，时时借故开除工友，其真意所在，不过因裁员易引起反感，促进工友团结，借故开除工友，且可赖去养老金，故其时被解雇之工友人数突增，于是厂中人心浮动，极度不安，工友中热情较高及认识清楚者，乃谋巩固团结，组织工会，以集体力量，对抗压迫。但公司以为华员经二次压迫，毫无反响，意图作更进一步之进攻，乃再散布裁员之空气试探工友之意向，于是华员感觉无团体不能自保，而工会及职员联欢会遂告成立。

工会成立之前，技术工场有若干目光远大之工友，已有组织之准备，惟活动范围只限于技术工场，其方法为设立补习夜校，谋工作之开展，并调练干部人员。同时电气维持工程部与炉子间维持工程部等工友以所受之威胁既重，于是会同商讨工会之筹立，并内定一部分组长与委员，联络各部之工友，推举组长与代表，并向总工会请求指导，工会于是成立。时因经费不足，乃以工友俱乐部之名义，向公司要求津贴，公司以他处如自来水公司之前例在先，且要求之数亦仅三百元一月，碍难拒绝，允许工友要求，但须保证俱乐部不可有工会之性质，且不得干涉公司行政，因之未有结果，而公司明知工友已有团结，加紧进攻，使工会失去工友之信仰，故特通告各工友，凡有犯工作不力，浪费工料，不受约束，无故旷工等等之条例者开除，以致被开除之工友又突增，工会以责任关系，乃推举代表，向厂长交涉，以厂长态度强硬，毫无结果。后经迭次交涉，始允无故被开除者作被裁论，养老金依年限之长短自百分之三至百分之五，惟对于工会，始终不承认为工友合法之组织，其他若病假工资亦由半工改为全工。工会之负责者大都为工会之发起人，且半数以上后来违反工人利益，一切之措施时与工友之要求相反，故引起一部分工友之不满，技术工场工友尤甚，且执行委员中亦有不满者，因之工友愈益不满工会，不付会费。当时公司又进攻工人，借口开除工友，工会在全体工人推动之下，推选代表与之交涉不果。工人实行怠工（运用部未参加系工会命令），各工友聚集于工友食堂内延不工作，同时再向公司要求收回开除工友之成命，及今后不得无故开除工友。厂长乃允许工友派代表四人至总经理处再议，但仍无结果。怠工再起，继而相率出厂，嗣后公司竟将厂门紧闭，不准工人进厂。工潮因之扩大，老厂工友亦加入斗争。公司为谋分化工友阵线起见，利用捕房权力，强迫老厂工友至厂中，对外扬言华工自动复工者已占大半，其余如在一星期内不复工者，则作辞职论，因之至厂者渐多。工人立刻组纠察队前往，向复工工友剖白公司之阴谋，于是罢工仍行继续。同时新厂公司雇用白俄为临时工至运用部，华工因工会命令不必参加以免影响租界治安，故仍在厂工作。罢工既已形成，工会在工人督促之下，向公司提出条件七项：（一）不准无故开除工人，临时工满半年者以长工论；（二）收回开除工人代表命令；（三）承认工会并津贴费用每月三百元；（四）罢工期内工资照给，等等。工部局，社会局，市党部，总工会，总商会等公团，以免事态扩大，乃出面调解，终以公司态度强硬，不受调解，历时二月余；以经费发生困难，由总工会命令接受 ××× 之调解，忍痛复工，工人罢工期内，工资由公司贷给一月，解雇时在工资内扣除。工会亦以失去工人之信仰，无形解散。

罢工失败，工会无形解散后，干部多被开除，公司为加紧压制起见，特定一惩赏规例，规定工友如偶犯厂规，以记过罚金或□照会（以前厂规系罚工钱），凡记过满九个者，开除，满六个者失去加薪权利。按照字面推究，其所定之条文，莫不冠冕堂皇，然实际系变相之任意开除工友，赖去养老金及退职金。盖因犯规而开除之工友不得享受退职金及养老金之权利故也。例如工作怠惰者，浪费工料者记过三至九次，依照情形轻重而处断，但工作勤惰既无标准可绳，工料节省与否多以从前之同样情形为标准，且工程方面之技术工作，每因种种其他部分之问题而延缓或多用工料。西人工程师每因个人之爱憎而滥施职权，以开除或记过责罚之。故工友之被罚以致开除者时有所闻。

工会解散及罢工之前，公司曾发表通告，工人无故而被解雇者作被裁论，有退职金可领，解散后，曾有工友数名被解雇，公司竟图赖退职金，幸有目光远大之工人等，将通告留藏数份，即以此据理相争，公司始发给退职金而罢。此后公司乃不敢再萌此念。

七　职工生活与抗×活动

“八·一三”抗战既起，工友及职员之家属，多避难厂中，公司为安定工友起见，亦任其居住，迨八一八晚，由公司中之汽船送至公共租界，时战事非常激烈，厂在炮火之下，并未停工。工人冒险工作，沪东交通虽然断绝，厂中职工，皆借公司中汽船为交通工具，每晨七时半自江海关码头起碇，晚五时离厂，职员八时半由江海关码头乘船到厂。至十一月底，工友改为每晨六时三刻乘船，职员改为八时一刻。一九三九年一月，公司又更换乘船时间，计工友每晨六时半，职员八时，每晚五时离厂，星期六照旧，十二时三刻离厂。

厂中工友因无正当娱乐，平时生活类多腐化，嗜嫖者约占十分之二三，嗜赌者约十分之四五，生活不失常轨者亦占十分之三。而思想前进，生活严肃者为数甚少。

私人生活既多放荡，经济来源有限，因之重利盘剥之寄生阶级乘机产生，而经济愈益拮据，且工友眷属亦类多嗜赌，以少数人之生产力，供应一家之开支，本觉入不敷出，益以嫖赌等不正常之支出，岂有不感困难万状？苦闷情绪既无从发泄，则酗酒之事，亦颇多。自公用事业运动会举办后（一九三五年），公司当局为转移工人目光、和缓斗争情绪起见，特组织运动委员会，由人事科科长西人 B.G.S. 任秘书，聘请美人 Young 为教练，每日（夏季）由公司备卡车送工友至虹口公园练习，且为鼓励工友努力于运动起见，特聘跳栏名将陶英杰，长跑家张良为公司职员，成绩较好之工友，B.G.S. 时时亲自鼓励，并口头嘉奖，一时参加者甚多。但工友每日工作八九小时后，身体甚为疲乏，虽受公司刺激，兴奋一时，结果终以公司缺乏诚意举办运动，系别有用意，故兴趣渐渐减少。

平日工友生活如前述，在抗战期内，对于时局比较平时关心，爱国热忱较高。国军西撤后，热情更因公司加紧压迫而提高，对于最后胜利之希望，因事实证明前途逐渐光明，故信心甚坚，悲观论者及思想反动者虽有活动，但不能起多大作用。

当抗战初，有华籍工程师发起购买救国公债，每人每月自由认购若干，颇受一般职工之欢迎。一九三八年秋，因救国公债无从购得，乃改捐难民捐，职员方面仍由工程师负责；工人方面，最初购买救国公债系各自行动，此次有炉子间技术工友及外铜匠间技术工友负责，认捐者约有三百人左右，最低每月两角，最高一元，每月可捐得洋九十余元，但因负责人数极少，故推行尚未普及全厂。

第二节　电料业

一　安迪生灯泡厂

美商安迪生灯炮厂，在上海开办已有廿十余年，市上出售之安迪生、亚司令、奇异、飞利浦、太司令等牌灯炮，全系该厂出品。最初开办时规模不大，后来灯丝间一部分旧式机器完全淘汰，从外国运来新式机器，生产率遂增加数倍，现在每月至少生产五六十万灯炮，每只灯炮成本八分钱。可是在新式的简单的生产方式之下，工资较大，工作较久之男工人渐渐被裁，代以青年女工，现在女工已占全体工人百分之八十，全体工人总共有七百人左右。

工厂最高机关是董事会，以下分大班，二班；再以下由工程师和工头分管灯丝间、灯蕊间、装蕊间、压气间、龙头间、铜匠间、养气间、洗灯间、修理间、玻璃厂。

工人工作时间，在四年之前，每天是十小时制，早晨七时到十二时，下午一时到六时。工资多按件计算，每人每月工资，平均约三十元左右，有些比较勤勉的工人，能拿到卅元以上。一般讲起来，过去的工资，还算能勉强维持生活。各车间的工作都是非常艰苦的，室内温度极高，夏天的时候，至少要超过一百廿度之上，工作时头昏眼花，时常昏倒在地上。

一九三六年秋天，厂方宣告营业清淡，借口减少一小时工作，由十小时制改为九小时制，对外宣传优待工人。可是该厂工资因多系按件计算，故减少工作时间，实际上是减少工人工资。工人为了工资不够家用，拼命加紧工作，以图补偿收入的损失。厂方看出工作时间减少出品反而增多，又利用铜匠间的工程师改良机器，生产比以前更快，每部机器可以减少一人，工人被裁的有好几个。现在工作时间又减少，每日只做八小时，每人每月工资只能拿十二元左右。去年八九月里，厂方还想出了新花样，吃饭的时候，只准半小时，减少水电等费。这对工人非常不利，因为急于吞食，胃病从此发生。

装蕊间与压气间是全厂最重要的二个车间，其工作是将灯蕊装进灯泡里，将灯泡里空气抽出来。从前的老工程师死了，现在来了一个新工程师，压迫工人特别厉害，假使看见工人打碎了一只灯泡，或和别的工人谈话，他立刻将手指到你的脸上来："你看灯泡打碎了，还不知道吗？"凶恶的面孔，和魔鬼一样。同时又指使工贼走狗，挑拨离间，使男女工人不统一，新老工人发生冲突，特别分化做时工与做件工的工人，对做时工的工人，每天加一毛钱。

谈到新车间的时候，每个工人都要头痛的，这里比任何一部分的工作苦得多，工程师姓邓，广东人，为人非常专制，只有自己没有别人，他讲什么，工人非遵守不可，否则就要吃耳光。曾经有一次，一个女工因为机器坏了，她想乘空到厕所去一趟，不料刚到厕所里，工程师找她了，找了一会找不着，工程师怒火冲天地大骂，等到她从厕所出来，不管三七二十一，就是几记耳光，打得她莫明其妙，连响都不敢响，仍回到原处工作。这部分工人总共十八个，广东人有八个，除这八人幸免而外，其余全挨过打。工程师最近又宣布，谁要停工一天不告假，就要停生意，不许再做工。当他宣布的时候，有一个勇敢的工人提出质问，“邓先生！工人不告假停工一天就要停生意，那么，假使一月内一天工都不停，是不是有奖金呢？”工程师答道：“厂里没有奖金的规矩。”但是这勇敢的工人又说：“那么，厂里是否有停一天工就要停生意的规矩呢？”这时工程师没有别的话回答，只是硬给这工人吃一顿排头。过两天，有一个与工程师接近的工人停工没有告假，不但没有停生意，而且停工期内，工资照给。工人看见这样，人人愤怒。

比较好一些的地方，要算玻璃厂，四十多的男工有团结，斗争情绪很高，工程师因此也就好起来，替工人打算，协助工人推销救国公债，对工人如同兄弟，工人要求什么，只要他认为办得到，就回应什么，劝工人不赌钱，不吸烟，看看有益的书报。工人们都信仰他，也待他很好。

全厂女工多未受过教育，但爱国心却非常热烈，倘若有人把抗战胜利的消息告诉她们，她们都很兴奋地静听，心里充满着无限的快乐，她们知道 × 方是目前中国的最大仇敌，只有在打倒 × × 帝国主义之后大家才能过好日子。平时她们对节约献金很热心，不过大都有家庭负担，心有余而力不足，每月拿出的钱很少。大家都认识抗战是为民族复兴，是为子孙造福，是为中国工人解放，因此莫不拥护。

二　电珠厂

电珠——小灯泡业，在我国发达很晚，初时都用舶来品，不能自造，其价格异常昂贵，在“九·一八”前，外商鉴于销路日广，外来货品已不能满足市场上的需要，即在上海劳勃生路开设中和奇异电珠厂，出品系用机器制造，售价每千只百元左右。日商鉴于此业获利甚厚，亦在窦乐安路开办明华、三古两电珠厂，发明手工制造，招收华籍童工职员，其工作异常秘密，出品亦甚优良。“九 · 一八”事变之后，华籍职员愤而不愿为其服务，即集资开办美灵、公明两厂，是为我国自办电珠业的先声，继起者有福安、三益等厂，此时外商见我国能自制出品，遂减低售价至四十元以与华商竞争。同时华商见此业获利，于是又陆续有新光华、汉成等厂出现，至“一·二八”战后，总计二十多厂，每千只售价跌至廿元左右。至一九三六年间，电珠业更发展起来，新厂的建立，如雨后春笋，达百余家之多，每日出品七八十万，但价格方面则更加低落，每千只跌售十元左右。各厂因一时售价混乱，发起组织电珠制造业同业公会，推林超为主席，企图统治售价。但此会成绩并不良好，同时因 × 人走私，价格更形混乱。“八·一三”抗战发生后，虹口闸北电珠厂皆停工，继续开工者不过十多家，同时因交通阻隔，销路减少，价格继续下跌，每千只约值七八元左右。回忆电珠业昔日之蓬勃以及现在的零落，吾人不能不认为主要是受日商的控制与 × 方的摧残。

电珠厂行政管理，最高负责人为厂主，以下为工程师，营业主任，收发主任，工头。账房管理银钱工账，工程师支配各项工作，研究出品好坏，营业主任管理进出货品，收发主任收付工人制成品，工头管理工人。如小厂只有工头，账房各一人。

工作时间，每日上午六时开工至十二时放工，下午一时开工至六时放工，共计工作十一小时。每日可封口一千只，吹泡二百五十只，排气五千只，轧丝二千五百只，汤珠二百条，装扣五千只，焊锡四千只。以上为标准工作数量，不够者减少工资，如封口不够数目，减少工资一分，吹泡不够二十只，亦减少一分。

在工资方面，电珠业本来是非常小的，但自“八·一三”以后，厂方又不顾工人生活的艰难，还要将工资再减低，兹将工资前后变动的情形列表如下：

工作部门	“八·一三”前	现在（1939年2月）
封口每百	8分	7分
吹泡	2分	1分5厘
排气每千	1角1分	9分

以上为男工工资，而且从前膳宿由厂方负责，现在则归自理。在女工方面：

工作部门	“八·一三”前	现在（1939年2月）
轧丝每百	3分5厘	2分
汤珠每百	4角	2角
装扣每千	1角4分	1角
焊锡每千	1角2分	9分

女工膳宿均系自备。在百物昂贵之下，工人如何能够生活。除工资外，其他一切年节赏金、花红、米贴等等待遇，电珠业都是没有的。

电珠工人以江、浙两省的人居多，在极盛时代，男工五千人，女工一千人，共六千人左右。大厂每厂百余人，小厂四五十人不等。现在则男女工人总计不过八百人。年龄多由十六岁至廿岁，家庭中多数十分贫苦，以耕种为业，因为生活艰难，才将子女送往上海做工，受厂方的剥削。平日穿着非常朴素，多半是典当店内买出来的短布衣服，工装，或学生装。厂内多有包饭作，每月六元，由工资内扣除，两荤两素一碗汤，每天三餐，早上是稀粥。睡的地方，就是做工的地方，冬天的时候，大家连铺挤轧，每人身上皆生白虱。夏天臭虫特别多，怕热的睡到马路上。若遇天雨，不管地板如何潮湿，也得放下席子睡觉。

一九三六年，电珠业工人曾发起工会一次，后因工贼陈筱香破坏，会务趋于停顿。一九三八年七月一般热心工友又发起组织互助会，并领导工人反对各厂资方减工裁人，要求保障工人生活，有些厂得到胜利，但大部分失败。互助会又创办工人补习夜校，提高工人文化。至于其他许多失业工友，多回家参加游击队，预备给敌人以打击。

第七章　上海煤气工业

英商上海煤气公司，与自来水、电车、电灯、电话、公共汽车，共为上海六大公用事业。该公司于一八六一年在香港注册，完全为英国资本，制造厂设于英租界泥城桥。

煤气本为一种化学药品，又为毒瓦斯之一种，有强烈燃烧性。其制法用煤在炉内燃烧，将其浓烟透过水与铁屑木屑的混合体，沥清后即成煤气。最初煤气只供路灯，商店用灯，和少数工厂煤气动力之用，那时上海没有电气厂，故营业异常发达。该公司且产生几种副产物，即熟煤，柏油，及另一种汽油，不过产量甚少，非该公司主要营业。以后上海电气厂设立，各商店各大工厂皆改为电灯及电动力，故该公司营业大受打击，遂将煤气供住户烹饪之用，只有制有煤气灶者才用煤气。一九三一年该公司又新建厂址于杨树浦格兰路，因为生产方法不适宜于营业竞争，改用新式机器。生产量由十万方尺最近增至一百廿五万方尺，用户总共二万，每月营业收入，约为四十余万元。一九三一年职工总数约八百多人，由于生产合理化和工作加重，人数一再减少，最近不足五百多人。职工以江苏籍为最多，其次为浙江，此外各省人都有，不过数目很少而已。在行政管理方面，最高机关为股东大会，其下设经理兼总工程师，各部则由二三管工员负责，再下则为职员、出店、上手、下手，各级可依次升迁。重要职员皆为英人，华人只居次要地位。工作每星期约五十小时左右。上手工——即技工，工资约七元，下手工——即助手，工资约六元，小工工资约四元五角。没有升工及偿工，星期日做工可得一工半的工资。不做没有，很少有得做。阴历年底发给等于二星期工资的年赏。抚恤金从前规定因公死亡及在家死亡，均由公司发五十元棺材费，其余以此类推。现在在家死亡不给棺材费了。工人生死，医药由厂方负责，但须到公司的指定医院治疗。在生病期中，第一月为全薪，第二月为半薪，第三月只有十天的工资。工人退职，经该部管工员证明平日工作良好，做满一年发给二星期工资，做满二年发给一月工资。其余以此类推。但是这种退职金只形式上有这样的规定，实际上很不容易拿到。因工作不好而由公司停职者无退职金，但由公司营业清淡而停职者，退职金照发。平日打骂及罚扣之事尚少。一九二七年大革命时代，该公司亦随着时代的潮流，产生职工会的组织，由于工人的团结，增加了工资，其他年赏、抚恤金，及退职金，都是那时争得来的。清党之后，政局变化，职工会即无形解散。该公司又采用介绍人制度，凡发现工人对公司有不满意的言论行动，皆惟介绍人是问。故十多年来，工人在高压之下，没有正式组织，只有关帝会、同乡会等封建团体。一部分工人地方观念尚未消除，宁波帮、江北帮、无锡帮，常常因为一点小事，即发生吵闹。自抗战发生以后，工人觉悟提高，这种不幸的现象少有了。大家都了解目前共同敌人为 × 方。因此对于节约献金，非常齐心努力。工人多来自农村，文化程度不高，约有三分之一能看报纸，除少数职员而外，其余大多数职工，生活很苦。最近各公司事业对用户增价后，对职工皆有临时津贴，而该公司独津贴外籍人员，而不津贴华籍职工，是非常不平等而须团结力争的。

第八章 英商公共电车业

当东方将要鱼肚白的辰光，满天盖着乌云，寒冷的晓风激怒着黄浦江的波涛，不论冬夏，都使人觉得战栗。上海的四周，发着嗡嗡的汽笛回声，劳动者在夜色朦胧中匆匆地赶路。在电车公司服务的工人，就得更早的到厂里，开出了车子，为了公司的营利，为了劳动者和市民的便利，不论什么纪念日或封关，不管什么节日或过年，都是照旧地服务，机械地做着。公共租界市场的繁荣，范围的扩大，这是有着直接或间接推动作用的。我们只要看，五年十年以前的越界筑路地带，有些区域还不是一片荒地吗？可是由于交通的向前发展，市面就逐渐的繁盛起来了。

第一节 英商电车公司的历史和营业状况

英商电车公司，创办于一九〇六年，迄今已有卅余年的历史了。在开始时本是中英合办的，但以营业清淡，逐渐亏损，于是中股东祝兰芬等遂有退股之议，后由该公司前大班桃仑返伦敦向英金融界呼吁，经麦加利银行贷款援助，将中国之股票全数收买，从此完全由英人经营了。而当时中国人之股票拾元仅能拿回一元。至于当时营业清淡原因，乃因欧化初来，古风未开，一般市民疑神疑鬼，多不敢乘坐有以致之。及英人独立经营改组后，营业仍无增进，公司为释疑计，雇用一般失业游民和流氓，每人给以蓝短衫裤一套，终日坐于车上，每人每天给以饭资三角，并以花露水、牙粉、牙刷、香皂等日用品赠送乘客。这样一来，资本主义的利诱，就战胜了封建的迷信，乘车子的客人就一天天多起来，营业也就一天天发达起来了。最初的电车是有轨八路和七路，以后又增一路二路，每路每天行走的电车有六七辆。到现在已扩充了好几倍（计有轨电车一百九十九辆，外加拖车，无轨电车一百廿四辆），每年从这里被帝国主义榨取去的金钱，统计起来最少也在四千万元以上，至于目前的营业，更是空前未有的繁荣了。

在“八·一三”以前，英电公司每天的营业收入，大约七千元左右，沪战后虽然受了局部的损失，但自华军西移后，营业较前益增，现在沪东区各路车子虽未恢复，但每天营业收入，竟增至一万二三千元以上，超过战前一倍，而从利润率来讲，那更是惊人了。

第二节　英电公司之产业组织和行政管理系统

英电是经营公共租界电车交通事业的产业，分有轨电车和无轨电车两种，赫德路老车站是该公司主要部分的所在地，以后又在杨树浦路汇山码头建立了新车站。自“八·一三”后，则暂合并于老车站方面，可是一切管理手续还是独立性的，在倍开尔路则有电车修理厂。所以按照产业内部组织性质来说，一为车务部，其中以司机与卖票为骨干，在人数上及工作上都占极重要的地位；其次为机务部，普通称为铜匠间，是电车公司中最有组织性和斗争力量占极大作用的一个车间，其原因无他，即在工作关系上与工作时间中能有更多的联络机会，不像车务部人员散漫，早夜不相见，并且司机与卖票时常各以其职务关系而磨擦。据熟悉其中情形者说，司机常以卖票“揩油”而有些醋意，而卖票常报以司机文化程度浅不识相。这种现象确是长时期的存在着，而公司当局更利用了这一矛盾，进行其挑拨分化手段，以达其“驯服”工人之目的。同时，外国资本家之运用这一方法，确比中国资本家胜过一筹，他那狡猾的毒辣的经验，确使人非常惊骇！

英电之行政管理系统，最高职位为大板（现名伊文）即总经理，传说他与现在公共租界巡捕房某负责人为亲戚，所以他与巡捕房的关系，真是上海大亨所说的“闲话一句”。在大板之下共分五部，除秘书部以外，每部由正副总管二人负责，大约均由英人自任，他们的薪俸起码是数百元一月，有的千余元，每年还有不少酬劳金，服务若干年后可以得到一相当时期的休息——大约是数月至半年，薪金完全照给，并可以得到一笔旅费（如回国之旅费等）。此外，他们更有一笔惊人的“生意眼”，这由于人们都把电车公司的职业，认为是一种“进账”丰富的职业，大家拼命的钻营，于是一定的钞票数目，便是进公司的敲门砖，只要有了钞票就好说话，没有这玩意儿休想进门。在过去（二三年以前）是二三十元，便可成交，到现在五十元一百元都没有一定。其次，由于人们职业问题的钻营，那么在业工人的开除，是一定不可避免的。而被开除以后，挽救的方法，有很多人也采用了这一钞票的法宝，因而得以复职。再次，有些老工人或职员在公司服务已经多年了，照章告退时应给以退职金，可是公司有时借故开除了，这样一来，那怕你是一个做了二十年或三十年的职员和工人，半个钱的退职金也难拿到。但是据熟悉其内幕者言，在公司的报告中却是“退职”，退职金也照数的付了，这可冤枉煞被开除的老工人老职员了。不过要问那退职金那里去了呢？人们虽然知道其舞弊，但是谁也不敢多一句话，只好闭口无言，佩服“洋先生生财有道”的手段。关于上述几笔“生意眼”的收入，假如细细统计起来，一定是大大可观。

第三节　英电公司职工之统计及分布情形

英电公司全体职工共计二千五百人左右（任高级职员之西人不在内），而以车务部的人数占绝大多数，其次为机务部。兹将各部工人组织系统及工人数目列表如下：

- 总经理
  - 秘书二人
  - 总账房
    - 买办
      - 会计一人
      - 职员十人
      - 出店二人
    - 总管
      - 职员二十五人
      - 做票箱二十二人
      - 印票二十人
      - 结票账二十二人
      - 管理铜板三十二人
      - 出店一人
  - 车务部正副总管
    - 内勤
      - 讼事间二人
      - 听电话三人
      - 职员二十人
    - 外勤
      - 查票一百八十九人
      - 签票五十人
      - 派班四人
    - 工人
      - 司机五百人
      - 卖票八百人
      - 开门八十人
      - 扫车二十人
      - 拉线四十人
      - 攏路四十人
      - 皮匠二人
      - 裁缝一人
      - 出店七人
  - 打样间总管
    - 职员五人
    - 工人
      - 修线二十人
      - 加油四十人
      - 马路小工四十人
      - 监工十人
  - 机务部正副总管
    - 职员十六人
    - 工人
      - 铜匠二百零五人
      - 铁匠二十二人
      - 漆匠三十五人
      - 木匠五十一人
      - 电灯匠三十六人
      - 小工一百三十六人
      - 管厕人六人
      - 出店一人

注：据最近调查：司机实数为四七三人，其中老站二四三人，新站二三〇人；

英电工人的来源，大多数是从农村中分化出来的。按籍贯来说，车务部方面以江北人占多数，其中尤以盐城人为多。其次无锡、苏州、镇江一带的也不少。假若以省份来划分，则以江苏籍者占绝对多数，次为浙江，山东及其他。机务部则以宁波籍者为多，约占十分之六。其次为本地，扬州、无锡、安徽籍者占十分之二（安徽籍者现已不多，因过去有一头目为安徽人，而现在已经死了）。江北帮占十分之二，大都为铁匠和小工。

工人的年龄以中年人为多数，即在三十岁至四十岁者，次为二十岁以上至三十岁者，在四十岁以上的司机要比卖票多。铜匠间（即机务部）也不少。这完全是由于技术工人需要工作上的熟练。流动性比较小，从这里也就可以看到司机与铜匠在工作服务的年龄上也比较长久。据一般的估计，工人服务时间以五年至十年者占多数，在五年以内者为次，再次为十五年以上者，至于二十年以上者则只有极少数。

（接上页注）卖票共八一四人，其中经常班六一五人，野鸡班（即无定的）及告假或革班头的人数，老站八五人，新站六八人，此外开门者现增至二三八人。以此数计算，英电工人共在二千六百人以上了。

按男女性别来说，英法华三个电车公司，找不出一个女性的工人或职员。在中国虽然是很平常的一回事，不过这不能证明女性不能在电车公司中服务。据某君游历国外所见，欧美各资本主义国家，女性之服务于交通机关者极为平常，在苏联女性之服务于电车交通工作者更属明显，不论有轨无轨或公共汽车之售票，几乎全是女性，其他司机、铜匠，很多也是女性。在去年（一九三八）十一月的报纸上，更看到苏联当局招考火车女机师七千五百名之消息。从这里我们可以知道，国家愈是进步，女性的地位也愈增高，一切工作服务的机会也就更加多了。新的女性，向这一目标奋斗吧！

第四节　英电公司职工的待遇

电车公司的职业，在无产大众看起来是一个进账丰益的职业，当某一个钻营到一个英电公司的职位后，平常的朋友定会很高兴的向他道贺，表示难得。可是实际上的待遇，不是人们所能想得到的。不过，话又得说回来，电车公司工人的待遇，比起纱厂来，确是要好些。

现将各项待遇叙述如下：

一　工资

英电工人职员之工资，有按时、按日、按月计算三种。职员大多是按月计算，司机卖票则按日给薪，机务部之铜匠，小工均按时计，同时工资高低不一，即同一职位之工资，也有以服务时间之近远而不同。兹为易于明了起见，列表于后：

部别	职位	工资计算法	最低工资	最高工资	备注
车务部	高级职员	按月	50元	150元	每年加5元
	听电话	按月	60元	90元	同前
	派班	按月	55元	85元	同前
	查票	按月	35元	55元	
	签票	按月	28元	35元	
	司机	按日	每月22元	每月33.5元	
	卖票	按日	每月22元	每月33.5元	
	开门	按月		14.8元	
	拉线	按月		12元	
	撬路	按月		11元	
	扫车	按月		13元	

续表

机务部	皮匠裁缝出店	按月		15元	
	铜匠	按时	6.25分	3.025角	
	小工	按时	同前	同前	
	职员	按月	50元	120元	每年加3元，5元
	领班	按月	50元	120元	每年加3元，5元
打样间	加油	按月	22元	22元	
	马路小工	按日		7.4角	
账房间	账房间	按月	50元	150元	
	结账	按月	20元	120元	
	做票	按月	20元	120元	
	铜板间	按月	16元	40元	

从上述数字中看，工资最低者竟至十一元。占公司中工人大多数的司机，卖票，他们的工资也不过二十二元至三十三元五角。但是我们要再次的指出，他们是一天不做工，一天无工资；尤其是卖票，每月总得除去若干罚款，所以每一工人能得的实际工资之微薄，是不言而喻的了。

至于职员之工资，因地位之高低，服务时间之远近，中外国籍之区分而非常复杂。在上列表中，笔者以时间匆促，材料不充，记述自难完善，深为缺憾，尚祈读者予以补充。

再如账房间之结账，做票的工资，最低为二十元，最高为一二〇元，在实际上其中尚有许多等级。其次各部高级职员的薪金，每月自六十元至二百元或三百元不等，而表中所列之高级职员，为车务部下之高级职员。在高级职员中华人极少，大部为西人。查票中白俄共有四人，英籍八人，高丽人约有三十人。同时照公司之通例，外籍人员的薪金比华人要高，例如查票，华人每月三十五元至五十五元止，而高丽人则为五十五元起至八十五元止。这种不平等的待遇，在外人企业或行政机关中几乎成为通例，所以这也可以说是帝国主义侵略政策之一种表现。各外籍企业中的职员们，君等以为然否？关于高丽人查票在英电之多，据说是根据过去英日间之某项协定（？），所以高丽人之在英电服务，亦受日人之保护，同时每一高丽人每月需交纳二元与日本驻沪行政机关，但不知其费之用途。

二　升工

在英电各部门工人是不同的，即司机和卖票也不一律，卖票在一个月内做满二十六天，可得升工四天；司机在一个月内做满二十六天，则得升工三天。（在一九三七年春罢工以前为升工两天，后加的一天，是罢工争取得来的。）问其原因何在？谁也说不出来。多数工人只是摇头说没有理由，有的工人伸出拳头，表示对这问题的答案是需要团结的力量。在实际上所谓升工，就是礼拜工的意思，外人企业大多数按照星期日休息，而电车工人却不能照星期日放假，只有轮流。所以照理每逢礼拜要给以一天的工资。但是英电司机和卖票，假使在本月份只做二十五天或至二十五天半，升工就没有，这样一来，也就是工人每礼拜应有的休息日，和应给予的工资，完全被资方无理的剥夺了。“八·一三”以后有好几个月没有升工，到十月（前年）才恢复了二工，现在已恢复“八·一三”以前的原状。至于公司方面剥夺工人之厉害，举一事实来说明：在数月前有一司机做到月底最后一天，刚好将满二十六工，可是当他做了二十五工半，只剩下最后半个工没有做的时候，派班的突然毫无理由地停止了他最后半天的工作。这里正说明资本家剥削工人之无微不至。不过还有某些人，不明了职工应该联合一致，而仰承公司意旨，狼狈为奸，也是不应该的。

机务部的工人，在战前每逢礼拜日休息，工资按照各人之平均工资给一天，但至“八·一三”后就没有了。他们并无升工或赏工（车务部亦无赏工），至于按月给薪的工人和职员，也无升工或赏工的规定。

三　年节赏

各部工人及职员一律可得全年工资的十二分之一，即每年底十二月份可得双薪。这种待遇，也是经过一九三〇年工人斗争得来的。工人们常常都把这件事引以为荣的说着。是的，一切生活上待遇的改善，不会自己从天上掉下来，是须要去争取的。同时还须要一致地保护着自己的胜利，否则便会如前年被资方借口“八·一三”后的损失，而将年节赏只发了一半（即半个月）。诚然，前年公司的营业利润是少了点，但是并没有亏本啊，仅仅是少了点，那么去年公司的营业特别的好，是不是可以多给几天赏工给工人呢？或者将前年被减去的半个月赏工再偿还给工人呢？恐怕天良不会发现吧！阴历年假不放，但可领五天双工（阴历腊月廿九日至四日），假使不到站，只有一工。

四　米贴

每月六元，工资按月计算的米贴也是按月六元，工资按日计算者即每天二角，那么实际上便拿不到六元了。同时米贴不是全公司职工都能享受的，只有查票，签票，司机，卖票能领米贴。

在民国十九年前，每月米贴只有三元，经斗争后加为六元。本年（一九三八）十一月十七日，总经理伊文发出通告如下："本公司鉴于上海之生活，于本月一日起，凡工作一日者津贴五分，车务部开车，卖票及开门撬路等，车辆部修线间。"因为上海生活程度之空前提高，工部局也曾通告各业提高工资改善工人生活，中国政府也曾命令保护劳工利益，而英商公共汽车公司与法商电车公司都增加了工资，所以工人要求增加工资改善待遇的运动，日渐活跃起来，才有了十七日公司当局增加米贴五分的通告。可是这与生活增高之实际比例相差太远了，所以很多工人认为尚不能满意。

五　疾病，死亡抚恤金

英电工人因病告假，不仅没有工资，而且一切医药费公司也不负责，这点比之法电、华电又差得多了！职员病假薪金照给，可是现在有一部分职员连这点优待也被取消了。如查票，过去是有的，而现在没有了。工人假使因公受伤，工资是照给的。至于死亡的工人，则以他工作年数及平时服务勤惰做标准，由公司当局给以数十元或百元之抚恤费。倘因公死亡者，可得十二分之一的抚恤费。对高级职员之死亡，抚恤费至少可领到数百元乃至数千元不等。在“八·一三”沪战时，有查票开车被敌炸毙，当由公司给予九百余元之抚恤金。

六　退职金，养老金

退职金也是抚恤金之另一种形式，因为照公司规章可领取退职金者，须忠勤服务满十五年，而年龄在五十五岁，经医生证明年老应给以退职者，有廿四分之一的退职金。例如满十五年者可得七个半月之退职金。满廿年者，可得十二分之一的退职金。可是想拿到这退职金，殊非容易。在规章中之规定，公司当可借故推翻之。同时，假使被停职时，养老金是没有的。正因如此，“洋先生”就可施其“生财大道”了。在今年春，有两位查票已服务廿余年，突然被停职，可是退职金也没有。在过去曾有人对公司此种不当之手段，向法院提出控诉后，才得到了部分退职金的发还。因为在法院上说，一个人辛苦忠勤的服务了廿多年，将一生的精力和希望都耗尽在这长的时间里，就是一旦有了错误，应受开除的处分，但也不该将他过去忠勤的服务，完全一笔勾销。

七　惩罚

在上述各项待遇中的反面，就是惩罚，工人在这种种刑罚上，受了不少的痛苦。现将英电各种惩罚叙述于后。

（一）**开除**　在工厂的行政中，处分要算是顶重要的了。可是在英电无论那一件细微的事，都有被开除的危险，特别是在“八·一三”以后，更是变本加厉造成空前的纪录了。到去年底，共计被开除者在百人以上，这就是铁一般的证据。至于被开除的原因，其中多数是卖票的“揩油”问题。然至“八·一三”以后，电车路程缩短，查票无形增多了次数，又加以租界人口激增，乘客简直数不清有多少数目；有些客人乘坐短程的路到了站还没给钱，就下车，也有的客人因太挤来不及买票就到站，待查票的来了，便认为是“漏票”，是蓄意“揩油”，任凭你怎样向公司辩白，票子也要被公司拿去，结果就是滚蛋。这还气人得好些。有的毫无理就开除，那才气人哩！过去新站某号售票，因被无理停职愤而投浦，幸经救起，得庆更生。此外公司当局在去年十月中旬及十一月初，将工会代表及工会热心分子，无故加以开除，并利用巡捕房势力驱逐至外埠。所以英电开除工人，简直是随意的为所欲为。

（二）**罚钞**　卖票差不多一个人每月总有数次或一二十次被罚到，司机和其他各部分的工人比较少些。每次罚钱轻则几角，重则一元两元不等。因此有些卖售工人要求减少这种处罚，就得随时向高级职员或查票等，纳些贡献，或在出事后即求人说情，缴纳几元“买路钞”，也就没事了，就可以避免见“阎罗王”“吃大菜”——吃大菜是喊到写字间见西人的意思。可是一般人殊不知此风不开犹可，既启其门，使一些有权有势者，更可大施其搜括的手段了。

（三）**革班头** 革班头也可说是罚钱的一种。在服务中犯了某种过失，如认为揩油、漏票、错票，或者因其他事故与客人冲突等等，公司不管是非曲直，把你革几天班头不许上工。这样，工资自然是没有，可是被革班头者每天还要到公司里去等待，一直到派你做班头为止。这样被革班头的时间，有自三四天至十来天不等。公司里的工人喊这种处罚叫写字间“摆帽子”；因为没有帽子就不准上班。假使这个月碰到了一二趟“摆帽子”，那么这个月的生活费就迫得肚子要大大的“减价”了。

上述三种惩罚的形式虽然不同，但被罚是没有一定的规定或限度的。有了某点错处，公司要采用那种形式来罚你，那是要碰你的“运气”了。其次上述的各种惩罚，主要是引证车务工人的例子。至于机务部的情形略有些不同，停职罚款等事比较少，但一般地说，对机务工人的压迫也比以前厉害多了，如加重工作，禁止工人说话，监视工人在工作中的行动，罚款也是比以前增加了。此外，职员一方面向工人压迫，但另一方面受公司高级管理的压迫，如前述两老查票之被开除，便是铁的例子。所以英电的职工，大家应认清目前被开除、罚款、革班头等问题的严重性而团结一致，要求取消各种无理的处罚。

第五节　英电各部工人之工作时间

（一）车务部。工人之工作时间约九小时，分早班，中班和晚班，也有只叫为早晚班的；但是车务部工人之实际工作时间计有十一小时至十二小时之多，因为表面上虽是九小时，分为二班，而实际上每日二班派往工作地点之预备，及往返接班落班之损失时间，每日平均需一小时半以上。比如早班六点钟往卡德路接班，或往静安寺，十六浦接班，以公司所在地为出发点，到目的地需要廿分钟左右的时间，所以接班者在六时前已应达到目的地，即实际上在五时半已预备出发，到十时左右落班；下午一二时继续接班，至下午六七时许落班（即可谓早班）。以此推算，每做二班往返损失当在一时半以上。有时还要做三班，那样一来，损失的时间更是多了。遇到这种班头，司机、卖票通常称之为苦班头。在另一方面，司机、卖票假如迟到数分钟，那么不仅当天没有上车希望，还要受罚钱的处分。因此如六时上班无异在五时半已有应尽之义务，而无工资之代价。其次卖票落班后更须结账交钱，领取车票，对票等项工作；开车亦须验看车辆，约损失数十分钟之久；外勤职员如查票、排车、管车等也要另缮报告单，亦须数十分钟。再次，车子脱班——即依照班头时间，车子不准时到站，而脱出了三十分钟或四五十分钟，也是常有的事。例如现在路线短，车子多，乘客拥挤，车子就慢起来了。这样就把卖票的工作更加紧张起来，也就是说把劳动强度增高了。同时工作时间也延迟了。虽然卖票的票钱比从前多了许多，可是工人辛苦勤劳，一天忙到晚，弄得昏头昏脑，工资可不曾加一点，这不是等于减低了工人的工资吗！

（二）机务部的工作时间，每天规定九小时，分日夜班，比车务部有规律些。有时工作忙了，便临时延长工时，自一二小时至三四小时，工资按时照给（听说夜工时间，一小时的工资作一又百分之廿五小时计算）。

（三）打样间修机和小工规定每天九小时，也分日夜班。

（四）总账房间之结账、做票、铜板管理人均为九小时，分早晚二班。至于其他各部高级职员，他们的工作时间约六七小时不等。礼拜日休息，薪资按月计算，把他们与工人的各种待遇比较起来，那真有天壤之别了。

第六节　工人负担及生活概况

英电工人生活之概况，从上述职工待遇和工作时间二项中，已可知其表面上的轮廓，现在再从详探讨其具体情况。

一个工人要进公司工作，除了朋友努力帮忙外，尚须化一笔相当的代价才能成功。假如是司机、卖票在进公司时，先见了车务总管，派进练习班。学习司机便由公司派到车上跟老开车学习，新卖票首先便要读熟那一厚本路价表，如请教老卖票告诉一点死记的门槛，便很容易记住，否则就非常的困难。你每天仿佛上学般的非到不可，但是就是念熟了路价表，假如没有派你上车，也只有天天到公司去等在那里。在派你上车时候，写字间的高级职员总要说那一套，要忠心服务，不能学别人一样“揩油”的话头；然后给你一块铜牌子，即到衣服间里去领号衣，穿好之后，再去见派班的职员，并服从派班的吩咐到某一班车上，像商店学徒似的，留心老卖票的一切动作，车子到站卖票，到车票员那里签过了字，车子便载了客人蠕蠕地转动了起来。开始便是随着老卖票开门，招待客人上下，并帮助“把住”，这就是留心前面的站头有没有查票员在那里，因为客人多了，不免总有顾此失彼之虑。有了新进的卖票跟车，这天那个卖票或许可以比较安妥的多“进账”点收入了。这样随车实习了一二个月，甚至五六个月才能正式被派上车服务。这时已算一个卖票员了。至于卖票“揩油”问题，完全因了入不敷出的过着困苦生活所迫使，和环境的强制，这实非外界人士所能明白的。如新卖票开始时往往手法的不纯熟而发生漏票，但被查到便认为蓄意揩油，这样就得罚钱，所以卖票常常到月尾所能得到的工资不及半数。那么他们唯一补救和报复的办法，唯有冒着危险做出揩油舞弊的事情来。其实这一类事，资方也未尝不知其弊害，可是资方不但没有设法改良工人的待遇，不从根本办法着想，来取缔此种恶习，免除工人在精神上的痛苦，而只是采取了极严厉的高压政策。特别自“一·二八”以后，因市面的萧条，各业不景气，公司营业受了影响，同时公共汽车跌价竞争营业，从此公司便向工人身上变本加厉的剥削，尤其对于卖票舞弊问题更认真地制裁。开除罚钱是常有的事。“八·一三”以后，车务部工人每月只有十四五天的工可做，机务部工人除领班仍照领全薪外，工人只有三分之一的工资可领，这样半失业半饥饿的生活，一直到去年上半年，还是在这样半死不活的状态下挣扎着。到去年下半年，公司的营业虽然空前的发达，车务工人的工作日是恢复了原状，但是在这孤岛上，百物昂贵，生活程度提高，所以工人的生活是绝对的恶化了。其他如机务部工人之工作，仍然还没有恢复原状，铜板间工人之工作，虽比从前还要忙（因为公司每天营业的收入倍于从前），但是他们每人每月反而只能做半个月工作，就是说工作加重了一倍，工人反而减半，这样等于四个人的工作由一个人来做，公司的算盘是多么毒辣啊！他们的工资实在低得可怜了，普通只能领到十几元一月，就是个人的生活也难于维持，假如有家庭负担的，更不堪设想了。

工人的负担一般地说是很重的，虽说他们大多数是一种小家庭形式。所以一个人工资的收入，也得负担几个人的生活费，妻子及一二个儿女，这是很普通的现象，房租总在六七元甚至十几元，家乡的开销多数人是要负担的，还有祖宗或父亲们遗留下来的债款也要偿还，每人亲戚朋友间的应酬每月也要几元，对子女的教育费那更谈不到了。公司当局既无此项文化教育事业的设备，所以工人子女至多送上识字学校念几句，就完了。能在初小或高小毕业的根本很少。此外，工人及其家属在营养与居住卫生各方面的简陋和缺乏，疾病的时候，医药费是可怕的负担，各种疾病或传染病有时会把你全家都轮流一遍。去年的伤寒病，很多工人一病就是个把月，这样便在经济上，迫得筑起债台来。

关于衣、食、住、行问题 （一）车务部工人每年到四月时候，可以领两套白色号衣，用粗洋布制成，样式与制工均极简陋，照普通市价，约二元几角可以做一套，但是公司当局的账目，据说每套是六元，谁也知道这是多数经手者重重舞弊黑幕的证明。到十月可以领呢大衣一件，质料极粗。帽子每年夏冬二顶。在服装方面，英电比法电或英商公共汽车都坏得多。查票签票等每年黄号衣二套，黑呢号衣及大衣各一套，帽子二顶。司机、卖票的号衣在过去是公司负责洗换的，后来被取消了，改为津贴肥皂费二角。这件事情改变经过，由公司当局问一开车说："你们每月洗衣服费要多少？""大约两毛钱。"开车顺便的回答。从此公司就不负责洗衣而给以二角的津贴。其实天晓得这二角钱买肥皂也不够，五洲固本皂不是要七分钱一块吗，还有洗衣人的工价呢？况且工人每天在马路的灰尘中疾驰和在人群中前挤后轧，衣服格外容易弄脏，所以公司取消了该项待遇以后，工人都觉不便而愤愤的不平。机务部及其他部门的职工均无上项号衣之待遇。（二）饮食方面，公司是不管的，饭堂或包饭作等私人营业性质的也没有。饮食时间在机务部工人和各部门之职员大都有一定的时间和秩序的。车务工人因工作时间关系，就没有一定时间了。到下午五点钟人们将要吃晚饭时，他们常常还不能吃中饭，至于吃的饭菜，只可说是用来塞塞肚子罢了，因经济的限制，所以不得不因陋就简。除小部分工资较高的老工人外，普通都很差，黄豆芽花生米常是他们蔬菜中占重要地位的东西。在发工钱和什么节日，那么也买一点鱼肉吃吃。至于沪上各种上市菜，是没有享受的资格的。例如上海每日吃蟹达三百担以上（按照去年市价每担值六十元），却是中上等阶级的消费品。在往年因价廉，工人或许还可买只把开开胃口，今年连尝尝味道的口福也没有了。（三）住的房子是由工人自赁的，在沪战前工人按着公司服务地区之分布而租赁于各所在地。沪战后汇山车站之工人均住到老车站这方面来，有一部分工人及家属因无法找到房子而暂住于停驶之电车上，一直到现在为止。老站工人（现在包括新站）大都居住于安南路、赫德路、静安寺等地为多，住在小沙渡路、劳勃生路等地也不少。租赁的房子以里房为多，次为简陋的平房，也有住在草棚的，也有个别自己做二房东或设备比较好些的。（四）行的问题，电车工人是比较其他产业工人方便多了，车务工人坐法电车也不要买票，机务部工人每人有一“派司”，可以自由乘坐本公司之电车，其他地方不通用。

职业病 职业病是指与工作有关而产生的疾病，车务工人因工作关系既不能准时饮食，又不能准时起卧，甚至风雨无可避，便溺无可泄，因此对于工人生理上之弊害很大，因而酿成胃病或肺病的极多。

婚丧问题 上面已经说过，英电工人大多已经组织了小家庭，所以这里要说明的是关于婚丧方面的负担问题。在笔者所接触和谈话里，知道他们的婚姻还以媒妁之言，父母之命而结合者多，所以他们的妻子也多是从乡下的同乡关系而来的。由朋友间所介绍的异乡人和自由恋爱同居者也不在少数。所以婚姻的负担，凡以媒妁之言父母之命的，也就更多地带有封建买卖性的色彩，举行婚礼的仪式多在乡下进行。他们的礼聘和费用大约至少在三百元左右。此外，在司机、卖票之中有十多个工人讨有小老婆，机务部较少，大约有几个人。这部分人大都是年数比较久的老工人，生活比较安适，在工人中的地位亦相当高，不过他们的生活已经带有腐化的倾向，在某些问题上，难免发生投机和动摇的吧！至于丧事问题，家属的死亡是比本人多，年老的父母和小孩的死亡，在工人中时常可以看到。对于死亡后的手续很简单，在乡下有家属死亡时，那么就请假回去一趟。倘若死亡在上海，买了棺木及衣服等简单成殓后，大多是停寄在会馆里，或暂借一地安放若干时日后运回乡下去。当成殓时喊了几个和尚念几天经，头七，二七，一直到七七的习惯也都存在着。这样一场丧事结束的负担至少须百余元，现在都市中的物质文明设备，如殡仪馆，有如雨后春笋般的开办起来，什么万国、世界、中央、大众殡仪馆等，不管数目上怎样普遍，不管名称怎样大众，可是真正工人大众的死尸，无论如何是抬不进门的。因此我们不得不指出的，在国难严重的关头，大家正在喊破喉头厉行节俭的时候，一般豪商巨贾，纵情声色犬马，穷极奢华之余，更借尸宣张，显其豪华，噫国人乎，此何其矛盾耶！

嗜好 在工人中花样很多，假如各项分开来说，赌博是最普遍的坏习惯，嫖妓因多数工人家眷在沪，故不很普遍，吃鸦片烟的，在老车站有卅人左右，新站方面比较少；机务部也只有几个人。所以在英电工人中有句流言："老站工人是老枪，新站工人是流氓。"这句流言的意思是说老站工人多老朽者，而新站工人多年青光棍好动之意。不过这句流言也是与脱胎于老站吸鸦片者多于新站有密切关系吧。其次烟酒二种刺激物在工人中吸食者也很多。不过以一般老工人特别显著，不管司机、卖票或机务部之老工人，有个别的终年每日总要饮少许的酒，这种习惯近来因物价提高和经济拮据的关系，在工人中的这种消费是相当的减少。我们只要看有些觉悟的青年人，都自动地提出戒赌戒烟戒酒等坏习惯，这是应该称颂和鼓励的。可是在这孤岛上的另一方面，据海关发表去年一月至九月九个月中，统计烟酒两项之输入额，竟达一千三百零一万四千五百六十八元之巨（见一九三八年十二月五日《译报》)。孤岛上醉生梦死的人们，记得蒋委员长先前热烈提倡的新生活运动中之二戒乎？假如忘记的话，笔者就顺便告诉你们！就是“戒烟戒酒”。

信仰 在英电工人中并没有特殊显明的某种标志，现就根据一般的现象，分析如下：在政治方面，如三民主义，共产主义，法西斯主义，各种思想在工人中都没有形成根深蒂固的集团。尤其是所谓法西斯主义，工人都知道这是侵略者的掠夺主义，讲起来都是非常的愤恨，这要归功于抗战后事实对他们的教育。三民主义经过北伐时代深刻的影响和多年来的宣传，自然是有着它的基础。例如有个别工人加入了国民党组织，或在其领导下的附属组织。至于共产主义经过大革命时代国共合作所建立起来的政治影响，特别是过去老工会对英电工人争得了不少利益，如一九二七年大革命和一九三〇年罢工中，老工会的帮助罢工得到了部分胜利，这是使他们永远不能忘记的。此外由于苏联革命的成功，工人生活一天比一天写意，所以对共产主义抱着希望的工人很不少。在宗教方面，和社会上其他阶层一样，有很多是相信迷信的，如神鬼菩萨等。但真正加入佛教念经吃素的很少看到。其次信奉耶稣大主的教徒据说也有几个，其数不详。回教徒在英电有好几人，不过没有像英商公共汽车公司中之多。最后，他们对于目前抗战中的领袖蒋委员长，毛泽东，朱德，白崇禧等抗日英雄都很尊敬。

交际　在文明先前国家的工人，是一种文化娱乐的社交；可是在中国封建残余与资本主义的过渡时代中，所谓交际的目的，就是以解决个人的生活问题为出发点的。因此对上奉承，对下榨取，便是中等阶层者唯一的方法。查票派班等职务就是属于这一阶层的，至于各部门的工人，当然只有被榨取了。公司当局也因为这种弊害关系，与本公司的利害有矛盾，所以在表面上是严厉地取缔查票等职员与工人间的交际关系。不论婚丧，做阴寿或阳寿，或小儿弥月等礼仪中，公司规定，不准公司的工人发红帖子。可是事实上呢？只是不能明目张胆，而把花样翻新罢了。假如某号查票或稽查要做阴寿，自己尽可以不必出面，而委托几位工人的名义来招摇，谁又敢不纳些贡献呢！其次工人与工人间的交际，在目的上还是相同，在意义上却又有点两样。因为工人与工人交际之间，存在着互相帮助的性质。如认识的朋友多，失业时便可以多得到几条介绍或钻营的路途。此外也包含着工人团结的初步过程。至于收到红帖子后仪金的多少，是要看那发的人身份威望及相互间的情感各方面来决定。不过起码要一元，普通都是二元。有时超出四五元。每一工人，在一月之中，总得收到几张红帖子，交际广泛的工人五六张，十来张红帖子也会有的。但是“礼尚往来”，这是中国人的俗语，除了特殊的以外，普通工人间没有密切感情的也可以不去。

第七节　文化状况

要过文化生活，这是先进的人们所要求的。所以文化生活也是工人生活中日常的要素。但是在这老大的英电公司，对于文化生活事业方面的设施，可以说毫无可言，这固然是公司当局只知剥削赚钱，而另一方面也说明英电工人在三十余年来受尽残酷压迫，仍是缺乏团结不争取的结果。在英电里没有医院，俱乐部，图书馆，及工人补习学校或工人子弟学校，运动场——如足球，篮球场等的设施。公司也没有该项文化的负责人或经费的预算。比起民族企业家的文化设备，那真落后极了。当然工人文化程度的提高，民族意识的觉醒，这对帝国主义根本是害怕的啊！

至于工人的文化程度，卖票识字者不多，能看报的更属少数，有的懂几句洋泾浜，不过不懂英语也无碍工作。司机的文化程度更低于卖票。铜匠间工人能识字看报也属少数。就是查票员也有不认识字的，但多少要懂几句英语才行。在这问题上，难于得到更具体的数字。但是很明显的，电运工人文化程度的落后，是值得工运者和政府文化教育事业机关所深切注意的。

娱乐 公司既无设备，工人亦无此种组织，所以所谓娱乐，那么赌博、跑公司及有时看几趟电影，这就是唯一的娱乐了。其次也有一部分人喜欢打拳娱乐的。

休息 机务工人按礼拜休息，车务工人轮流休息，大约也是六天可以休息一天。一般工人之习惯，休息日或工余时间多喜睡觉，这是疲倦的象征。

第八节 英电工人之各种活动

帮派组织，工人没有组织，便不能表现出工人的力量。但工人有了组织却又四分五裂不统一，没有集中的领导和共同的目标，那么这种组织仍是不能发挥工人的力量和作用的。所以要为工人阶级谋福利，首先便要统一工人的组织。英电工人在统一的问题上，确是非常的需要和严重。据调查所得，英电工人中之帮派组织，可分政治的，经济的和封建的几种。

一　政治的组织

在英电工人中一般地说是不健全的，虽然有几个国民党员，但他们在指导工运上尚差得很远，并且在坚决的为三民主义奋斗中还不够积极，也缺乏会议和纪律的生活。其次，在车务部和机务部中，参加朱先生之组织的有一百多人，参加周先生的有廿多人，可是他们也缺乏互相合作的联系，以及他们本身组织之欠健全和巩固，这不能不说是英电工人团结统一运动上的损失。不过朱周等组织同样是带有封建性“拜老头子”的色彩，所以该组织虽然带有政治性，但又不能认为是纯政治的组织。此外过去老工会派的政治影响，虽然没有何种组织形式的存在，可是那种自然的潜伏势力恐怕也是有的吧！

二　经济的组织

在某种场合里，也会变成政治性的，所以任何的经济性组织，也含着政治性的细胞作用。在英电工人中，经济性质团体，如互助会，公益会，有八九个之多，并且恐怕还有遗漏的。兹将已经调查明白的分录于后：

	该会领导人	会员人数	备注
卖票			
	徐德锦	145	老站
	查 ××	50	老站
	杨伯乡	80	老站（据说停顿）
	杨兆余	60	汇山（已停顿）
	张宝宏	50	
司机	叶德奎	100	老站
	曹增鉴	54	老站
	刘德田	50	老站约 50 多人
	乔官文	100	汇山

听说有个别的互助会因收款不齐而停顿，也有个别的在十分困难中，因章程的刻板与不完全，被开除的人又日有所闻，致互助会负担过重，入不敷出。其中也有是最近成立不久的，采取了好的经验和改革其缺点，所以在内容上据说比其他老的来得健全和巩固。这是从教训中得出来的好现象，可是值得再次地指出的，互助团体虽有这许多，但内容充实的却少，相互间没有密切的联络或帮助，有时甚至互相磨擦和猜忌，各互助会的领导人也常常各自为政似的表现着“个个英雄，人人好汉”的气概。因此公司方面虽是不断的加紧压迫手段，用各个击破的方法，首先打击最有力量的互助会，到这时候，

各个互助会依然是互不理睬，任公司当局的摆布，这是非常不应该的。吾人希望，英电各互助团体应该结成一条坚强的阵线，只有这样才是真正的互助。

三　封建的组织

封建的组织又可分为下列数种:（一）青红帮,（二）兄弟帮,（三）关帝会及其他。

（一）青帮在英电工人中的人数无确实数字，据说有一百左右，本身没有总的组织或联系，只是个别的去拜了青帮的老头子。朱周的组织，也可说是青帮或接近青帮的。

（二）洪帮（即红帮）在英电工人中有一百余人，在沪战前有相当的活动和组织，洪门的领袖向松坡（曾任淞沪警备司令，为湖北人）常派代表到英电工人中讲演洪门革命的故事和反对 ×× 帝国主义的侵略。可是从沪战爆发上海沦为孤岛后，向松坡已因环境被迫离沪，而其他洪门中变节分子如张长生等，曾企图利用洪门关系，组织洪门俱乐部加入汉奸组织，幸而多数洪门弟兄，富有民族意识不为所乘。

（三）兄弟会，即俗称为调帖（将参加者的年庚八字都写在帖上，每人保存一份），在英电是相当多的，并且它所起的作用非常大。在一九三七年初，杨兆余活动组织工会的基础，就是依靠于事前选择了卅七人结拜弟兄后才发动工会的组织。在司机方面有一个弟兄会，有一百多人参加，在开门部分中弟兄会有好几个，据说一个有廿余人，一个有十余人，在卖票及其他部分工人中，尚缺详查。

（四）关帝会，该项组织在实际上也可说与弟兄会相仿，在英电只有个别的会员，其组织形式在英商公共汽车工人中比较明显。

四　同乡会的组织

在英电中是没有形成起来，但由同乡籍贯的关系形成了无数的帮派，而反映在工人实际生活和行动中极其明显。例如某籍帮与另一帮发生了打架等事件，立刻会扩大为整个帮对帮的对立，假如某人被谁打了的时候，他们很快的会结起来去报复。在英电中帮派势力较大的为江北帮，在机务部则为宁波帮。而机务与车务两部工人在过去斗争历史中的冲突成见，一直到现在还没有消除，而这种成见之不能立即消除与帮派问题也不无相当原因。

最后在帮派问题上，笔者主要的是侧重于车务工人方面的记述，而对于机务部，铜板间及职员方面均以材料不充分，未敢轻易描写，深望知者补充，使之更臻完善。

第九节　斗争历史

一　第一次伟大的反帝罢工斗争

在中国大革命的时代，“五卅”惨案在南京路发生后，英电全体工友，抱了非常愤怒深切的同情，于六月一日毅然地在前进分子的领导下（据说由共产党所领导）参加了全上海全中国伟大的反帝斗争。这次斗争一直坚持了好几个月（据一铜匠工友说共六个月），得到了部分的胜利，如机务部工资增加了七厘半（按时），其他各部门工人增加一成。其次，司机和卖票从前规定夏季须自备白皮鞋和冬季须着黑皮鞋、打裹腿布等严厉章程，也由这次革除了。在这次英勇的反帝反资斗争中，因工人内部组织尚欠严密，所以被走狗引进了昔日停职的工友来代替，而威胁和动摇了一部分人的意志而复工，以致不能得到完全的胜利。

这次斗争中表现很忠实很英勇的十七号开门同志，为了散发传单，被军阀李宝章捉去，而李氏为了奉承主子帝国主义，就在西门刑场上，十七号开门为了国家民族和工人阶级的利益壮烈地牺牲了。他的热血和未竟的事业，永远地深刻地留在英电工人的脑海里！

由于走狗的活跃，使这次斗争不能胜利，就激动工人反走狗的怒潮。当时英电的车务总管苏州人倪天星，因甘做帝国主义走狗，出卖民族利益而遭狙击。倪死后有高级职员扬州人王阿福代替倪之职务，仍是狼狈为奸做帝国主义帮凶，因此王妻亦被杀于榆林路，五十八号开车走狗亦被打死，机务部李某亦险些儿送了狗命。

二　第二次反帝罢工斗争

当北伐军进占上海之前，英电工人和上海其他各部门工人一致地站在武装起义前线，当时英电工人一部分到南市担任警戒等工作，一部分与邮工同到闸北横浜桥警局缴枪械，都得到了胜利。此外工人向公司当局提出下列各项条件：一、不得无故开除工人，解雇工人应先得工会许可；二、增加工资七厘半（约一成）；三、工人到站要工资。上述的条件有的因环境很快地转变而被取消了。

三　第三次反资的罢工

是在一九三〇年初夏的时候，那时米价飞涨至每石十七八元，工人每月所得低贱的工资，就更难于维持生活了。在工部局方面都增加了工资，所以英电工人也不断的向公司要求增加工资，但是没有结果，即由车务部工人先发动罢工，后来就妥协，因为不生效力。就再由机务部工人来发动罢工了。老站新站及电车修理厂的工人均到申园开全体群众大会，通过罢工及提出要求的条件。这次罢工共计坚持廿三天之久，得到部分的胜利，公司承认米贴每月由三元增加到六元，年赏增改为十二分之一计算，这样就结束了罢工。至于这次斗争没有得到全部胜利的原因，是因为组织不够健全，被签票陆某等做了走狗，带进了不少失业工人，由老站天津人某号司机在巡捕保护下先开了车子，继之一路二路都复工了。因此与机务部工人发生了冲突，有七位工友因而被捕，旋即释放。而罢工亦告结束。工人复工后，即有大批积极分子遭受开除，在机务部有几位比较勇敢前进的热心工人，不幸为谋群众幸福而光荣地饱尝铁窗风味去了！从此次罢工中，车务部方面个别走狗的出卖和一部分人一时意志的动摇，断送了斗争的大局，引起了机务部工友的不满而互相对立，到现在也还有这种成见。

四　第四次之罢工斗争

在前年春（一九三七年二月），事先由工人推派代表向公司交涉增加工资十分之三及退职金十项要求，经几度相商无结果，至二月十日迫不得已才发动了新老两站车务部的全体工人总罢工。当日下午全体工友聚集在宝山路长生公所内静候解决，公司当局看到工人之团结精神，就表示愿意接受党政机关代表之调解，对工资一项，当局口头答复，允增十分之一点五，其余条件容后双方直接谈判，工人也就自动复工了。在十六日双方准备谈判之前，忽有新站某号司机，竟向资方声明，他们一部分人并未参加此次风潮，因此至双方举行谈判时，资方态度变为强硬，并推翻前允之答复，致谈判决裂无结果而散。于是工人再备呈文向党政机关请愿，到十八日发生了第二次罢工，由总工会朱学范先生及社会局代表出面交涉，获得了部分胜利，卖票普通加一元半至二元，供职满十五年，因身体不支经医生证明确不能服务者，退职金得按月计算，否则半数。如做满廿年后，无论具任何理由，得照全数发给。升工加两日（计四日），开车部分升工不加，其余概与卖票部分同例，至十九日即复工。三月三日车务部为援助机务部退职金问题与资方决裂，又酿成第三次全体总罢工，这次斗争比较前两次格外严重，两部代表因惧怕捕房政治部先生们的包围，竟至无从露面，至七日始由杜月笙先生出面调停解决，机务部退职金与车务部同一待遇。开车升工加一工（计三工），定八月一日起实行，工人在罢工期内的损失，由公司当局津贴五千元。工人相议后留作工会基金，至八日全体工人兴奋地复工。

第十节　工会

英电初次工会，是直接产生于“五卅”事变的反帝大潮流中，所以开始就踏上了反帝反封建的斗争，接受了先进分子的组织和领导。在欢迎北伐军进占上海的武装起义中，英电也是与各前进工会共同负起了反帝反封建的使命，高举了为民族独立解放、为劳苦大众争自由的旗帜，虽然因为环境的关系没有很顺利的完成使命，但是英电工人这一种神圣的旗帜始终是高举着。吾人从他们的斗争史中，也可看得很明白。一九三〇年的斗争，就是承继了这一光荣的斗争而来的，可惜的在当时工运者没有注意到把工会组织恢复起来，这是很大的一个缺点。可是工人在不断的斗争过程中，学习了宝贵的经验。所以在一九三七年罢工斗争解决以后，由总工会的领袖，在四月十一日，即成立了第三区水电产业工会筹备会，这也可以说是工人斗争中进步的收获。

事实证明工人有工会的好处：在一九三七年十月廿六日，有一辆无轨电车在麦根路被敌机轰炸，除乘客死伤卅余人外，查票六十二号，开车一八六号均炸毙，因工会的力争，开车和查票同样领了九百余元的抚恤金。没有工会的话，顶多只能领五百余元，可见工会组织，是与工人有切身利益的。

英电工会筹备会之组织共十一人，包括车机两部，另外由工会聘请书记二人，并无工会小组之组织。兹将各部参加人数及工会分工如下：

姓名	车间类别	工会职务
杨 ××	卖票	总务兼劳方出席代表
杨 ××	卖票	劳方出席代表
李 ××	司机	劳方出席代表
徐 ××	卖票	组织
马 ××	卖票	宣传（为国民党员）
刘 ××	司机	
赵 ××	卖票	
高 ××	电气	
严 ××	机器	
赵 ××	电气	
高 ××	电气	

从上面表中看来，各部门参加的人数实在太少了。同时工会出席代表和工会职务上之分工，也不很妥当，所以在健全工会巩固工会立场上讲实在太脆弱了。以后因人挑拨离间，机务部代表便退出了工会，这也可以说与工会组织上之不健全有密切关系。此外，工会规定，

凡工人失业后，可向工会领失业救济费八十元。

工会经费是由工会到每月十六日发工资时派人收集，会费二角，每月总共可以收到一百余元至二百元左右。每月经费的支付，房租十几元（当时在公司对过某里内），劳方出席代表三人不参加生产，所以每人薪金由工会负责，共百廿元。工会书记二人，薪金共卅元。此外尚须津贴某某等几人之车马费若干元，还有杂费不算，所以英电工会之经费问题，每月总是入不敷出。因此就将资方赔偿出来的五千元工会基金局部动用，借以弥补。特别自"八·一三"以后，会费收入更形减少，而将工会代表之薪金减为每人廿五元，失业救济费减为廿元，但亦无法支付。因开除者至目前止也有一百余人之多。

资方之进迫：英电当局始终只承认劳方代表三人，而死不承认工会之存在。沪战后，资方就乘机加紧向工人进攻，一面不断的开除工人，使工人咸惧失业而不敢活动，另一方面用各种方法阻止工会之行政，如阻止工会在厂内收会费，甚至在马路上收会费也来干涉了。工会地址也被迫一迁再迁而取消了。在前年年关的时候，资方竟将工人应得的年关双薪只发给半个月，到了去年三月十八日，公司当局更突然以“脱班旷职”的罪名而将杨兆余等三人开除厂籍。而杨等自担任工会职务后，即脱离生产，由会费项下支取生活费，所以公司当局虽将杨等宣布开除，但仍恐惧杨等之活动，故更恶毒的进行挑拨离间，收买个别走狗破坏工会内部之团结；并利用巡捕房压力将杨等及工人积极分子逮捕后，驱逐至汕头，企图彻底破坏工会之存在，而殊不知今天中国工人组织之存在与健全，对中国抗战固然有直接关系，对外商利益之保障也不无关系，故此种极端压迫工人组织之存在的不友善态度，应该给以抗议，并诚恳地希望公司当局改变此种有碍中英邦交、对中国人民不利抗战的错误政策。

此外英电的工人应该明白的自觉，深切的了解，保护工会的存在，也就是保护自己生活的安全，和增强国家民族抗战的力量。所以大家不应苟安让步，无止境的容忍。这不仅对个人生活会更加恶化，对抗战也是一个很大的损失。所以各部门各车间各帮派间，不管铜匠，铁匠和司机，卖票，开门，大家一致团结起来，统一现在工人的各种团体，加强原有工会之机构，健全其工会小组，充实其内容，使工会成为改善工人生活，保障工人生活之唯一可靠力量。(关于工会详情，请参看《朋友》第五期。)

第十一节　抗 × 活动

在全国人民汹涌澎湃的抗战高潮中，英电工人也并未忘了垂危的祖国和民族的神圣天职，工人们的心理却充满着一片爱国的热情。当华军英勇抗战浴血于淞沪的时候，全体工友曾一致提议，在工会基本金项下拨一千元慰劳前方将士及救济伤兵之用。在前年十一月廿七日，四行仓库八百壮士的孤军抗敌，由一互助会之发起，同工会代表向全体工友募捐了不少款项去慰劳。在我军撤退后，南市几万难民无衣无食成为饿俘的时候，有几位热心工友牺牲了工作，在细雨濛濛之下，很热情的向全体工友奔走募捐，这种爱国的热忱，引起了人们非常的敬佩。在去年“七七”纪念日，由政府号召节俭并实行素食一天，工友们都热烈的拥护响应这个号召：一面素食，一面进行献金运动。在“八·一三”和“九·一八”的纪念日，也有不少工友自动的捐款，这表示了拥护政府的坚持抗战的决心。有好些工人现在正热烈地推行“节俭救难”的运动。不过一般地说，虽有这些成绩，但是比起在前方冰天雪地中浴血抗战的将士们，和成千累万因抗战而受冻饿的难民，需要我们大家更努力的帮助啊！

英电工人之救亡工作还是十分的不够，尤其是在救亡的组织性上，更是薄弱不健全。所以英电工人现在要用一切方法，把目前停顿状态中之工会组织恢复起来（听说会费也有好几个月没有收了），使之成为救亡工作之统一和集中领导的中心。只有这样，才能把抗×工作更具体更深入到每一工人的思想和行动中去，克服各方面之阻碍，冲破目前之困难，而把英电工人之救亡热诚更加发扬起来，争取抗战胜利早日到来，争取工人生活之改善和解放。

第九章　法商水电业

上海法商电车电灯自来水公司（简称法电）是上海数一数二的企业，是法界交通市政业的托辣斯；在界内市面的繁荣，与百余万市民日常生活的需要，都是不能缺少着它，所以它在法租界实际上握有莫大的权威。

当我们乘十路电车到吕班路卢家湾的时候，那高大的厂房，引擎，水塔，电车站及修理厂等全部建设，吸引着人们视线的注意和赞叹，这就是三位一体的法电公司的所在地。

第一节　法电的历史

法电始创于一九〇五年，当时规模很小，仅二路五路等有轨电车及电灯而已，路程亦很短，发电亦有限。当时的地址据说是在法大马路大自鸣钟，在开始时营业不很兴盛，其原因大约与英电有些相同，即中国人一时对资本主义下这种怪物有些不了解。以后克服了这种习惯上的困难后，营业就渐渐地发达起来，经过数度的扩充和厂址的迁移，到现在卢家湾的厂址已是第三次了，资本额的总数在四千万以上，成为法租界唯一无二的伟大企业。

第二节　目前的营业状况

法电每年营业收入的利润，只要从它范围不断的扩大就可以知道其大概的状况，据说在一九三七年的营业利润有六百六十万元之巨，而一九三八年的利润收入，据估计可突破以前的纪录，约在一千万元以上。因为在“八·一三”以前有轨无轨及公共汽车这一项的总收入，每天至多到七千元之数，而现在每天收入竟有一万二三千元左右。电灯费的收入，过去每月三十六万元，现在则增加了一倍有奇；自来水费的收入，过去每月三十二万元，现在也增加了一倍以上之多。这些数字，证明法电目前的营业突破空前未有的程度。

第三节　法电公司之组织和管理系统

法电公司之组织，从它的营业性质来说，可分为三大部门：即交通（包括有轨无轨电车和公共汽车），电灯，自来水；而按照公司当局管理系统及生产部门来说，共分二大部门，即一为车务部，二为机务部，其下面则又分成若干车间。管理的系统，最高为大班（现任大班为发物来［Faveret］），另有一人副之，次为总工程师，共三人，再次则为车机两部之正副总管各二人，以上之职务均由法人自任之。

第四节　职工总数及各部之详数

法电公司全体职工共计一千八百余人，计职员约三百人，车务部工人（司机及卖票）八百人，机务部六百余人，兹将各部门职员工人分别叙述如下：

- 大班
  - 秘书处——拷贝间（即印刷、打字等工作）三人
  - 车务部
    - 职员
      - 内勤（注一）
        - 票箱间二十二人
        - 夜账间十二人
        - 管理间（即小写字间）二十人
      - 外勤
        - 稽查十二人（注二）
        - 查票三十八人
        - 写票三十九人
        - 露天八人（注三）
    - 工人
      - 司机
        - 有轨电车一〇五人
        - 无轨电车五十六人
        - 公共汽车八十四人
      - 卖票
        - 有轨电车二四四人
        - 无轨电车七十二人
        - 公共汽车八十四人
      - 其他
        - 撬路四十五人
        - 加油十人
        - 跟车（学徒性质）十人
        - 读章程（已达公司之第一步之手续）二十人
  - 机务部
    - 职员
      - 栈房会计处十三人
      - 定货间二人
      - 栈货间六人
      - 打样间八人
      - 车床间五人
      - 自来水间五人
      - 工程处五人
      - 路政处一人
      - 引擎间三人
      - 董家渡自来水厂三人
      - 药水间四人
      - 火表间三人
      - 电灯间二人
      - 大线间二人
    - 工人
      - 老车间九十人
      - 新车间五十人
      - 车床间五十人（此三部门为铜匠间中最主要的部门）
      - 引擎间六十七人
      - 自来水间五十人
      - 工程处十一人
      - 较电间三人
      - 大线间三十三人
      - 火表间十六人
      - 栈房间八人
      - 接线（即电灯间）四十人
      - 高马车间（修电车线）十人
      - 铁路间四十六人
      - 马达间十四人
      - 木匠间十五人
      - 漆匠间十人
      - 南码头董家渡自来水管厂七十二人
      - 顾家宅自来水分间六人
      - 贝当路自来水分间六人
  - 总账房间职员（即大写字间）
    - 大写字间二十人
    - 抄表间二十四人
    - 电话间四人
  - 工程师

注一 内勤职员又分为四个等级，即最高头目一人，高级职员二人，再次为职员，候补职员，尤以候补性质者占多数。

注二 稽查共十二人，其中华籍八人，法籍二人，白俄二人，但是在名义上是同等级的，在实际又有分别，例如华籍之稽查遇到外籍稽查时须拿出簿子由外籍稽查盖印子（即签字），这是不平等表现之一。其次在薪金一项上相差也是很远，例如中国稽查每月薪金六十元至一百六十元为止，而白俄则自一六〇元起至三〇〇元止，法国人如在上海进公司者，每月薪金三〇〇元至六〇〇元止，来自法国，其每月薪俸自五〇〇元至一二〇〇元止。总而言之，名义上尽管相同，但其权利实有天渊之别了。尤其是对华籍职员待遇特别低，可是有个别华籍高级职员自不知耻，一副洋奴性，专以媚外求荣献殷勤为能事，真是令人齿冷。

注三 露天是由司机升起来的，负责修理和照顾车子，其地位及薪金和写票同。

此外在表上之工人数目，为每日生产中所固定额数。所以在实际上如司机与卖票还不止此数，因每天有因病或因事而告假者或被罚而革班头者，有一部分做“野鸡”班头的，就是一种准备班头的意思，卖票们常叫这种班头为“打野鸡”，所以大家都喊为“野鸡班头”。同时工人的人数也因现在公司营业发达而在增加着，如公共汽车战前只有二十辆左右，现在增加到六十辆，而乘客仍拥挤不堪，大有应接不暇之势，“公司当局鉴于界内交通之需要，近向外洋新定汽车二十辆，不日即可到沪，即行增加各线行驶，以利交通云”（见一九三八年十一月二十日《译报》）。

至于电车汽车之数量，据调查有轨电车共约百余辆（包括拖车第五十号至八十号共三十一辆在内），无轨电车三十八辆左右，公共汽车约六十辆。目前每日行驶之车辆，计有轨一路，有马达十一辆，拖车十一辆；二路有马达十三辆，拖车十三辆；五路三辆，拖车三辆；六路四辆，七路十辆，十路十辆。无轨电车十八路二十辆（十七路十八辆由英电公司行驶），二十四路连英电公司共十三辆。公共汽车二十一路十六辆以上，二十二路二十四辆以上。这也就是车务部目前营业之大概情况。

第五节　工人之年龄及籍贯

（一）工人之年龄　一般地说与英电、华电相仿，在车务部方面司机们三十至四十岁之中年人为最多，卖票则以二十五岁至三十五岁之间者为多，因其多流动的原因。在机务部方面工人年龄二十至三十岁约一百八十人，三十至四十岁约三百一十人，四十岁至五十岁七十人，五十至六十岁约三十人。

（二）工人之籍贯　车务部方面江北籍共占三分之一，卖票北方人共约六七十人，湖北籍约二三十人，宁波籍约二十余人，无锡二十余人，常州十余人，本地约百人。司机除江北籍以外，湖南、湖北约卅余人，北方约五十余人，南方人约三分之一弱。在机务部方面，江苏籍约在四百人以上。其中本地约八十余人，浙省籍约百余人，其中以宁波人为最多，山东约六十人，河北省三人，湖南四人。工人工作年数，车务部方面开车年数久远的比卖票要多，机务部工人较之车务部又要长久些。在机务部方面五年以内者约百分之十五，五年至十年者约百分之五十，十年到十五年者百分之三十，十五年以上约百分之五，从开厂做工到现在者尚有一人，名陆德源，现年七十多岁云。

第六节　职工待遇

法电公司的待遇，较之英电在表面上似乎好一点，但比之华电还是有些逊色；同时法电当局对工人管理之严厉，乃是上海企业中独一无二的。工人的各种活动是被严格的取缔的，在厂内经常的驻守着侦探和巡捕，豢养了多头走狗，密布了侦探网，造成漆黑一团媚外求荣恶势力的狂猖。机务部之工人比较团结有组织，所以这种恶势力就难于一味孤行，而车务部方面真是任其为所欲为了。由于这种原因的存在，职工的待遇在实际上也受了相当的影响，所以在叙述职工待遇之前不得不指出，以作深刻研究之必要条件，现将各项待遇记述如下：

（一）工资　是按日计算的，司机每天工资最低五角五分，外加津贴二角，米贴一角；一个月做满二十四天可得升工四天，所以一个人要在一个月内做满三十天连升工可得二十七元七角。卖票最低工资与司机同，司机每天最高工资一元六角半，连津贴米贴升工每月可得五十五元。卖票最高每天一元三角半，做满三十天可得四十九元半。但是一个人像牛马一样能做满三十天的有几个人呢？那么一天不做不仅一天没有工资，就是米贴津贴的待遇也就不能享受了。

机务部工人之工资，大工（即长工）共三百四十人，最高工资每天二元八角，最低八角，普通大多数每天在一元至一元三角。小工共二百八十人，每天最高工资九角五分，最低四角，普通在五角五分至七角之数，礼拜日休息工资照给。

车机两部工人之工资，规定每年增加一次。车务部每年加三分，机务部依照工资计算增加一成，但现在公司当局已无形取消该项规定，所以增加与否，由资方随便欢喜，因工人在目前尚无力量争取其兑现实行。

职员之薪金，是按月计算的，内勤职员每月大约自二十元至二百元，中间分成许多等级。外勤职员大约自三十元至一百六十元止。其中稽查每月自六十元至一百六十元，查票四十二元至七十二元，写票自三十二元至六十元。兹为明了起见，将各部门主要工人之工资及职员之薪金列表比较之：

	职位	最高工资	最低工资
车务部	司机	每月 55 元	每月 27.7 元
	卖票	每月 49.5 元	每月 27.7 元
机务部	大工	每日 2.8 元	每日 0.8 元
	小工	每日 0.95 元	每日 0.4 元
职员	内勤	每月 200 元	每月 20 元
	外勤	每月 160 元	每月 30 元

法电是法国资本家创办的，所以管理方法也多采用法国式的，它与法国的金融界也有着联系。因此我们将在中国的法电卖票员的工资，与法国的电车卖票员工资作一比较，也是应该吧！

在法国一个新进公司服务的卖票员每月工资为一千一百二十五法郎（按现在汇兑市况五百九十五法郎合华币百元），假使家里有一个小孩子，每月可得增加一百五十法郎，有二个孩子再加一百法郎，以下类推，假使有七个或八个小孩的家庭，更可以得有特别奖金。此外衣服费每月由公司津贴一百法郎，每周的工作时间为四十小时。法电则在七十小时左右，而法国生活程度与上海之比较，等于一与三之比。从此看来，我们中国卖票员与法国卖票员的生活，真是一在天上一在地下之别了。

（二）年节赏　规定每年一月，到十二月底领取，倘使每年做不满三百工，那么年节赏便要照比例扣减。米贴每天一角，津贴每天二角，各部工人一律，在上项工资中已附带的说明了。

（三）赏钱　车务部卖票员每天卖的票价超过二十

五元，可得赏铜板七分；三十元，一角；三十五元，一角三分；四十元，一角六分；以上均以此数为止，不过与从前按照铜板数的赏钱比较起来，实际上已经减少了。在从前每天卖七十千赏一角，八十千赏一角半，九十千赏二角，一百千赏二角半，以此数为止，可是现在最高只有一角六分了，并且卖的数额常在二百千以上，前后相较每月要少了三块钱之多，更不要说照情理现在收入比从前多几倍应该增加的钱了。

（四）抚恤金　没有一定的规定，也就是说厂方没有该项的待遇；不过看工人的团结力量怎样，厂方便给予少许罢了，一般因病死亡，大都作退职论，因公死亡则由公司看事件之情形而决定。

（五）退职金　凡工人或职员在公司服务满五年者，告退时可领取三个月之工资，即依照工资每月百分之五计算，以下类推，未满五年者由公司酌量发给多少。

（六）伤和病　假如在工作中受了伤，由公司送医院，工资照给；不进医院则没有工资。疾病，进公司当局有联系之广慈医院住院，医费由公司负责，并可得工资之半数。其手续，在病时由医生签字后向公司告病假，出院时亦须将医生之签字单交于公司当局为有效。在家里养病，公司当局对药费及工资概不负责，可是很多工人因不信任西医，所以有了病大多数是自己请中医诊治，所以公司当局在法理上也应该添加中医医生，及同样的应由中医医生之证明而给以药费及半数工资之待遇，很多工人都有这样一个要求。至于职员因公受伤或因病进医院住院，工资完全照给。在家里疗养也没有上项待遇。

（七）惩罚　在法电最厉害最毒辣了，特别从“八·一三”后华军撤退上海以后，公司对职工态度更是变本加厉地进行其剥削与压迫。惩罚的办法，可分罚钱、革班头、停生意三种，但是罚起来时并没有一定的标准，而完全听任洋大人和他的爪牙之随意所为，公司当局虽然订有职员、卖票、司机、车务服务的章程，但是该项章程也多含混模糊，对于奖赏没有只字，惩罚则每条可以应用，现在为使各界明白起见，将该项章程抄录若干于后：

职员须知

一、端整：凡在班人员，办公时应穿着公

司所发之制服，其外务查票写票及卖票人员须将衣帽整刷洁净，穿戴须整齐，钮扣必须时常钮整。对于自身脸面手腕当洗揩清洁，头发须时加修饰，以壮观瞻。倘职员等懒于修饰，致令人见而生厌，公司内只得罚停其派定之班头。

二、办公时禁止吸烟及吃食。

三、遵命　各职员须听从上级员司所发之命令，偶或当时所发之令稍觉欠通，应暂时遵做，容缓另再报告。

四、守章　各职员应遵守捕房及车务上预定章程。

五、礼貌　查票卖票及司机人员，对于公众须曲尽礼貌，和蔼待遇，俾免争噪。倘搭客蛮强无理，各职员又宜忍耐对待，不能彼此相争。至遇搭客过于强横，噪闹不休，致无法敷衍时，得能寻觅证人，交托巡捕帮同排解。

六、禁谈闲言　查票卖票及司机人员禁止与乘客谈说无关系之言语……

七、毋许多言　在班时除当对答外余概不准与司机人多言。

八、(略)

九、卖票做班时应备之手续　卖票人在车厂内或末站接班者，应按照备订之时刻表准到之。在厂内接班者，到时应先至派车员前报到，在末站接班者，到时应即报知末站排车员或写票员。

十、专用各物及验视车辆　既报到后，应各至号衣房领取应用物件，以备开行出厂。未出厂前，应先验看车辆玻璃窗及坐位是否齐全干净，再当细察车门、路牌箱、车钟、电灯、扭机、木挟钳、撬路棒、铁扁担等妥为放准，再留意小铁门关闭否，……卖票人将车开出厂后，应负车内一切完备之责任。

十一、(略)

十二、……车到末站时，卖票人当将路单票板交给排车员或写票员，再报告其所作之班头电车号数及司机号码。

十三、十四、十五、(略)

十六、卖票时应知种种　在末站车将开动前，卖票人应向车内乘客凭价目单逐一按站划票。……卖票人不得将一种车票同时卖动二刀。及原刀卖完，应将小号码先卖，再依顺号码排整卖下。如有抽心抽底颠倒卖法，公司内当做有意舞弊，须与以严重责罚。……如欲卖票迅速，应对车内乘客高声呼喊。……凡派班在旧式及八轮两种正班车上者，卖票人应向站在后月台乘客先卖，再卖车中……凡派班在中间上落正班车或拖车者，卖票人应向中间乘客先行卖票再续卖后前两头。……

十七、验查车票　当查票员上车验票时，卖票人应将路单递给，同时如见卖票人闲散自若，而乘客中被查见有漏卖车票疏忽等情，应由查票员记号作报告单报告之。无论何时，对于查票员不应有高声争论事，并不得邀乘客帮同排斥之，倘与报告或有不符处，得禀白总稽查长。

……

廿五、车抵末站时，卖票人除照顾车内乘客完全下车后，再须迅速检视车内乘客有遗忘物件否，如有捡得，当立刻携报末站排车员转存。路遇闯祸或遭意外等事，至末站时应禀报排车员知晓，掉头开车时，应换开车后灯亮与红绿车灯。

廿六、结账　公务完毕时，卖票人应进厂结清票款，交入账房，再详细看明次日派做何种班头。

……

廿八、祸事　倘电车碰撞路人，车上卖票人当拉警报铃（急铃六声）停车，唤同巡捕察看伤处并抄录巡捕号码，倘闯祸事无关电车，……卖票人亦须将该肇祸人姓名住址记留或抄录车照号数，见证人姓名住址亦须记留……

……

一〇一、司机人做班时须知……（上同卖

票同）凡司机人派有班头者，应各备带电箱小钥匙及挟线木钳。

一〇二、凡在厂内接班者，司机人须验看车轮一周，如前后月台车机附件备全否，大灯及号灯端整否，沙箱内黄沙装满否。

一〇三、凡车辆在厂内将开动前，司机人应先踏响铃声，并留意前车顶车底或车旁边有无危险或阻碍，及车开动时，须缓缓行之，车停时应紧塞车链。

……

一〇六、各司机人非得上级员司准许，不得擅自开车或擅让闲人随意开车。

……

一〇八、电车行驶时，司机应按下列诸端照行之：左脚应踏近警铃，左手应按执电箱上大钥匙，右手应掌执塞车链；电车正行驶时，禁止乘客或各员役与司机人在开机处闲谈，并不得回头或引颈探望后面两边。

一〇九、……开动车机时，司机人当用右

手扳旋小钥匙，再用左手旋动大钥匙，按速率线度由一二三及五六七渐渐旋转之……不得将车开动时，即旋板四度及八度速率线，并不得直实回旋至圆圈点处。

一一〇、车将开动时，不得急切疾驶，或突然停歇，应驶慢车，缓缓开动或停歇之。

……

一一二、速率　电车往来次数均按照每路预订之时刻表照行之。如所驶之车，其钟点与预订之时刻表较慢者，司机人不得因车慢超越规定之速率线度开驶之。

……

一二九、……分路处有撬路夫者应由撬路夫撬之，而司机人须看明该路轨是否撬对，所向之的对否。如中途或有闯祸等事，则概归司机人负责。

一三〇、（略）

一三一、转弯或分路处，电线分线拉线处，转弯或近分路处，司机人应开慢车缓缓行之。

一三二、车抵末站时司机人应注意下列诸端　紧塞车链（即紧发郎），将钥匙扳准关点处摇掉，所向路牌，察看沙箱内黄沙积满否。如察觉所驶之车有损坏等情，司机人应报知末站排车员或写票员。

在上面所引的章程中，每条都可以作为罚钱革班头或停生意的惩罚根据，现在就举些事实来证明吧。根据第一条章程，有一卖票帽上铜牌子说他没擦亮而被罚扣了八块大洋，某号查票为了在班头上伸了一次懒腰，被认为有妨害观瞻便罚停五天，另一查票为了打一个呵欠被罚洋五块；此外十九号查票在廿四路查票时，因人多拥挤不堪，致有二人漏票，下车被稽查查到即被开除。一百十九号开车的被停生意，真是天上飞来的横祸，因为别人打架，他没有做见证人去报告。被开除后去问车务总管的理由，便赏之以外国火腿和雪茄烟，被拳足殴打得血流肉肿，这种野蛮非人道的举动，实是空前未有的！有一次二路电车到徐家汇站时，有一老者下车跌跤而自己承认头晕所致，公司便把卖票停生意，并且说二十二写票员没有将此事报告公司而把他从写票降为卖票。九号撬路无缘无故突被停歇；其他如三百六十六，四百二十二，都是一点小小的过失便被开除了。总之公司每月被开除的至少在二三十人左右，有时每天几乎有三四人被开除，据说在去年被开除的工人约在三百人之多。革班头、吃大菜、罚款的事情，每天总有三四十人之多，而被罚之苛刻就是米毛一点点的小事情，如开车太快太慢、断电线、碰车子、脱班或客人上下未完而开车、不打铃开车，开车时向左右张望等。罚起来就是四元五元或革八天十天，或甚至半个月的班头，好像公司的营业就靠罚钱来维持似的。据说公司每天的罚款约在二百元左右，这一数字也够我们惊讶了。有重一点的，还要如未宣判徒刑的罪犯一样，每天须到公司去等，在那里不给你工作做，也不能自由的离去，一直到宣判了一定被罚的日期后始可不要到公司去等候。这样破天荒的无理处罚，使职工的每月收入毫无保障，生活是比前恶化了；这样自然引起大家对公司的不满意和愤怒，特别对几个甘愿做洋奴的华籍职员，如外勤五号稽查陈××及李某刘某黄某等，内勤方面如白××，二郭兄弟，二赵兄弟等，机务部方面如翻译张某，工头费某，职员范某陆某等都恨之入骨；而这般人也确是只知自身利益，而出卖民族和工人大众的利益，太不知耻了。要知道容忍也有一定限度的，尽管目前的压迫似乎受不到什么反抗，但是工人反抗的情绪是增加着；所以谁也不能预料将来不会有像法电从前“二十四天”“五十七天”的大罢工斗争，一些利势昏庸的媚外先生们，过去一号稽查的悲惨结果，也该值得自省吧！在目前我们不愿在中法友谊关系上，有着被敌人利用或挑拨的机会，所以希望公司当局迅速采用宽宏大量的态度，纠正那些足以妨害中法友善与劳资关系的压迫职工的办法吧，这对于中国抗战与公司当局将来自身的前途上是必要的有利的。

第七节　工时及劳动强度

工时，在法电一般地说是规定为八小时，不过在实际上各部门还有些差异，在“八·一三”后更是不同了。例如公司当局之最高职员在实际上每天没有八小时之工作；车务部之司机及卖票规定工作时间亦为八小时，但现在每天实际上做九小时至九小时半，外加接班落班交账看班头等时间算在其内，总得十一小时以上。但实际工作时间增加了一时至一时半而工资则仅增加一角，在工人精力的消耗上说这又是极大的剥削，并且公司营业现在超过从前倍余，工人的工作也就紧张了一倍多，可是得到的报酬呢？是加紧压迫和剥削，把从前的铜板赏更加减少了。在机务部方面，工作时间比车务部是好些，引擎间是日夜三班制，其他各车间则为二班制，另外再派几个等班（即等到第二天工人上工为止的班头）。

假日，在法电规定每逢中法纪念日及星期日休息，工资照给，机务部及车务部之内勤职员均可得该项待遇。但外勤职员是每月连续休息四天，例如一号至四号为止，工资照给，司机与卖票则没有休息日，除非罚停几天可得算是休息外，在通常要告假休息几天也不很容易办到。在去年夏天正当笔者赴打浦桥某里访友，见同居房中有一中年卖票员，形容憔悴，眼睛红肿，蹲在地上抚摩奄奄一息已将死亡的心肝——儿子，该儿子的娘也正在哭哭啼啼的哀痛着；还有一个医生在小孩的肚上拍了几下，摇摇头似乎没有希望了，眼见得一个活泼天真的小孩子顷刻间便呜呼哀哉，此情此景，谁无恻隐痛惜之心；可是正当此时，一个排员前来催促，大呼“某号卖票，赶速接班”。但该卖票细细的哀告允其告假半天，始终不答应，后来还是靠工友间的互相帮助，由另一塌班工友多连做了几趟，公司当局这种办法，真所谓“死人不管”。不过在这资本主义的世界一切都以金钱为出发的，就是说一切都是金钱在作祟着，假如司机或卖票员平时在派班员面前纳些贡献拍些马屁，那么你要请假也并不是很困难的，同样的我看那小孩假如有金钱能请个比较高明的医生，也不是完全无救的！在法国一个卖票员有一个小孩子可多得一百五十法郎工资，在中国同是一个小孩子，为了生活，父亲看着儿子将死去，连告假也不允许，同是人，同是法国资本的老板，其待遇何其不同耶！此无他，法国的工人已经争取比较自由平等进步权利的保障。中国的工人要想得法国工人阶级那样的生活，还是靠自己来争取才有希望呀！等待着是消极的一种表现，容忍也该有一定的限度吧！

第八节　法电工人生活的概况

法电之工人生活，在大体上与英电华电差不多，大多数工人的家属是在上海的，一娘一妻一二子女的小家庭最多；所以在他们的负担上说是相当重的。一个家庭的生活，完全靠一个人的收入来维持，公司严厉的惩罚和疾病，都是迫使工人生活困苦，影响到工人的思想的条件。在走狗未肃清以前与工人的团结未完成的时候，工人行动非常谨慎，机务部之大工的工资又都相当高，故平时他们不肯轻举妄动；在车务部方面，有轨电车之卖票或司机大都以新进工人或年数较短的为多，年数较长的即升到无轨电车，以后再升到公共汽车，所以在法电之无轨电车及公共汽车之工人多为老工人。工资也大些，年数也都是相当长久的，这部分工人的地位也比较巩固些。

（一）**关于衣食住行方面**　车务工人可领大衣一件，须穿二年，黄色布单衣二套，帽子二顶（一为夏天黄色的，一为冬季元色呢的）；车务内勤职员第一年二套白色布衣，以后每年一套；冬季哔叽衣装一套，第一年进去是领旧的，第二年可领一套新的，以后隔一年一套；冬季大衣一年一件，旧的要交还公司，帽子一顶，衣服不论工人或职员概须自己洗之。机务部没有上项衣服之待遇。膳食公司概不负责，无饭堂饭作等设备；车务工人按照各人班头之不同而各自备餐，因无时间性所以车务工人之有胃病者几占十之二三，肺病亦相当地多。机务部吃饭时间在日里十一时半至下午一时，这里在时间上还算宽裕与固定。夜班在晚上十一时上工，一时至二时休息，可以吃些点心，早晨八时出厂。住的问题是由工人自己解决的，厂方没有工房或宿舍等设备；不过在厂里有三四间房子可以容受一小部分单身工人的居住，和一部与工作上有关系的职员住在里面。在行的方面，车务工人和职员乘坐英电华电的电车是不要买票的，假使穿便服那么要佩带帽上之铜牌子为证明亦可通行无阻，法电工人乘坐法电之公共汽车是不允许的，这里大约是一种阶级的限制吧！机务部工人乘坐本公司之电车备带公司发给之派司，英电华电则能通行。

（二）**法电工人之信仰**　受了几次罢工斗争和革命的领导以后，一般地说是进步了许多，新思想有了相当的传播；特别在大革命时代老工会的政治影响，一直到现在很多老工人都以自己参加老工会号召的上海三次武装起义为光荣，就是革命思想深入群众中的明证。此外，工人对宗教的信仰以佛教的影响与传统为最大，不过参加佛教吃素念经的并不多见。信仰耶稣和基督教占极少数。信仰回教的有一小部分，以湖北和山东籍者居多。

（三）**嗜好**　香烟老酒赌博等嗜好是普遍的现象，经常吃酒者大约有百分之三十四十。吸食毒品（鸦片）者，机务部有十一二人，车务部大约二十人左右，其中以高级职员（且多带走狗色彩的）占多数。

（四）**娱乐**　假使根据今年元旦日蒋委员长所发表的提倡正当娱乐的娱乐来说，那么可以说，法电根本是没有娱乐。公司当局对于娱乐方面不仅没有提倡，而且采取破坏压迫的政策。据说有一次工人自动组织了一队足球队，并且天天实行练习，后来由走狗报告公司当局知道了，即叫参加足球队的吃大菜。公司问工人："踢球疲倦吗？"工人回答说："疲倦！""疲倦？既然疲倦踢什么球呢！"自此以后，凡参加足球队的人每天所做班头特别苦，时间也长些，这样一来，使工人不敢再进行正当娱乐的团体。如工人沉醉到打麻雀，跑公司（即游艺场），吊膀子，寻开心等堕落生活，公司则不过问；比较老诚一点的工人，不愿干这些事，又无正当娱乐，每天打算点吃吃抱抱小孩，困困觉就完了。现在为了中国抗战的胜利，就应根据蒋委员长的指示，提倡工人正当的娱乐，这也是现在抗战中应有的任务。

（五）**交际**　工人间有喜事互相庆贺等事情还是以感情为出发点。倘有人死亡，那么大家捐一角二角，以自愿为原则。职员与工人间的交际，公司当局是严禁的；但是阳奉阴违的依然存着，因为部分职员的权势可以支配工人的饭碗，这样例如某号职员做事，你假如不送些礼物，以后便会吃亏。此外，中国的职员和工人对洋先生也总得送些人情，例如机务部有些工人和职员，每年外国冬至节，互相讨论着买点什么古董或中国特产来取悦洋大人而保住自己的饭碗，此外有部分工人想工作快乐一点的，便向派班者经常放照会（即每月交纳一元或二元），如夏天做早班比较好，而冬天早班天气寒冷比较苦，晚班比较来得适意。所以每一工人每年用在这一不必要上的交际费的确很可观吧！

第九节　法电工人之文化程度

法电工人之文化程度，在车务部方面，卖票的都认识几个字，法文知道与否无关。司机在七八年以前进公司的不识字者至少在百分之二十以上，以后进公司的大都认识几个字，在机务部方面识字者大约在百分之二十至三十。职员懂英文法文者并不很多，在去年底公司当局曾警告外勤职员，务于今年底为止学会几句法文或英文，否则一律降级为卖票云。听说有个高级职员法文是懂得蛮好，可是中国字反而连自己的名字也不认识，因此他的思想和行动难怪接近于洋大人了。

第十节　工人的活动和奋斗史

一　工会初创时期——第一次罢工

（一）**在“五卅”时期的工人动态**　一九二五年英帝国主义在南京路枪杀我们手无寸铁的同胞，因此发生了全市工人罢工，商人罢市，学生罢课的运动。可是法电的工友们对于这次伟大的反帝运动，只表同情而已，并没有积极的参加。

那么法电的工友们怎么没有参加这次的罢工呢？因为当时的法电工友们不明了这次罢工的意义，同时又没有人去和他们接洽组织。

（二）**首次组织工会**　记得好像是在一九二五年的下半年，由车务部全体开车卖票的工友共同在法租界天文台路五凤里借了个会所，成立了一个车务部开车卖票的工会。

（三）**首次向公司提出条件**　工人有了工会当然要设法解除所受的种种压迫及痛苦，所以就向公司提出了几条改良工人待遇的条件，即增加工资，减少工作时间及减轻罚款等几项。

（四）**首次罢工**　公司方面对工人所提出的条件完全采取不理的态度，结果引起了法电工人的首次罢工。

开车和卖票罢了工，电车完全不出厂。这样一来，机务部车间里的工友就没有事情做了，于是他们时常四五人或五六人的聚在一块儿谈这次开车卖票罢工的事。大家都说，公司里这班外国赤佬对我们工人实在太凶太恶了！所以是要同他这样的罢罢工。

过了三天，开车卖票的工潮由 ××× 等出面调停复工。这次开车卖票进厂复工是非常的威风，举起了两面很大的国旗和军乐队开路。这给予机务部工人一个极大的兴奋！所以机务部工人也就开始三三两两的加入了开车卖票的工会。不到三个月，机务部全体工人完全加入了工会。

然而这一次开车卖票罢工，究竟有没有得到胜利，在表面上看起来好像得到了胜利，实际上没有得到什么胜利。因公司方面所答应工人的条件，并没有履行。

（五）**工人不了解工会**　车机两部的工人虽有了组织而团结在一块，可是大家对于这个工会的用途还不十分明白。比如开会时，大家总是没有什么意见，不说话，随便主席的秘书怎样说就是怎样好。而且在这时大部分的工人都抱着服从总工会的命令的心，所以那时的总工会对于工人方面的威信是很大的。

二　北伐时期——二次罢工

（一）**武装训练**　国民革命军将要到上海之前一月，法电工人和其他部分工人一样，都是很忙。忙些什么呢？就是学用手枪用盒子炮及手榴弹等的军器而准备武装起来！

训练法电工人武装的人是总工会派下来的一位姓高的。高为人很和气，所以凡是参加学习武器的工人对高的印象都是很好的。

法电车机两部受训练的工人共有八十余人，每日受训两小时，是晚上七时至九时。

（二）**通告能指挥工人的动作** 因为大部分的工人不了解开会的意义，所以工会的负责人俞茂怀（即俞飞），不时常召集工人开会，就是有什么事也不一定召集工人开会。多数是用命令式的通告来通知工人的。

一般工人接到了工会的通告，等于是在帝王时代接到皇帝所下的圣旨一样的恭敬，通告上怎么说，工人一定会怎样去做的。

（三）**罢工欢迎北伐军** 北伐军到上海的时候，俞茂怀并没有召集工人开会，只出了一张通告通知工人说，一律罢工欢迎北伐军。

这通告的效力非常大，车务部的工人见了这张通告，就把电车开进了厂，机务部的工人见了这张通告，就停止了工作，大家一同到工会里去。到了工会也没有开什么会。俞茂怀就拿了许多传单出来叫工人去散发。工人就把这些宣传品散发到各马路中间。

（四）阻止英租界公共汽车行驶 第二天下午一时开了个全体大会，有人报告说英租界的公共汽车还在开，于是大家决定到公共租界去阻止公共汽车行驶。

散会后，全体工人就出发，到了静安寺路，来了两部公共汽车，于是工人就一拥上前把坐在汽车里的客人叫了下来，工人就坐在汽车上，命令开车的开进公司。可是，这两个开车的工人很坏，他们想把这些坐在汽车里的工人开到巡捕房去。然而开车的这种诡计已被车内的工人识破，所以大家即命开车的停车，这时车已快到静安寺捕房了。

汽车内的工人下了车后，本来预备回到工会去了。可是这时在东面也开了一部公共汽车过来，工人又即上前阻止行驶。大家正在劝说公共汽车的开车卖票工人时，四面来了大批的中西巡捕把工人围住，结果被捕去工人二名。当时马路上的情形非常混乱。

罢工第三天，听说公共租界的公共汽车还在开，大家又到公共租界去看了一下，结果是没有见到一部公共汽车。各个工人就很欢喜的回到工会去了。

（五）准备暴动　一天将要黄昏的时候，俞茂怀就下了个命令说，凡是以前受过武装训练的同志今天不准回家。

过了一会，一班受过训练的工人，大家手里都拿了几条红绿布，说是今天晚上大家一定要到南市去开火夺取高昌庙兵工厂，以黄浦江内的兵舰开炮为号。

到了晚上，各工人预备出发到南市暴动，可是却不能到南市，因为那天晚上戒严得特别厉害，时间也特别早。这一定是工人要暴动的消息给军阀知道了的缘故。后来兵舰上的炮也没有响。

（六）**军阀逮捕工人**　在第二天下午一点多钟的时候，军阀的司令部里派了大批的武装包探将法电的工会包围，幸时间还早，一些较重要的负责人还没到工会，所以捕去的不过十几名普通工人。

此事一发生后，一般胆量小的工人非常恐慌，工会变成他们不敢到的地方了。

后由法租界的闻人黄金荣等会同法捕房劝法电工人

复工，至于被司令部捕去的十余名工人，由黄金荣等担保保出。各工人为了要营救这十余人的危险，即答应了复工。复工后司令部把十余名工人释放了出来。

（七）二次罢工欢迎北伐军及暴动 与上次罢工相隔没有多少时间，法电工会又通告工人罢工欢迎北伐军，工人接到工会的通告就实行罢工。

罢工的当天工会又出了一个通告贴在工会内云：全体工友准下午一时一刻到会集队出发，到龙华欢迎北伐军。同时开会通知各工人，今天下午大家必须去欢迎北伐军等等。

到了下午一时，法电工会内聚集了不少工人，俞茂怀即通告工人集队自西门出发。

法电工人由法租界出发进入华界时，即把早预备好了的青天白日旗插了起来。俞茂怀也把放在身边的手枪拿了出来速步前进，这时每一个工人的内心都是异常的兴奋！

看到了小局子或派出所，法电工人即冲了进去，这时局内或所内的负责人早已跑空，剩下的只是几个小警察。他们一看到工人来时，就把预备好了的白布绑在手臂上，规规矩矩的站在局或所的门前，两手举起表示欢迎。工人一进了局或所里面，就把剩下来的枪拿起来武装自己。

可是徒手的工人实在太多了。虽说这些小局子或派出所里面弄到了一些武器，那里能够分配呢？故一班没有拿到枪的工人就主张到城内道台衙门去，因那里的枪比较什么局什么所来得多。

工人还没有进道台衙门，可是道台衙门的军乐队已站在道台衙门的两旁，呼呀呼呀的吹着，咚呀咚呀的敲着来欢迎法电有枪和无枪的工人进道台衙门了。

工人进了衙门，领导人俞茂怀即召集道台衙门所有的警察训了一次话，并命他们把所有的枪械缴了出来，工人拿到了枪，大家都欢喜得了不得。

后来法电工人又向南市进发。到了南市会同了南市救火会和华商电气公司及求新厂等的工人，到地方厅，公安局，兵工厂，火药厂及龙华司令部，把军阀剩下来的军器完全搬了出来。

这时工人真出风头，大炮，机关枪，步枪，盒子炮，炸弹都有。到处老百姓见了拿枪的工人都是十分的欢迎！

一般在军阀队伍中的兵士见了武装的工人，总是喊着老乡和敬礼！

工人有了武装等于是军队，故工人一致主张成立了一个工人司令部。俞茂怀为总司令，俞小峰为副司令。部址设在华商电气公司内。

法电和南市各工厂的工友虽冲了不少的地方，可是一个也没有受到牺牲。不过有几位工友自己玩弄枪械走了火，遭受了无辜的牺牲。

然而闸北等处却牺牲了不少英勇能干的工友！

法电工人等把兵工厂等重要地方夺下来的第二天，正式的北伐军也到上海了。到第三天，工、农、兵、学、商在公共体育场开了个极热烈的庆祝大会。

（八）复工　过了几天，各工厂的工人都先后复了工，法电当然也不能例外。除在工人司令部当纠察队的工人而外，都复了工。

这次复工和上次欢迎北伐军罢工没有成功而复工，情形绝对不同；上次是一声不响，愁眉不展，忍着痛复的工，可是这一次的复工，各工友在公共体育场排队出发，一路上各工友都高呼着打倒帝国主义，打倒军阀的口号。这是多么的威武啊！

（九）**团体的力量**　有一天法电工会想在法租界西门路西成里召开代表大会，后被法捕房知道了，捕房即通知法电工会的负责人，说是今天在租界内不可开会，如果你们一定要开会的话，那请到华界去开好了。

但是法电工会的负责人对法捕房的回答，是非常令人满意的。他说："我们为什么要在法租界开会呢？因现在租界内每天总是很早的就戒严了。而我们的代表大部分都是住在租界内的，所以若到华界去开会是非常地不方便的。"后来法捕房无法，特允许法电的工人若在华界开会，并在戒严的时间，也可随便在租界内进出。

（十）**工会解散**　到了四月十一日的晚上，政局转变，国共分裂，工人司令部被军队四面围住开枪，一直开到天亮，工人在军阀手里夺来的武装都被国民军缴去了。这是一件极不公平的事！

这样一来，法电的工会也就成了问题，工会的主持人俞茂怀这时也跑掉了（后来这人叛变了工人阶级）。因此一般工人也未免有些恐慌起来了。

工人既有了团体，当然不能再把团体失散的；若一旦失散，这对于工人的前途是极危险的！

法电的工人们大家都感觉到，我们的团体无论如何不可散的。所以就有一般较前进而热心团体事业的工人，出来想法子仍把这个原来的团体维持下去。

有一天一班热心会务的工人聚集在公共体育场内，法电工会想商谈会务的事。可是事情还没有商谈，司令部里派了大批的武装人把这些热心会务的工人一个个的绑了起来，解进了司令部。

五六十个工人在司令部的荒地上站了一个多钟头，后有一个人来说是杨司令训话。接着杨司令就对工人讲了一大套后，除了三个工人代表外，一律准觅保释放。

三个工人代表在司令部住了好几天，后有工人的代表及代表的家属请求 ××× 设法才得到自由释放了。

三　工统会与工整会时期——第三次及第四次罢工

（一）二次组织工会及失败　上海总工会（即老工会）取消后，即设立了一个工统会，所有的工会都要到工统会去登记。不到工统会去登记的工会就认为不合法，因而也就不能存在。

法电工会也去登记了；于是法电全体工人即在公共体育场开了一个工会成立大会，并由全体工人选定执行和监察委员。这是法电工人第二次组织工会。

法电工人有了团体后，资方对工人的待遇更刻薄，压迫更厉害，这在资方的目的想把工人团体打散。

但是大多数的工人实在再忍不住资方的无理压迫，故即开会讨论怎样向资方提出改良待遇的问题。

然而工人的条件还没有向资方提出，资方却早已得到工贼走狗的报告，即向积极的工人进攻。结果常务委员戴汉森被司令部捕去了，说他是反动分子。后有常务委员陈邦俊，到工统会去，请求工统会设法向司令部保出戴汉森。但是工统会却回答说没有办法。于是陈邦俊即在工统会内闹了几句，到晚上陈邦俊也被司令部捕去了，说他是激烈派。结果戴汉森被判了三年徒刑，陈邦俊判了五年徒刑。

自陈邦俊被捕去后，就没有人敢向工统会，市党部去讲话了。胆子小的人连工会也不去了，这是一班工人受了工贼走狗的谣言恐吓所致的。于是法电工人第二次组织的这个工会，即无形的消灭了。

（二）**走狗的下场**　法电工会无形消灭后，当时被工人指为走狗的车务部一号稽查杨家模没多时也被人暗杀掉了。

原来杨家模被工人揭出他是资方的走狗后，资方就特别优待他，代他领自备手枪，同时资方又送房子给他住。故他一天到晚在公司内，门也不出一步，车务间门口用安南巡捕看门。他以为有这样的布置决不会有什么不好的事发生了，然而他的结果还是得到了走狗的应有的下场！

（三）**三次组织工会**　工统会取消后又来了一个叫做工整会。

法电工人在这时期，因某种关系认识了一个工整会的常委，他的名字叫做刘云。于是法电的工人就想把法电的工会恢复起来。

刘云这时很肯为法电工人出力，他首先即为法电工人设法，把前在工统会时期被司令部捕去的戴汉森，陈邦俊保了出来。这时法电的工人非常的信仰刘云。

其后即在刘云家内开了几次恢复法电工会的筹备

会。参加的人数除工务部十余人外，机务部只陈茂林，徐阿梅，黄全发三人。

法电工人正在忙着筹备恢复工会，一天因发大水，所以到了晚间，应进厂的电车就不能进厂。于是这些电车只好停放在霞飞路上。开车和卖票的工人也只好不回家睡在电车中，不料有一个法国水兵吃酒醉了到电车内拿刺刀把开车的吴同根刺死了！

吴同根的事发生后，一班正在努力恢复工会的热心分子，即加紧必须马上恢复工会的宣传，这样一来，就定期在市党部三楼全体工人开了个工会成立大会，并选定执监委员办理会务，这是法电工人第三次组织工会。

至于吴同根的事，后来能得到较好的解决，这是完全得力于工会。

（四）为争取工会自身利益而又罢工　法电的工人虽两次组织工会并奋斗多次，但是他们的待遇还是非常的恶劣，生活还是得不到安定。故这次他们三次组织了工会后，就接二连三的开会讨论向公司提出改良待遇的条件，共有十余条。

各条件经全体工人赞同后，即向公司提出，并限定资方答复条件的时间。但是资方对于工人所提出的条件一声也不响，而只当没有这回事的一样。后虽经社会局数次召集劳资双方调解，但是资方总是缺席不到，故在社会局也无法进行调解。此时工人实被迫无路，即行罢工。

罢工后工人即组织罢工委员会主持罢工，同时组织纠察队维持秩序。故法电车机两部虽有一千数百人罢工，一点也不混乱。

每一个工人在罢工期内，每天必须分上午和下午到会两次签名报到。

罢工委员会和纠察队每天至少开会一次，每日下午召开全体会员大会，报告每日罢工的经过及讨论应付资方办法等等。

罢工数天后，即有 ××× 出面，代表资方，向工人方面接洽调解，初被工人拒绝，后他会同了市党部的代表及社会局的代表再同工人接洽商谈复工条件。

谈判复工的地点，××× 主张请工人到他的公馆里去谈，工人主张不到 ××× 家里去谈，要在市党部里谈。这时 ××× 无法，即允许了工人所主张的谈判地点，但是工人的代表到了市党部后，××× 没有来，来了一个代表叫做李应生，并开了两部汽车来接工人代表到 ××× 家里去谈判。工人的代表本来不答应，这样，后经市党部和社会局的代表再三请求劝解后，工人代表才答应到 ××× 家里谈判。

工人代表到了 ××× 家没多时，××× 出来和工人代表会面，开始谈判复工的条件。工人方面所提的条件十分之七 ××× 答应了。即增加工资，每日工作八小时，星期日休息全天，退职金及抚恤金等等的条件。于是就写了一张条件的草稿，工人代表及 ××× 双方都在草稿上签了字。接着就谈定复工的日子及资方实行所答应条件的日子。

复工的日子是谈判后第三天，资方实行条件的日子是复工后第三天。如果资方不实行，工人决再实行罢工。

（五）重行罢工及条件谈判的经过　工人复工了三天，资方所答应工人的条件仍不实行。工人没有办法，只好再把工来罢。

此次罢工后，一些工人认为上次所组织的罢工委员会的负责人有几个靠不住，所以把以前的罢工委员会推翻，另组织了新的罢工委员会，并一致推举徐阿梅参加罢工委员会主席团。

自徐阿梅参加了罢工委员会主席团后，罢工委员会工作非常紧张，各工人也都忙得了不得。

过了两天，资方便在公司门口贴出了答应工人的条件的通告。即资方答应每人每日增加工资六分，每日工作时间减少半小时，几项无关重要的条件。当然得不到工人满意，故工人都不睬它，还是继续罢工。

后来 ××× 又派人来同工会的负责人接谈，调解复工的条件。于是工会的负责人即把这接谈的事交给全体会员大会讨论，一致通过，公推徐阿梅，徐茂林，华志勇，汪钧四人为向公司及 ××× 谈判的代表。

第二天，徐阿梅等即赴公司见大班谈判条件。结果大班对于工人所提出的实行八小时工作及星期日全天休息等条件坚决不答应，其余的条件要工人复工后才酌量实行。

当天下午法电工会得到 ××× 的通知，说是法捕房总巡费沃利要请工人代表到捕房谈话。

工人代表徐阿梅等，即和市党部、社会局代表一同到法捕房，××× 派了一个代表来，他本人不到。于是徐阿梅等就表示说今天非请 ××× 来不可，否则什么都不必谈了。××× 的代表听了徐阿梅等的话，没有办法，结果去请了 ××× 来，谈判才开始。

××× 来后，徐阿梅等即向法捕房总巡及 ××× 提出对于谈判复工的几条先决条件：即第一，罢工工资照给；第二，承认工会；第三，工作八小时；第四，星期日休息全天；第五，每人每月增加工资五元。

工会代表所提的第一条罢工工资照给，即由 ××× 拍胸承认说："罢工工资我拿出来，向我算好了。"第二条承认工会，由法总巡费沃利答复工人代表说："这一条你们不必要求的，你们工会只要有力量，就是公司不承认工会，你们还是可以办事的，假使你们的工会没有力量，就是公司承认了，也没有什么用处，所以这一条可以不必谈的。"关于三、四、五三条，总巡也同 ××× 一样的拍胸说道："这几条是正当的要求，有我担保替你们办到。我马上替你们打电报到法国去，这个电报一定可以很快的回来的，一回来你们这些条件就可实现了，我担保，请你们放心好了。还有的条件待你们明天复工后，我们大家再来谈好了。”

工会的代表听了总巡明天要工人复工的话，大家不说什么。可是徐阿梅却不客气的答费沃利道：“我们的条件还没有谈好，根本就谈不到复工的问题。即使我们的条件谈好了，明天也来不及复工。”

总巡听了徐阿梅的话后，即发脾气说道：“你们明天一定要复工，你们不复工，我们就不答应你们的条件，我和 ××× 先生都答应了你们的条件，为什么明天不复工呢？”

几个代表看到总巡发脾气，似乎就怕了起来，什么话也不说了。可是徐阿梅始终同总巡争着说道：“你总巡要我们明天复工，随便怎样都是办不到的。”

总巡钉住徐阿梅说道：“为什么呢？”

徐阿梅很直爽的回答他说：“就是你总巡答应我们的条件，是否能实行，还要打电报到法国，等法国的电报回来才能决定。就是你总巡今天对我们答应及担保的条件，我们几个代表也不能决定复工的日子，必须要等我们明天把你总巡和我们所说的一切报告给全体工人听，如果全体工人赞成你总巡的主张，先复工而后谈条件的话，那么就可复工了。要是全体工人不赞成你总巡的主张的话，那根本谈不上复工两字。”

徐阿梅把这些话说好后，双方都不谈什么，沉默了四五分钟的时候，总巡又开口道：“那么准定后天复工好了。”

徐阿梅道：“这是不能决定的。因为复工的权不在我们几个代表手里，是在全体工人的手里，所以后天能不能复工，要等明天开会后才能决定。”

工会代表出了法捕房，即坐 ××× 的汽车，一直到 ××× 家。××× 就向工人代表说道：“算我触霉头，我答应你们的罢工工钱好了，你们复工后，到我这里来拿五千块钱去吧。”

工会的代表就答 ××× 说：“这怎么可以呢？我们共有一千三百多人，我罢了廿多天的工，这五千块钱叫我们怎样分派呢？”

××× 说：“好好，再加一千块，一共拿六千块去好了。”

徐阿梅很直昂的对 ××× 说：“× 先生：我们罢工到今天为止，已有廿三天了。刚才我们在捕房的时候，

× 先生不是拍着胸膛说‘罢工工资我拿出来，向我算好了’的话吗？我们决不要 × 先生多拿出钱来，我们只要求你按照我们的工资及罢工天数计算，一个也不多要。”

× × × 说：“你们的罢工工资要我全数拿出来这是办不到的，现在我们大家不必多说了，我再加一千块，一共七千块，你们收了吧。你们要明白，这些钱并不是公司拿出来的。是我姓 × 的一个人拿出来的。”

各代表觉得此事实难谈成，因相差的数目实在太多了，所以就不和 × × × 谈下去了。

（六）**开会发生变化**　第二天下午四点多钟，各代表召集全体会员开会，由徐阿梅主席报告昨天和大班及法总巡和 × × × 等谈判条件的经过情形，各工人听见主席的报告大不满意，一致反对主张复工的人，此时时间已六点过了。主席正要付赞成复工与不复工的表决时，会场上的电灯突然熄掉了，于是会场起了一阵骚扰，幸而主席的态度严肃，把这骚扰镇压下去了。

一会儿工人把电灯修理好了，发现在会场上指导工人开会的市党部及社会局的代表跑掉了。

电灯亮后，工人还是继续的开会，一致决定关于复工不复工的问题，等待明天上午九时再开大会来讨论决定。

（七）代表破坏工会　散会后工会代表徐阿梅等即到市党部代表刘云家中，报告开会的结果。后刘云对工会代表说："你们明天不能复工，必须回答 × 先生一声才对。"

工会代表华志勇就说："× 先生那里我们今天晚上一定要去回复他的。"

徐茂林说："那么我们现在大家就去好了。"

徐阿梅不赞成说："今天 × 先生那里，我认为不一定是要去的，等明天上午的会开好，得到一个结果之后，再去告诉他好了。"

华志勇很气愤的样子说："我们答应人家今天开会后给他的回信，那怎么可以不去呢？"

徐阿梅说："不过我们今天开的会是没有结果的，所以没有去的必要，就是去也没有什么话可说。"

刘云抢着说："不要谈了，还是大家去一去吧。"

徐阿梅答刘道："就是一定要去，也用不着大家去，只要一人或两人去好了。”

徐茂林说：“要去大家一道去。”

徐阿梅本想那天晚上不到 ××× 那里去的，但是各代表及市党部和社会局的代表都主张大家一同去，结果坐了刘云的自备汽车到 ××× 家里去了。

××× 一见到工人代表就问道：“今天你们的会开得怎么样？明天一定复工吗？”

华志勇笑嘻嘻的回答说：“明天不能复工，因为我们今天的会没有开好，所以特别来关照 × 先生一声。”

××× 听了工会代表华志勇的话后，即板起了面孔说道：“你们倒便当来向我说一声明天不复工就算了。但是叫我那里有面孔去见费沃利总巡呢？也叫我说明天不复工吗？这我倒说不出口。你们要晓得我姓 × 的能有今天的地位，并不是我姓 × 的有什么本事，全靠着信用才出名的，答应了人家的事，没有不替人家办到的，办不到的事，我就不答应人家。像你们这样昨天答应了人家今天复工的，但今天仍不能复工，这还能做事吗？你们去想想看。”

徐阿梅一点也没有被 ××× 恐吓着，很愤恨的答复他说:“× 先生你不要弄错了，昨天我们并没有答应今天复工，我们只说后天能不能复工，要等待明天开会后方能决定。现在大家不赞成今天复工，那我们做代表的有什么办法呢？”

××× 对徐阿梅看了一看说道:“你们做代表的一点神气也没有。”

华志勇抢着说道:“× 先生：我们神气是有的，但是没有老式（老式是上海白相人当中所通行的话，就是手枪的别名）。”这里可见华志勇走狗出卖工人的无耻勾当了。

××× 说:“呀！你们要‘老式’吗？有的。墨林（× 的用人）：去拿一只‘老式’来。”

不到五分钟，墨林拿了一支六寸长的手枪和七颗枪子，交给 ×××，××× 就把他交给了华志勇，华贼得到手枪说:“那好极了。”

于是 ××× 就很得意的说道:“做代表的是要这样，胆子放大一点才对。”接着他向华志勇说:“那你们用什么法子叫工人明天复工呢？”

华志勇答道:“没有旁的办法，只有今天晚上我们到每个工人家去通知他们，叫他们明天一定要复工。不过我们要是有什么事一定要请 × 先生帮忙的。”这是多么无耻的臭屁啊！

× × × 说：“那你们尽可放心，你们有什么事我一定帮忙，你们不好到公司里去做工，就到我这里来，我一定照你们在公司里的工钱加倍给你们。你们帮我的忙，我是晓得的，现在你们每人先拿两百元去用吧。”

徐阿梅在无耻走狗华志勇的投降和 × 的利诱收买下，很愤火了，他很响亮的说：“请问 × 先生，你现在给我们每人两百元到底是什么意思，我倒不懂得你的意思。”

× × × 即向徐阿梅看了，一时说不出话来，于是就有市党部及社会局的代表向 × × × 说：“× 先生你看错了，他们这几个人都是不对钱看的。”

× × × 说道：“我晓得的，我给他们的钱不是旁的钱，是给他们坐车子的车钱。”

徐阿梅说：“车钱也用不了这么多，况且我们根本用不到什么车钱，就是要用，也不会向 × 先生领取。”

× × × 说：“好了，现在辰光也不早了，那就请你们分头去叫工人明天一定上工吧。”

徐阿梅本想继续的反对华志勇所主张的到工人家去叫工人复工，但是各代表和市党部社会局的代表都同意叫工人复工，所以徐阿梅也孤掌难鸣了。

各代表一出了 ××× 家的大门，徐阿梅就向华志勇等说道：“我们平日在工会开会时，不是时常说，打倒出卖工人利益破坏罢工的走狗吗？但是我们现在做的是什么事？哼！我看你们怎么同工人去说。”

但是华志勇等对于徐阿梅所说的话不睬，他们还是兴高采烈的分派着你去叫那些工人复工，我去叫那些工人复工。至于机务部的工人要叫徐阿梅，陈茂林，何全林三人去喊工人复工。结果只有徐阿梅不去，而反通知机务部的工人说是明天车务部有工人要复工，但是我们机务部复工不复工还是到明天早晨大家到工会开会后再说。这真不愧是工人的代表！

（八）**破坏罢工的复工**　天还没有亮，公司门口已站了不少的人，即叫工人复工的一部分代表，×××的代表，和法捕房的中西包探，还有一些想复工而又害怕复工的开车和卖票的工人。

辰光已到了应开车出厂的时候了，华志勇工贼虽说喊了一些工人来预备复工，可是他们却你向我看我朝你望的不敢进厂，更没有一个敢去开车。

此时 ××× 也来到了公司门口，他问华志勇怎么还不叫工人把车子开出去？于是华志勇就不顾一切的自己进厂去，拿了昨晚 ××× 给他的手枪开了一部电车出来。接着一部分本想来复工的开车卖票的工人也就进厂开车实行复工了。

机务部的工人一晓得电车已出了厂，也就来到了公司门口看着。于是就有何全林等及 ××× 的代表来劝他们复工，可是大家不愿意进厂复工。他们都说徐阿梅说过的，今天复工不复工，必须大家到工会去开过会之后才能决定。

何全林等没有办法，只好对工人说："那么请你们等一下，我去叫徐阿梅来。"于是何全林就到徐阿梅家去了。可是徐阿梅却叫何全林一同到工会去开会，何全林没有办法，只好独自一人回到公司门口再劝工人复工。结果机务部一部分胆子较小的工人被他们骗进工厂复工了。

（九）**工人包围代表**　徐阿梅七点钟到工会，但已有不少的工人在那里推测这次破坏罢工的人是谁了。大家一看见徐阿梅到了，就问徐阿梅到底是谁破坏我们的罢工。于是徐阿梅即把昨晚在×××家里所谈的一切详情报告了工人，各个工人听了徐阿梅的报告，非常愤恨华志勇等工贼，大家都说，我们要把华志勇等狗东西打死！

各工人正在大骂几个代表的时候，陈茂林也到工会来了，各工人一看到他，就把工会的大门关了起来，大家说："不要放他走，今天非打死他不可！"

本来陈茂林不是破坏罢工的主事人，工人一时对他为什么当时不反对华志勇以使华志勇不致出卖人，所以要打死他。于是徐阿梅出来调解，向工人道："你们现在要打死陈茂林为些什么呢？"

各工人说："因为他出卖我们的罢工，同时他也和华志勇一样拿了手枪到工人家去叫工人复工。"

另有一个工人说："我亲眼看见他在桥头拿了手枪喊工人复工。"

陈茂林听了各工人的话笑了笑说："我并没有手枪，

至于有没有叫工人复工，你们问徐阿梅好了。”

徐阿梅说：“各位工友，你们说陈茂林也有手枪，这我可以证明陈茂林他是没有手枪的，如果他真的和华志勇一样拿了手枪去喊工人复工，那不要说你们不答应，就是我姓徐的也不会答应的。”

于是一般工人见了徐阿梅极力为陈茂林证明，故大家也马马虎虎不说什么了。

后来工会里的工人越来越多了，于是大家开了一个会，讨论复工与不复工的问题。一部分工人主张继续罢工，去叫已经复工的工人出来，另一部分工人则主张下午一律复工。其理由是现在复工的人已超过未复工的人数，继续罢工是不成了。结果付表决赞成复工的是比较多点，于是就复工了，这是很令人痛心的事。

（十）签定条约　工人复工后，几个工人代表和市党部社会局的代表，仍不断的到 ××× 家里去，商谈怎样与公司签定各项条件及如何发给罢工工资。

结果是由 ××× 约定了一个日期，在家里签定了一个《法商水电公司劳资条约》。

签定此条约的代表人名如下：劳方代表华志勇和陈

茂林，资方代表 ××× 和李应生，主席委员是社会局第三科科长张廷灏。

工会就把此次所签定的条约印就散发给各工人阅读。但是各工人看了并没有什么表示，这是多数工人对工会已失去信仰的缘故。

然而公司方面对于所签定的条约仍不履行，所实行的只是公司贴出的通告上载明的两项：即一，减少每日工作半小时；二，每人每日增加工资六分。

至于工人罢工的工资，由陈茂林等再三向 ××× 请求，结果 ××× 一共拿了九千块钱出来（另外津贴工会每月办公费二百元）。后来工会就把这九千块钱分派给各工人，不论工资大小，每人派到五元，这五块钱就算是廿四天的罢工工资。这样一来，很多工人不满意工会，甚至连工会都不要去了。

（十一）**走狗捣乱工会**　虽有不少的工人不满意工会，对工会一切都采取不闻不问的态度。但是也还有一部分工人却在极力的想法把这个工会维持下去。

可是刁滑的资本家看到工人对工会的热心，就嫉妒起来，命令大批走狗来捣乱工会；借查工会账目为理由，把热心维持工会的徐阿梅等用绑票的手段，弄到了茶馆内，强迫徐阿梅等交出工会的钱，但是工会里的钱，并不是徐阿梅等所保管的，所以走狗也没有什么办法。

后来走狗们想打徐阿梅等，徐阿梅虽没有被打着，他的父亲却被走狗们打伤了，因此对工会影响非常之大，由于负责人的暂时离开工会，工会一时便成了有名无实的东西了。

（十二）**不灰心**　徐阿梅虽然被走狗们绑了票，他的父亲虽然被走狗们打了一顿，但是他们对于工会的事一点也不灰心。他们不久又回到工会来领导全体工友奋斗了。

不过如果要车务工人来维持这个工会，那就非常困难。因那时资方和一些走狗对于车务部的工人看得非常牢。若有人一到工会或想活动维持工会，那些走狗们，就把你开车或卖票的号头及姓名报告公司，公司立刻就停掉你的生意。所以车务部的工人吓得很多不敢到工会，更不敢为工会活动。

（十三）**一群走狗**　走狗与走狗之间也是有派别的。要把他们分起来，可分为三派：第一是在车务方面的，

为二号稽查李 ×× 等；二是廿号查票刘 ×× 等；三是满天飞查票沈 ×× 等。

这些走狗常常明争暗斗得非常厉害。

机务部是不是就没有走狗呢？也是有的，不过少些。比如新车间铜匠头脑俞 ×× 和老车间小工头脑费 ×× 是。

（十四）**机务部工人单独维持工会** 在工会受到资方走狗捣乱破坏之后，车机两部工人此时立刻共同维持工会是不容易办到的事，徐阿梅等因此向机务部工人计议，首先巩固机务部工人的组织，以便作为整顿全体工会的基础。徐阿梅的主张，得到机务部大部分工人赞同，就把工会改组，各车间选出干事十余人，帮助执监委员推进会务。

从此车务部工人就脱离了法商水电工会的组织。

四 机务部工人单独奋斗时期——怠工胜利

（一）**应付资方借故开除工人的方法** 经廿四天罢工后，公司即用最凶险的手段来对付工人，尤其是一般较热心会务的工人天天有被公司开除的可能。然而事实上车务部被开除的工人要多得多，这是车务部工人完全脱离了工会的缘故。

公司对待机务部的工人当然不会比车务部优待的，恐怕只有更恨嫉吧！何尝不想开除机务部热心工会分子。然而由于机务部工人的团结比车务部坚固得多，公司岂敢不当心。

即使公司把开除车务部工人的手段用到机务部工人身上，机务部工人却用极简单的方法粉碎公司的开除获得胜利。这方法就是当公司借故开除或罚工资的时候，工会马上召集各车间代表开会，推派代表向公司大班交涉，如果交涉无效，各车间工人就实行怠工，一直到取得胜利为止。结果几十次的怠工，没有一次是失败的。

（二）**工头和工会对立**　工人没有组织工会之前，工头在工人中的威力是非常大的，工人的生意完全操在工头手中，他要停那个人的生意，就停那个人的生意，因为工头有这些恶权力，所以一般工人都怕工头。有的还拍工头的马屁，每月每节送钱给工头，如果到时候不送，他就到外国人那里说一声，那你的生意就停掉了。一个新工人进来，只要有一笔钱，向工头送去运动运动，那生意包管成功，所以做工头的坏蛋很多。

但是工会巩固之后，每个工人的生意是有相当保障了。平时工人也不再送钱给工头了，拍工头的马屁的也少了，这无疑是给工头一个极大的打击。

工头受到这种打击后，就拼命的反对工会，时时刻刻的想毁灭工会。后来费 ×× 这个走狗小工头组织了一个机务部全体工头的关帝会，吸收了一些无知的工人来同工会对抗，可是因机务部工会组织得很坚固，工人的团结力极强，关帝会不久也告寿终正寝了。

（三）**机务部工人单独向公司提出条件** 机务部工人在坚强的工会之下团结得更巩固之后，由徐阿梅主张再向公司提出改良待遇条件的必要，这条件就是星期日休息整天，工资照给等。公司接到这些条件，仍是和从前一样不理睬。

工会会员见着公司不理睬的态度，就公推徐阿梅为工会全权代表，向公司大班直接交涉。

徐阿梅接到全体工人的使命后，就和公司大班交涉条件，但是大班的态度非常强硬，坚决拒绝工人的要求，于是交涉失败。

（四）怠工 大班拒绝工人的要求之后，全体工人非常愤恨，即实行罢工来警告公司，使其觉悟。

但是徐阿梅却反对此时主张罢工，其理由是罢工是工人的最后武器，所以非到万不得已时决不使用的。况且除了罢工外，现在还有许多可以争取条件的方法。

徐阿梅所谓这时争取条件的方法，首先是怠工，因徐阿梅觉得如果当时用罢工的手段来对付公司，这种斗争的方式太高，工人的元气未复，又未必能与车务部工人取得一致，力量比较小，公司不一定接受条件。假如用斗争的手段对付公司，这使公司容易接受，因为资方受了历次罢工的教训，也知由怠工而发展成为罢工的危险。于是全体工人一致主张实行怠工。

（五）怠工胜利 工人实行怠工后，公司首先也只当没有这回事一样的不理睬；工人方面也并不派代表向公司讲话。这样经过了半天，到下半天，公司大班态度转变了，通知买办叫工人代表徐阿梅谈话。于是工人所提的条件开始谈判了，结果大班允许工人星期日全天休息，工资照给。不过不是每星期日休息全天，一星期日休息全天，一星期日休息半天，其余的条件也完全答应了。

这次怠工可说是完全胜利了，只是在星期日休息不是百分之百的令人满意，工人最初也不主张复工，非坚决取得绝对的胜利不可。后经徐阿梅向工人解释说，在不利的环境之下，工人的行动当适可而止，工人才答应复工了。

五　一九三〇年的第五次罢工

（一）要求米贴及其他　一九三〇年初，米价不断地高涨，全市各工厂的工人都出于无可奈何向资本家请求米贴。

法电机务部工人也向公司提出每人每月米贴五元，每逢星期日及中法两政府所规定的纪念日应该放假的，一律放假全天，以前未有的封关，今后应当补进去，和公司负担工人医药费，停工工资照给等条件。

公司接到工人的要求后，仍是抱着不理睬的态度来应付。但是工人方面过了几天得不到公司答复，大家推派徐阿梅等向公司交涉，一连交涉了几次，没有结果。于是工会就召开全体大会，一致决定，实行怠工。

怠工后，各工人认为此次向公司提出的要求过高，恐一时难得解决，故即组织怠工委员会来主持怠工时的一切事务，另组织纠察队维持秩序。

公司对于工人此次的怠工，非常恐慌，故即叫工人代表谈话，大班极力劝解徐阿梅等命各工人不要怠工，但大班对于工人所提的各项要求无切实的答复，故工会代表即拒绝了大班的劝解。

后由法捕房政治部华督察长陈志卿先生会同公司买办沈叔眉先生出来向工人调解，首先答应每人每月米贴一元五角及星期日一律休息全天，至于中法两政府所规定的应放假的纪念日，一律照旧，不增加。

但是各工人一致主张非达到这次所提的各项最低要求的目的不可。

怠了半天工后，大班复叫工人代表谈判条件，结果大班答应了各条件，即星期日一律休息全天，中法两政府所规定应休假的纪念日一律放假全天，工人有病可住医院，发给工资半天，若因公受伤得病发给工资全天，米贴每人每月一律发给三元。

大班把工人所提的条件谈好之后，忽然向工会代表道："你们这次所要求的米贴是不是代表你们工会方面的工人所要求的？"

徐阿梅听了大班的话后即回答道："不，我们是代表全公司吃米的华人所要求的。"大班听了徐阿梅的回答后，表示"满意的"笑了一下。

后来工会代表召集各工人把大班所允许实行的各项条件向全体工人详细的报告了一下，大家听了甚为满意，于是即复了工。

（二）**职员组织团体**　法电的职员，他们大部对于工人是很轻视的，他们以为自己的一切都要比工人来得高尚。

但是这一次工人为他们要求米贴，这是想不到的，同时他们领受这米贴，心里似乎也有些过不去。有几个职员说："我们的知识比工人好，我们的地位也比工人高，我们应当替工人谋些利益才对；但是我们现在不但不同工人谋利益，而反要工人来为我们谋利益，真是惭愧得很！"

于是这班人就发起了一个全体职员聚餐会，参加的职员共有二百余人。全体职员在第一次的聚餐会的当中，即大家议定决成立一个职员会，并推定了几位负责人进行一切。

但是职员聚餐后的第二天，公司方面知道了，而且知道得很详细。于是大班即把在聚餐会当中所推出的几个负责人叫到写字间大骂了一顿，同时通知他们道："若你们再聚餐，要和工人一样的组织团体，那我把你们这几人立即开除。"

于是职员进行组织团体的事就停止了。

（三）**工人又提出条件**　自工人要求米贴得到胜利后，英电工人也向公司提出要求，但是英电公司方面不答应，以致引成英电工人的罢工。

英电工人罢工后，即派代表来到法电工会请法电工人援助。

法电工人为了援助英电工人的同情罢工起见复向公司提出各项条件，并令公司实行在一九二九年由×××先生等出面所签定的各项条件，若公司不答应，也决用罢工手段对之，达到英法两电同盟罢工及同一胜利的目的。

但是法电工会和工人正在积极对公司交涉条件及布

置罢工的时间，英电工人复工了。于是法电工人对公司进行交涉条件较松了一点，同时法电工会即召集全体代表大会讨论对于公司所提的各项条件的问题，一致议决继续积极进行交涉，一方面呈请社会局调解。

后由社会局数次召集劳资双方进行调解，但是资方始终不出席，于是社会局的调解即宣告失败。后由社会局呈请市政府仲裁。

工会方面看到社会局无法进行调解时，复派代表向公司直接交涉，并限定公司答复条件的时间。

（四）怠工不成　到了限定公司答复条件的时间，可是公司没有答复。于是工会即召集全体会员大会讨论应付办法，一致议决实行怠工。

法捕房及 ××× 得知法电工人又要怠工后，××× 即派人把工会代表找了去，关照道：“你们明天无论怎么样不可怠工或罢工的。你们要晓得五月里是不好罢工的，政府方面是禁止的，只有共产党才主张五月里罢工，故主张在五月里罢工的人就是反动分子，所以你们明天一定要怠工或罢工的话，即你们一定要吃亏的。”

徐阿梅听了 ××× 的话即回答道:“× 先生，你要晓得我们工人本也不愿意罢工，但是公司方面不肯谅解我们工人的痛苦，不但不肯谅解反而天天加紧的来压迫我们工人，并不守信用，比如去年由 × 先生出面同我们所签定的各条件，但公司到今天尚未一条条的把它实现。所以我们现在决定从明天起一律怠工，实是出于不得已的事，希望 × 先生帮忙并谅解。”

××× 道:“你们要我帮忙，我是没有不帮忙的，不过你们要在五月里实行罢工，我是没有办法帮忙的。假使你们肯听我的话，明天不要罢工，过了这个五月，你们再罢起工来，那我一定大大的帮助你们。”

徐阿梅:“那我回去同工人商量商量看，假使大家赞成明天不怠工的话，最好，如果大家明天一定要实行怠工，那也是没有办法的。”

×××:“阿梅你一定要设法劝工人在五月里不要罢工，要罢工过了五月再罢工好了，到那时你们罢工我一定帮忙。”

徐阿梅答应向工人去劝劝看，就回来，当晚召集了各车间代表把 ××× 说的话报告了一下，各车间代表主张决依照大会的议决案做去，明天准定实行怠工。

到第二天早上公司门口来了不少的法捕房的中西探捕及 ××× 方面的人，要徐阿梅劝工人不要怠工，于是在公司内的一块荒地上召集全体工人大会，由徐阿梅把 ××× 所说的在五月份不可罢工，及劝工人千万在目前不要罢工等语向全体工人详细的报告了一下。

但是出于意外的，全体工人听了后，犹豫不决，大家一句话也不说，于是徐阿梅即付了两个实行怠工与不怠工的表决，可是全体工人对这两个表决不赞成也不反对，始终没有人举手也没有人表示意见。“我们这次向公司所提出条件，是不是应大家需要而提出的？同时是不是大家的主张？”徐阿梅大声向全体工人说了以后，一班工人忽然似乎觉悟似的说道：“提条件是我们大家的主张，我们一定要公司实行这些条件。”

“昨天开会时，大家不是说今天非实行怠工不可吗？那么为什么我今天付表决时大家都不响了呢？”各工人仍是不说什么。于是徐阿梅复说了些鼓励工人非向公司争到所提出的条件不可，后即下命令式的对各工人说道：“假使大家赞成今天定要实行怠工的话，那大家不要散，仍聚在这里；如果大家赞成今天不怠工，而主张由代表再向公司继续交涉各项条件的话，那请各车间工友回到各车间去工作。”全体于是回到各车间去工作了。

公司以为这次工人决定怠工而不怠工是工人对工会已失去了信仰的缘故，所以即设法通过捕房的关系收买了一批堕落的分子为走狗。这次受公司收买而甘心做走狗的工人，一共有三十余人。

（五）**法捕房包探请客**　法捕房政治部的负责包探因法电工人时常发生工潮，同时无法得到工潮发生的消息，所以也很想收买几个法电工人做他的走狗。结果由毛 × × 等为他找到了几个法电工人的关系，就是走狗徐 × × 等数人，于是他即请客，并开长房间给走狗们集会讨论如何破坏工会，等等。

（六）**走狗的破坏工作**　他们每天除吃酒白相妓女外，讨论了些如何来消灭工会，结果他们是决定了破坏工会的几个步骤。

他们认为要破坏法电工会首先要把徐阿梅去掉，如果不把徐阿梅弄掉是没有办法的，所以他们决定要弄掉徐阿梅，并决定了三个办法：（1）运动党部控告徐阿梅是共产党。（2）如果告不准，用绑票手段对付之。（3）若绑票不成即用暗杀手段对付之。

结果走狗的三个办法，被全体工人及徐阿梅知道，用一种极巧妙的方法抵住，而吓得他们不敢实现他们的办法。

（七）徐阿梅被开除　一班走狗想用非法手段对付徐阿梅不成后，即报告公司开除徐阿梅。公司采纳了走狗的话，即无故开除了徐阿梅。

徐阿梅被公司开除后，并没有说什么，就一声也不响的回家去吃午饭了。

可是全体工友得知徐阿梅被公司无故开除后，非常的混乱，有的主张立刻实行罢工恢复徐阿梅的工作，有的主张包围大写字间与大班讲理，有的主张问过徐阿梅后再来决定对付的办法。

不到一刻钟放工吃饭了，于是一部分极热心团体的工友就饭也不回去吃，都到徐阿梅的家商量应付办法。但是徐阿梅却不愿意发表意见，他说："你们在平时都说拥护我，今天我倒要看看你们了。"

这些工人听了徐阿梅的话后，即说道："我们下午一致怠工叫公司恢复你的工作就是了。”说好，这班工人就分头去进行下午怠工的事了。

徐阿梅听了工人下午要怠工的话，也不说什么，只笑了一笑。他吃过饭到工会去走过公司门口，看到许多工友聚集在一块在开会了，有的工友看到了徐阿梅很亲热的来叫徐阿梅进公司去开会，可是徐阿梅却回说：“我已被公司开除，所以不能再和你们在公司内开会了。”

一班走狗见到各工人要开会要怠工来恢复徐阿梅的工作，即向各工人活动，劝阻各工人不要开会，不要怠工，他们说：“对于徐阿梅的事，慢慢去同大班说好了。”结果这班走狗被几个火性大的工人骂了一顿。

（八）实行怠工　机务部全体八百余工人开会一致议决即刻实行怠工，叫公司恢复徐阿梅的工作，不达到目的决不复工，于是全体八百余人即实行怠工。

这一次怠工的特点，非常的整齐，每一个工友的情绪也比任何一次怠工的情绪来得高涨，对于一班走狗及公司都是非常愤恨！

公司大班一得到工人实行怠工的消息立即赶到公司叫工人推派代表谈话，后即答应恢复徐阿梅的工作。

（九）徐阿梅提出复工条件　大班向工人代表答应恢复徐阿梅的工作后，一班工友即到工会内去请徐阿梅到公司工作。但是徐阿梅却不愿同一班工友到公司去做工，他说："没有这样便当，他们要停就停，他们要我做就去做，这不是寻开心的事。"

各工人听了徐阿梅的话后，即问道："那么照你的意思怎么样呢？"

徐阿梅："我的意思，必须向公司提出对于我的复工条件：（1）要公司保障以后没有同样的事发生；（2）要开除我的外国人巴拿向全体工友道歉；（3）要大班的汽车接我复工；（4）要公司当我进厂时放一百洋钿鞭炮对全体工友表示歉意。"

但是徐阿梅为什么提出这四条件，在他个人认为他所提出的要求，公司方面是决计不会答应的，实在他的目的想把这怠工而转变为罢工，对于前向公司提出的各项条件作一最后的解决。

工人的代表即把徐阿梅提出的条件向公司大班提出，首先大班坚决拒绝。后来看到全体工友对于所提的要求也非常坚决，决无退让的可能，于是即答应了徐阿梅所提的四项要求。

（十）欢迎徐阿梅复工　大班的汽车直放到法电工会的门口，请徐阿梅登车进厂复工。于是徐阿梅就很得意的坐上了大班的汽车，一路放着鞭炮，到公司门口全体工友排列两旁大放鞭炮，鼓掌，挥帽欢迎，徐阿梅就在全体工友这样热烈地欢迎和庆祝声中进了公司，并立即召集全体工友作了一次很简单而又是有力的鼓励和感谢全体工友的演讲。

至于徐阿梅所提的第二点要开除他的法人巴拿向全体工友道歉，没有完全办到，因当时巴拿已逃跑了，后由公司买办再三向工友讲好，由他代表巴拿向全体工友道歉。

（十一）走狗集会　全体走狗当天的晚上即到法租界大陆饭店，会议关于徐阿梅被开除而复工出风头的事。

公司开除徐阿梅本是走狗的主张，所以当巴拿把徐阿梅开除后，每一只走狗的心里都是非常得意，他们以为他们的大功这一次一定可以告成的了，他们决想不到全体工友会立刻怠工，更想不到大班会允许徐阿梅恢复工作，并答应徐阿梅的复工条件。所以他们怨恨大班胆子太小，他们说："很好的一件事给大班弄坏了。"最后他们议定对徐阿梅决用暗杀手段对付之，他们说："让他今天出风头好了，不过他还有一趟风头好出，就是等他大出丧时再出一出风头。"

（十二）工会召开部务会议和全体大会　自徐阿梅被开除的事发生后，各走狗即拼命的活动，拉拢一部分知识较低的工人来捣乱工会。

工会负责人徐阿梅等看到如此情形，为加紧团结起见即开执监会议决轮流召开各间部务会议，整理内部，劝各工友不要受走狗的利用，劝已受公司利用的走狗赶快觉悟过来，并讨论对公司前所提的条件应如何争取解决。

各间部务会议的结果很好，大家一致主张限一些目前走错路而为公司做走狗工人最短期内彻底觉悟，否则一律打倒之。

对于向公司所提的条件再请社会局召集调解，若社会局调解不成，实行罢工。

开过部务会议后，工会即进行申请社会局召集资方调解，后虽经社会局多次召集劳资双方进行调解，但资方始终不派代表出席，故社会局也无法进行调解。

社会局的调解宣告失败后，工会即发出通告召集全体会员大会，形势非常地紧张，由徐阿梅主席报告部务会议及社会局调解不成的经过，全体听了主席的报告后非常地愤恨，一致决定实行罢工。

后由市党部的代表许也夫再三劝解全体工友不要立即实行罢工，但是全体工友不听非要立即罢工不可。

结果由主席徐阿梅提出即由工会去信通知公司大班限三日内答复所提的各项条件，如无答复三日后全体工友一致实行怠工的主张，全体工友一致赞成通过。同时把工贼捣乱工会和谋害工会负责人的阴谋，当众揭露，使工人更加提高了拥护工会，保护负责人的热心和警惕。

（十三）全体怠工　开过全体大会后，工会方面仍派徐阿梅等向公司大班作数次最后的要求谈判条件，但是公司方面不管工人的代表怎样讲，总是拒绝工人所提的各项要求。

到了限定公司答复条件的日期（即六月十七日的晚

上），全体工人即自动的集众在公司内荒场上开会，请徐阿梅报告在最近三日内向公司交涉条件的经过情形。于是徐阿梅即把公司拒绝各项要求的实情作了一次详细的报告。全体工人都是非常地愤恨，于是一致决定从明天起实行怠工。

十八日全体工人进厂后果然一律怠工。

惟此次怠工与往日的怠工不同，此次形势非常紧张，法捕房即派出大批的探捕到公司门口监视工人的行动。

全体工人恐发生意外或与捕房发生一种无谓的冲突，故即选定怠工委员及纠察队来主持怠工及维持工人的秩序。全体工人怠了一天的工，可是公司早已下了决心，故对于工人实行怠工完全不睬，而只当没有这回事的一样。工人到了放夜工的时候仍在公司内的荒场上开了一个大会，一致决定明天还是继续怠工，一直到公司觉悟时为止。

（十四）怠工转变罢工　十九日早晨全体工人仍和往日一样的想进公司，可是今天已办不到了，公司早已把铁门紧闭，公司门口并派有大批的中西探捕把守，驱逐工人进厂，于是全体工人被迫不得已而实行罢工。

公司发出通告，十八日全体工友怠工之后，公司到晚间贴出通告，略谓：本公司因车床间等部工人于六月十八日不愿工作，决将车床间及厂方门户关闭，俟该工人等通知公司，愿照现在待遇办法，实行复工，再行开始，特此通告。西历一千九百三十年六月十九日本经理白云云。

（十五）开会被阻　全体工友看了公司所贴出的通告，心里都是非常地愤恨！于是大家即到工会内去开会，可是等到全体工友到工会，工会内已坐了大批的公安局派来的包探，阻止工人开会，结果各工友无法，只好暂不开会。

这样一来，徐阿梅等即向市党部及社会局去报告被迫罢工的经过及请准予开会等等。到了下午工会内的包探完全撤退了，这或许是已得到市党部和社会局通知的缘故。

（十六）全体大会四项议决　十九日下午三时机务部全体在华界鲁班路会所开全体大会，议决（1）全体工友每日上午九时及下午三时，须两次到工会签到；（2）

发表泣告各界请求援助书;（3）呈请市党部社会局调解;（4）组织罢工委员会及纠察队。

（十七）扩大宣传请求援助　全体大会之四项议决案，确定了以后斗争的领导机关与罢工纪律，同时向市党部民训会呈请备案，并请求惩办勾结资方破坏工运之走狗，要求按址拘捕，处以重惩。一面向工会发出宣言，说明工友生活日高，米珠薪桂有增无减，向资方提出之条件于法律于情理都有根据，并无过分之要求。讵外国资本家惯施其压迫之手段剥削我国工友，毫无商量余地，竟将少数工友逐出，复将铁门锁闭，我们的罢工可以说完全是资方造成的，希望各界同胞多多援助云云。

二十日机务部七百余人，到西门公共体育场开全体大会，由徐阿梅主席，市党部代表许也夫出席指导，讨论关于厂方雇用白俄工作，破坏工运案，议决呈请上级机关向厂方交涉。其次致函劝在公司华籍职员，请求援助。其内容为：

“此次向资方提出条件，原为生计攸关，——况我同胞，稍具天良，无不愤慨填膺，敝会当率全体工友，誓死奋斗，不达目的不止，相应函请查照，即希同志本同胞互助之精神，振臂而起，以援工友，不胜感激涕零之至”云。

致函 ××× 请求援助，其原文如下：“×× 先生大鉴：敝会工友，不幸此次竟遭厂方拒绝，迫成罢工，三日以还，毫无结果，群情惶骇，惊异莫名，设再长此以往，行见扩大风潮，兹经罢工委员会议决，请求各界一致援助，……为此函请先生，鉴核赐于指导，加以援助……”此外，工会见公司华员尚无表示，特再函请华员援助，同时发出请求本市各级党部，各级工会声援书。浦东各工会如日华纺织工会，祥生铁厂工会，英美烟厂工会，太古三北轮船装卸工会等联合发表了声援宣言，使工人情绪为之一增。

公司方面之各种损失：自机务部工友罢工以来，公司虽雇用白俄一二十人，充任修理机务，但仅能修理极普通之机件。加以当时天气阴雨以后，公共汽车无轨电车，损坏者不计其数，连日由卢家湾达十六铺之六路十路电车，仅有三四辆开行，乘车常须等半小时之久。而火车站西一路之自来水总龙头管子，忽于二十二晨爆裂，以致积水成潦，公司方面即派法人五名，并向工部局雇用马路小工二十余名前往修理。机务部工友二百余人乃往阻止，以促公司当局之觉悟，而公司已预商由华界兵警及法捕房包探等数十人，武装警卫，各工友睹状异常愤慨，即回工会讨论应付办法，决定当日下午三时假公共体育场开第二次工友全体大会。当工友回来时路过徐家汇路菜市路口，有一部分即将六路第十七号电车各拾砖向车乱掷，当时车上之玻璃均被击碎，后始各散去。

全体大会：在下午三时全体工友均集于公共体育场，由徐阿梅主席，议决三案：（一）资方应保障工人生命；（二）罢工期内工资照给；（三）驱逐白俄在厂工作。当经全体工友一致通过，交罢工委员会逐项执行。

惩办走狗：有陈乔松者，亦是工会的执行委员，在罢工期间亦为罢工委员，可是竟甘心受资方之利用，煽动工友，阻止工运，造谣惑众。一面呈请市党部法办外，当由罢工委员会讨论议决扣留，召集董家渡全体工友，证明确实，遂一致议决扣留，送至公安局严予究办，以作破坏工运之警戒。

英界交通受影响：法电无轨电车，原系通行英租界，自罢工后电车损坏日多，以致开驶之车仅有数辆，且行过英租界时班次不能规定。英租界当局深恐发生意外，故于二十五日下午二时起，凡法租界十四、十七、十八路无轨电车，暂全停驶英界；而英界之电车亦不通行于法界，须待罢工解决后，才恢复原状。

住户电灯突然灭熄：在平时机务部接线班工友，每夜须出外修理电线，否则常有烧坏之危险。在二十五夜间法界内中外住户数十家，均以电灯熄灭，而纷纷函请公司即速派工人修理，每日接获此项信件，不下十余封，但公司因工人罢工后，实无应付办法。

闸北各工会开联谊会：如商务工整会，商务总务处职工会，英商自来火行工会，华洋印刷工会，北区第七八工会等三十余工会，到代表六十余人，议决，发表宣言，援助法商水电公司罢工，并派代表慰问罢工工友。

罢工委员会为了与各界取得密切的联络及帮助起见，特在公共租界天后宫桥，闸北宝山路，法界爱多亚路三处增设办事处，以其与各界联络，扩大罢工之运动，决定与资方作长期之奋斗。二十八日下午三时，工会召集了临时会议，讨论应付厂方步骤，当时决定在二十九日上午九时开罢工委员会全体纠察队联席会议，讨论紧急问题。

（十八）**电车机钥被抢，车站秩序大乱** 约在上午十时半左右，行驶斜桥至十六铺之法电六路电车，正由南北驶，行经方浜桥站，司机正将车刹停时，忽有形似工友者数人，由车中拥出，将司机人抱住，一人即将电钥夺攫而去。司机停止车头，呆若木鸡，不知所措，约数分钟，吓得不敢声张。正在是时又有六路三十二号电车由北驶南，行抵白云观，三路廿号由南向北，至京江公所附近，亦遭同样将机钥夺去；司机者各呼捕，但均无补救办法。又有三路电车第四号，三十六号，三十九号等，正由北南开，行抵小北门站，五路十四号，由北向南，行至西门站，一九号及六路二号，由北向南至方浜桥站时，均被工人用同样方法，将机钥由司机者手中夺去。同时法电二路电车廿五号由南向北，行抵新开河站，又二路一〇五号行抵贝当路站，一路七号至华龙路站，五路六号在西新桥站，六路廿一号在小北门站，二路一〇〇号，一一八号亦被抢夺而去。顿时各站秩序大乱，观者塞途，一切交通完全为之断绝。

法捕房及公安局二区总署及一区一分所，各派大批武装警察巡捕，包探，分别出动警戒保护，一面派工人随带机钥，将车驶回卢家湾停车厂，一面派便衣警察探捕，随车保护，一直到正午十二时以后，始恢复原状。公司的损失很大，同时罢工运动之影响更扩大了。据事后调查，纠察队表现了非常的英勇和行动上迅速一致，不过非常可惜的，有周阿六、刘桂生等三工友因而被捕了。

（1）公司布告　六月三十日公司贴出第四次布告，略谓：敝公司自十八日发生工潮以来，用户方面诸多不便，深至歉仄，兹定于七月一日起招添新工，恢复工作，诸希周知云。

（2）工会大会　工会得悉厂方发出通告后，认为公司当局毫无诚意，遂于三十日下午三时在西门公共体育场开大会，讨论应付方法，出席工友六百余人，公推徐阿梅主席，报告最近布告及前日法捕房逮捕工友三名，及二区公安局逮捕工友一名之经过，旋经全体工友讨论一致议决：关于公司布告招用新工案，全体工友随时调查，有无新工进厂工作，报告工会；关于被捕工友案，呈请市党部社会局及函请法租界华董杜月笙转至法捕房，限于二日内即行释放，并决定后日开全体会员大会。

三十日开大会前之纠纷：当机务部全体工友正列队由鲁班路会所前往公共体育场开会时，行经斜桥，适有法商六路十八号电车一辆，由北开来，驶入华界，该司机人将车开足速率希图冲散工人，当时撞伤工友朱光德腿部甚重，致路上群众及工友异常愤激，乃上前与司机人理论无效，遂群将该车玻璃击碎，时有卖票头目在上，声势甚凶，即主使开车横冲者，均被石块击伤，后由华警赶到排解后，一场纠纷始未扩大。

爆电箱、断电线、熄电灯：在一日上午九时，在康悌路北首有一无轨电车，电线忽然中断，又在爱多亚路口有一电车忽然爆裂，不能行驶只得停在该处，因工人罢工无人修理，使交通受了很多困难。在霞飞路至徐家汇一段路灯忽坏，达三四十盏，行人大感不便，因此厂方急于招得新工，但应招者寥寥无几，计一日上午有新工二十余人，进厂工作，后经罢工工人分头劝告，该新工友等深表同情，下午即无人到厂工作，并闻新工友进厂工作半日并未领得工资，因此出厂时有将铜件顺便带出者，厂方意图破坏工友团结，结果反而又受一意外损失。

（3）捕房戒严，工人沉静　罢工工人为对付厂方招收新工之不良行动起见，工会召集临时会议，告诫工友严守纪律，故并无严重事件发生。工会宣传队全体出发，于午时新工人出厂时纷向劝导，当时法租界空气顿形恐惶紧张起来，各路电车站口，特增法捕四名，并派大批武装包探及便衣包探，四出梭巡，戒备极为森严，可是工会宣传队，还是按计划达到了宣传的目的。

（4）大雨倾盆全体大会　工会原定七月二日午后二时在公共体育场开大会，后以公共体育场因大雨倾盆一片泽国，即改在附近旷场开会，六百余工友，衣履尽湿，仍坚决表示奋斗到底。

由于工人的团结与坚持，使厂方损失渐多，因新招来之少数工人，又不谙修理，致厂中之三线已坏去两根，如果完全坏了，则全法租界之电将发生影响，自来水总管因连日阴雨，逐渐发生障碍，电车汽车亦均相继不能行驶；住户电灯不亮情形，更是日渐增多，又以七月十四日为法国民主纪念节，向例公园各处均扎各色电灯以志庆祝；因此公司方面渐趋软化，不得已商之于 ××× 请其出任调解。工会以公司当局既已允开谈判，当于三日下午三时，召集临时谈话会，推举徐阿梅等四人出席谈判。社会局方面亦以工潮久延不决，所以也派第三科科长张廷灏召集工会代表谈话，当由徐阿梅代表工人与之接见。

经人调解斡旋之结果，被法捕房拘捕之工友，周阿六，柳林生二名，当晚经调解人保释，交工人代表带回，完全恢复自由，至于被公安局拘捕之宋有兴，亦允当晚释放。

工会代表将接洽经过提交全体大会讨论，工友一致均请调解人先允条件，然后复工；当时陈继蕃，崔广余在会场等候消息后，即返至调解人处报告经过。

（5）允三条件　由 ××× 调解后，即答应了工会所提之三项先决条件。①罢工期间，工资照给；②增加工资；③抚恤金。

通过后工人并决定四项要案。陈崔二代表复到工会报告已许之三条件后，当召集大会讨论，略谓：三条件口头已允许，应定期实行，至于其余条件，在复工后，仍须继续交涉，当经调解人代表允为转达。于是全体工人又议决：①厂内白俄及新工一律出厂；②明日上午九时整队赴厂工作；③十四日前如条件不能履行，仍继续罢工；④罢工委员会依然存在等，要案多件。

（6）改期复工　因工会所提之先决条件中，除三项条件外，并须释放工友，可是被拘于公安局之宋有兴工友，已转送临时法院，若欲保释，还要经过许多手续，于是工友均认为不能满意，拒绝复工，后经调解人往返商磋，决定七日晨八时复工。而在五日下午被法捕房捕去之工友周阿龙等三人，亦于六日下午三时保送至工会，宋工友亦由调解人负责于当日恢复自由。

工会重新讨论复工办法：六日下午三时，工会召集代表会议，讨论议案。①厂方允许三条件，应由调解人负责，会同市党部社会局签字实行；②宋有兴被捕，应于今晚（七日）释出；③厂方应将新工及白俄完全退出；④破坏分子，如果仍照前日情形，应由法捕房拘办；⑤厂方应在工人复工时，将大门开放。以上条件如不能达到，则仍继续罢工，而工会所组织之罢工委员会，纠察队，暂时不取消，以须等待各项条件办到后，正式复工开始时，始行裁撤。

（7）厂方无诚意复工又变化　当众工友按照决定，于七日上午八时集合进厂复工之际，忽见厂方贴出布告，略谓“本公司于上月三十日所招之新工人，兹定于本月九日（星期三）上午七时期满，凡所有新工人，及十八日起罢工之工人，均可来厂报到工作，但是额满为限，特此周知”云云。全体工友瞥见此项通告后，均愤不可遏，得悉厂方对新工人及白俄并未加以裁撤，且对所允之三项条件，亦未正式签字，一致认为厂方毫无诚意。于是临时全体决议，遵照工会决定继续罢工，以促公司之觉悟，并派代表面谒调解人请其主张公道。可是调解人闻得是项消息后，以厂方发出此项通告，事前并未得悉，于是工人继续罢工，觉得有些进退为难，只得当面申言，以后不愿过问此事，听其自然，态度表示异常消极，并借口将于一二日内赴杭一游，借豁胸襟，至是劳资双方之斗争，又进入更紧张之阶段了。全体工友均抱定资方一日不签字答复条件，则工人一日不复工之宗旨，继续斗争坚持到底。

工会根据全体工友之意志，将调解经过情形，呈报市民训会鉴核，并请求援助。八日下午召开第八次全体工友大会，因会址过小，即在公共体育场举行，事先呈报上级，市民训会特派许也夫到场指导，公安局亦派警员前来维持秩序。由徐阿梅报告昨日预备复工情形，及今后对付办法，经众举手议决，不签字，不复工，坚持到底。徐阿梅又谓：连日本会开会，及办理复工事，市党部未派代表出席，本会有所疑问，今请许也夫先生出席解释云。当由许也夫说明二点，略谓一方面因有私人调解，未便参加出席，其次，若无市党部命令参加，私人亦不能出席云。

（8）开会发现工头　当大众正在讨论之际，忽发现工头十余人参加会场（按工头认为非属工友，故不得加入工会），意欲向工友说明，由他们代表工友，往厂方接洽条件，征求各工友意见。即经全体工友一致认为此项行动系属资方走狗，严加拒绝，故各工头乘兴而来，莫不扫兴而归。

（9）组织后援会　工会鉴于工友虽团结一致，然力量尚须增强，即由工会推派代表，分赴各工会接洽，请求援助，并报告法商厂方，无理压迫及欺骗之经过事实，各级工会，均义愤填膺，非常同情，决定积极推行援助办法，及发表宣言等行动。至十一日上午召集了各工会代表，讨论组织法商水电罢工后援会之办法。

（10）赴市党部请愿　十日上午十时许，全体工友在卢家湾集合后整队至林荫路市党部请愿，提出三项要求：

①请释放工友宋有兴，如市党部无答复，则将赴公安局及法院请愿；

②追押破坏工运之陈乔松；

③资方摧残工运，请市党部援助。当由党部职员答复，第一项由党部修函法院，请即释放，但以法院已将宋判公决无结果，第二项由主管军政会议决定致函公安局办理，第三项由军政会议决定再办。工友鹄候很久，始乃整队而回。

（11）电车被毁　因公安局态度之强硬，及压迫过甚，且于十日有越捕开枪情事，虽然没有伤人，但已引起大众的反感；在十日下午一时左右，法华交界一带，突有工人将法商电车六辆，所有玻璃全部毁坏，当时公安局岗警及法捕等，闻讯后均匆忙赶到，极力遏止，并开枪数响，幸均枪口向空放，致未肇祸。至于被毁车辆，由厂中另派白俄，将车驶回。当日未能将法华两界交通恢复，到夜间，在南洋桥及皮少耐路一带又有电车四辆被击毁，有一辆连电箱也完全损坏了。待捕房得悉派探捕赶到，一班工人早已不知去向了。

（12）华法电车不通　自电车不断被击后，市党部函法商水电公司警告，并由市政府去函法商电车公司，即日停驶华界；因法电公司并未在中国官厅注册，偶在华界发生事故，无保护之必要，故华界当局通知在工潮未解决前，在华界行驶之电车暂时停驶，于是三五六等路电车，自十一日起一律暂时停驶。

（13）党政军开联席会议　十日下午市党部、警备司令部、市政府、公安局、公用局、社会局等机关代表十余人，讨论法电工潮事项，拟定数项办法，直至六时许才散会云。

（14）罢工工友会议　下午三时工会全体工友集于体育场举行会议，讨论结果：①董家渡法商自来水厂，公安局派武装警察八名保护，应如何对付案，议决呈请市党部调查确实，致函公安局撤销该项警察；②某报对于本会罢工重要消息，不予尽量登载案，议决呈请市党部致函该报警告，以后关于法商水电工潮新闻应尽量刊登，并请新闻界尽量登载罢工消息，以促公司当局之觉悟。

（15）水管坏电灯熄　法电自来水总管，在南车站西，共计四根，计三十二寸一根，二十四寸一根，十六寸两根，第一次损坏者为二十四寸水管，旋即修复，在十一日晚上九时埋设南车站西首及打浦桥两处之自来水管，一为三十二寸，一为二十四寸，因被人将该两处总管关闸，以致水管不堪涌涨，顿时爆裂，均告损坏。以致十二日起，法界之自来水顿受影响，用户均感水混浊不堪食用，而公司也苦于不能派人前往修理。十二日晚上，爱多亚路嵩山路东之方棚间，有一部分机器损坏，因电力高压，若不紧急处置，则界内立有危险之虞，旋查天主堂街方棚间亦有同样弊病，于是即将发电机关闭，而界内遂有数段停止电流，顿成黑暗世界，热闹区域商店尚在营业时内，都感到十分不便。而公司因工潮关系，致不能很快的修理恢复起来。捕房方面，深感匪类乘机抢劫，特派巡捕加紧梭巡，直至十三日下午五时，才将电线修理完竣，恢复原状，而十四日为法国民主纪念日，按向例举行盛大之灯会，厂方恐又有此项不幸事件发生，即派人商之于 ××× 特请各罢工工友在此两日内，勿在外有所举动。当由工会常务委员徐阿梅答复，工友举动极为和平，至于水电及电流之发生事故，系新工人不谙修理，致骤告损失，乃是必然的事。

自来水管损坏后，薛家浜，陈家桥等号，几成泽国，致华商电车一路四路不能开行，只得临时改变路线，而法电公司方面当即派工前往修理，并由市政府饬令公安局保护，工友萧正发以劝阻新工修理水管，被公司西人击伤手腕，由二区警署解公安局候询，工会即呈请市党部准予保释。全体工友得悉公安局派武装警士保护公司修理水管，非常愤怒，一致认为中国官厅，既认法商未在中国官厅注册，自无保护之必要，而迭次维护法商修理水管，则罢工胜利不知如何才能达到。因此特由工会召集临时谈话会，决定再向市党部请愿，要求取缔公安局该项违反罢工斗争之行动，以保工人之福利。

（16）二次请愿　工会鉴于公安局武装保护公司修理自来水管事特派代表赴社会局报告。同时在十五日上午，赴市党部请愿，由民训会杨先生接见工会代表，当允代转各委，准于设法援助。当日公安局长又召集工会代表谈话，略谓，望工友取沉静态度，致免意外事端云。可是法界电车之被击掷，还是时常发生。

（17）各业工会积极援助　上海各业工会因法电工潮已届一月，未得解决，特召集代表大会，前述法商水电罢工后援会遂成立了。到数十团体，代表百余人，通过要案多件，推举后援会代表，计邮务工会陆京士，南华轮船招待工会张耀明，书画笺扇业工会胡寿祺，南业职工会徐少川，药业职工会赵增辉，丝光染业职工会顾少泉，商工整委员王文华，酒行职工会顾吉人，酱业职工会翁瑞夫，商工发行所职工会王永良，华成工会周学湘，报业工会陈庆云，派报工会梅国桢，闸北水电业工会李永祥，英美烟厂工会陈培德等十五团体代表为后援会负责人。大会呈请市党部转军警机关切实保护法电罢工工人，并要求驱逐白俄。最后由大会发表援助宣言：略谓，法商水电工人，在法帝国主义铁蹄之下苦痛呻吟，达于高点，近来金潮澎湃，物价飞涨，最低微的血汗工资，的确不能维持生活，不得已向厂方提出改良待遇条件，讵知厂方完全拒绝，竟实施帝国主义的野蛮政策，封锁铁门驱逐工人，逮捕工友，种种压迫行为，无所不用其极。公司当局同时对市党部社会局召集调解也置之不理，其目无我国家，藐视我政府昭然若揭，法电工友被迫到末路，遂不得不宣告罢工以与奋斗，……我们全市工友，站在工人同一战线的立场上，对于罢工工友深表同情，我们决联合工人阶级，为罢工工友后盾，誓与法资方奋斗到底，……胜利一日不达，奋斗一日不止，披沥陈词，谨此宣言。

（18）工潮扩大，车务部工友参加罢工　车务部开车及卖票工友，鉴于机务部工友罢工奋斗之热烈坚决，并以本身亦受法帝国主义资本家之压迫，而外界均积极援助，司机与卖票理应援助，故于十八日晨起，已自动参加罢工，纷纷向工友签名，表示合作，当日到工会签名报到者，有数百人，只有少数司机工友或被蒙蔽或被巡捕房每辆电车加派华捕一人越捕二人随车保护和监视，未得参加罢工，故经工会设法劝导后，都先后参加了罢工。

（19）车务机务两部全体工人大会　自车务部工友

参加罢工后，罢工工人的情绪更加提高了。十八日下午特在公共体育场开两部工人全体大会，到八百余人，当由工会主席徐阿梅报告车务工友加入援助罢工情形，深望团结一致，对付资方，则不难得到最后之胜利云云。继由车务部代表沈君演说，表示援助意义。至十九日少数行驶之电车亦因无人接班而停驶了。在早晨六时半有一辆电车出厂，驶至辣斐德路吕班路时，被一部分工人将拖尔铃取下，车即停驶，卖票一九七、三九〇，开车一六九号当被罢工工友殴伤，而电车机件玻璃等物都破坏了。车务工友参加罢工后，即在工会开会讨论条件，如罚款及无故停人等。

（20）公司当局之恐怖行动：

①贴通告：略谓本公司自七月七日贴出通告后，截至今日当日尚无旧工人前来复工，兹自星期一即七月二十一日起，续行招收工人，凡旧工人前来本公司录收后可以复工，作新工论，惟以足额为限云。

②监捕工友：有工友陈阿荣等四人，十九日晨在吕班路公司附近行走，被公司职员西人名巴拿者命巡捕将四人拘捕而去。

③捕房戒严：租用汽车多辆，各处巡查，在设有电箱之处，加派探员四人法兵二人。计全界内有电箱七十余座。华界毗连之各铁栅门，提早关闭，断绝交通。并加派义务武装探员三百余名严密防卫，如临大敌之战争状态。

（21）各业工人扩大援助运动　英商自来火行工会致函法电工会，并派代表慰问，表示愿以实力援助，由该工会请公司致函法商资方榷商，促觉其悟，解决工潮，否则该会亦一致罢工一星期，以为援助。上海各工会援助法电罢工后援会，于十九日开第一次会议，推定各方负责工作人，并发宣言。此外，上海清洁业第一特区工会整理委员会，亦于二十日发表援助法电工友之郑重宣言。而法电公司之职员，亦以工潮延长不决，表示拟与工友一致行动。故全体工友以各方工友积极援助，莫不勇往奋斗，抱着不屈不挠之精神。

（22）工会扩充工作　工会原有的罢工委员会及纠察队，都由机务部工友推出，现在车务工友加入后，即加以扩充，以便大家积极工作。车务部工友即推选穆小山，孙爱棠等五人为罢工委员，另选王炳林等十人为纠察队。自此罢工委员会之力量与威信，也就增加了不少。工会之经费，在平时收入每月约有八十几元，公司方面亦按月津贴五百元，自罢工以来，公司拟停止津贴，但以罢工委员会之力量和调解人之疏通，公司不得不照常津贴，故工会经费当不发生问题。至于被捕工友时有所闻，经全体议决，工会对于被捕工友之家属方面，决予实力上之援助，给以一定数量之经费，俾免发生恐慌，而安被捕工友及家属之心，使斗争更加能够坚决奋斗而至争取到最后胜利。

六　帝国主义压迫工人之真面目

工潮扩大，马浪路上发生惨剧：

（一）惨案产生之经过　自车务部工友大部分参加罢工后，仍有少数分子，不顾工友屡次规劝，终于置若罔闻，因而激动公愤，并有一部分未参加罢工之高级职员稽查，组织俱乐部破坏罢工纪律。因此有车务机务两部工人二百余人，于二十一日晨八时许，整队齐赴法界马浪路四六二弄二号俱乐部内，拟加责问；不料当大队徒手工友前往之际，法捕房方面已经得悉，立派大队铁甲车，满载武装警卫巡捕百余人，向手无寸铁之群众，开枪扫射，当时群众以公司当局常与巡捕房勾结镇压工友，莫不愤怒万分，乃冲毁该处俱乐部，旋又被迫退回，但是已经有二十余人受着枪伤了，其中有数人受重伤，并且竟被拘去，有一泥水匠也不分皂白的被法帝国主义凶手走狗们所击毙了。被捕工友二十四人大半是身受重伤，不能行动，被捕后，捕房非但没有迅速地加以医治，而将其拘禁一室，强迫招其口供，如此野蛮屠杀之手段，实是“五卅”以后最残暴的行为了。

（二）工人全体大会　惨案发生后，工会即于下午召开大会，到工友七百余人，由主席报告惨案经过：略谓我们工人今天到俱乐部去，举动极为文明，而捕房方面竟不问情由，开枪扫射，此可忍孰不可忍，望工友一致努力云。旋讨论议案：（1）备文陈述惨案经过，呈请上海各机关一致交涉；（2）请后援会扩大宣传；（3）呈请组织惨案后援会；（4）规定以后工作方针。此外，工会方面以此次罢工虽属资本家压迫，但法租界当局亦不能辞其咎，法领对于此亦不加过问，决定致函法领警告，希望主持公道，妥为调解，俾促进中法邦交之友善关系。

（三）一片同情愤怒之声　惨案发生后，引起国人非常的愤慨，同起反对。上海各团体均往工会慰问，工会方面亦派人到各受伤和被捕工友家属慰问和查询。各工会援助法电罢工后援会立刻召集紧急会议通过议案十五项，并发表告新工友书，促其不要为区区势利所诱，而应有互助之精神云。其次如邮务工会，浦东电气职工会，商务工会，报界工会等均发表宣言，痛斥法商资方与巡捕房之暴行。市党部方面以工潮愈趋严重发生惨案，乃向上级请示办法，并派员赴京报告，也发表了宣言和告工友书，表示应有的责任。

（四）职员参加罢工，阵线日益坚强　马浪路之役造成剧变，各部工人参加罢工者，截至二十四日，已达一千五百余人，包括职员在内。在二十三日职员组织了法电公司华籍职员后援会，到会百余人，推举委员十一人，当时议决案如下：（1）由职员致函公司，促资方觉悟，克日解决罢工事件；（2）发表宣言，谓职员等分属华胞，睹此危机，不忍坐视，特联合全厂华员一百余人，即日离厂，宣布援助。加入罢工阵线共同奋斗，以促帝国主义之猛省，而为我数百工友争取胜利云；（3）劝告在职职员，早日离职，援助工友；（4）职员准备加入工会，增加团结力量；（5）各会员须每日上午九时到会。时有职员邵××甘替资方做走狗破坏罢工，公司一方面严禁未加入罢工之职员，一方面用毒辣手段取消参加罢工者之职业，并将向各学校招考补充。工会得悉前情，即会同后援会决定办法：（1）警告邵××；（2）通告各学校暨各界，在本厂工潮未解决前无论如何不得受法商之招雇，违则以破坏罢工论。

工会为加强纪律与工作紧张起见，特议决（甲）登报警告未加入工会之职员工友，决定两项办法：（1）即加入工会，与各罢工工友职员一致行动；（2）否则须将前次罢工所得每月之米贴三元，即日送至工会。上述两问题，限二十四小时内答复，逾时不复，则采取全体力量对付之。（乙）积极组织宣传队，尽量向外界宣传罢工经过及受中西越捕压迫之真相。（丙）向外募捐。一般罢工工友生活亟需维持，被捕工友家属亦均嗷嗷待哺，各业工会虽尽力帮助，但尚缺乏，故由工会组织募捐队向各界募捐，源源接济，以增强斗争力量而安人心。

（五）党政机关对法电工潮之注意　市党部以工潮

严重，除电中央请外交部向法使交涉外，一面派员赴京，一面派员常住法电工会。市政府亦于二十三日上午特召集会议讨论法电工潮事，并派耿秘书赴法总领事署，向法领交涉。社会局方面以二次请双方代表调解，但资方迄未派员参加，致调解无从着手，而按劳资争议法，社会局不能调解时应请市府召集劳资仲裁。但法电资方实权握于法商之董事会，并谓无须受制于中国法律，故使调解益加困难。于是市府在二十五日再派耿秘书晤驻沪法总领事甘格霖，协商调解办法，甘氏表示愿任劝告厂方责任。此外各工会后援会亦致书法领指陈职责所在，难辞其处。华员也一致议决，致函法租界工部局各华董，纳税华人会，及各路商界联合会，共起调解此次罢工风潮，及责问法界华董，对于捕房枪杀华胞滥捕工友等事，毫不闻问之失当。工会方面也提出四项条件，由党部代致中央交涉，即：（1）中央明令外交部，饬向法当局严重交涉；（2）惩办惨案凶手；（3）由捕房向工会道歉，并撤革开枪戎首；（4）明令惩办反动捣乱之附和帝国主义资本家之人。

（六）初步交涉的经过　中央对于法电工厂事，决定两项办法：（1）关于惨案由中央转咨外部，向法使交涉抗议；（2）工潮方面，责成上海市党部民训会及市府会同处理，并派王星舟来沪调查以便交涉。又请李石曾氏就近办理一切。自市府数度与法领交涉，及工会一度向法领警告后，法领即将条件研究后表示态度：（1）罢工时期之工资照给；（2）对于增加工资一项口头承认，每人增加三元；（3）对于惨案原则上表示接受；（4）工人复工须由厂方开列名单逐批复工，并须开除百余人。上项即为法领接受警告后之一种表示。

工会方面对于法领之表示，认为不能接受，特别关于开除工友百余人问题，更使工友非常愤怒，况此次罢工异常正当，若被开除大批工友，即是罢工之失败，况且条件之履行，尚须等到恢复工作之后才能执行，故一致加以拒绝，并认为须先释放被捕工友，才能开始谈判条件。

（七）车务工友及职员会议　车务工友于二十六日会议决定，因近来工作纷繁，再增加外勤职员六人进行一切事务，并议决，二号及五号稽查查票写票尚未报到者，限期报到。露天三号及二十三号查票仍到厂中工作，显系破坏工运应予警告，限日到会，否则一致对付。其次，职员亦召集了全体会议，通过决议：（1）致函买办间职员在三日内离职到会，否则以相当手段对付；（2）如职员中有加入罢工后仍到公司办公者，应处以严厉之手段，以儆效尤；（3）捐款未有交到者，应由组长从速收集。罢工委员会亦召集了会议，议决扩充纠察队组织，并派一队到后援会服务。对于被捕工友应设法释放问题，函请法界华董及法律界设法救济，计先后被捕之工友达三十一人之多。此外各工会后援会亦再函法领，要求令饬水电公司，限三日内，正式承认劳方要求，如过期无圆满之答复，敝会誓作实力之后盾。各地党部也纷起援助，专电慰问或发宣言。全市工会如交通、市政、纺织、印刷等百余工会发表了总宣言，热烈的表示声援，并扩大一角募捐运动，各工会征收会费时均一律附收募捐一角。由于各方积极的援助，罢工的阵线是一天天的巩固与扩大起来了。

（八）再次调解的不成　政府方面，派王星舟办理一切，并由李石曾就近主持，表面上似有急转直下之势。据李氏之意，对工人罢工虽表同情，但以迁延不决为非久计，故以大事化小事，小事化无事为最妙。市民训会陈君毅，与工会代表 ××× 接洽调解的条件，由 × 君接洽结果计三项：（1）工资每月加二元四角；（2）罢工期内工资照算；（3）厂方开除工人五十名。

（九）全体大会　三十日下午工会召集了全体大会，由徐阿梅报告调解的经过，对于由 × 君调解的三项条件，当场一致否认，并议决如下：

（1）"七·二一"惨案所有受伤医药费，应由公司负责。

（2）组织宣传队。

（3）组织募捐队。

（4）走狗殴打沈福生受伤案，呈请上级机关及捕房严缉惩办。

（5）以后发现走狗，本会当以严厉手段对付之。

职员亦召集了全体会议，决定致函法京巴黎法商水电公司董事会，勿执成见，克日解决工潮，其次组织宣传部并讨论宣传方法。车务工友亦开了部务会议，并提出要求条件如下：

（1）工会有代表工人之权。

（2）取消打铃后放客及路牌不摇之罚款。

（3）取消过站漏票及一切查票忘报等罚款。

（4）不揩油不得停生意。

（5）每日工作以八小时为限，否则工资照加。

（6）开车如无意发生不测之事，应由公司负责。

（7）车行驶在路所有出轨路线脱拖铃等不得有罚。

（8）取销到站快慢之苛罚。

（9）罢工期内工资照给。

（10）撬路打灯与售票开车，一律平等。

（11）工友如有小过不到公司写字间问话。

（12）如罚点名，须给半工工资。

到八月二日下午，法电全体工友一千四百余人，在公共体育场召开会员大会，通过五项议案，其中第二项系限公司买办写字间全体职员，即日到会报名，否则作洋奴走狗，派纠察队裁判。并规定各部消息登报发表，应合并统一，以增强对外宣传之效力。社会局方面看到法电工潮之延长与扩大，特别令工人方面持以镇静，毋得意气用事，滋生枝节。可是当时的情形，社会局一张训令，实在没有什么作用的。

（十）责成买办三日解决　罢工委员会及纠察队于三日联席会议决定：对于法捕房将各铁门关闭，阻止全体工友整队前往公共体育场开会问题，决定中央外交部提出抗议，并备文警告法国政府，以工潮久不解决，须负赔偿工会及工友之一切损失，最后责成公司买办沈某。负责限三日之内解决，如无结果，则由各部工友提出增加条件向公司要求等议案。经一致通过，切实执行。次日工会谈话会又决定：推派代表向大班询问对工潮态度，并请党部从速解放被捕工友，和最后警告破坏罢工之走狗。五日又召集全体大会于公共体育场，主席报告后，由工友相继演说，词极悲愤，工友坚持罢工之空气，十分的坚决和紧张。大会当场通过反对法捕房无故拘捕罢工委员及工友的宣言，及对捕房逮捕和资本家阴谋陷害，表示工友誓不甘休的决心。

（十一）直接交涉　各方调解人进行调解既感棘手后，全体工人即选出代表八人，于七日亲赴厂方面向大班孟梭郎询问究竟，而孟表示工会方面已呈请中央交涉，则尽可向中央询问，态度殊为强硬。各代表当向大班表示，此事不论中央或法领如何进行，务请于二日内予以圆满之答复，当局谈判的形势极为紧张，厂方探捕密布戒备。工会方面以此次交涉无结果，即召集局部会议，决定请求党部从速办理工潮，如二日之内无结果，决以全体工人力量，严厉手段对付之。对于漆匠间工头陈某破坏罢工纪律问题，交审问科调查，由纠察队办理。

（十二）严厉制裁捣乱分子　八月七日下午在工会附近突有形迹可疑六人，被纠察队识破系捣乱分子，当即予以拘捕，被逃去一人。经群众审问，供出由人指使前来捣乱工会，计有百余人，均在龙华集中，而同来之六人，系任刺探消息。当由工会议决，将六人送交市公安局法办，并呈请民训令依法办理，但被工会拘捕之六人，送交公安局后，很快释放了，这样就引起了工友们很大的不满意。以后不断的要求明令追捕法办，这样就使走狗分子不敢再大胆捣乱了。八日又在公共体育场召集了群众大会，计到工友一千三百余人，一致决定不达目的，誓不复工之办法，并通过制裁工贼走狗，不得开除工友等要案。

（十三）警告大班孟梭郎　因为历次谈判无结果，均是公司方面态度强横所致。因此工会决定，用书面警告大班，如警告不听，则工友方面不得不用严厉手段对付之。工会并决定发表告法租界市民勿付水电费书，向居户市民呼吁，在工潮未解决前，幸勿付给账款，以示援助，而促法帝国主义资本家之猛省。同时扩大募捐运动，向商店公司工厂各处进行，得到了极好的成绩，使罢工工友得到很大的帮助。廿一工会代表组织委员会，发出通告，定十二日召集第一次会议，并发表代表大会宣言；向法帝国主义作强有力之表示，并唤醒各界同胞同情，据理力争，而使罢工得到完全胜利。

（十四）李石曾奔走调解　经李氏与法领事数度洽商，工潮渐趋缓和，工会提出复工先决条件：（1）要求法租界当局将被捕之工友迅予释放；（2）加薪问题，每人每月加工资洋二元四角；（3）罢工期内工友工资，由厂方照发；（4）资方开除工友问题，由李石曾先生设法调解，所有被开除工友，准在工会办事，按月工资由厂方照给。此外，李氏认为工人生活极感痛苦，因为衣食住问题不能解决，所以不得不造成罢工风潮，而李氏认为妥善之办法，先由中国官厅提倡创办工友廉价宿舍，及合作社，俱乐部，使工友无形中减少费用，及调济工余生活。当以后工潮解决李氏赴青及转抵北戴河游览时，忽又想起，特电法电罢工委员会，略谓决将此事电达中央，请于相当之时加以援助云。

（十五）紧急关头的谈判　罢工委员会于十二日召集会议，当场决定：（1）将此次罢工情形交付全体大会讨论；（2）请求厂方保障工友，不得开除工友四十名；（3）工友如复工之后，厂方有无理压迫及不履行条件时，全体工友当立即罢工，并呈请上级机关备案；（4）决定十三日上午召集全体工友谈话。此外，工会方面推派代表徐阿梅等向市党部询问中央党部调解本案之态度。即由陈君毅，王星舟与法电代表作交换意见之谈判。

（十六）正式签字　经过数度商洽结果，最后在李石曾的寓所谈判成功，当时出席的有劳方代表，市政府代表及总领事代表 ××× 等均列席，在释放工友与工资问题上发生了争执，工人代表认为只有先释放被捕工友，然后复工，而资方要先复工后再释放，后由 ××× 担保先释放。工资照给问题，工友方面要求需立刻办到。后来决定由工会方面将罢工名单立刻缮就送交资方后，立即将罢工工资全数发给。至于开除工友四十名问题，厂方承认四十名工友在工会担任职务而每月薪金由公司取给。于是即于十二日下午由各列席代表逐一签定草约，交市府代表往总领事署正式签字，其手续由总巡费沃礼代表总领事签约，但对于第四条，改由×××负责，故未列为正式条约，惟草约中，则明白载明之。

（十七）工会通告　各项条件商决之后，工会即发通告如下：略谓其签定之条件，（1）罢工工资照给；（2）一律每月增加工资二元四角；（3）被捕工友全体释放；（4）四十名工友工资照给，其待遇与在厂工友同（由×××先生负责，每月送到工会中）；（5）抚恤金，退职金，年赏金，原则接受，其办法另议；（6）公司不得无故开除工友及职员。共计六项，兹特定十二日上午九时，召集全体工友报告。如各工友认为满意的，即行于下午一时前往复工云。

（十八）胜利大会　罢工委员会于当日下午在工会门前空地，特开罢工胜利及欢迎被捕工人出狱大会，到一千四百余人，由张阿毛主席，报告开会宗旨及庆祝胜利等语。后由工友相继演说，并呼口号，至二时散会。

全体工友即前往公司复工，这一伟大的持久的罢工斗争，至是成为工运史上光荣的一页。大家在团结一致，拥护工会，最后胜利属于我们等口号之下，结束了罢工斗争。

（十九）工潮余音　工人复工后，水电工潮虽告一段落，但马浪路惨案还没有解决，各界工友对于惨案仍不放松，继续力争，求得合理之解决。而工会表示，捕房释出工友中，有七八人之伤，尚未痊愈，如不达惩凶道歉目的，决不放弃斗争。其次，在后公司方面对于条件，仍有不完全履行之处，如车务机务仍有十余人未能复工。工会即派代表请求 ××× 向公司责问。厂方即申明一待新工退出，即可重行入厂工作。而对于反对白俄及新工问题，也经过了几次的交涉后，才逐渐地实现。至于罢工期内工资，由工人代表陆续领到六万三千四百十三元二角，至于未加入罢工者，工资有无与工会无关。

（二十）公司损失　自罢工以来，电车营业之损失，电灯骤减，水管爆裂，电车损坏等种种不幸事件之损失，总共计算起来，在一百十五万元以上云。

（二十一）加紧工会组织　自罢工解决后，会务进行仍不稍放松，在车务机务两部工人发罢工期内工资时，每人扣除工会基本金二元，以作前时开支及巩固工会之用。又车务部所有开车卖票撬路打灯等工友来加入工会者，劝于三日内一律到工会报到，并缴入会费洋二角，否则如厂内发生意外，该会不予保障。二十二日工会四十名工友开谈话会，关于组织问题，经讨论临时推定各科办法，分秘书科、组织科、宣传科、调解科、交际科、交通科、调查科、监察科等，为办理会中一切事务，待下届执行委员选定后重行组织。

（二十二）资方阴谋捣乱工会　法电工会自一九二七年成立后，本有会员千余人，包括公司各部工友，但中间一度分裂，车务工友全体退出，其原因系一部分走狗分子受资方之嗾使，另成立一俱乐部。而车务工友亦以该俱乐部主使者，确系受资方使命，加入者寥寥无几。当罢工期内，工会曾派人至该俱乐部磋商，非但无结果，反而造成了马浪路“七·二一”惨案，可是俱乐部又受资方之托付，买通暴徒，施行暗杀，幸皆为该工会所揭露，曾将凶器证据呈请党部和法捕房备案。可是九月廿四日上午，该俱乐部纠集反动分子七八十人，持械闯入工会，将器具捣毁，并劫去重要文件，工会办事员郑瑞生被殴重伤，此后并来函恐吓，工会根据前情，即召集全体工友紧急会议。决议将此事主报党政机关，当由党部指令派员调查，并函公安局严缉行凶暴徒归案惩办。公司见破坏工会尚未达到，又煽动前破坏罢工之新工二百余人至卢家湾水电公司一带，群集要求工作，并誓言用武力打走老工人，厂内工作之工人均抱沉静，表示又受资方之挑衅手段，后由捕房将若辈驱逐，始各散去。工会召集组长会议讨论对付办法，向资方提出限日内履行工会提出之各项条件，并发出告全市工界书，揭露了资本家及走狗的阴谋。

七　罢工五十七天的经验教训

根据当时统治阶级采出白色恐怖镇压的政策，罢工的环境是相当恶劣的；但这一次伟大的长期的罢工斗争是胜利了，现在就将斗争的经验教训再述于下：

（一）在经验方面

（1）有充分的准备：本来在富有革命的五月时候，为了响应老工会（中华总工会）的号召，与援助英电的罢工斗争，就决定法电要用罢工来援助英电和配合革命之五月的行动，后以英电罢工结束和法电本身准备尚未充足，所以在五月未能实现。但对于斗争的布置还是不稍放松，反而加紧准备，特别对机务部工友的组织有了相当成功，所以也就由机务部开始发动了这次斗争。

（2）在策略上，于斗争开始时是用和平方式进行，向资本家提出的六项要求，也都经过工友广泛的讨论。到发动罢工后，在宣传方面，以罢工理由之合理，尽量造成舆论上的优势；在行动上，则自始至终是一贯采取了步步进攻的姿态，并且争取每天每一小的胜利，提高群众斗争的情绪和信心。例如第一次二百余工友赴南市破坏自来水管时，探捕军警已加防备，形势非常紧张，全体工友就遵照领导人整队而回，在路上就开始打坏电车，这样就给十分懊丧的群众情绪以新的刺激，而使得资本家出乎意外，防不胜防，以后又破坏了水管和电线，逼得资本家一天天走向软化。

（3）罢工工人的组织，是很完善及严格的。所有工人都以小组组织起来，并产生组长会议，及部务会议，和各部之代表会议。此外建立了罢工委员会和组织了纠察队，并筹划了监视走狗的消息网。罢工的纪律也很严格，每一工友每天须上午及下午二次到工会报到，这样就使罢工工友紧密的团结在罢工委员会的周围。

（4）斗争的方式，是善于灵活的，利用公开合法的可能，如对党政机关及社会上各法团名人，都用呈文或请求书等方式，取得联络，一切活动的方式，如开会打工贼等，都用了公开合法的形式，这样使斗争的实力不受到打击。

（5）利用了民族主义意识，使全国各地及各界都积极地起来援助，把反帝反资本问题密切的联系起来。

（6）正确的领导，和工人群众团结的力量，及真正英勇果敢的工人领袖，是这次斗争胜利的主要因素。由于革命政党的领导与启示，提高了群众的政治觉悟，增高了工人的团结力量，并在工人团结与不断的斗争中，产生了真正代表工人利益的，能想能做，能坚决牺牲奋斗的工人领袖。

（二）在教训方面

（1）工人不举手，使五月的时候没有实现斗争，很多工人因为不能了解自己的权利和义务，所以往往在决定问题的场合上，问赞成的举手或反对的举手，但群众一只手也不举，也有相反的赞成也举，不赞成也举。经过数次解释，并在会议中随时留心一样不举或都举的人；个人向之说服，这样一来，使以后的会议生活非常的严肃和活跃。

（2）对付走狗问题，法电走狗之猖獗，这是谁也知道的，正因为这样，就用尽了一切方法来应付走狗，也给了走狗以相当严重的警告和打击。但罢工自始至终，走狗问题也始终是一个很严重的问题。这里的原因，固然是公司方面破坏工人团结之一种毒辣手段，但工人阶级应互助友爱的阶级教育工作，进行得非常的不充分，也是原因之一。

（3）做工人领导工作的要善于自我批评，在工人群众讨论会议中，有许多问题是很复杂和困难的，但往往没有多余的时间考虑，而应立刻给以答复。有时问题回答或决定错误时，要在群众面前自己承认错误，甚至隔了一天数天也是如此。徐阿梅之所以成为工人领袖，在善于自我批评，这一点是取得了群众的信仰和拥护。

（4）培养群众干部，巩固工会组织问题，在这方面是存在着很大的弱点，例如工人大会每次主席或报告，总是徐阿梅一人担任，因此便不能培养很多的干部和领袖，使以后工会组织更加健全巩固和扩大起来，而使当时上海的工运真正由工人领袖来负责，可惜这一点到现在也没有实现。当以后徐阿梅被捕，使工会受到很大的影响，所以这也是工运中所应该注意的。

八　一九三一年的几次斗争

（一）**对于年赏问题的怠工**　在上次罢工复工时，资方对年赏及抚恤金，退职金等问题，仅在原则上决定，至于具体办法，则尚未拟定。而转瞬年节已届，以致各工友均表不满，空气又形紧张，后经 ××× 与资方磋商，由资方提出办法数项，劳方一致认为与原则上相差尚远，不能接受，且资方常用离间手段，欲使工友间互相敌视，在无形中取消已承认之某些条件。十二月廿四日，工会特开组长大会，讨论此事，莫不愤恨异常。因在复工条约上，载明在工会办事工友，工资由厂方照给。当由工会派代表赴 ××× 宅交涉。至十二月廿九日，在鲁班路明德里工会内，开紧急会议，要求每人年终双薪一月。卅日向公司买办当面提出，至中午即在卢家湾电厂前空场开群众大会，议决在当日下午一时，全体怠工，并由代表向大班要求。对于年赏问题，大班答复，按照服务之年度发给：（1）服务二年以上者，双俸一月；（2）一年以上者，奖赏工资一月之十分之七；（3）服务一年以下者，一律奖赏工资半月，并规定三十一日发给。各代表认为满意，经工人一致决定于卅一日晨复工。事务部工人虽未加入怠工，但亦照例发给。

（二）**与华捕冲突发生怠工**　四月十一日，法电工人俞海泉等五人，在公司所赁住屋内工作，倾倒垃圾于该屋衖内，适有二〇三华捕经过，竟将工友殴伤，复拘至捕房，致激愤机务部全体工人之怠工，及十路电车之停驶，当由公司大班向捕房直接交涉，结果法捕房承认向工会登报道歉，并负被伤工人损失及医药费，并将该华捕撤职查办，全体工友认为满意，即行复工。

（三）要求恢复被开除工友进厂工作之怠工　七月十六日工会召集组长大会，由张银生主席讨论前次罢工停职之廿七工友恢复工作问题，当时推定交涉会同前次大会推定之四代表，向厂方提出要求，经数度谈判无结果，机务部全体工友即开始怠工，警告厂方。后经人调解结果，被开除廿七名之中，先行恢复十四名，再有十三名由工会继续交涉，工人认为满意，怠工二小时后即复工。至七月廿九日争取到完全胜利，于是机务部全体工友在卢家湾开欢迎廿七工友复工大会，用白布标语，横挂鲁班路之中，由主席徐阿梅向工友致谢词后，一路爆竹喧笑，欢迎工友入厂工作。

（四）劳工纠纷，车机两部开始分裂 机务部工友于八月十三日上午突然怠工，其原因是一工友于早晨行经法大马路外滩，因铜元落地俯而拾之，适有二路电车迎面驶来，见该工人在前，当即煞车，由口角而动武，一司机三卖票帮同相打，结果该工友内部受微伤，回厂报告同部工友；机务部全体工友及职员一千二百余人，均愤恨异常，由工会召开会议，当场提出：（1）车务部向机务部燃放鞭炮以示道歉，（2）行凶司机卖票，一律开除职务，二号稽查李麟书撤职；（3）由公司发通告保以后不得再有同样事件发生；（4）由公司通告各车不准司机卖票殴人，并派代表向公司严重交涉，同时派纠察员开定备车赴各站劝阻各车行驶，迫进卢家湾厂内，将行凶司机售票拘入机务部看守起来。各路电车汽车均停在卢家湾附近，交通亦为之阻断。至中午谈判解决：由厂方购一百元鞭炮表示道歉，二号稽查如确系为首者则撤职，并由公司通告及保障。于是自八仙桥至卢家湾一带，机务工人欢天喜地，鞭炮之声不绝于耳，使居民误为枪声，并几乎忙煞了巡捕房。

当日下午车务部一部分工人受李××指使，又与机务部工人在卢家湾厂门前发生大冲突，结果有数卖票受微伤，送入广仁医院，有些车务工人认为失败，即到马浪路俱乐部开紧急大会，决定登报道歉，燃放鞭炮，惩凶，负责医药费等要求，派代表向公司交涉。而公司亦与车务部同样答复了机务部。总之，工人是上了资本家走狗们的圈套了，从此，互相仇视，分裂，而造成今日法电工人之空前未有的痛苦。特别在车务处方面的一部分工人，就变成为走狗所利用了。同时公司方面，更毒辣的采用培养多头走狗的政策，使工人自己互相攻击，互相歧视，这样资本家就坐收其渔人之利，对于工人的压迫，就为所欲为了。这一痛苦的教训，现在法电的工人，正在深深地觉悟着，懊悔着。

在这次自己工人队伍的纠纷中给我们的教训，车务部有此甘受走狗利用的，确属可恨，实为全体工友所共弃；但机务部工友一时富于感情作用，不从全体工人阶级之团结与真实友爱出发，而将小题大做，把对于车务部中之少数败类的问题，变成为两部门工人的对立现象，也是很大的遗憾。

（五）为争取八小时工作的怠工胜利 法电工友以国民政府颁布之《工厂法》，规定于一九三一年八月一日起，各工厂须实行八小时工作制。而法电公司，拖延不执行，于是即由工会向公司提出要求，同时呈请社会局迅予召集双方调解，经几次谈判无结果，机务部工人特于廿七日晨开临时大会，决定非达目的不休；并推派工人代表六人向大班孟梭郎直接交涉，而孟氏以为实行八小时工作，于公司方面损失不赀，当时答复尚须考虑。工人方面见交涉未能成功，即实行怠工，各路电车亦实行减少并缩短路线，故交通颇受影响，而公司方面，以工人实行怠工，较八小时损失尤大，故于下半二时谈判时，公司即承认自一九三一年九月一日起实行，并发通告，改每日工作九小时为八小时云。全体工人以目的已达，即在车间中大呼怠工胜利口号后即于下午四时半起照常工作。

由于工人团结的力量，减少工作时间一小时，但既得的胜利尚须用团结来保障，例如车务方面，由于走狗的出卖捣乱，使工人团结受到影响，现在每日的工作时间又回复到九小时以上了。这又是多么严重的教训啊！

九　第六次罢工——法电工人领袖徐阿梅被捕

（一）**被捕前法电之罢工**　接线间之工人在朱家桥华盛路，与接户一女人发生口角。而女的即叫了流氓来捣乱，于是与流氓发生了冲突。当晚，许多工人到华盛路去论理。双方却叫了很多人在徐园茶楼吃“讲茶”，捕房方面将工部局小工五人捕去。这样一来，工部局小工和法电工人同到嵩山路捕房要求释放五小工，捕房的副巡出来讲话，要工人进去，并用手枪威胁，工人毫不畏惧。夺下副巡之手枪，并打开了头，工人还是不肯散，于是巡捕房将铁门关起，但工人始终不散，巡捕房即向群众开枪十余响，顿时秩序大乱，而工部局又有三工人及法电四人被捕，法电工人回到厂里要求大班保释被捕工友，没有得到允诺，全体工友即开始怠工，以后即继之以罢工。

（二）**被捕** 一九三一年九月六日，徐阿梅到新新公司去参加一会议，正乘上电梯，突被预伏该处之包探所逮捕，并立刻开到包探巡捕三汽车，先到公共租界老闸捕房，后即引渡到卢家湾捕房。当引渡时，法捕房为防止工人劫夺起见，即避开向吕班路走，而从金神父路到捕房，立刻派了二百多巡捕，分乘十九辆汽车，将康悌路临时戒严，到徐阿梅的家里，已经有廿多包探，实行搜查，找不出物证，只有一包探预先带有一张共产党的传单，这样便为逮捕的“正式”证据了。

（三）**审问** 到捕房后，总巡费沃利即找徐阿梅谈话，并申明：“你今天被捕，非法捕房，非我总巡要逮捕你，而是中国政府的命令。”

徐阿梅答道：“我不承认是中国政府的命令，因为既是中国政府的命令，就应有中国政府之公务人员。”

费沃利说：“不信，明天亲自送你到南京政府去。”

徐阿梅说：“好的，送到南京去，死又愿意，我不愿意在租界里。”

以后，捕房即打电话给×××。法领事及公司大班，到巡捕房讨论后，由一翻译向徐阿梅说："今天放你出去，你能不能担保明天复工。"

"你弄错了，罢工是工人大多数的事，我不能担保，假如能放我出去，我也只能去劝劝他们。"徐阿梅说了后，由翻译去告诉西人，再经他们讨论后，又来向阿梅说：

"假如今天不放你出去，明天能否罢工，请估量估量。"

"早已说过了，罢工不是少数人的事。"阿梅这样的回答。

"好了，关下去，明天送到司令部去！"那位翻译说了以后即走了，而把徐阿梅送到一房间，日夜派三包探并加安南兵轮流着守，真是打破了捕房的纪录，中外的新闻记者常到捕房来拍照，他们得意的笑笑，表示着帝国主义资产阶级除了一条猛虎似的。

（四）判决　经过数度的开庭，以共产党的传单和煽动罢工等为证据，被处十三年徒刑，执行十年零六月，"一·二八"后大赦，改为六年六月。在牢四年余后，送反省院住十六月，一九三七年四月十五日出狱。

当徐阿梅在狱期内，法电工人常常向厂方提出，要求保释。并每一工人每月都自动捐出大洋一角，总数约在六十元左右以维持徐的家属生活，给在狱中为劳苦大众谋利益而被捕的徐阿梅以精神上的安慰。

十　一九三二年之第七次罢工

（一）**罢工原因**　自“九·一八”与“一·二八”以后，经济危机加深着，工人的生活也随之困难。其次自一九三一年九月罢工失败，被开除大批工人，及徐阿梅之被捕，均促进斗争之酝酿。再次，则为政治方面之黑暗，据说当时新调来的驻沪法领事，从前曾在沪领馆任事，而离沪时在送行问题上与 ××× 等发生了暗斗。而这次重临上海，即施报复，对法租界内之赌博公司，及燕子窝等加以严厉取缔。这样一来，一般吃白相饭的就苦煞了，而 ××× 等为表示力量起见，即极力布置法电之罢工斗争。

（二）**罢工的领导**　这次罢工的斗争领导，在形式上也是由工会决定的，但在实际上和从前完全不同了。

斗争的原因，虽是各方面所促成，但是领导是在走狗分子的手里，特别是被少数 ××× 徒弟所操纵；如车务部之李 ××，机务部之邵 ×× 等，他们活动的方式，为的便于吸引骗欺工人，就不得不提出群众所迫切要求的口号，可是这又为公司所不欢迎，于是即将邵 ×× 宣布开除，这样就使工潮成熟起来，经过数次要求无结果后，即七月六日由工会开会决定于七日起一律怠工。

（三）罢工后所提的要求 （1）接线案被停职之廿一工人复工；（2）照给津贴工会办事费，每月二百元；（3）由公司证明徐阿梅并非共党，要求保释。以后又提出补充要求恢复抄表间主任邵子英职务等十二项条件。

（四）罢工七天的经过 在六月间工人的要求已向公司提出后，经过几次交涉，均无结果，到七月七日开始怠工，当时工人召集紧急会议，对于公司大班提出交涉，并呈请党政机关迅予调解，同时组织纠察队，维持工作秩序。八日下午因谈判无结果，即实行罢工，召开工人大会组织了罢工委员会。并警告大写字间、定货间、买办间职员从速离厂，否则依照处理走狗办法处理。

调解经过　罢工后法租界市民已受影响，而市政府为求早日平衡解决及地方治安起见，即由市府秘书往访法领事梅理霭，开始时法领态度极为强硬，经数次交涉后，法领方面亦以民主纪念节即到，为避免工潮扩大，即访晤吴市长，商谈工潮解决。但公司方面以为此次罢工完全属于非法，认为一切调解，绝无考虑余地，态度非常强硬，故调解进行十分困难。

职员退出工会　法电一部分华员认为这次工潮，在事前未曾加以同意，而事实上工会方面又未容纳多人主张，故一部分职员于十日宣布退出工会，而另外组织职员联谊会，发表宣言，同时向工会声明退出原因。至十一日有一部分职员约六十余人，在工会召集紧急会议时，认为是资方诱惑，故意破坏工运，对联谊会组织绝对否认，并发表宣言，可是以后职员即与工人开始分裂了。

工人请愿　罢工委员会于十二日下午二时，根据谈话会议决定，推派代表赴市政府请愿，要求迅予向法领交涉。由秘书长俞鸿钧接见，允与法领协商，并励工人静候依法调解。此外，车务部请求自十三日起停止电车出厂。

市政府命令复工　工人向市政府请愿后，市府令人向法领交涉，而市政府即接受法领之要求，当即命法商水电令工人，劝告工人为顾全两国邦交，地方治安，即日起先行复工，一切条件，静候当局解决。

（五）**宣布复工**　七月十四日为法国民主革命纪念日，照例是放假，可是当时的工会领导者即以公司名义通知公司当局，于十四日晨一律复工，罢工委员会亦宣布撤销。而关于劳资纠纷静候解决问题，工人方面以市府迁延很久，迄未向法领交涉，特推派代表向市党部请愿，得到的答复，谓自当顺序进行，一场风潮就此平息了。

（六）**罢工的教训**　这次罢工的原因，虽是工人对公司不满的表示，但可惜的，没有上次那样的团结勇敢，因此结果是失败了。至于失败的原因是很明显的，是受了野心家的蒙蔽，只要他们的企图达到以后，工人的利益是不管的，甚至还会帮凶出卖，也是不足惊奇的。不过从这种痛苦的教训里面，工人愈是觉悟到，工人要改善自己的生活，获得自身的解放，只有自己的坚强团结力量，才是决定一切的基础。从这次教训中，也更加使工人明白，只有能坚决勇敢奋斗的工人领袖，才是真正代表工人利益的，因此许多工人更感到被捕坐在牢中的徐阿梅之可敬。所以很多工人经常在物质上，精神上帮助他，这也不是偶然的。此外，觉悟的工友，也更加深刻的了解到，上次罢工中正确的领导，与这次投机分子的操纵，所得到的结果，是很明显的两个极端。而当时统治当局所给予法电工人的不好印象，一直到现在，谈起从前旧事的时候，莫不摇头愤慨，因为这是从事实中尝到的痛苦的教训啊！

十一　工人活动

（一）**帮派问题**　法电机务部与车务部工人间，资方采取各种各样挑拨离间的方法，因此两部门在行动上是不大一致的，感情上也不很融洽，并且有的竟发生意气上的冲突。至于各部门内部团结问题，在机务部可以说是有相当的组织性，在基本上可说是团结一致的。工人参加党派的，只有几个人参加国民党，而且大部是职员。工人参加共产党的在大革命时代是相当的多，所以它遗留下来的许多作风，使以后工人斗争中充分地证明了。拜 ××× 为老头子的，有过去的邵 ×× 等几个职员，拜另外一帮老头子做先生的也有不少。参加朱门的可没有。而且对朱门方面的各种设施，大多数工人是表示不满的。此外机务部工人中，尚有许多聚餐会和某种社的组织，参加的工人有相当的多，而且也是在工人中比较有力量的组织。虽然该种组织的生活表现，尚离不开开房间，赌博等等落后的玩意儿，可是它的组织确是因此而存在着。在车务部方面，工人的内部是四分五裂的，厂方采取了分头政策的手段，培养了大批走狗分子互相攻讦，这样便将工人队伍若干块分化起来。最明显而有势力的大体可分三派：（一）以 ××× 徒弟浦东人李 ×× 二号稽查为首的有个联益社的组织，在形式上已在市党部登记过，李自己并在车务部中收了三十多个徒弟，大徒弟是一百七十号卖票。参加联益社组织的共有一百七十余人，会员每月缴会费三角，可是在形式上挂了联益社的招牌，在内容上丝毫没有什么。几年前据说办过京剧班，而现在连这个也没有了。其次以山东人廿五号查票刘 ×× 为首的组织了一个联谊社，社费每人每月二角，据说收社费也可以收到一百多人的，可是也有人两面都缴了费避免得罪了那一方面，真是苦煞了卖票。在法律上说，联谊社是没有登记过的，可是公司当局承认了它的存在。再次则为新近走狗五号稽查陈××也布置了爪牙，拼命向公司献媚，无理的压迫工人，伸张他的恶势力。这样一来把车务部工人内部的团结破坏无遗，弄得非常的散漫，使工人遭受了极大的痛苦。现在工人已开始觉悟到所受痛苦来自何方，领受这种教训了。

（二）**工会生活** 本来法电工会正式成立于一九二七年大革命的高潮中，当时有会员千余人，包括各部门工友，定名为法商自来水电车电气工会。大革命失败后，工会改组，经社会局核定，改名为上海市第一特区水电产业工会，中间一度分裂，因车务部工友有一部分受厂方走狗唆使，全体退出工会。至五十七天大罢工斗争中，又开始统一起来，职员也参加，成为法电工会史上最兴盛的时代。可是团结不久，又逐渐被资方有计划的破坏，车务工人及职员相继退出工会，而此时工会又变成机务部工人单独的组织了。

不过现在的工会生活，是非常不充实的，无论教育工人，干部训练，民主精神，都感不够。不过无论如何，工人有了团结，才能获得保障自己的饭碗，如机务部方面的工人，被公司无故开除的事，是不曾发生过。但我们看看车务部方面，被罚被开除的事，真是触目惊心，天天有的事。这就是因为没有统一团结组织的最大原因所铸成的大错。车务工友亦在深切经验教训中，觉悟到团结统一力量的需要迫切成功。不久的将来，统一的强有力的工会，必然会在法电公司中重新的建立并扩大起来。

（三）**抗 × 活动**　法电工人对于反对 ×× 帝国主义侵略中国的斗争中，向来是不敢落后于人的。过去的不必多说，自从“八·一三”沪战爆发后，法电机务部的工人，即组织了一个星期服务团。有三百多工友参加，每逢星期日工厂放假日子，去帮助华军各种防御工作，颇得当时军队的信仰。华军西撤后，该团工作即无形停顿。此外在募捐方面，机务部工友，在抗战爆发时，曾募了一百余元去慰问前方将士，在国民政府发行救国公债时，车务部工友共买了四百余元，去年“九·一八”纪念的献金运动中，机务部全体工友共捐了三百元零九角九分，表现对祖国热烈的爱护。在车务部方面各种救国工作，由于各工友的热烈拥护与参加，成绩也很不错。如去年以来，曾进行一次慰劳伤兵募捐运动，买了日用品派代表到医院去慰问伤兵。去的代表回来说，都感到人生中最大的兴奋。在去年“七七”纪念日，根据国民政府的号召积极推动了素食运动并进行了献金，当时参加的三百余人，捐款在百元左右，到十一月时又进行了一次扩大的募捐运动，车务部的开车、卖票、写票、查票及个别高级职员都一致参加了这次募捐运动，共计捐有一百八十一元，参加人数达七百四十七人之多。此后，车务部的热心分子，更继续努力的推动了节约救难运动，至目前为止，已经有好几个月了，参加人数共有三百余人，每期可募到六十七元。这些事实，都说明了法电工人对于祖国的生存有着莫大的关心，并明白表示着对抗战建国最后胜利的信念。但是我们也不能不指出的，法电的救亡运动，还没有达到更深入更广泛的应有程度。如各种募捐运动还没有吸收到每个群众都参加，没有利用抗 × 工作来进行各部门的统一组织运动。如车务部内部的统一运动，车务机务两部的统一运动，工人与职员之间的统一运动以及更进一步与法商公司当局之共同反对 ×× 帝国主义侵略中国之斗争行动等等，更有待于更努力地去促其实现。为了实现各部门的统一运动，首先便要捐弃成见，共同谅解，工人间如此，工人与公司之间亦如此。我们为了中华民族的彻底解放，与工人自身的获得解放，法电的全体工友，就要刻不容缓的亲密的团结起来！

三联经典文库

141

上海产业与上海职工

（下）

朱邦兴　胡林阁　徐声　合编

生活·讀書·新知 三联书店

图书在版编目(CIP)数据

上海产业与上海职工 / 朱邦兴, 胡林阁, 徐声编.
-- 北京 : 生活·读书·新知三联书店, 2014.1
（三联经典文库第二辑）
ISBN 978-7-108-04590-4

Ⅰ. ①上… Ⅱ. ①朱… ②胡… ③徐… Ⅲ. ①产业经济－经济史－上海市－民国②工人－生活状况－上海市－民国 Ⅳ. ①F129②D412.7

中国版本图书馆CIP数据核字(2013)第152786号

141 上海产业与上海职工（上下）

责任编辑　胡群英
封扉设计　蔡立国
责任印制　常宁强
出版发行　生活·讀書·新知 三联书店
(北京市东城区美术馆东街22号)
邮　　编　100010
经　　销　新华书店
印　　刷　北京鹏润伟业印刷有限公司
版　　次　2014年1月北京第1版　2014年1月北京第1次印刷
开　　本　787毫米×1092毫米 1/32　印张 33.625
字　　数　481千字
定　　价　108.00元

目次（下）

第十章　华商电气业

南市是上海沦陷最后的一隅，到现在已是一年多了。回想过去繁荣的工商业，被侵略者所破坏劫掠，使吾人不胜的愤慨。像我民族工业中比较占重要地位的几个企业，如制造局、江南造船厂、华商电气公司等都被毁灭或强占了。尤其是电气公司规模之宏大，营业之发达，仅次于英电，法电。但公司对于资工的待遇方面，华电比起英电法电要好些，正当英电法电资方加紧压迫和剥削工人的时候，把华电公司大概情形介绍出来供大家研究，也许是需要的吧！

华商电气股份有限公司是一九一二年开办的，厂址设于南市南火车站。按产业性质来说，可分二部门，即电灯与电车。开始时规模不大，如电车仅外滩一路数辆车子而已。后来逐渐扩充里圆路和外圆路二路。一九一九年增添民国路，中华路之三路四路等。至沪战前电车共有六十辆左右，每天出厂的约四十辆。

营业方面，在开始时电车尚可赚钱，而电灯方面反而亏本，后经股东极力维持，终于花落果实，营业日见扩大。至沪战前据说资本金已达八百万元以上，每年利润可获百余万元。不过现在营业主要的收入还是电灯部分。电车方面营业最好的时候，每天亦可达到三千元，较之电灯部门便有逊色。

华电的前总经理是陆伯鸿（前年因参加伪“市民协会”被刺了），经理以下共分六科：

一、总务科——即总账房，负责进出文件，会计等事项。

二、技术科——管理发电厂工作。

三、工务科——修理机械等。

四、车务科——管理电车全部。

五、电务科——管理电灯全部。

六、庶务科——购买用具及管理车夫杂役等。

全体职工人数共计一千数百人，其中职员二百七八十人，工人（长工）八百左右，临时工（短工）经常有一百多人，有时增到两百多人。兹将各科管理下工人列表如下（总务科全系职员，故不计）：

科别	工作职位	人数	备考
技术科	发电厂引擎师	9	
	石板	7	
	加油	2	
	帮浦	7	帮浦为在浦江打自来水的工人
	风箱部	4	
	机匠部	10	
	小工部	12	加油，揩车，扛煤，出灰等部工人也是属于小工性质
	揩车部	2	
	运煤部	3	
	扛煤部	5	
	升火	30	
	出灰	10	
	学徒	1	技术科共计 102 人
工务科	车厂钳床部	15	
	车厂起重部	18	
	车厂路工部	14	
	车厂木匠部	16	
	车厂漆匠部	13	
	车厂公路部	8	
	车厂电气部	10	
	车厂铲路部	8	
	车厂马达部	7	
	车厂打铁部	6	
	车厂白铁部	1	
	车厂修线部	5	

续表

	车厂车床部	5	
	车厂电焊部	5	
	车厂中班部	3	
	车厂冷作部	3	
	车厂夜班机匠部	23	
	车厂夜班洗车部	18	工务科共计 178 人
车务科	稽查	2	稽查，查票，排车，管车等部，在地位上说，就是外勤职员
	查票	23	
	排车部	13	
	管车	2	
	售票	156	
	司机	106	
	掉线	13	
	侦探	2	车务科共 317 人
电务科	路线灯务部	31	
	装表部	22	
	管方棚部	14	
	修理方棚部	13	电务科共 81 人
庶务科	汽车部	22	
	汽车修理匠	2	
	茶役	19	
	烧水	2	
	种花	1	
	传达	1	
	司阍	12	庶务科共 59 人

全厂工人实数为七三六人，其中包括外勤职员四十人。

工人的年龄以三十到四十的中年人占多数。工作的年数，大半都在五年以上，在五年以内的占极少数。以后厂方采用临时工政策，老工人多受排挤。

工人的籍贯以江北各县者占多数，其次要算本地，宁波，无锡等籍了。

工人入厂的手续，除临时工外，都要经过三月至六月的试用时期，方得为正式工人。同时在试用以前，应缴二寸半身照片两张，与厂方订立试用契约，方得上工。试用合格后，再觅保证人填具保证书，并与公司订立工作契约，工人入厂工作并无介绍费，不像英电、法电之黑幕重重。

职工的待遇，一般的说，华商电气公司，因为成立在后，为保持营业的顺利，故各种待遇，自较英电、法电为优。

一　工资

华电工人的工资以按月计，每月总计达三二九六二元八角。每一工人可得平均工资四十四元六角六分，从这里就可知其大概的情形了。不过华电的工资等级是非常之多的。计分甲、乙、丙三种，共三十五级。最低十五元，最高一百五十元。

（一）甲种工资　每月八十元至一百五十元，共分十级。第十级到第六级间差数为六元，第六级到第四级间差数为八元，第四级到第一级间差数为十元。

（二）乙种工资　每月四十元起至七十六元，共分十一级。自十一级至第七级间差数为三元，第七级至第一级间差数为四元。

（三）丙种工资　每月十五元起至三十八元止，分十四级，自第十四级起至第八级间差数为一元五角，第八级至第一级为二元。

各级工资等级表

等级	甲种工资数（元）	乙种工资数（元）	丙种工资数（元）
一	150	76	38
二	140	72	36
三	130	68	34
四	120	64	32
五	112	60	30
六	104	56	28
七	98	52	26
八	92	49	24
九	86	46	22.5
十	80	43	21

续表

十一		40	19.5
十二			18
十三			16.5
十四			15

科别	工作部门	职位	最高工资（元）	最低工资（元）
技术科	发电厂	正副头目	150元	104元
	同上	上半夜领班	92	28
	路线管方棚	下午夜领班	92	28
	修理方棚机匠，电匠，锅炉，推车，司机，高压，配电板等	领班	80	28
工务科	工务科	总领班	150	68
	钳床，马达，分路，冷作，打铁，中班，电气，电焊，木匠，漆匠，修线，路工，夜班机匠	领班	76	30
	长工，洗车小工	领班	60	21
车务科	车务部稽查	职员	92	42
	查票	同上	80	28
	管理排车	同上	72	28

续表

技术科	电厂修理匠，路线匠，管理修理方棚匠，低压电表较板匠，管理打铁机匠，帮浦，锅炉，生火等	技术工人	60	21
	揩车，加油，扛煤，出炉，杂务等	小工	43	15
工务科	钳床，马达，分路，车床，冷作，打铁，中班，电气，电焊，木匠，漆匠，路工	技术工人	60	21
	夜班，机匠等	同上	60	21
	白铁匠	工人	52	15
	管家生，长工，洗车	工人	46	15
	铲路	工人	32	15
车务科	司机，卖票	技术工人	60	18
	掉线	工人	40	15
电务科	装表，修灯	技术工人	60	18
庶务科	汽车，司机，铜匠	技术工人		18
	雇役，管门，茶灶，花匠	工人		15

为的更详细了解起见，将个别部门的工资再作实际的探讨，下面就是司机和卖票实际工资的比较，同时与工务科、车务科工人的实际工资作一比较。

工资数	车务科人数		工务科人数（铜匠间）
	司机	售票	
20元以内者	1		
21元—25元者	20	26	
26元—30元者	12	32	6
31元—35元者	8	25	5
36元—40元者	3	9	26
41元—45元者	6	9	24
46元—50元者	18	28	35
51元—55元者	13	10	19
56元—60元者	24	17	49
总计	106	156	164

从前面的叙述中，已经知道司机、售票及铜匠最高工资的等级是同样的，而从这比较表中我们看到各部门工人的最高工资的人数及其在两部中所占之百分比如下：司机占百分之二十二，而售票只有百分之十一弱，而铜匠则占百分之三十二。假使以四十元上下为标准来划分，便可以看得更明显。例如司机一〇六人中四十元以上占六十一人，四十元以下的占四十五人。而售票一

百五十六人中，在四十元以下的占九十二人，四十元以上的只有六十四人，铜匠一百六十四人中，在四十元以下的绝少数，只有三十九人，四十元到六十元的有一百二十七人。我们为什么要叙述这些数字呢？请读者注意一下，这里存在着二种意义：第一，凡生产企业中，工作比较复杂困难和占重要的车间，工资总比其他车间要大些；第二，工资的大小，也就证明工人工作年数的远近，熟练与不熟练的比重。

华电工人的工资已经说明了大概，现在再进一步将华电司机、售票工人的工资，与法电英电的司机、售票的工资作一比较。

厂名	司机最高工资（元）	司机最低工资（元）	售票最高工资（元）	售票最低工资（元）
华电	60.0	18.0	60.0	18.0
法电	55.0	27.7	49.0	27.7
英电	33.5	22.0	33.5	22.0

说明一　法电以按日计工资，每日饭三角，已包括于最高最低之工资计算中，故实际工资低得多。（详见法电专文。）

说明二　英电工资也以按日计，外加米贴每天二角，表上未将米贴计入，但就是加上米贴，也不及华电多。

二　工作时间

华电每日工作时间以八小时为原则，各科工作时间之起讫虽各不同，但仍是不远离八小时制的。不过车务科工人的工作时间，名义上是八小时，在实际上早晚领票箱、交账及往来接班须费二三小时之多，所以华电工会曾向厂方申明理由，要求车务工人工作时间以六小时为原则，至于工作时间起讫亦请另行规定办法。工作时间有时因天气关系或工作上之原因而延长时，按照公司规定每一小时作一又三分之一小时计算（即每一小时作一时又二十分计算）。这种办法，比起英、电法电之每小时加五分或一角是要合理一点。

三　假期

按照华电公司当局规定如下：

一、一月一日中华民国成立纪念；

二、三月二十九日革命先烈纪念；

三、五月一日劳动纪念节；

四、八月廿七日　孔子诞辰；

五、十月十日国庆纪念；

六、十一月十二日总理诞辰纪念；

七、最近秋分之望日中秋节；

八、一月一日及二日　年节；

九、各业总结账期后　休业三日；

十、星期日　例假。

在这些规定的假期中，公司均给工资，但是如遇纪念节与星期例假同值一日时，仍以本日给假为限。这项曾引起很多工人的不满而要求变更，同时要求增加三月十二日总理逝世纪念日及旧历五月五日端阳节，公司向例不放假，故请增加云。

四　奖励

华电奖励之办法，分为记功、记大功、奖励金、奖劳金、加工资等五项。记功满三次为大功一次，但是要想记功真是如上天之难，据说如一年之内未曾请假者可记功一次，试问一年做到头不请假的铜筋铁骨有几个呢？要想加工资须一年内无错误发生者，二年内未曾记过者或能记大功满三次者方可达到。比较实惠的要算年终的赏工，就是所谓年节赏，依照公司规定的办法，凡工作满一年者给予五天之工资为奖劳金，以后每增一年加给五天，至四十五天为止。不过要想拿到这数目，牛马似的要耐过九个足年，实在也不很容易，所以工人曾要求做满一年者即应得一月之年赏，以后每年加十天，至六十天为止。此外还有所谓储蓄，由公司强制执行，因此它的名称也叫做强制储蓄金。储蓄，我想工人不见得会反对吧，那么为什么硬要强制呢？弄得大家不开心，真想不透其中的奥妙！照章程强制储金工人应于工资内按月提出三天半的工资为强制储金，另外再由公司给予与储金同数之金额为人寿储金。由公司发给储金折，按月分别登记。强制储金存于公司，周息一分。遇有本人婚娶或子女婚嫁，直系亲属丧葬，或家遭重大灾变，妻室生产，本人伤病甚重或身故，告退解雇等情时，可以支取，否则须存满足五年后，由本人凭折问公司支取本息全部，同时另立新折继续存储。这种储蓄对于工人是需要的。至于内容和方法，应当尽量改善。

五　花红

也可说是奖励金之一种，所不同的，花红金额的多少，没有一定的数目或规约，而是看公司每年营业利润率来决定；但同时也可以说要看公司当局的高兴与不高兴，有时“强盗发慈悲”，那么抽点极微的款出来分给职工，如公司不高兴的话，那它就会用各种各样的方法取消的。例如美亚绸厂一九三〇年之大罢工，就是资本家不高兴分红而激成的。

至于华电公司分红的方法，是由公司当局从一年来总结营业利润率中拨百分之几作红利，由工会组织红利分发负责人整理委员会，市党部与社会局各派代表一人参加。分发的时候，大都是旧年营业之结束后，即次年春节。

在一九三五年度的分红中（即民国廿五年春），每人每元工资可分得三元零六分，即每月工资在四十元者，可得红利一百二十二元四角，全厂工人分红的总数共计拾万二千九百六十九元。这一笔收入，是工人每年的黄金时代，时间正是春天，穷人的难关（即富人所谓年关）已经过去了，所以工人得到这个钱，有的准备替子女做件新衣，年青点的就计划着讨老婆，赌钱的朋友就商议去开房间，老实点的就打听存在银行妥当呢还是邮局靠得住。负债的暂时可以松一会儿肩子，饿肚子的也可以暂时吃个把月白米饭。至于那带流氓色相的滑头分子，就乘机大发其红帖子。总之，各人的环境，有各人的希望，大家流露着分红的兴趣。其实这区区的红利，不都是工人自己的血汗吗？不过是“财神发慈悲，强盗显天良”，多少还一点儿给我们罢了。

六　疾病残废及死亡

首先说疾病，工人有疾病，可向公司领取诊治券，向公司特约之医生或医院诊治，概不取费，倘须住院，以三等病房为限，但在直接执行职务而致疾病不能在特约之医院治疗时，医药费可由医院或医生之证明由公司支付。工人住院出院均需医院之通知单，可得每日平均工资三分之二之贴津。但至病愈后如尚须调养或休息，其医药费及工资均没有。

其次关于残废，如在工作中因伤而致残废，永久失其部分工作能力者，可得公司给以轻便工作，但工资只能照原有工资额三分之二计算，倘若永久失其全部工作能力而解雇者，公司给予平均工资三分之一之津贴，以二年为限，并由公司继续负担人寿储金至五年期满为止。不过工人在去年提出修改规程中，曾要求永久残废者应得三分之二的工资直至死亡，这当然是应当的要求。

第三，死亡抚恤金，按照公司规则，凡在执行职务致伤而死亡者，可得丧葬费五十元以上，并给其遗族三百元及二年之平均工资。其次在执行职务内而死亡者，由公司给丧葬费五十元以上，给其遗族三百元及下列之抚恤金：（1）服务未满一年者，给予半年之平均之工资额；（2）服务一年以上，未满二年者，给予一年之平均工资额；（3）服务二年以上者给予二年之平均工资额。至于自杀或私斗而致死亡者，公司得不负前项抚恤金。

七　退职

是指工人自己不能或不愿而告退者；假使年数做满五年十年以上者，公司应给予一定之退职金，这在英电法电都有此项规定。华电公司按照过去章程也有此项规定。但在前年新订章程中，只承认凡工人于一九三一年五月底以前已在公司服务者，于其自行告退或死亡时另给退休金，即在一九三一年五月底起逆数至一九二七年一月一日止，凡满足一年者，给予一个月工资额之退休金，但从一九二八年十二月底起其已往之年数，凡满足一年者，给予半个月工资之退休金。工人应得之退休金合并计算，满五个月退休金者加予一个月，满十个月退休金者加给二个月，上项工资额系照工人服务最后一个月之工资计算之。但至一九三一年六月起，公司已另有人寿储金之办法，不再另给退休金。并规定有下列情形之一者得令退休：（1）年老力衰不堪任事者；（2）耳目不聪明，经医生证明不堪任事者；（3）有神经病，经医生证明不堪任事者；（4）非因职务而丧失工作能力三月以上者。上项新规则，很明显的是不能使工人满意的。例如年老力衰，不堪任事者，无异在职亡故，况此辈工人多系多年服务于公司者，若因不堪任事而令其退休，不给予相当之退休金，自无情理。其次关于退休金之第四项规定，亦不妥当。

八　惩罚

照华电规则共分五项：（1）警戒；（2）记过；（3）

记大过；（4）降级扣薪；（5）解雇。即在工作时间稍为高声谈笑，阅读书报，迟到，早退等事，均有被警戒或记过处分之危险；假使稍微损坏了物件，其价值在一元至五元者，除赔钱外，还要记过一次，在五元以上者，还要记大过，总之，惩罚范围之广，包括工人公私的一切事物，只要听工人们说到公司惩罚工人条例共有五十四条之多，莫不表示异议，而要求予以修改。这确是合理的正当的要求，因为按照这些惩戒的条例，无故也会被解释为有故，那么公司当局要开除谁，就可以名之曰“照章”而开除了，前面所述的一切优待和奖励的办法，也会被这许多惩戒的条文代为乌有了。兹再将凡足以引起五项处罚之条文摘录几条于后：

一、工作疏忽者，警戒满三次以记过一次论；

二、对于用户傲慢怠忽者，记过一次；

三、侮辱人者，记大过一次，旷工一日除扣工资外，记过一次，多一日加记二次；

四、殴人致重伤者，患花柳病者得随时解

雇之；

五、工作疏忽或工作懈怠经二次警戒仍未悛改者，得酌降其薪给。

单从以上五项来说，有许多地方含混模糊，分明是公司方面准备随时向工人进攻的一种打算，这是极不应该的。

九　华电工人生活状况

一般地说，与英法电车公司工人差不多，这不仅因为他们在工作上相同的关系，同时在籍贯上也大体有些相同的，所以在此无详述之必要。他们的膳食是自备的，住的地方大都是在南火车站，车站路及西门一带，房子是自赁的，关于衣服方面与英法电车公司无甚出入，在夏季单的二套，冬季大衣一件，帽子冬夏二顶，由公司当局发给。司机、售票坐法界电车可以不买票，不过公司双方并无此项规定，据说这完全是工人对工人间互相帮助的习惯。此外，华电的工人乘坐华商公共汽车也可以不买票，但是工人间的感情并不怎样好（此点下面另述）。烟酒是工人普遍的嗜好，信仰、娱乐、交际，对于他们并没有特别显著可述的地方，赌博、跑公司（即跑游艺场）可说是娱乐交际之一种。休息，按照公司规定的假期（见前）之外，如要休息，便须请假，而车务工人的休息日是轮流的，华电工人的生活情形比较其他企业里的工人生活情形还算安定一点，同时工人大多数是中年人。结婚的占绝对大多数，且大都有了子女，因此每一工人的负担都很重，他们在上海要养活老婆，子女，同时还要积蓄点钱寄回乡下去供养家庭。

十　华电工人之文化程度

华电工人之文化程度与英法两电工人比较起来大致差不多，不识字的很不少，例如以售票员的文化程度来讲，华电要比英法两电低些，因为华电是民族工业，不要用英语或法语，就是写票、查票也不需要外国语，这样在无形中减低了公司方面对工人知识的要求，同时也就减低了工人求知的欲望及学习的兴趣。前几年，政府为要达到减少文盲的目的而实行了普及教育的运动，曾施行过强迫教育的政策，华电工人也都被强迫读了书，时间为二个月毕业，共识六百字。社会局派人考试，如不及格者得继续，这种教育的结果，使工人的文化程度多少是提高了一点，所以在政策上说是对的，在方法上还有些美中不足，普及教育要用强迫的方法，这不是妥当的根本办法，而应该用说服，诱导的方法，使大家热烈地来学习，这样的效果定可更大。同时在质与量的两方面均须注意，例如很多工人读了六百字之后，不知其解释，这依然是没有用的。同时还须注意工人的工作时间，笔者曾与引擎间一工人谈话，他说读了二个月六百个字，结果病了两个月，用掉百多块钱，所以提起读书就摇头。因为他是做夜班工作的，每天早晨六点钟放工回家，等到七点多钟去上课，十点钟回家精神疲倦极了。“不是强迫，我真不高兴去读。”最后他说的这一句话，也就证明了强迫教育好坏的两方面。公司当局对工人文化事业方面每月拨给惠工事业经费六百元，作为办理工人子弟学校及其他之用，工人子弟学校的学生，一九三一年时共计二百余人，至沪战前曾扩充到三倍，原定的惠工费已不敷应用，所以工人又要求续增。

十一　各种活动

至于工人之各种活动，自沪战发生后实际已完全停顿，对于过去之各种组织和斗争历史等材料，亦不易收集，姑从简略云：

（一）**帮派问题**　华电工人帮派的对立有一个特点，就是反映着从前国民党内部意见不一致，影响工人中的对立；华电工人可分二大派别，即老派与新派。老派主要的是机务部工人，有不少国民党员，所以有二十四分区党部的组织，属于社会局影响之下。新派均为车务部之工人，也有不少国民党员，朱 ×× 之徒弟共有百余人（一说为八九十人），有四十五分区党部之组织，属于市党部的影响之下。可是双方面为着权势利害的关系，时常发生磨擦而互相倾轧，在工会的问题上是明白的表现出来。

（二）**工会组织**　华电工会，是由公司当局正式承认为合法的工人代表机关，有常务委员五人（？），其不直接参加生产，而由公司当局给以工资；工会会费，是由工会委托公司代扣的。工会产生的经过，是直接在大革命怒潮中发生出来的，白崇禧军队到上海，就正式建立了工会，地址在南市普益堂，规模很大，工会内部也团结一致，到“四·一二”国民党实行清党后，工会命运遭受了数度的变更，内部就开始产生了分裂，以后逐渐形成了老派与新派的对立，反映出社会局与市党部间的矛盾，但其中也包含着另一种矛盾的因素，即老工会被迫解散后，它的政治影响和威望及组织传统，仍是深刻地保留在工人的一切行动中，而朱××，陆××等在华电活动甚力，形成了新派，但始终无法争取老派，虽然朱门（即朱××派）采取了各种压力，表面上吸收了几个老派的领袖分子为朱门徒弟，但它的对立依然如故。有一次周光荣、汤景生等七人（属于老派）被工会开除会籍，剥夺其一切权利（如每年之分红也在其例，因华电分红由工会分派），周等当要求木匠间头目方永根出来帮忙，以便恢复会籍，方永根等答应在全体会员大会上来决定，朱××派深恐全体大会通过恢复七人会籍，故坚决反对召集全体大会，而提出召集代表会议，于是老派领袖徐王生等（亦为朱门）即为纠正修改会章而出来反对新派。当召集会议的一天，机务部（老派）工人四五百人整队在工会门首停住，因发现工会门前预有布置，在当时有二三百形似流氓分子之类，散布工会附近，形势颇为紧张，适南市公安局得悉前情，急派警察大队赶到，先将机务部工人逐一搜抄之后，再将在工会房屋内之工人（新派）加以搜查，发现手枪数支及鞭炮红布等类东西（据说这是新派工人准备攻击老派，在放鞭炮中杂以手枪，使秩序混乱，并将打死者身上来以红布，以便作为某种重大政治嫌疑之证据云）。当时两方工人，几次动武，经警察极力镇压后，朱 ×× 及其他个别总工会领导人始得安全退出，自此以后，双方党部均诉之上级党部，一直到南昌蒋总司令行营处（当时设于南昌）始告结束，老派工人得到胜诉。但是双方的对立因此也愈深了。当今年春夏之间，日伪组织企图在南市恢复电气部门，曾经过汉奸压迫，老派中个别工人徐 × 等去做工，因为南市数处电线均装于地下，而此项工作只有徐等数人能做。正当日寇汉奸向徐等威胁之时，新派之工会负责者乘机将徐 × 与另一人绑架至旅社，迫令徐等交出工会之一切印鉴及救国公债三千元，虽经徐 × 让步交出公债及分别保管工会文件印鉴等了事，但徐 × 第二次又突被绑，因精神过分受刺激，致成病，几乎自杀。似此类事件，吾人实觉痛心之甚，因华电职工现在均已成为失业者，大家正应该为自己，为国家的福利而团结，消除一切成见，共同奋斗，收复失地，恢复华电的工作。

（三）**工人斗争** 大革命前，华电车务部曾发生过罢工斗争，至大革命前夜华电工人在上海总工会（老工会）领导之下，与法电工人一起站在反帝反封建斗争的前线。在响应上海武装起义的斗争中，华电有六七个工人被孙传芳所残杀了，他们光荣的事业与伟大的牺牲精神，永远地印在华电全体职工的脑海里，在现在更应以反日的实际行动来完成先烈未竟的事业。在上海三次武装起义胜利后，华电工人更夺获警察局和高昌庙，龙华兵工厂的许多武器，而全副武装了起来，当时组织好几队工人纠察队，有步枪十支，机关枪数挺，在法电、华电工人武装队伍司令部的门首（即现在工会的会址）放着几架小钢炮，真是威风凛凛的显着工人力量的伟大。在现在反日民族革命斗争中，吾人希望华电工人再次地来表现过去光荣的传统。

大革命以后，到一九二九年，又发生了一次罢工，这次罢工的原因，是反映着私人企业与国家企业间的斗争，事实的经过是由于制造局的工人乘电车不买票，因此常与卖票员打架。有一次一卖票员被打半死，于是工人罢工，一面向厂方交涉，要求厂方保障工人之安全，另外罢工以后，司机、卖票叫了千余人与制造局工人相打，结果因制造局只有二百余人，被华电打败，以后由制造局方面请了一百二十余桌酒了事。并规定制造局工人乘电车买半票。此外华电与华商公共汽车工人也时常发生打架，据说华商公共汽车与公用局是合办的，因此占了不少便宜。而与华电便不无相当冲突。例是华电曾决定从西门到斜土路土山湾辟一无轨电车新路线，后因公用局限定华电新路线路阔二丈，两边六尺石子，而公用局要走公共汽车，所以电车公司便决定取消该新路线之计划。

“八·一三”后的失业斗争。自沪战爆发后，华电公司电车奉令暂停行驶，而发电厂为避免日机轰炸，于是年九月下旬停止发电，暂向法商电气公司借电转供用户，各工人除原有工作外，加紧避弹工作，堆设沙袋，以免机件损坏，因此职工薪金全薪至一九三七年十一月。自经理陆伯鸿被刺丧命后，由董事另推负责人宣布发给薪金一个月，及五年人寿储金，强令职工承认解雇，后由工会推派负责人向公司当局提出交涉，要求增加维持费，为三个月，并保证不得解雇，同时推派代表赴港恳请杜月笙先生出场调停；在沪、港双方交涉商酌以后公司当局允发全薪三个月，宣布解散，而全体职工当时因生活困苦，只得忍痛接受。至其他如职工数十年来之心血储蓄，年老退休金，公司董事会商分文未给，即一九三七年度年终奖金二个月工资额，亦只发三分之二，兹有部分职工失业，至今无法维持生活，并以年关在即，寒季已至，迫不得已，由流落在沪不能回乡之工人二百余人，各个签名盖章，推举代表贺兆奎等具函公司董事会，恳求发还一九三七年未发之三分之一奖金，经数度交涉，亦无结果，后向上海第二特区法院声请调解，并请求法院即时出票传被告人到案，责令被告人发给声请人等应得三分之一奖金，现尚在诉讼期中，结果如何不能预料。

华电工人现在均在失业的痛苦环境中挣扎着，希望社会慈善家加以注意，因日本人企图恢复南市市面，正想利用这班失业工人，听说现在因无法生活而到南市电灯部门去工作的工人已有百分之三，若长此以往，则恐越来越多；所以希望华电公司当局深切注意，而给以相当救济，这也是为着争取抗战的最后胜利啊！

第十一章　英商公共汽车业

第一节　公共汽车的历史、营业、行政管理、职工人数及工作时间

一　历史

英商所办中国公共汽车公司，成立至今已十三有年的历史了。最初行驶于公共租界内的车辆，不过二十几部。完全都是笨重的，蠕慢的，而且有前后门的旧式死轮车。车厂是几幢本地式小高楼，包括写字间，账房间等一并在内。工人总数连开车卖票共计差不多三百人左右。后因社会上更需要交通的便利，公共汽车的营业遂逐渐发达，车辆增添到六十多辆。公司感觉汽油价值昂贵，开始采用柴油。柴油的价钱与汽油相比，恰是汽油的十分之一。公司当局遂渐更换汽油发动机，代以省钱

的柴油引擎。在这时期之内，公司又添购大批完全新式钢精制成高速度马力大的柴油车，共约二十四辆，加入每条路线行驶，直接节省公司大批汽油费用，间接增加了公司的利润。对于工人呢？公司则使用科学管理方法，每辆车内装置像公园出入口的计数器，计数着每日乘客的数目，防止卖票员舞弊。据云此计数器价钱昂贵，系由英国装运来沪，每部约需三百多元。自从车内装置计数器起，经过一个相当长久的时间。试验这办法的效果如何呢？这办法是否能防止舞弊？不，不但不能根除舞弊，反而增加乘客上下的困难，行驶时间的延长，车行趟数的减少，乘客既感觉麻烦不便，公司的营业遂受影响。最后公司了解这点，看见此路不通，终于将此计数器撤除，堆弃在栈房内，任其生锈毁坏啦！

二　营业

　　公共汽车的营业，在最近几年来愈突飞猛进，公司不但将所有的汽油引擎车辆撤换，而且更增添大批的双层车，及加长的新式车，每辆价值大概总在三万元左右。尤其是厂房更较优美宽大，完全为钢铁所构造，形状好像外白渡桥的钢架一样，坚固，耐用，没有柱子。

过去“八·一三”前，一路线是静安寺起靶子场止，九路线是静安寺起桂阳路止，十路线是曹家渡起引翔港止。每天平均每辆车约四十元左右，其他路线车辆，最多也不过三十多元，出厂营业车辆为九十九辆，每天的总收入在四千元左右。当电车罢工的时候，营业可算最好了，公司的总收入，每日曾达到一万元。这时外勤职工每日加倍给双工钱。公司的收入多，工资也比较增多。还有一点值得说的，便是当时管理职工的洋员们，态度非常和气，宽大，松弛。工人们因人多客满，工作紧张，好像拼命冲锋的时候，总不免犯各种各样的错误，可是这些洋员们，大多说：“不要紧，生意好，没法子，马马虎。”有时笑着告诉你，叫你去！

现在公司营业的车辆总数，每天都超过一百四十余辆，沪东区虽因日人封锁，路线缩短，但是车辆在这短短的路线上不断的加多。例如：几年前十路路线的车辆共二十二辆，每次车需隔五分钟之谱，今天这十路路线只能到外滩，几乎缩短了一半路程，每次车你等在站头上，两分钟便有一辆来了，下午五点至八点黄昏时间，甚至一分钟一部，常常两辆三辆连接着，客人仍是满满地，非常拥挤。售票员时时会唤着："装满啦！""后面一部！"留出插足之余地，便利自己的工作。公司洞悉如此，所以竭力地加车，总感觉车辆不够，车辆如果发生毛病，立刻便周转不灵，而无车辆代替了。现在十路路线车数黄昏时四十七部，黄昏之前四十部。总而言之，一路九路十路这三大干线的车数，都比以前增加一倍。营业的收入，超过从来未有的纪录，每天平均在一万二千多元，工人的数目已超出一千八百余人了。昔日电车工人罢工时，洋员们的和色笑颜和宽大松弛的态度，不复再见了。代替着的，是相反的严厉惩罚。客人愈多，营业越好，不但不能使工人有利，却倒使工人受罪。不幸的事更多起来了，比如说：开车的因为客人轧满，上下费时，公司所规定的时间短促，马路上的行人以及各种各样的车辆繁多，为遵守规定的行车时间，不得不使车辆放快，拼命在人丛中闯来闯去，因此肇祸或碰伤了自己车辆的危险，也便加多起来，被处罚的遭遇，往往从此临到。

卖票的当车里人多客满的时候，更不利了。车里无插足的余地，但无余地也要插下去，人越多车越快，每分钟至少平均要卖三张票。你说装一满车辆的人，不提卖票，就是看看也害怕，有的客人最希望你不来，因为这才可以省下车费，当做外快。如果拼命卖，仍把这般想外快的客人疏忽了，查票查着便说卖票员不是，不尽职的罪名马上就会加到头上来。还有一些在人海里翻来覆去不满三尺多高的小孩子，万一挤在使人不注意的夹缝里，如果被疏忽掉，没有逼着带领他们的大人补票，查票查住了，又是疏忽职务的错来了。人大多洋钱找头，费事，来不及卖，焦急，烦躁，但你还要拼命挤着卖。偶然碰见了一般骄傲的贵客，事又多了。他们不肯体谅你的工作紧张，不看见你内心何等焦急，而有意地和你留难作对，卖票员内心的怨恨，使大家不能有像这般贵客们甜哥哥蜜姐姐似的燕语莺声，所有的是催买票的粗暴吼声。每每这般贵客，写信至公司主管机关，说我们故意向他们冒犯。而我们呢，玩忽职务的罪名，又被加上了！

铜匠因为车辆的增多，使他们一刻不停地忙碌着。装新车，修旧车，公司行政当局因为铜匠们唯一的休息场所是厕所，于是故意使它臭气冲天，肮脏满地，不顾工人卫生，这才使工人不能利用来伸伸腰，吸支烟，活动活动。公司最希望你别撒尿或大便，尽力一刻不停地为其劳动，才能使其心满意足。

拿摩温制度存在，使他们一般人敢怒而不敢言，只有内心埋藏着怨恨愤怒，如果你不留心表现出来，十块钱一月的小罗宋，便来代替你的位置，开除的声音，会送入你的耳鼓。

三　行政管理

公司的最高行政组织是董事会，由董事会任命总工程师兼总经理萧脱氏掌管全公司事务。以下分车务总管，副车务总管，直接管理营业及管理高级职员。再下分人事科直接统治司机卖票工人，及铜匠间管理铜匠工人。所有的洋员要人们每星期照例要开一次茶会，检讨这一星期行政状况，报告营业情形，及讨论如何发展营业，和用何恶毒剥削手段加诸工人的身上，怎样使工人才不能反抗。

四　职工人数

公司职工总数约二千人。职员分写字间，账房间，查票，写票；工人分司机，售票，及铜匠。普通称写字间，账房间，铜匠间人员为内勤，查票，写票，开车，售票为外勤。据大概估计：全体职工江南人占百分之四〇，江北人占百分之二〇，山东人占百分之二〇，河北人、上海本地人各占百分之一〇，其他占百分之五，在开车方面，山东人、江北人占多数。

五　工作时间

车辆从早晨四点多钟起，直到深夜一点多钟才止，整整地在路上行驶廿余小时之久。各部职工的工作时间，遂以这为转移。

写字间，账房间的小职员，他们每天的工作分三班，早班由早晨四点钟，到中午十二点钟；中班由十二点钟，到晚上七点钟；夜班七点钟，到车辆全数进厂时候为止。每日平均工作七小时余。

查票工作每天分二班，每日平均工作时间超过八小时至九小时之多。写票员的工作时间，与查票相同。

开车与卖票的工作时间完全一样，每天八小时工作。因为早晨晚上乘客较少，车辆便减少，早晨车辆是分批次第出厂，在车辆的前面，有很小的号牌，是车辆的编号，为每辆车的标记，如果一三五成单数的车辆是早出厂，则成双数的车辆二四六号便迟一些时出厂，其所迟时间的长短，视各车辆来回一次的时间而决定。进厂时便如出厂时一样有先后，工人接班落班也照出厂顺序而来分出早晚，所以有时工人在同一条路线上工作而不能遇到。

早班出厂之后，做完工作之一半，时间已在四点到四点三刻之间，然后由做夜班的接班，再经过一半工作之后，仍由早班完成他的半个工作，最后由夜班一直做到进厂。无论是开车卖票，其实在车辆上规定的时间已超过八小时。要把接班落班所损失的时间放在一起讲，那每天的时间总在十二小时以上。

公司的章程在出厂之前半小时，开车、售票需在公司报到，这半小时就是工人的损失。同时各路有不同的情形，离厂较近的路线如十路，出厂的损失时间较少，一路、九路、五路及其他各路，要损失更多，由半小时以至一小时以内，这种损失是没有计算在八小时之内的。在“八·一三”前的一般情形，一、九路出厂便到静安寺，由静安寺到兆丰公园，损失时间约半小时以上。由兆丰公园开出的时间，才能计算在八小时以内。二路起点在虹口公园，由公司开到静安寺，循一路路线做到虹口公园，晚上再循一路进厂。四路做七路到徐家汇。五路做十路到河南路。六路分二种，一种做到虹口公园；另一种做九路到军工路；这些损失的时间都在一小时以上。同时各路有不同的价格，所以再给你其他各路的票子，这样又需经过一番掉换的手续，进厂时多花时间缴账。从这样看来，几乎每路都有额外的工作，但工人却没有得到额外的薪给。

“八·一三”以后，虹口区沦陷，公共汽车的路线也随着缩短，经过白渡桥的一、九、十路，现在只行驶到外滩，全线在虹口的六路停驶，二路与一路“S”和红牌子的九路合并，三路取消，七路从曹家渡直达徐家汇，所以各路损失的时间较少。而一路、二路、九路仍须往静安寺跑一趟，再驶往规定出发地点，这种时间损失，到现在为止还是存在着。

照例公司的章程，每辆车可乘外勤服务人员三人赴规定地点上工，但现在七路上却连一人也不准，理由是为了七路的生意激增，多增了工人怕会减少乘客。公司虽然有专备工人乘坐来往公司和静安寺之间的专车，但因时间相距过长，致工人常常等待，公司明知如此，仍叫工人把宝贵的时间花在白白地等待上。其实工人要乘七路，也是为了工作上的便利，为什么不可以增加一辆工人乘坐上工的车呢？一定要和工人为难，这是不可解的事！

全公司的小职员，查票、写票、开车、卖票，每十天中有一天休息。机器间工人从前每星期有一天休息，现在这三百多人一天休息也没有，如果工人自觉乏力，便牺牲自己的工资请假，如果为了家庭开支浩大便只得忍着疲劳工作，有很多的工友，早已呈现面黄饥瘦的现象。公司营业好，这样无情地强迫工人劳动，但是在营业清淡的时候，又强迫工人停班，如在“八·一三”时候，公司为补足损失与节省开支，便不顾工人生活而施行残酷的 Lag off 制度，路线上需要多少人便用多少人，余下的不管，后来因为工人反对及营业恢复，才将制度取消。

第二节 职工工资、赏金及处罚

一 工资

全公司现在职工的总数，约在二千人之谱，职员方面分写字间、账房间、查票、写票；工人方面分司机、售票和铜匠工人。不用说，那般高级职员们的待遇，较工人优得多了。写字间的收入丰富，他们的生活也安定。账房间的小职员，每月薪金由十数元起，到四五十元，二三十元的占多数，住宿由账房间供给。总数约三十余人，年龄大多很高。查票与写票的总数约一百余人。查票以前多数是白俄，现在已有中国查票。白俄查票的工资，由五十元起，每年增加五元，至九十元为止。有的在特殊情形之下加给，所以已超过一百元的查票亦有几个。中国查票和一种以前写票升任的 Route inspector，他们的工资以前和写票一律，于一九三八年九月份起，增加十五元，由四十元起，到七十五元为止。工作也很辛苦。

写票员都是华人，有的是售票员升任，月薪是三十五元起，每年加二元，到三十九元以后，每月加三元，至六十元为止。自一九三八年九月份起，改订为新写票员月薪四十元，每年加二元，至六十五元止。这对于新写票员固然提高待遇，而已做三四年的写票员，却大为吃亏了，如每月能加三元的，现在只能加二元，因此写票员曾书面要求公司当局改善办法，但未得结果。

他们整天在繁忙着，手不断地写着数目字，如现在的一、九、十三路的车辆增多。尤其是一、九两路，一路是双层楼车，每辆有二个卖票员，九路新式的大号车，因为一个卖票来不及，所以现在也已增加到二个，写票员便每辆车要写二人的票子。十路虽然是旧式的小车，但已由廿余辆增加到四十余辆，平均每分钟便要写一个卖票的票子。可是有时路上也遇到了阻碍，车辆暂时中断，规定时间被破坏之后，票子便如长城样的停在你的面前，一面开车揿着喇叭催促着，一面巡路查票怒吼，使得你头昏眼花，手忙脚乱，要是你写错一个字，公司不管你如何忙碌，见写字间，革班头的处罚，是免不了的。

除了上述的职员们而外，现在要讲那群像牛马一样的工人了。

首先讲到司机员，他们是最受公司注意的一群，总共约五百余人，大都是廿五岁到四十岁的壮年，进公司需要一番严格选择，所以本身大多数是强健的。为了使他们了解机器内部的组织以及驾驶机器的体力，还要经过一次无定期的训练；在这训练期内，不能享受在路线上开车的同等待遇，于需要时才要他们出来作路线上的开车，这是公司有意称做预备开车，在厂房内可以减省若干小工。为了训练出一个开车的不易，因此也不随便停辞，人数上也没有过分的变动。

讲到他们的工资，由廿五元起，每年加二元，到五十元为止，白俄开车却可加到六十元。现在很多开车是公司开办时进来的，大都为十多年的老工人，许多人的工资已加到五十元，关于公司的一切经过情形知道得很详尽。

售票员有四百五十余人，年龄在十七岁到四十岁之间，廿岁到三十岁的为最多，年纪都是很轻的。文化水平较普通工厂工人高，间有少数的中学生，多数是进过小学和私塾的，没有进过学校的也有。年岁较大的以前曾做过生意，当过店的老板，洋人手下的西崽及其他专门职业者。年岁较轻的刚从学校里出来，做过工厂的伙计或学徒，因此成分很复杂。

一九三六年之前，售票员的工资，由廿五元起，每年增加二元，到四十元为止。一九三六年之后才进公司的，就是再做十年八年，永不加薪，仍然是廿五元。于未行驶双层楼车之前，考进公司便是售票员，自有楼车行驶，需经过无限期的开门工作，做这工作的时期，称为售票练习生，须视公司的需要才能升为正式售票，否则便是常开门，工资小得可怜，从早做到夜，每月工资大洋十元，每年加一元，升为正式售票后则工资另行计算。

现在为了新工人永不加薪，所以常常设法把工资大的售票员，于很小的过失中停职，以达到他所全部不加薪的目的。事关全体职工，所以大家应当自觉地有一个强有力的统一组织，以便答复对工人无理的压迫。

最后我们不要忘记机器间的工友们，他们的总数约三百余人，内中有极少数的白俄和犹太人，其他大多为本地人和宁波人，年龄亦在十余岁到廿余岁之间，其中一部分为外勤，在各路线之站头上工作。

机器间的工资并没有固定，现在大多数是每月三十余元之谱。从学徒出来满师后由廿五元起，过去每年加二元，现在没有加了，在学徒时代，以前每月拾元，现在是五元了。此外还有临时工，每天一元，需要时才用，不要时可随时停辞。

机器间里工人分成很多种：薪金较大的有木匠、漆匠、广告匠、铜匠等。此外有洗车、加油、扫地、摇车等小工，他们的工资以前是十七元，现在反减到十五元了。

各部职工进公司时，公司当局逼使这般人订写不合理的所谓志愿书，这志愿书的格式大致如下：

兹愿依照定章在

贵公司服务每月月薪　元依日计算每月薪金计　元　角　分

每月须于下月　日领薪并无年赏及其他赏金增薪之事听凭公司裁夺本人健康上发

生妨碍工作时本人即自动无条件辞职　贵

公司章程得随时修改而本人当绝对服从

×××签字

事实上进公司时，除填写上列的志愿书外，还需严格检验身体，有无不能工作及传染性的疾病，就是以后也有因为在公司服务而发生的，但按这志愿书的规定，亦须无条件自动辞职，公司又可掉换一个新的精强力壮的工人了。而且“随时修改章程”以及“绝对服从”等条件，真叫工人无路可走。难怪公司负责人以前曾经这样说过：“在上海要二百条狗倒是件难事，而要二百或二千个中国人，却并不怎么难。”够了，他们目光中的中国人，便连狗也不如。

去年因为公司营业特别发达，职工的生活因物价的腾贵而抬高，工作亦因客人的拥挤而加重，所以查票与写票，首先联袂向公司要求加薪。结果公司允许个别加薪，工资大的不加，成绩坏的不加，和工人接近的不加，故加到的便寥寥无几，白俄查票和公司接近，他们都加到了。

最苦的开车、售票和铜匠却没有加。售票工会因此欲邀开车的共同向公司交涉，但开车的没有动静，售票单独交涉，遂无结果，不久开车却和公司谈判了，公司便允许他们每天两角钱津贴，并要求开车不要讲出去，但这二角钱津贴，如请假、休息、革班头，以及车辆在路上闯祸，皆立即被取消。

公司过去也常常在工人走向统一的时候，拉拢一方面，同时打击另一方面，售票员便是主要的被打击的目标，因为司机是有技术的，所以进行利诱的时候多，但明知这是公司的策略，大家又常常各自走进其圈套里。到现在为止，司机和售票之间，仍有着彼此之分，以致得到的权利也不能一样，在严格条件下的二角钱津贴，变为资本家破坏工人团结的手段。我们不是说司机不当得这二角钱，而是说公司手段的毒辣，全体职工今后要警惕，不再被其分化。

二　赏金

在赏金方面，小职员，查票，写票有相当于一年工资百分之五的年赏，老售票待遇相同，但一九三六年后进公司的新售票员是没有的。

在旧历年底，从旧历年底最后二天起，到初三日为止，五天内因中国商人特别忙碌，正是总结账的时候，公司营业特别发达，每辆车上都是挤得满满地，车行时间也特别延长，同时又怕中国职工为了过年请假，影响公司营业，因此这几天是双工。

此外还有铜板赏与太平赏二种。铜板赏的规定是三角四角二种，售票的每人每天卖满九十五千便有三角赏金，满一百十千便有四角，但这是指给售票的，开车的只得到其半，如售票的得到三角，开车便得一角半，售票的得到四角，开车便得二角。在“八·一三”前，一般营业情形是每天很难卖满九十五千的，尤其更不容易达到一百十千。于是开车售票便互相策应设法使乘客拥挤，其唯一的方法便把车辆慢下来，时间延长，客人自然多了，可是车辆到终点是有规定时间，已慢下的时间并不能再任其慢下去，开车须设法把慢下的时间赶上，在赶时间的一刹那，行驶的速度特别提高，超过规定之上。但这是非常危险的，车辆常常因为超时间而闯祸，但工人明知其危险，而为了补贴家庭的开支正不得不这样做。现在营业超过战前，工人可不必如前一样冒险开慢车，每天大多可稳拿这铜板赏，可是这种赏金远不够补足物价高昂的损失。

所谓太平赏，是规定一月内没有闯祸才能拿到。但是闯祸的范围，是很广的，自己的不好当然算闯祸，而别人家碰到你的车身，只要任何地方被擦伤，亦在闯祸之列，一样不能拿到赏金。第一个月不闯祸可以拿到太平赏一元，接连着第二个月没有闯祸可以拿到二元，如侥幸连续到三个月没有闯祸，则有六元赏金的希望，要是在第二第三个月闯祸，在这闯祸的一月内当然没有赏金，而下个月又重新算作第一个月。三个月拿完之后，第四个月也是又从头算起，得到六元之后，便只能得到一元了。事实上车辆每天在纷杂的马路上行驶，道路宽阔的还不大成问题，而在狭小的如新闸路上便有很多老虎车、塌车、黄包车、牛头车等夹在里面，时常容易发生事件，所以这种太平赏是不易得到的，尤其是六元的太平赏。

从前公司为鼓励车辆准定时刻到站，赏洋十元，叫做辰光赏，稍微差一点的赏洋六元八元不等，大凡每一司机每月辰光赏最低限度总有三五元可得，公司方面特别为他们向国外定购大批顶刮刮的上等西姆表，照原价发售，而他们为求得辰光赏起见，也毫无吝啬地耗费工资百分之五十来购一只，公司现在表也不卖了，辰光赏也无条件的被取消了，保守行车，时刻准备，这是分内的事，要吃饭就得这样做，用不着赏了！

三　处罚

职工们最害怕同时也最痛恨的是处罚。按公司的章程规定，凡职工迟到满三次的便要受到处罚，脱班一次便革班一天，二次革班三天，三次便是一星期，如有更多的话，那便不客气的要停职了。凡一月中有一天被革班，休息的薪金便取消。请假满二天，休假的薪金同样被取消，有病不准请假，请假二天便扣一天的工资。

这种处罚，写票、开车、售票、铜匠等都是一律待遇。

公司特别为了防止售票舞弊，派大批查票在路上调查。售票员因为工资不够开销，有些人舞弊是事实，可是我们不得不承认，在许多被称为舞弊的报告书中，很多是冤枉的。那些被资本家所趋使的一群查票，为了讨好公司，摇头摆尾地随便歪曲事实，只要稍微发现可疑，便以揩油的罪名加诸工人头上。有许多错误是不能避免的，车辆在光滑的马路上行驶，耳管里只听得呼呼的机器响声，车窗外的洋房如在赛跑，人体在车上摇来摇去，售票的在车上要做许多工作，从人丛中挤出、开门、关门、收钱、找钱、打票子等等，有时甚至五元十元的兑换，还要当心伪票与弄手，由前挤到后，站头到了便狂叫，人一多，一次票子没卖好，前面站头又到了，要求没有错处，这是做不到的，发现错，便革班头，见写字间。

到写字间是去见一位洋大人。他说得一口流利的中国话，事情认为较轻便记小过一次，如被认为是严重的话，便革班头。但这不是很爽直地马上执行，而要经过长时间的延宕，一天两天地等待下去，时间经过相当长久之后，才革你几天班头。公司不管事实的真相，全凭报告书上载的轻重。

第三节　职工生活状况、文化活动及家属情形

一　生活状况

写字间的高级职员收入丰富，生活相当安定，他们

在工余之后，常常往跑狗场、跑马场、回力球场等处赌博，有的开旅馆，叫妓女，上跳舞场。账房间的小职员，工资很小，他们不能这样消遣，工余的时间多半在宿舍内睡觉或雀战，不常跟工人混在一起，对工人很隔膜，有几位年轻的，过去亦曾热烈地干过救亡工作。

二　文化活动

司机员很多是文盲。其中有不少的人信回教，他们不许有一人对回教说句难听的话，如发现回教徒违反教规，他们会即刻处罚他，甚至动武。大多数人没有特别嗜好，落班后有的回到家里睡觉，提起下班工作精神，有的在工会内倒一杯浓茶，静静地喝着谈着，偶而也听到他们放大嗓子唱一曲京调与雄壮的歌声。台上的报纸，他们多半是看不懂的，但求知欲是有的，老欢喜问长问短，爱听人讲述国家大事，科学知识，需要指导，需要教育，怀着一颗诚恳赤裸裸的心。在休息的一天，穿着朴实的长衫，挽了自己的孩子，在马路上荡来渡去消磨时光。其中有些前进青年，不过为数甚少。“八·一三”后，政府中需要大批司机员，有七八位一同投进军队中为国服务了。

除此以外，还有一批人过着与他们完全不同的生活，落班后，穿上阔绰的长袍，戴上大礼帽，混入所谓“闻人名士”的一群中去。有的和小流氓为伍，轻视同事，常常为很小的事，双方不甘示弱地打了起来，吃讲茶，拉台子，便是他们的面子。

售票员文化水准比开车较高，因为成分来历复杂，故各人的行为也复杂。有些人业余生活多是跑公司，白相玻璃杯，赌博，跟流氓一道厮混，借恶势力向同事借钱。有时整天没有事做，过着浪漫生活，其他年纪大的，业余时间也是大多消磨在恢复体力的睡眠上。这些人大都彼此轻视，尤其是染有流氓习惯的一派，最为骄傲，也是动不动便是打。此外一批年纪青一点的，常常在工会内玩台球、篮球、下棋。有的欢喜读书看报，常常看有价值的电影与话剧，谈谈时事与研究社会问题。从前有些热心分子，创办一《车轮周刊》，后又改为月刊，督促工会行政，灌输抗 × 思想，不久受到资方的摧残停办了。可是接着仍又有些热心分子，组织一个波浪读书会，以半公开的姿态，活跃于群众中间，作为一个普及文化的中心，启发工友的新思想，领导工友们的抗 × 斗争。其主要负责人是孙王阶君，他有敏捷的头脑，前进的思想，不屈不挠的斗争精神，在波浪读书会中的大部分工友，都是受孙君感化，许多人从醉生梦死中被孙君拉出来，转变为一个好工人。当时波浪除了在售票方面活动而外，影响到写票，司机，铜匠。到“八·一三”抗战爆发，他们分别参加救亡工作，向工人作抗 × 宣传募捐等活动。不幸孙君竟以操劳过度而与世长别了。现在全体工友们愿意继承孙君未竟的工作，以慰孙君的英魂，使其能含笑于九泉之下。“八 · 一三”后有些求知欲望很高的工友，成立一书报流通的团体，开始借阅旧小说演义一类的书，后又可添借新小说，著名创作，及科学等书籍。参加阅读的，各部工人也都有。最近售票工会为了提高工友的技能，创办有英文补习班。

三　家属情形

工人的家属多半是小家庭，因为工人的力量只能养活妻子。至于要养活父母及其他亲属的人也不少，不过这样负担更重，所以很多工人的妻子除了理家务之外，便得到工厂工作，找钱帮助家用。河北人、山东人的家属多半在故乡，家中有点田种的，生活安定些。自“七七”事变，我军因战略关系放弃了很多城市，他们很多人不堪敌方的凌辱，便逃到上海来，而上海的生活程度提高，故这些难民般的工友家庭，过着非常可怜的生活，时时听得他们骂 ×× 赤佬，盼国军去收复他们的老家。家庭中的子女因为拿不出学费，很少受教育。创办职工子弟学校，我看是工会应当特别注意的。

第四节　公共汽车工人的斗争

一九三二年米价飞涨，达二十多元一担。我们全公司工人决议要求当局发米贴，资方不允许，不但置之不理，而且恐吓工人，结果工人开始宣布罢工，表示抗议，全公司内无论那一部门工人不来到公司门口，每天由纠察队维待罢工秩序，罢了二十三天，公司想尽一切办法，或者宣布另招新工人，罢工工人三天不来登记者作为自动放弃职位；或者分化离间工人，动摇工人的阵线。可是工人并不上当，公司的手段失败。它开始训练俄籍开车，将车辆每部置铁丝网，首先行驶四五辆，用巡捕随车保护，乘客非常不便，舆论极不满意，公司不得已，始接受工人的条件。工人在延平路广场上由代表宣布公司答复的经过，在全体鼓掌声中，结成队伍，按照秩序，坐上公司派来的卡车，于鞭炮声中进公司复工，这是公司开办以来的第一次工人斗争。全体工人代表一个也没有被革职，这是由于工人团结的力量。八小时工作制，签定在这次复工的条件之内，但事后这一点并没有完全实行。

公司重用白俄，因此养成白俄的骄横，随便殴打工人，侮辱华籍查票卖票。一九三五年，有一次卖票一百〇一号的头发也被扯掉了，嘴上被打得出血，面部红肿，引起了每个乘客的不平，每个人都说："白俄太欺负我们中国人了。"大家准备立即饱以老拳，拳头在他鼻上点动，白俄吓得屁滚尿流，满口胡说。这时深明大体的被打卖票员反来替他解围，说请大家不必用武，希望几位乘客作证人，一同报告公司制裁他。于是马上有两个慷慨正义的客人挺身而出，在百忙中抽出时间到公司作见证。公司当局虽然接受客人所述事实的经过，向他们声明调查复再处置，可是隔了一天、二天、三天，这白俄查票仍然是查票，公司并没有任何表示。相反的，白俄的气焰更一天高一天，说什么白俄聚众滋事，不来罚卖票已经算是客气了。同时处罚也一天天地加凶，稍微有一点小错，便有被打破饭碗的危险。人们都愤怒到了极点，反抗的情绪存在每一个人的心头。适遇九十六号卖票到站没有停车，又被白俄查着马上开除，于是罢工便爆发了。

某一天清早打破了常例，大群的人们发出了他们的吼声，推出了几位热心的工人做代表，大家开起会来，宣布罢工，要求改良待遇，增加工资，好像火山口爆发一样，将已经埋在心中的仇恨，统统发泄出来。

应该头一部开出厂的车辆直到八点钟未开出厂，大班吓慌了，马上跑到公司，命令工人先复工，再谈判条件。同时捕房开到了大批巡捕，华界公安局第六区亦开到大批军警，凶蛮的西捕开始殴打工人，于是开车卖票以及铜匠工人，和西捕发生了激烈的冲突，但华捕与印捕同情工人，使公司压迫毫无结果。公司在罢工坚持之中，又想利用白俄开车，将白俄查票暂做卖票，欲将车辆先行营业，以破坏工人罢工，可是工人代表噗地一声，躺在车前，以必死的决心，阻止开车，全体工人非常感动，更加坚持团结，同时公安局第六区区长见到这种情形，立刻出来调解，并负责担保公司当局在当日下午三点钟之前答复。

每个工人都在胜利的情绪下等候着，时间好像特别慢一样，大家非常躁急，为什么还不到下午。好容易到了下午，公司布告栏内贴出了布告，每人加工资二元，待遇中外平等，绝对保证白俄查票不再殴打卖票，无故不得开除工人。工人遂在胜利的声中复工，可是大家疏忽了组织一事，以致后来公司用迅雷不及掩耳的手段，借故把几个工人的代表革职，这是特别值得汽车工人今后警惕的啊！

此外，公司中局部的工人斗争曾发生过三四次，资本家采取毒辣的手段，甚至将参加局部斗争的工人完全开除，但未被革除的工人，他们得到极宝贵的教训，晓得什么是失败的道路，什么是胜利的道路。

到“八·一三”战事发生后的第三天，全体职工要求预支三个月工资，公司不答应，工人一致罢工，开车自动开车运难民，铜匠最为英勇，巡捕房以武力干涉失败。后来公司答应全体一律支工资一月和五元大洋，双方打伤不追究。一九三八年五月工人反对站头不停车开除的布告，实行怠工，数十部车一齐开，前后顶着，使客人减少，结果公司取消布告，外国人并亲自慰问开车。凡此诸次工人之所以得到胜利，因工人已有工会。

第五节　职工运动的过去、现在与未来

一　过去职工失败的回忆

（一）他们是怎样团结起来的　英商中国公共汽车公司在创办之初，它的范围之小，在现在说来，真是有些令人不相信，雇用的职工，当然也不多，那时的待遇，据说还不坏。以后营业发达了，职工也增加了，资方压迫工人的惨剧，也一一表演了，弄到后来闹了几次大罢工，那时的工人因为没有组织，所以结果是失败了。

工人虽然没有得到美满的结果，但资方已受了严重的打击，至少他已知道了工人的反抗力是可怕的。所以罢工后资方对工人的压迫，已稍为缓和了，职工也是逐渐进步了。他们了解群众的力量，他们更需要组织，他

们需要团结，不过受着环境的束缚，还不能像我们理想那样的满意——职工联合起来。

（二）职工会的分析　公司全体职工，前面已说过原有“内勤”，“外勤”之分，“内勤”由总经理及大小职员分任，“外勤”就是穿着号衣的查票员，写票，售票及扫地等工人。

资方有个一贯的政策，就是压迫外勤职员——其实是工人，而以较好的待遇予内勤职员——所里先生们，用这种离间的手段，使职员与工人之间，遗留了一种传统的概念——不合作。直到现在还是保持着这一概念，所以职员们始终是散漫的没有组织。

外勤职员——工人，为了时时受到资方压迫，他们意识到自己职业没有保障，他们警觉到自己前途的黑暗，于是他们渐渐的走上团结的大道。

最先发起组织工会的是司机员，他们用互助会的名目，成立了一个团体，那时互助会的中心工作是职务上的互助，及工友遇难的救济，他们是消极的自救，而不是积极的由根本上铲除自身的痛苦，改善自身的生活，向资方争取工人应享的利益。所以互助会成立不久，就闹过多次的改选，改组风潮。

继之而起的是售票员发起组织的“业务改进自治会”。初办时的情形是相当的紧张，劳资双方对这东西——自治会好像都感到兴趣。在劳资初次谈判后，工人待遇比较起来是改善了，工会的负责人最初是很热心的为大众努力着。工人对于当时那一新的处女组织，也是热烈的拥护着，一般说来，那一组织是成功的。

不久以后，资方对这两个团体——“司机互助会”与“售票自治会”就有些厌恶了，换句话说，就是对这两个团体有些嫉恨了。其实这理由是很明显的，同时这种现象也是必然的。可是当时的工会负责人，由于他们的意志不坚强，由于他们不能站在统一战线上，抛弃成见的共同斗争，所以工会是时时被破坏，时时受到摧残，一直弄到工人与工会各走一端。这种行动正好中了资方的毒计，尤可痛惜的是开车工会与售票工会简直等于敌对，所幸的以上这种情形，已成过去的事了。

二　迈进中的工人现阶段

（一）工会进步，提高工人抗 × 情绪　敌人的炮弹并没有使我们屈服，相反的提高了中华民族的抗 × 情绪，资方分裂工人的毒计并没有实现，反使工人统一了。向来不互相接近的职员与工人，现在受了这炮弹的影响，在抗 × 救亡的大前提下，有一个时期，他们——职员与工人曾站在一条战线上为救亡而工作着，他们——职员有时为了某种事件不满意于公司时，他们希望着工人向公司捣蛋，或企望工人某一事件的胜利自己也可同占好处。在工人的救亡运动中，如募捐，慰劳等，他们全部合作参加，可惜这一战线未能久待下去。不过在这一短时期的联络当中，我们已可以看出中国阶层不同的合作与有力，中华民族是不会亡的。他们只要是关于抗 × 救亡可以立即抛弃成见，不顾自身的站在一条线上。这证明了职工抗 × 情绪的提高，最后胜利一定是属于我们的！

司机工会的确是今日工人中的一个有力团体，值得工人拥护，但它除了经常的会务如收费，为工友预备茶水，报纸外，其余很多急需要做的事，全部停滞着。司机工友们很少去督促工会，而工会也忽略了它应当负起的重任，这样一个有无限前途的工人组织，可惜尚未充实起来，工人要受到些损失的。

不甘看着工会这种沉闷空气的工友，也是很多的，现在已有一些积极分子联合售票等各部门工友，作救亡斗争。还有一部分工友，在筹备组织一个部分的实际工作的团体，在进行方面多少是要受到些困难的。所以到现在笔者还没有得到他们成功的消息，在这里我们深望司机工友们本着不屈不挠的精神，努力去干，最后定能得到胜利的。

在前面我已谈过售票员自治会在没落着，但是积极热心的售票工友，决定不忍心看着它没落下去，而正在大家喊着改组的声中，公司无故停歇一个工友，引起群情公愤。灵活的资本家，马上缓和了这紧张的空气，使工友暂时得到一些小胜利，而工人由于这一次的斗争，更了解了群众的力量是伟大的。工会是工人需要的。说得严肃些，工会是我们工人的一道铁的堡垒，在这一警觉的重视下，在工人严厉的监督下，由官僚派的独裁自治会，改为现在民主化的公益会了。

公益会改组后，并没有马上担负起为工人谋利益的工作，为民族解放而斗争的重大任务。它曾经过无数次的督促和谴责，才走上了今天光明的前途。

全公司职工在组织方面，比较有系统的要算售票员公益会，它包含了很多小组织，有储蓄会、图书馆、同乡会、回教会、口琴会、英文班和各种球队。由这些小组织结成一个大团体，它的力量，是相当强大的。如此公司对售票工会（即公益会）自然难免不安，可是今日的售票工会决不会和公司故意为难。它的目标是在组织工人，保障工人的生活，为了协助抗战的需要，与进行救国工作，甚至不惜委曲求全，争取公司的合作。工会这种政策的决定，是根据全体工友的意见，因为自抗战开始，到国军西撤，一直到现在，工友们的全副精神，全用在抗 × 民族解放斗争上，工友本身所受的痛苦，是放在次要的地位。并非工友不关心本身的利益，而是工友意识到抗战是高于一切的，所以工会对资方的忍让，工友是同情的，没有一个责难工会的。这样把每一个工友更警惕起来，我们常听到他们谈论着每一件工友受屈的事件，他们的结论是：“要解决一切问题，只有共同努力，争取民族解放最后胜利。”工友在公司活动救亡工作，公司暂时是放任不管的。虽然这是异邦人士对我国抗战的同情，我们也不能否认工会政策的正确有以致之吧！

三　益见光明的开展

（一）**全体工会的开展**　过去的工会是一个部门一个工会，司机工会与售票工会是立定脚跟了。新近成立的有华人查票工会，正在进行的有写票工会，这些工会已包括了公司百分之七十的职工，司机工会比较起来，是落后些，售票工会，查票工会，写票工会是比较前进的，他们的可能联络起来，在现在只是环境问题，将来定有联合的一天，那时司机工会也会随着多数前进的。还有本文一直没有提到的铜匠，及小工，他们一向是受车厂厂长的管制，而铜匠又是师徒制度，所以组织比较困难，小工们更加可怜，工作十多小时，所得代价只能养活自己，所以有许多小工做完夜工，白天还要去做小生意，这样的生活是很容易提起他们斗争的思想，可惜还没有人去指导他们。假使各个工会有一天联合起来，这百分之三十的铜匠和苦工，一定能参加到多数有组织的队伍中来，所以，全体工会，是有成立的希望的。

工人这样积极的组织起来，他们的目标并不是对资方有什么过分的企图，虽然他们也企望着公司给予相当生活的劳动代价，然而他们还有一个伟大光明的目标，反敌人反汉奸。他们每一个小组组织成时，就讲述敌人和走狗汉奸的阴谋，使工人不致上它们的当。同时工人要有一个比要求公司改善生活更重要的问题，就是要公司尊重中国工人的人格，这一问题的提出，我们可看出工人的自尊心，这些全是我们中华民族复兴的征兆。

把上面工人的一般情形仔细的审查一下，那我们可以说工人是进步了，过去的种种失败现在全在改进着，尤其是不可忽视的是他们最重要的工作在组织自己，训练自己，他们了解群众的力量是伟大的。他们在恶劣的环境压迫下，更把他们的意志坚决起来，他们个个乐观的奋斗着。

在笔者这篇东西没有写完的时候，很多朋友说我写得太广泛了，过去的事根本不需要说，据他们的意见，最重要的是工人现在情形，写出来就好了。但笔者以为现在工人的情况，一般的说来是进步了，而工人并不以此为满，况且他们的进步还在前进的行程中。如果不把过去的写出来，那是看不出他们是进步的，把前前后后全提出来，同时也可以供工友们自己工作的检讨，鼓励工友们努力前进，为劳动者的福利，为民族解放运动，作更进一步的斗争。

中国的工人前途是光明的，公共汽车的工友是有无限希望的，但是，要得到真正的胜利，还需工友们忍苦耐劳的协助政府做抗 × 斗争，更希望各界同胞与以正确的指导与鼓励。

第十二章　出差汽车业

第一节　出差汽车公司的历史

出差汽车公司以云飞为最早，在一九二一年（相距现在已经有十八年）有一个美国人，名叫高尔特的，他集了小小的三四千元资本，一共买了十四辆旧汽车，但是其中有三辆破坏得不能应用的。他就这样的开始了他的营业，在他起始到现在十几年的剥削工人的结果，现在已经成了一个大资本家了。目下他的资本已经增到一百多万了，汽车共有二百辆，却都是最新式的，汽车分站已增到了十四个，工人职员共有六百几十人之多。由此可以想见帝国主义的经济侵略侵入中国的厉害了。除了云飞而外，华商中最大的为祥生公司，有汽车二百二十部，职工三百六十人，其次为泰来公司，有汽车九十六部，职工二百多人，再次为银色公司，有汽车八十部，职工一百五十人。总共上海有大小出差汽车公司四十八家，连私人汽车司机在内，共有职工二万人以上。

第二节　目前营业状况

自从创办以来，各公司当局是始终剥削工人的，他们是用很低的代价，来雇用工人，所以他们一开始营业就非常发达，司机工人要做三日三夜的工作，方才能够休息一天，在“八·一三”以前营业可以说发达了，但现在虽然战区不能营业，要每辆汽车一天却做三十元左右的生意，如以二百辆计算，不是一天就有六千元的生意吗？那么可以说比“八·一三”战前的营业更好了。

第三节　公司组织系统

各公司的最高机关是经理室，云飞经理为过去创办人高尔特的阿舅比罗华，华人经理为盛燮圭。其他各华商经理多为华人。在经理以下分有内勤职员和外勤职员二种，现分述如下：

（一）内勤的：

1. 车务处：设有主任一人，以下有上级职员，下级职员数人，管理公司内司机工人和苦力等的一切事务。

2. 机务处：亦设主任一人，以下职员和车务处不相上下，但他们是管理机务方面的，一切铜匠，木匠，漆匠等事务，都是他们管理。

3. 会计处：设会计师一人，下有帮办几人，管理一切进出财政，发给工人工资等事情。

（二）外勤的：

1. 分站职员：大站五六人，小站三人，管理一切营业金钱，查看出差时间，听电话接生意等。

2. 电话总线间：有职员十二人，专管生意电话，转接各分站。各公司虽间或亦有略略区别，然大体上皆大同小异。

第四节　工人的待遇

一　司机

司机每月薪金各公司不同，然大体在二十一元左右。自从进公司的门到出公司的门，不论年数多少，薪金是始终没有增加的。祥生、泰来、银色三公司，曾实行一种荡班制度，做一日拿一日工钱，不做就没有，但仍须在公司等候。工作的时间是最苦的，要不停的做三日三夜，方才有一天休息。过去云飞劳资合同没有订立的时候，要做五日五夜才能休息一天，那当然更苦了，其他一切工人应得的利益，更是谈不到了。云飞自从一九三七年一月一日劳资双方订立合同之后，才争得工人最低限度的待遇，如每年有赏关一月，国家纪念日赏工七天，每年病假二十五天，事假（包括婚丧）外埠一星期，本埠四天等的种种最低待遇。假使要与世界上前进国家的工人待遇相比，那真有天壤之别了。但是对于处罚工人的条件，倒是非常厉害的。例如汽车无论什么损坏，或者因为工人工作得精神疲倦而发生意外事情的一切损失，也要叫工人负担一半的。祥生规定漆坏，工人须赔二元。要是你撞死了人，犯了刑事的话，那公司方面就一点保障也没有了，只有当事的工人去硬挺。倘使工人有事而脱班的话，在三次之后，就要罚你停止工作一星期，这可算是最轻的处罚了！

二　工匠

（一）铜匠　外国铜匠的待遇比较好一些，他们是全体铜匠的领班（俗话所谓头脑或拿摩温），他们的年数做得比较多，并且资格也老一点，所以有一百元光景。其他的铜匠大多都是三四十元左右的，他们的工作时间普通是八小时，要比那司机的三日三夜好得多了。星期还有休息，假使要做礼拜工或夜工，那是另外有津贴的，一切都要比其他工人的待遇好些，这是有原因的，因为他们在公司中占着最重要的一个部门，所以得着比较好的待遇，这是不可否认的。

（二）木匠和漆匠　这些工人当然不能同铜匠比了，他们都是三十元左右的，不过他们的工作时间，是与铜匠一样的。

（三）苦力　他们先把苦字顶在头上，所以他们好像是应该苦的，他们虽然没有像司机一般的要工作三日三夜，但是他们没有和铜匠以至木匠漆匠一样的待遇，薪水是一律二十元，做到老死也是二十元。始终没有一毛钱的增加，我想他们在精神上是如何的苦闷呀！不知怎么道理，他们的年赏也只有半关，这无理剥削，真是岂有此理，好像苦力不是人，在公司当局看来，苦力或者是另外一件东西，这是有点莫名其妙了。

三　职员

职员方面，除去经理以外，每处的主任大概每月有三百元左右，主任以下的薪水可以分高级、中级、下级三种。高级的薪水在一百元左右，但在职员中是不多的，不过十一二人罢了。中级的职员平均都在四十元左右，他们的人数要占全体职员大半数。但是下级的职员那是够可怜了，每月的薪水不过二十余元，也占十分之三左右，假如要叫他们拿这区区的薪水去养活一家人口，那真是糟糕了，尤其是在 × 方疯狂的发动“八 · 一三”战争之后，这般小职员们更在过着他们一般人所想不到的非人的生活，我想这倒不止只是出差汽车公司的小职员们吧！在奖励方面，他们也只有一个月的年赏，其他的权利，是享不到的。

第五节　工人的生活概况

一般工人们大都是在无产的家庭中生长成的，所以他们的生活是简单而清苦的，无论在衣、食、住、行方面，一切都是不合理的，尤其在目前的抗战时期中。但他们是非常了解的，他们知道一切，他们知道他们的敌人，所以工人们都觉醒起来了。他们知道最后胜利，才是解决他们生活的难题的时候。因此工人们在刻苦的生活下，还是热烈的爱护祖国。他们在交谊的朋友当中，更是不放松一切的宣传抗战意义和胜利的必然获得，来争取抗战早日完成。总之工人的生活是配合着抗战的。

但是还有一个缺点，我们不得不指出的，就是有少数工人，他们的生活还是没有严肃起来，他们终日在喝酒和叉麻将的黑暗圈子里兜着，或没有找到正当的消遣，于是他们的生活就一天天腐化起来了，这是要用说服和教育的方法去开导他们，那是不难克服的。最后我希望汽车工友们坚强的团结起来，向着光明的前途迈步前进！

第六节　文化程度

因为过去社会制度的不进步，教育的不普及，所以一般工人阶级的文化程度是非常低落的。假如我们要与世界前进国家工人的文化程度比较，那真相差得太远了。在工人当中目不识丁的要占四分之一强，粗通文字的也不多，讲到能够看报或写写文章的，那当然更少了。这当然不是他们不要学识或自甘堕落，这个责应当由国家担负的。

在职员方面，他们都是小资产阶级的子弟，所以他们的文化程度比较高，大都是初中或高中程度，但是他们所得到的薪水也是很微小的，想想也有点可怜了。但一二个主任或经理，那当然是例外的。

由上述两方面的文化程度观察，职员方面当然要比工人方面高得多，但是对于爱国的行动与团结的力量，那工人真要比职员强得多（看了上面工人的抗 × 活动就可证明）。工人已经团结起来了，他们为了争取抗战的胜利和本身的利益，宣誓了不做亡国奴的决心。他们不论在爱国的行动上，组织上，宣传上都已做了全上海工人的模范，同时还争取了资方一致对付 ×× 帝国主义。汽车工人的精神是怎样的伟大啊！

第七节　工人的活动

因为中国是一个落后的国家，虽然有着许多次解放斗争，但是封建的恶势力，仍然是相当严重的存在着，好像拜老头子拜弟兄等，在工人中是免不掉的。汽车工人当然也没有例外，他们也有着帮派，即青帮、红帮。青帮就是拜老头子，红帮就是拜弟兄，他们起初的宗旨在表面上看起来是好的，不外团结、互助、同患难共生死等等口号，但是实际上也是不好的，或者给老头子或弟兄的利用，而做出种种卑鄙的事情，也有靠了老头子，老大头的“牌子”，向人敲诈欺骗，或是为了利益自相冲突，残杀，凡此种种，不一而足。对于团结互助等事，那是根本谈不上的。追究它的原因，没有正确的教育，那是一个很大的缺点，假使能够好好的领导的话，灌以正确的思想，那真是一个很好的组织。

一般清醒的工人，对于上述的事情，觉得非常痛恨，于是发起失业的组织，一面可以救济失业的工人，一面可以互相帮助，增强工人自己团结的力量。在一九三三年，一般工人需要加强全市汽车工人的团结，于是在此年八月十五日创立了汽车工会，一声号召，全上海的汽车工人，都迅速的清醒起来，加入为会员的有三千余人之多，每个会员每月缴会费一元，数目相当惊人，于是一般投机分子乘机混进工会，实行争权夺利的丑剧，结果在一九三五年春季寿终正寝，宣告解散，言之实在可惜。

云飞工人受了以上教训，于是一面肃清自己公司内的不良分子，一面淘汰外边的投机分子，重新在同年十一月一日创立工会，以云飞工人做基础，向外发展，结果参加的会员有一千余人，人数虽然比上次少了一半多，但组织的法子是进步了，领导的人也优良了。在成立一年半的时候，工人感觉工会相当健全，于是要求资方订立劳资合同，借以保障工人种种利益，结果是胜利了，在一九三七年一月一日，劳资合同订立完成。

在工会成立之后，发动大小斗争不下几十次，最重大的要算一九三七年四月二十一日的二星期大罢工。这次罢工的原因，是因为公司方面对一工人有了细小错误，要开除工会代表张大心，全体工人当然不允许，于是就发动了罢工。在罢工的过程中，因为调解人

×××受了资方的贿赂，出卖了工人，由上海市社会局，市党部强迫复工，但这时的云飞当局是变本加厉了，结果开除了代表六人之多，在现在想起来，是非常痛心的。

在“七七”卢沟桥事变，发动了全民族抗战后，上海的工人很活跃的参加了各种抗日活动。汽车工人当然又参加了这个洪流，他们有许多参加了上海的各种救亡团体，给了国家一份抗日的力量。接着上海的“八·一三”战争也爆发了，于是汽车工人在八一五的那天，就发起了慰劳前线将士运动，在十月十日双十节又发起了劝募背心运动，成绩也相当的好。后来又发起购买救国公债，难民捐前后发起了多次。在本年的双十节里，又发起了献金运动，再加上新年献金，这正在进行中，成绩一定也不坏。

根据上述很多事实，汽车工人在抗日的工作上，已经负起了一部分的责任。想来在以后的抗日过程中，他们会负起更艰苦更伟大的责任的。要赶走日本帝国主义，达到我们最后的胜利，建立起我们自由平等的新中国，才是我们工人的出路。

第十三章　上海邮政事业

第一节　上海邮政局略史及现在营业状况

一　略史

上海邮局的正式成立是在光绪二十二年。在这以前还有很多关于传达消息的故事。

第一个是驿站的故事　现在还流行着两句古诗，记述古时一个人寄给他远方的朋友几支梅花的事情，这两句诗是：

折梅逢驿使，
寄与陇头人。

驿使就是来往于驿站间的一种公差，相当于现在邮局里的信差。现在的信差已不替人家送那些不易保存而又不便携带的鲜花了，但像活的蜜蜂只要包装得好，在寄递期间无碍那些小动物的生命，也还是送的。

在中国长期的封建制度下，由于领地农村经济的自足性，人民不需要消息往来，由于统治阶级只注意到巩固自己的权力，传递的消息仅有军报和公牍两种，人民的信件一概无从收寄，传递的方法就是在全国重要的地方，依照路途的远近，设置若干驿站，由驿使往来作为联络，实际上这是一个军事交通的机构。

驿使寄梅花是久远的事了，而且这又是在封建制度下特殊的例子。不过这种驿站制度自从周朝到清朝末年，可以说没有变更过。

光绪二年上海驿政废弛，因之又添设文报局传送驻外国钦差来往文报。

这种寄递公文的驿站和文报局，若说是邮政，那是属于原始最古旧的一种了。

第二个是民信局的故事　民信局的起始是在老旧的自然经济衰落后商人逐渐占有显著的地位的时期，据一般的推测，大约在明朝永乐年后。那般新兴的商人阶级混入了当时士大夫阶级，构成了庞大的势力。他们既沾不到驿站的余惠，又感觉私人间和商务上通信迫切的需要，因之各商帮就出资自办民信局了。

之后，随着商业的增长，业务日趋繁荣；民信局到达的地方，在国内远届东三省、陕西、甘肃和新疆，在国外远及南洋群岛。

这种民信局大都由私人独资或合银股东组织而成，资本主称东家或老板，雇用店员代为营业，店员的人数以营业之繁简而定；大约账司管柜一人，收信一人至五人，送信一人至五人，厨役一人，脚夫两三人，这是民信局组织的全貌。

民信局的业务，大约可分为五类：

1. 普通信业　这与邮局业务相等，有时范围还广一些。

（1）特别信业　如一切书信，新闻纸类，商业契约，各项票据等都可收寄。

（2）代寄包裹　各类物件，无论违禁与否，均可代递。

（3）挂号信物。

（4）汇兑款项。

2. 代派报纸　向报馆批发，由送信人发派。

3. 运送业　运送旅客各项货物。

4. 银行业。

5. 其他杂业。

民信局业务的开拓，对于一般商民，真是嘉惠不浅。对于驿站一向视为政府禁脔的，现在他们可以骄傲了：“我们有自己的信局。”

在上海，自从五口通商以后，各帮民信局争设总局于此，尤其是宁波帮的势力最大，几乎独占了这种营业。当时民信局实数虽没统计，但就范围而论，最多的时候就有几千家，民国二十三年一月向邮局登记的民信局，尚有一千三百十二家，这样看来，上海民信局的势力是如何的膨大了。

第三个是客邮的故事　客邮的设立在中国从“天朝”降到次殖民地的过程中。

当十九世纪时代，各资本主义国家侵入东方的时候，中国便暴露出了自己经济上的落后性以及由此而产生社会的和文化的落后性。于是那广大的领土，丰富的物产就成了被侵略的对象。

“最初是教士，其后是商人，末了是兵舰”，这是资本主义国家侵略的方法。

虽则“天朝”不屑与“蛮子”通商，但中国的万里长城却抵不住资本主义的洪流，它给资本主义各国打破了。随着客邮也侵入了。

客邮的侵入，始自前清乾嘉年代，自五口通商以后，英国首先在上海设立通信机关。之后，各国纷起效尤，竞相设立，据光绪三十三年调查，上海客邮的国籍，计有英、法、德、美、帝俄和日本，若以全国而论，客邮的总数就有六十七所，遍布通商口岸，光绪以来，客邮的势力，日益扩大，民国以后更形猖獗。

客邮的侵入不但侵占了我国的商务，并且损害了国家主权，这是非常痛心的事。

上述的三个故事：驿站，民信局和客邮，只是上海邮局设立的前奏，却没有继承的关系；上海邮局自有它成立的经过。

远在咸丰七年，中国开始创办新式邮政，同治五年，将邮递事务归邮政办事处，办理来往宁、沪间各使馆以及海关的文件，到光绪二年，才开始收寄普通人民信件。光绪五年上海又设立送信官局一处，将海关邮政办事处改名为海关书信馆，一切办法都是仿效欧西，由总税务局赫德管理。

这两个附设于江海关的邮政机关，邮政办事处和书信馆，便是上海邮局的前身。

但是该项邮政只是试办性质，既未经明文奏允，也没确定的章程，更不是个独立机关，究也不能算是正式邮局。兼之，当时邮运情况，国人经营的有根深蒂固的民信局，外人经营的有方兴未艾的客邮，倘使不开办正式邮局，难免不另生枝节，于是在光绪十一年至二十一年间，大臣李鸿章张之洞辈以及总税务司赫德，先后拟具条文，奏请设立。往复咨商，才于光绪二十二年二月奉旨设立正式邮局。上海邮局也就于同年正式成立了。

邮政是国家独占事业，而况又是国家主权所在，因之邮局正式成立以后，统一邮权三部曲，开始先后弹奏了。这三部曲便是：废除驿站，撤销客邮和取缔民局。

1. 废除驿站（和文报局） 邮局正式成立之后，政府为统一邮政计，首先把这项骈枝机关废除了。一切公文概由邮局寄递。

2. 撤销客邮　上面已经说过资本主义国家在中国设立客邮是侵略我国商务和主权的行为，所以撤销客邮实际上就是要向他们收回我们已经被侵占了的这一份主权，因之在撤销的过程中经过政府相当时期的努力。就在中国邮政正式成立的那年，总税务司赫德呈请加入万国邮联会，以便达到撤销客邮的目的，终以初创的邮政，设备上还没有完密，暂缓加入。

光绪二十九年外务看到客邮的设立，有损国家的主权，同时自办的邮局已臻完善，一方面照会各国驻京大使，请转达各国政府，迅即撤销在华客邮，一方面给他们一个消极抵制办法，就是咨请铁路大臣："在铁路合同内载明外国官局邮件，概不运送，各国军队按合同应送文件，由中国邮局代寄。"但交涉的结果未能达到撤销客邮的目的。

民国三年我国加入了万国邮联会。民国七年第一次世界大战告终，德国因为战败而撤销邮务，帝俄邮政亦自行停办，只是其他各国邮务，依然猖獗如故。

民国九年十一月我国出席西班牙第七次万国邮联会

邮政会议，请求各国协助撤销在华客邮，各国代表仅表示同情；次年十二月太平洋会议举行，复经我国的请求，方才决议在华客邮限定于次年起先后撤销。

民国十二年一月一日起各地客邮除东四省南满铁路一带外，已经全部撤销。这样丧失了数十年的邮权，大体上才算收回了。

3. 取缔民信局　自从中国邮政成立后，政府对于取缔民信局，采取渐进的办法，原因是民信局已经根深蒂固，而且对于民众也有相当信仰，所以还是允许他们继续营业，仅仅在业务上和寄递方法上加以限制，就是将来往通商口岸由民信局寄递的信件，装成总包，照章纳费，由邮局转寄。

可是邮政既是国家独占的事业，为统一邮权计，这种畸形组织的取缔是必要的，尤其是在客邮撤销以后，政府取缔的策略更是积极。

民国十七年首都交通会议议决全国民信局限期于十九年一律取销，但这项决议经各民信局联合请求暂缓实行后，交通部为体恤商艰起见，还是不能实行，仅饬由邮政总局拟具民信局暂行挂号领照办法，给以改业的时间，作为一个权宜的办法。

民国二十三年交部以民信局营业，实紊乱邮政系统，于是用大刀阔斧的铁腕，勒令全国民信局一律停止营业，并请各地警政当局协同办理，各民信局遂被迫停业。从此以后，邮政独占的伟业和统一邮权的努力才算完成。

上海邮局就在这三曲声中繁荣起来。民国二十三年北四川路大厦落成后，规模宏大，不仅业务蒸蒸日上，就是内部组织也日见完善，由是奠定了它发展的基础。

上海邮局近年来业务更是发达，除各支局开始自建局址外，即原有北四川路总局局址，亦不够分配，“一·二八”后即有扩展局址至江西路之议，但这项计划现在给敌人的炮火暂时阻遏住了。

二　营业状况

上海邮局是一个管理局，它的营业区域包括上海及江苏东南部启东、海门、崇明、太仓、昆山、嘉定、宝山、上海、川沙、奉贤、南汇、松江、金山、青浦等十四县。由于这些地方人口稠密，交通便利，以及民众文化水准较高的缘故，业务非常发达。它的直辖局所和通邮路线很快的在增加。现在将二十五年度的统计，列表于后：

（一）直辖局所

（1）重要的

支局	34 所
二等局	24 所
三等局	25 所
代办所	90 所

（2）次要的

城邑信柜	27 所
村镇信柜	255 所
村镇邮站	635 所
代售邮票处	178 所
总计	1,268 所

（二）邮线

邮差线	主要的	1,439 公里
	次要的	1,259 公里
航船线	2,332 公里	
铁路线	189 公里	
汽车线	2,349 公里	
总计	7,568 公里	

三　交通工具

此外上海邮局为便利运输起见，自置必要的交通工具，据最近调查，计有：

汽船	3 艘
汽车和卡车	22 辆
脚踏车	605 辆
总计	630 辆

上海邮局除增设局所，扩展邮路和自置交通工具，以期达到发展营业的目的外，同时对于业务方面也力求加以充实，来适应民众的需要。现在所营业务可以分做两大类：（一）邮件业务；（二）储汇业务。兹分述于下：

（一）**邮件业务**　邮件业务就其种类而言，就有信函，明信片，新闻纸，印刷品（包括书籍），贸易契，商务传单，货样，包裹，小包等数种，就寄递手续而言，就有普通、挂号、快递、航空、保险、代收货价等数种，二十四年起，又增加存证信函一种，以便公众有紧要信函交寄时，可由邮局代为保全证据。

包裹的寄递是上海邮局主要的业务，所有国内轮轨通达以及特准给予轮轨通运利益，各局所往来的包裹，上海邮局都收寄，并且逐年设法改善，俾便利公众，如包裹的重量每件原以十公斤为限，现在已增至三十公斤，就是邮费也略加减低。

此外邮政信件业务又有代订刊物和代购书籍两种。

最近五年来邮件和包裹寄交的数字，估计起来，各类邮件的数目，每年达八五〇〇〇〇〇〇〇件；包裹的数目每年达六五〇〇〇〇〇件，重五四〇〇〇〇〇〇公斤，就这些庞大的数字，我们可以看到邮政信件业务发达的一般了。但由于连年军阀的穷兵黩武，使邮路不能畅通，以及抗战以来邮区受阻，邮路缩短和运输困难等种种原因，上海邮局，邮件业务可以说自始没有得到正常的发展。

（二）**储汇业务**　邮政储汇业务，自另设专管机关邮政储金汇业局以来，近年来也很发达。

邮政储金原有定期和活期二种，民国二十五年起又添办支票储金，零存整付储金，存本付息储金三种，至于上海区储金邮局现在已有五十八所，故现在除支局外，各二等局都已开办储金。

邮政汇兑除普通汇票（最高额二千五百元）外，尚有下面几种：

（1）高额汇票　总局可开发高额汇票，每张以国币一万元为最高额，这种办法对于汇寄巨数款额的人便利亦多。

（2）航空汇票　普通汇票汇款人可声请航空寄递，每张另纳航空费一角五分（装汇票的挂号信也需航空交寄），这样汇票可以迅速得多。

（3）电报汇票　电报汇票由总局拍发，其他各级邮局也可转汇，这是较航空汇票更迅速了。

（4）小款汇票　小款汇票就是邮政代办所汇票，从前代办所是不通汇款的，现在可开发和兑付小款汇票了。小款汇票每张以二十元为最高额，兑款人不必签名盖章，将汇票附同信封持向兑付局，即可兑款。这对于穷乡僻壤的民众和不识字的乡下人要便当得多了。

此外自今年一月一日起汇兑业务将添办定额汇票，以利加速开发及兑付小数汇款。此项汇票计分五元、十元、十五元，及二十元四种，汇费较普通汇票为廉。

简易人寿保险也是储汇业务之一，系于民国二十五年三月开办。投保的手续很是简单，保费也很低微，非常适合于一般中下层阶级民众。据交通部意见，以为“人寿保险事业，直接足以保障社会经济，间接足以促进建设，于国计民生，良多裨益，亟应提倡简易保险”云云，但无论如何是邮政营业，倒是非常确实的。二十六年起交通部又通令所辖各机关员工，悉数加入投保，保险费由薪工内扣除，将来的成绩一定很可观的。

现在要说上海邮局的收入了。

自从去年抗战开始以来，敌人的炮火弥漫整个邮区，民众生活无由安定，以致邮政收入，颇受影响。兹将二十六年和二十七年邮政收入估计如下：

甲　邮局营业收入

类别	1926 年份	1927 年份（至 11 月份止）
售票及汇费进款	10,500,000.00 元	6,300,000.00 元
立券寄费	200,000.00 元	50,000.00 元
发售邮政出版物	5,000.00 元	1,000.00 元
随时普通各进款（包括信箱租金）	50,000.00 元	30,000.00 元
共计	10,755,000.00 元	6,381,000.00 元

乙　储汇营业收入

类别	1926年份	1927年份（至11月份止）
手续费及补水费	200,000.00元	150,000.00元
存银利息	10,000.00元	10,000.00元
兑汇盈余	100.00元	100.00元
发售储汇局出版物	50.00元	50.00元
共计	210,150.00元	160,150.00元

注：储汇营业尚有邮政保险费及汇拨公款盈余两项暂无统计，未列入。

由上表看来，邮件业务和储汇业务总收入，二十六年份为一〇九六五一五〇点〇〇元，二十七年份为六五四一一五〇点〇〇元；即今年较上年减少四四二四〇〇〇点〇〇元。虽则今年十二月份的收入还没估在内，但也不会多的，因之今年的收入较上年减少百分之四十。

虽则邮政经济这样的低落，但依旧不失一注大宗收入，敌人为挹注他们垂死的经济起见，现在正在竭力想法攫取。

第二节　上海邮局行政管理系统

本来中国邮政管理区的划分，大都以行政管理区为标准，就是每一省设一个邮政管理局，但上海的邮政业务特别繁荣和特别重要，就合并附近各县划成一个独立邮区。因之上海邮局是一个管理局，是介于邮政总局和本区各支局以及各内地一二三等局中间的一个中级机关，上承总局的命令，办理一切邮政事务。

上海邮局设局长一人和局长帮办一人，由邮政总局就相当资历的邮务长中遴选呈请交通部派充。局长和局长帮办以下分设如下的几个部门：

一、本地业务股

投递组	封发组	挂号组
快递组	保价组	刷印组
联邮收发组	支局管理组——各支局	信差管理组
汇兑寿险组	营业组	本地巡员

二、总务股

机要组	文书组	人事组	
统计组	庶务组	机工监事组	邮袋清理组

三、计核股

账务第一组	账务第二组	联邮组
票款组	保管组	属局账务组

国内汇兑组　　国际汇兑组　　代收货价组

储金组　　　　收支组

四、内地业务股——内地各局

综核组　　　经划组　　　内地巡员

五、包裹业务股

包裹取寄组　包裹封发组　包裹投递组　大宗包裹组

六、运输股

火车轮船押运组　调度组　储转组　　稽查组

七、无法投递邮件处

上面这一个表是上海邮局组织的全貌。

各股设股长一人，各组设组长一人，各支局或各内地局设局长一人。组长以下设监理员一人至三人帮同组长办理全组事务，各组组员若干人分台办事，各台设领班一人至三人。自局长到组员一切上下行公事都通过这机构。

各组组员人数的多少不一定的，大概就事务的繁简而定：有的组组员仅四五人，有的组多至一二百人，因之各台人数有的多至四五十人，大于某一组的人数几倍的。

各组员日常工作，责有专司，并且明白规定在各台办事细则上，至于监理员，组长，股长等办事细则的明白规定，更不容说了。但这种办事细则，带有机密性质，有的从不公布，所以外界是不大会明白知道的，就是各股长以至组员也不过在新调任的时候，拿来作为参考。不过这种情形可以说难得遇到的，而况这种办事细则，虽则常常在增删修改，究嫌没有弹性，很难应付各项千变万化的事情，通常只采用向上级人员请示的一种方式。

上海邮局辖区甚大，营业发达，所以各股股长由副邮务长充任，由邮政总局局长遴选后呈请交通部委派；组长，支局长和监理员由甲等邮务员充任，内地局长和领班由乙等邮务员或资高的邮务佐充任，组员就事务的难易分别由乙等邮务员，邮务佐以及以下级人员分别充任。

就理论而言，邮政总局是一个行政机关，各一二三等局是营业机关，上海邮局既是介于其间管理全区事务的一个中级机关，那么它的本身当然也是一个行政机关，决不带有任何营业性质，但由于组织上还没有达到理想的阶段，实际上还是兼有行政和营业双重性的，因之在管理方面自上层局长以下，大都兼有这多重权限，不过上层的管理偏重行政，而下层的管理偏重营业，这就是他们不同的地方。

信差的职务主要的是收取和投递各类邮件，大都在局外工作，管理上比较困难，上海局对于本埠信差另设专组办理（见上表）。该组就全市各组各局业务上的需要，分别派驻信差若干人，各组或各局另派巡差一人帮同驻在组组长或局长管理一切信差事务。原则上管理的全权还是属于信差管理组的。

此外上海邮局本地业务股和内地业务股均有巡员若干人，作为总局和各支局以及各内地局间的联系，借以避免彼此间的隔膜，并减少属局的舞弊。

上海邮局的权限，由总局所赋予，局长执掌全权，内容不外人事管理，业务兴革和一切度支等事项，现在分别列举于后。

一　人事管理

关于人事问题，不外任免，考绩，调遣，请假诸端。

就大体而论，邮务佐及其以下员役除任免外，局长都可自由决定；毋须呈报总局，仅按月呈报总局备案而已。至邮务员则稍有不同，凡三等一级甲等邮务员或二等一级乙等邮务员及其以下邮务员之奖惩和退职事项，可由局长按章审核办理，但裁退及退休事项仍须呈报总局核夺。二等六级甲等邮务员或一等六级乙等邮务员及其以上人员，则一切事项，须呈准总局办理。兹分别述于下：

（一）关于人员任免事项　管理局得按事实之需要，呈准邮政总局招考邮务员，邮务佐和信差。局长对于邮务佐和信差，可按考卷之优劣，有自行决定录取与否的大权，但对于邮务员必须将考卷批阅并将拟取人员及其试卷呈送总局核准。邮差及其以下员役，由局长呈准总局雇用。至于免职一项，除邮差或临时雇用外，其他经考试人员，均须呈准总局局长。

（二）关于人员考绩事项　邮务佐及其以下人员，由局长决定，邮务员以上人员，由局长建议总局局长核准。惟最近规定，局长对于三等一级甲等邮务员或二等一级乙等邮务员及其以下邮务员，亦得审核办理。

（三）关于人员调遣事项　邮务佐通常仅在本区内

调动，邮务员可在本区内亦可在本区外调动。邮务佐和邮务员本区内之调遣，由邮务长决定；邮务员在区外之调遣，通常都由总局令行。

（四）关于人员请假事项　凡超过二十四日者，须由管理局呈准总局；倘请假者为邮务长，副邮务长，会计长及一等局长，则须由管理局呈总局转呈交通部核准。

二　业务兴革

管理局对于业务兴革问题，除储汇业务须呈准总局及储汇局外，其权限如下：

（一）增减各局功能志号，于不增加员工范围内，局长得酌予核办，惟须呈报总局。

（二）二三等局及其甲乙两级互相升降时，于不增加员工范围内，局长得酌予核办。开闭临时局所，变更邮路，及更改局所名称，更改最近电局名称等项，局长均得自行核办，惟须呈报。

（三）本区与承运人所订邮运合同，如因更换新约，内容毫无变更，或虽有变更，而原则无关出入，或邮运范围仅属乡村小路，或长途汽车合同，已有部颁规章可循者，均毋须呈请核示，仅于签订后，以副张寄呈总局备查。

三　度支事项

管理局对于度支事项，权限甚小。凡关于邮政必需品，如纸张、文具、表格、制服、邮袋、自由车、汽车、信箱等，如有所需，均须呈请总局局长再训令供应处发给。惟度支不逾越预算范围内者，可无须一一呈总局核准，其权限如下：

（一）本区邮局新订或续订租房契约，如比较原租金额所增不逾百分之十（但全年增加金额不得逾二百元），或所增金额，每年不逾百元者，得由局长核准。

（二）凡购置局用家具，每年不逾五十元者，得由局长核准。

（三）局有房屋，局用器具，及运邮船只车辆之修理，及其他公用物购置，每项不逾五十元，或租赁局屋之修理，每年每局不逾二十五元者，均得由局长核准。

（四）员工因公受伤之医药费用，不逾二十五元者，得由局长核准。

（五）其他零星费用，均由局长在预算范围内核准支付。

上述各节是上海邮局权限的一般，是属于上层方面的。自从邮务员工们有了工会以后，对于这些权限，已经多少可以给以相当的影响，只是工会的上层分子，由于不能好好地运用自己的力量，因之对于大多的会员可以说毫无实惠，有时候简直是依势凌人，这是非常可惜的。

此外上海还有邮政总局供应处和上海邮政储金汇业局之设立。这些部门原不属于上海邮政局，一切行政事宜都与上海局毫无关系，但下层员工们却连成一气的，因之对于它们的组织这里也大略说几句。

邮政总局供应处是邮政总局的一部，因为上海是全国金融和商业的中心，总局为购置便利起见，就将该处设于上海。该处分设各股分掌如下各项事务：

（一）关于全国邮运物品，制造，修理，发给及保管事项。

（二）关于采购物料事项。

（三）关于邮票，明信片，特制邮简及邮用单册图书之印制，分发及保管事项。

四　关于其他属于供应事项

邮政储金汇业局成立于民国十九年三月十五日，由邮政总局储金处并划出汇兑事务组织而成，当时名为邮政储金汇业总局，直辖于交通部。嗣以邮政员工竭力反对，于民国二十四年七月一日，归并邮政总局，更名为邮政储金汇业局，直隶邮政总局，管理全国邮政储金汇兑业务。局内设局长一人，由邮政总局副局长兼任，副局长二人，以下设立如下各部：

（一）总务股

（二）营业股

（三）计核股

（四）储金股

（五）汇兑股

（六）保险股

各股设股长副股长各一人，秘书二人至四人，股员若干人，分股办事。该局又设置监察委员会，监察局内收支账项及一切重要业务。

至于行政管理方面，与上海邮局大同小异。惟该局人员大都未经按照邮政人员考试条例合法考试，所以等级名目均与邮政人员不同，该局仅调用邮政人员若干人（见下章），综理各项业务，以资驾轻就熟而已。

第三节　上海邮局职工的数目及性别、年龄、籍贯

一　男女职工的人数

上海邮局的职工，在历次上海工运中，无论是经济的或是政治的，都起着重要的作用。这一个巨大力量的构成，其最大的原因是由于他们能够长期团结一致，有长久历史的工会组织。就上海邮局现有职工而言，已达三千三百余人，若连同上海储汇局和供应处职工合计，达三千七百余人，这一个巨人的力量是不可忽视的。现在将各局各级员工实数列于后：

（一）上海邮局职工数目

职务	人数
甲等邮务员	203
乙等邮务员	653（内女职员 11 人）
邮务佐	562（内女职员 14 人）
信差	945
村镇信差	113
邮差	2
听差	200
额外听差	55
水手	36
邮役	483
杂役	119
共计	3,371

（二）供应处职工数目

职务	人数
甲等邮务员	16（内暂调服务 1 人）
乙等邮务员	21（内暂调服务 4 人）
邮务佐	8
信差	
听差	3
杂役（包括守门巡捕 5 人，厨役 1 人）	55
共计	104

（三）上海储汇局职工数目（包括调用邮政人员）

职务	人数
局长	1
副局长	2
秘书	5
视察	1
研究员顾问	3
医官	2
处长	6
副处长	3
保管库主任	1
课长	20
股员	41（内女职员 8 人）
办事员	45（内女职员 20 人）
雇员	44（内女职员 18 人）
实习员	2
清理生	67（内女职员 42）
共计	243 人
查储汇局职员大都未经邮政人员合法考试，待遇亦不同，这二四三人中邮政人员仅二十三人，计开如下：	
副邮务长	4 人
甲等邮务员	11 人
乙等邮务员	5 人
邮务佐	3 人
共计	23 人

这样储汇局内从事于邮政业务的非邮政人员实数为二二〇人。这些职员不属于上海邮务职工会及邮务工会两会，但他们也是邮局的职工，可惜至今日他们尚未加

入邮务工会，而自己亦未有单独的组织。

总计在上海从事于邮政业务的职工连供应处和储汇局有：

邮政人员	3,498 人（内女职员 25 人）
非邮政人员	220 人（内女职员 88 人）
共计	3,718 人

上海邮局任用女职员，始自民国十七年国民革命告成以后。那时女权运动随着工人运动的潮流，激荡全国。政府为适应潮流起见，始准国家机关，任用职员，不分性别。民国二十年上海邮局招考邮务员，录取人数一百余人中，女性仅一人；以后历届各级考试，录取的女职员也不多。推其原因：第一，因为这半封建的中国社会还不需要女子来负担经济责任——尤其是知识分子，所以投考的不多；第二，邮政人员的考试很难，女子教育的水准比较差一些，就是投考也不易录取。这就可说明上海邮政人员中，女子还不到百分之一的缘故。

在储汇局中情形就不同了，非邮政人员二百二十人中，女职员计八十八人，占总数百分之四十。这由于储汇局成立于民国十七年以后，投考的资格只须初中毕业，而且工作比较轻，女子乐于投考，此外据说还可以由有权力的私人介绍。她们都是年青的，由于阶级出身的关系，在意识方面比较差一点，不过她们已参加这大时代的现社会锻炼，前途仍有希望的。

二　职工年龄

上海邮局职工的年龄，大约从十八岁到六十岁的都有，父子同是现任职工的也有。但一般的说来自二十岁到五十岁的要算最多，现在估计于下：

20 岁以下	1%
20 至 30 岁	32%
30 至 40 岁	40%
40 至 50 岁	25%
50 岁以上	2%

这些职工来自各地，籍贯不同。本省人果然占最多数，但浙江籍也不少。上面已经说过当民信局盛行的时候，以宁波帮的势力最大，自从民信局取缔以后，民信局的职员，亲戚和朋友们历届投考邮局的很踊跃，因之浙江籍中，宁波人最多，兹将职工籍贯估计如下：

江苏	48%
浙江	30%
广东	3%
福建	2%
东四省	7%
其他	10%

由上表看来，职工中来自其他各地者，要算东四省的人最多。这些职工们都是在“九·一八”以后，不堪敌人的压迫，陆续撤回来的。至今他们的家还在遥远的白山黑水间，“有家归不得”的苦，他们最先尝到了，就一般而论，“打回老家去”是他们内心的企求。他们生活习惯，不同于上海原有职工，就拿吃饭来讲，原先在家乡每日多次，一次在上午十时，一次在下午四五时左右，到上海后，因为要三班轮值，才改过来的，因之他们隐然自成一个集团。

第四节　邮工工作时间与劳动强度

因为邮局是一个大机关，组织是非常复杂的，工作时间的长短与工作的轻重，也是相差很大的，现在来把上级职员到下级的信差苦力工作的情形，一一的写在下面：

（一）**邮务长**　邮务长是上海管理局的唯一高级人员，他们是在六小时工作制下办公的，每天上午九时到局，十二时离局，下午二时到局，五时离局，一天就算完结。讲到他的工作性质当然非常重要，一切对外对内的事情都要他策划，如批阅公文，调动人员等等的事都要他去主使的，这样看来他当然忙得很，但他有帮办一人，比较小一点的事由帮办去负责，这样一来邮务长就要舒服得多了。

（二）**高级职员**　在三层楼的高级职员，他们大都是组长或主任，所以他们的工作时间同邮务长差不多，除星期日星期六有一天半休息外，其他也是一天工作六小时，他们的工作可以说都很舒服的，他们每天除了一些日常必做的工作之外，坐着很舒适的沙发椅，抽抽烟谈谈天，真可以说得上一句“惬意来西”了。在二层楼一层楼及地下层的职员们，那就有点不同了，但各间各部一二个主任，或主任的亲信当然是例外的，在这三层的职员因办公的情形不同，所以在工作时间方面，也是不像三层楼职员那样固定不变，是看各间的情形而定的，有的分三班，有的分二班，每班工作时间也是六小时，两班的分早班晚班，三班的分早班，中班，夜班，是每星期轮流更换的。他们的工作要比三层楼职员辛苦一点，因为他们是同外界接触的，如卖邮票，收寄信件，包裹，印刷品等，拣理信件，收发汇票等，做这些工作的职员，忙的时候，真要忙足六个钟头，那有谈天说地的闲话，但是比较惬意的位置，当然也有，那要看他的“麻油”即拍马屁工夫如何，否则休想，这是小小的一点黑幕。

（三）**听差**　看了上面的名称，已经晓得他们所做的跑街，一天到晚听便给他们差来差去，做着职员们所不喜欢做的事情。他们表面上虽然也是六小时的工作，但他们每天到局的时候总要比职员们早，离局的时候又要比职员晚，实际上他们要做八小时的跑街工作，在最近的几年内，当局又巧立一个名目叫额外听差，轻描淡写的加上“额外”两个字，无形中减低了听差的薪给，更加延长了听差们被剥削的时期，但额外听差们的工作并没有同听差两样，这可见当局的“门槛”实在太精了。

（四）**信差**　在邮局里是一个很强的力量，因为他们是邮局里的主要成分，他做着最主要的工作，收取信件和投递信件。信件的主要部门，是分四个，即快递、挂号、平信、收信。在这许多部门中的信差，他们工作时间也是相互更换的，在快信、挂号信、平信，每天要出班五次，上午出班两次，下午出班三次，即上午八点，十一点，下午一点半，三点半，五点，在快信方面下午是二点，四点，六点出班的。快信每人每天出班两次，班次是每星期轮流更换的，做早班的，是八点，十一点出两班，中班的二点，四点两班，晚班的四点，六点两班。挂号信，与平信每人每日出班三次，在四星期中，有一星期是出两班的，局方规定在出班前一小时到局，即做排信工作，平均他们每天都要做上七小时的劳动工作，在这七小时中他们是一刻不停的工作着，精神的疲乏已经到了极点，物质方面的享受，当然决不能达到生活的水平线，因为他们的薪给是低微的，尤其在目前的环境下。关于收信方面，一天要收八次，也分早、中、夜班。早班三次是：七点、九点、十一点；中班四次是：一点、三点、四点半、六点半。以上早班中班是由两人分班，每星期更换一次，即每人一星期做早班，出班三次，一星期做中班，出班四次。夜班是七时到局十时完毕，但白天里，另做三小时公司班，这种班头是不调动的，称为长夜班。再有一种叫做公司班，这种班头是专为了请假的人而备的，“地界”上假使有人告假，他们就得替班，他们的工作时间是上午七时到局十一时离局，下午一时半到局四时离局。综合上述的种种班头，不论是“走地界”或做“公司”或开信箱，他们的工作都很繁苦的，当然不能与高级职员相较的。但信差方面自己本身的工作，舒服的或苦的，上下相差非常大，舒服的位置当然比较少。这一点我想当局的一定有什么道理的，否则好的和苦的为什么不好好的来平均分配一下呢？这实是执事人有意干的勾当，他们挑拨信差们的团结，可以剥削信差们的力量，来满足他们私人利益“得功”，一边又可养成走狗，来到差长面前去讨好。最可耻的就是信差中的个别败类，他们得了上级一点小小利益，就自以为拾得鸡毛当令箭，甘愿违背自己同一阶级的利益，去向上级献媚，吹毛求疵，无所不为，这种东西更看不起自己的力量，争取自己的利益，他们反而靠着黑暗的势力——“老头子”或“先生”来压迫自己的同事。想来真有点痛心。但是真理终归只有一条的，每个不愿做奴隶的人都有正义的，现在有不少觉悟的信差们，他们正在为着这种无理的压迫与恶势力，作着坚决有力的斗争，我在这里祝贺他们光明的胜利！

（五）**苦力**　这是一种最下级和最痛苦的工作，他们到局的时候总要比别人早，离局当然也要比别人迟，总之他们的工作时间，要超过局内任何人，他们一天到晚做很劳苦的工作，掮着笨重的东西，精神和劳力的消耗，可以说达到极点，并且还要得到苦力“拿摩温”的侮辱和怒骂。更可怜的要算额外苦力，他们和额外听差一样，是最被剥削的苦工，他们的工作时间是无限制的，因为他们以钟点计算工钱，做一个钟头，拿一个钟头，不做就没有，在工作的时候，好像牛马一般，处处受到工头的监视和压迫，一刻也不能定留，假使你稍为得罪了上司，那就要请你滚蛋或罚扣工钱。苦力呀！苦力！在邮局中再要像你们苦的一个也没有。在堂堂的国家机关中，也有着这种黑暗的苦力。

（六）**铜匠**　他们是专门做修理汽车，脚踏车的，他们每天工作六小时，上午九点到十二点，下午二点到五点，他们的工作也非常紧张，在六小时的工作中也是一刻不停的。因为他们工作的人员少，而事情非常的多，他们的劳动强度也和信差不相上下。

上面所述的都是管理局的大概情形，关于全上海的各支局，他们的工作时间和劳动的强度大都差不多，痛苦的和舒适的也是一样的，所以也不多讲述了。

第五节　邮务职工的待遇

上面已经说过邮政是国家独占事业，所以为国家所雇用的邮务职工当然属于公务员之一部，这是在性质上和其他私人企业部门的职工根本不同之点。惟其这样，他们的待遇除海关以外一般地说来可以说是比较优厚的。

邮政待遇包括薪金和晋级、津贴、年赏、养老抚恤金，假期旅费，医药费以及奖惩各项。这些项目和职工的任免等项一样都有明文规定，当局不能随意变更。因之邮政待遇的优点除薪给丰裕以外，还在确定安全的保障和制定薪给和薪章的数目，虽则就整个薪给体系而论，薪给的高下确是相差太大，下级职工还得不到公平的待遇，但由于中国经济一般的落后性，在其他企业部门的职工看来，邮务职工的位置已经属于“金饭碗”之列了。

兹将邮务职工待遇的内容分节述于后。

一　薪金和晋级

邮务职工的薪给按照班次和等级明白规定，而等级的高低又按照服务年资深浅为标准。邮务职工初入局时，按其班次最末等级领薪，然后循序渐进，年资愈深，薪水愈大。至于晋级的期限各级长短不一，薪率不同。兹将各班各级职工现行月薪以及晋级的期限，一并录之于后：

（一）甲乙等邮务员薪给表

甲等邮务员	乙等邮务员	薪给数目（元）	加薪率
一等一级		500	40
一等二级		460	40
一等三级		420	40
一等四级		380	40
一等五级		340	40
一等六级		300	30
二等一级	一等一级	270	30
二等二级	一等二级	240	30

续表

二等三级	一等三级	210	20
二等四级	一等四级	190	20
二等五级	一等五级	170	20
二等六级	一等六级	150	20
三等一级	二等一级	130	15
三等二级	二等二级	115	15
三等三级（试用）	二等三级	100	10
	二等四级	90	10
	二等五级	80	10
	二等六级	70	10
	三等一级	60	10
	三等二级	50	10
	三等三级（试用）	40	

乙等邮务员薪给至二百七十元止。由乙等邮务员升入甲等邮务员班次，自民国十九年六月以后，必须经过全部考成试验和高级考试及格方始有资格。

甲乙等邮务员各级晋级年限规定如下：

1. 一二等各级甲等邮务员及一等各级乙等邮务员晋级年限：

甲、特别优长　　　　一年六个月

乙、优长　　　　一年九个月

丙、中常　　　　二年

2. 三等各级甲等邮务员及二等各级乙等邮务员晋级年限：

甲、特别优长　　　　一年三个月

乙、优长　　　　一年六个月

丙、中常　　　　一年九个月

3. 三等各级乙等邮务员晋级年限：

三等一级　　　　一年三个月

三等二级　　　　一年三个月

三等三级（试用）　　　　一年

（二）本地内地邮务佐薪给表

等级	本地薪给数目（元）	内地薪给数目（元）	加薪率
一等一级	138	129	10
一等二级	128	119	10
一等三级	118	109	10
二等一级	108	99	10
二等二级	98	89	10
二等三级	88	79	10
三等一级	78	69	7
三等二级	71	62	7
三等三级	64	55	7
三等四级	57	48	7
四等一级	50	41	5
四等二级	45	36	5

续表

四等三级	40	31	5
四等四级	35	26	5
试用	30	21	

邮务佐升入邮务员班次内必须经过甄拔考试或邮务员考试。

邮务佐各级晋级年限规定如下：

1. 一等至三等各级邮务佐

甲、特别优长　　一年三个月

乙、优长　　一年六个月

丙、中常　　一年九个月

2. 四等一级及二级邮务佐

甲、特别优长　　一年

乙、优长　　一年三个月

丙、中常　　一年六个月

3. 四等三四级邮务佐　　一年三个月

4. 试用邮务佐　　一年

邮务员佐以下的职工如信差、邮役、听差、伙夫、水手等，不分班次和等级，进局时起首薪水照当地的情形而定，全国邮政机关并不一律，增加薪水按年计算，详列于后：

（三）信差和邮件听差薪给表

增薪期限	本地薪给数目（元）	内地薪给数目（元）	加薪率
试用	23	18	
过六个月后	25	20	2
过一年后	28	23	3
过一年后	31	26	3
过一年后	34	29	3
过一年后	37	32	3
过一年后	40	35	3
过一年后	43	38	3
过二年后	47	42	4
过二年后	51	46	4
过二年后	55	50	4
过二年后	60	55	5
过二年后	65	60	5
过二年后	70	65	5
过二年后	75	70	5
过二年后	80	75	5
过二年后	85	80	5

邮件听差自二十六年八月起和额外听差一律改名听差，另订薪给标准，但原有邮件听差除名称更改外，仍准享受原有待遇。这样二十六年八月以后录用的听差，薪给的标准当然不适用上表了。

（四）听差薪给表

增薪期限	本地薪给数目（元）	内地薪给数目（元）	加薪率
试用	21.0	17.0	
过一年后	22.5	18.5	1.5
过一年后	24.0	20.0	1.5
过一年后	25.5	21.5	1.5
过一年后	27.5	23.5	2.0
过一年后	29.5	25.5	2.0
过一年后	31.5	27.5	2.0
过一年后	33.5	29.5	2.0
过二年后	36.0	32.0	2.5
过二年后	38.5	34.5	2.5
过二年后	41.0	37.0	2.5
过二年后	43.5	39.5	2.5

原有额外听差录用时薪给十五元，以后逐年增薪二元，三年后增至二十一元，以后即按上表支给薪水。

（五）邮役，水手，伙夫，局内邮役，园丁，看门薪给表

增薪期限	邮役薪给数目（元）	水手、伙夫薪给数目（元）	局内邮役、园丁、看门薪给数目（元）	加薪率
试用	20.0	21.0	19.0	
过一年后	21.5	22.5	20.5	1.5
过一年后	23.0	24.0	22.0	1.5

续表

过一年后	24.5	25.5	23.5	1.5
过一年后	26.5	27.5	25.5	2.0
过一年后	28.5	29.5	27.5	2.0
过一年后	30.5	31.5	29.5	2.0
过一年后	32.5	33.5	31.5	2.0
过二年后	35.0	36.0	34.0	2.5
过二年后	37.5	38.5	35.5	2.5
过二年后	40.0	41.0	39.0	2.5
过二年后	42.5	43.5	41.5	2.5

（六）华洋邮务长，洋邮务员，额外苦力和临时雇役的薪给

华洋邮务长和洋邮务员是上海邮局最高级职员，平均薪给都在八〇〇元左右，等于文官条例特任官级薪给，实际上很难归入一般邮务职工之列。至于额外苦力和临时雇役，从他们所做的事情而讲，果然是邮务职工的一部，但所谓“额外”所谓“临时”，不但表明他们的待遇不能适用上述各表；而且论其性质只能算是邮务职工的后备军，究非正式职工可比，因之合并起来作为上海邮务职工薪给的参考。

1. 华邮务长薪给表

等级	邮务长薪给数目（元）	副邮务长薪给数目（元）	加薪率
第一级	800	650	50
第二级	750	600	50
第三级	700	550	

2. 洋邮务长薪给表

等级	邮务长薪给数目（元）	加薪率	副邮务长薪给数目（元）	加薪率
第一级	1,875 元	225	1,200 元	75
第二级	1,650	150	1,125	75
第三级	1,050	150	1,050	
第四级	1,350	150		
第五级	1,200			

注：洋邮务长计分五级，洋副邮务长仅分三级

3. 洋邮务员薪给表

等级	薪给数目（元）	加薪率
一等一级	1,050	75
一等二级	975	75
一等三级	900	75
二等一级	825	75
二等二级	750	75
二等三级	675	

4. 额外苦力和临时雇役的薪给

额外苦力月薪原为十五元五角，最近向当局呼吁的结果，每月增加三元，计十八元五角。本来他们服务满一年以后可以升做正式苦力，归入邮役班次，但自“九·一八”事变东北职工入关后，当局即借故取消定例，因之到现在还是“额外”。

临时雇役由各局各间主任视业务的需要临时雇用，按时计值，每小时大洋八分。

额外苦力和临时雇役由于他们没有按期加薪及事假病假年赏等待遇，每月薪给还拿不到实数，平均仅得十六七元。他们的待遇倘使同高级职工相比，那么邮务长们一举手之劳，他们准得流二三天的血汗！这是无论那一个人应该寄以热烈的同情和给予有效的援助的。

二　津贴

上海邮局津贴的种类很多，大体上可以分做二种，第一种是属于职务上的，如公费，署理津贴，会计津贴，管局津贴，巡查津贴，调遣津贴，房租津贴，出纳人员津贴，保证津贴等。这种津贴仅限于上中两级的职工，或以职掌重要，或以任务辛劳，酌给津贴，以补薪给的不足。第二种是属于生活上的，如埠际津贴，金贵银贱津贴和米贴。这种津贴是邮务职工经济斗争的成果，中下级职工普遍地受到实惠。兹将这多种津贴略述如下：

（一）职务上的津贴

1. 公费　局长和副局长地位较高，对外代表邮政，得月支公费一五〇元。

2. 会计津贴　会计长及出纳人员，因为管理银钱易生错误，责任比较重大，月支会计津贴五十元或三十七元。

3. 署理津贴　年资较深的甲等邮务员得署理副邮务长或邮务长，月支署理津贴七十五元，薪给在五百元以上者，署理津贴减为五十元。

4. 管局津贴　乙等邮务员派充二等甲级邮局长，月支管局津贴十八元，派充二等乙级邮局长，月支管局津贴十二元，薪给在一五〇元以上者，无津贴。邮务佐派充三等甲级邮局长，月支津贴十二元，派充三等乙级邮局长，月支管局津贴八元，薪给在八十元以上者，无津贴。

5. 巡查津贴　巡员任务比较辛劳，月支巡查津贴自十五元至三十元不等。

6. 调遣津贴　邮务职工调遣，除调遣旅费外，得支取调遣津贴，规定如下：

等级	单身	眷属
甲等邮务员	70	100
乙等邮务员	50	70
邮务佐	28	42

7. 房租津贴　副邮务长以上人员，得支取房租津贴，约在二百元左右，最高为二二五元。

8. 出纳人员津贴　出纳人员除支取会计津贴外，尚可支取保证津贴。

9. 保证津贴　邮务职工入局时应由一家或数家商号主人保证，出立保单，保证金额计分三种：邮务员一千元，邮务佐五百元，信差以下二百元。但出纳人员，各局局长以及办理储金汇兑和经手钱财的职工，必须加保金额。这种加保金额每一千元给予一元之保证津贴。

10 其他津贴　邮件接送员月支津贴十元，火车邮局长月支津贴十八元，轮船邮局长月支津贴五元。

（二）生活上的津贴

1. 埠际津贴　这种津贴始自民国十三年邮工大罢工以后，规定邮务员薪给在一五〇元以下者，一律支取十元；邮务佐七元半；信差和旧制邮差六元；邮役、听差、伙夫、水手、看门等其他下级职工一律二元半。

2. 金贵银贱津贴　这种津贴始自民国十九年十项悬案（详见工会活动章）解决以后，规定各级职工薪给在八十元以下者，一律支取二元。

3. 米贴　这种津贴大约始自民国二十年间，当时米价大贵，每石达二十五元左右，于是下级职工群起要求工会向当局要求米贴，磋商结果，当局准予酌给，规定各级职工薪给在五十元以下者三元，八十元以下者二元。

综观上述，只有邮工用自己的力量所争取到的最后三种生活上的津贴才合于劳工立法经济上的原则。这种津贴不但打破了已往上级职工待遇独厚的旧例，并且只有中下级职工才能享受的办法，又暗示着上级职工过分的享受。而埠际津贴一项实际上就等于加给的薪金，因之在计算年赏时所照的最后一个月薪给数目，就连这种津贴在内。

三　年赏（即奖励金）

上海邮局自成立以来，每届年终，向有发给年赏之举。只是以前甲等邮务员及乙等邮务员以下各级职工发给年赏的办法并不一样的，直到民国十八年以后才归一律，年赏亦改称奖励金。

这种奖励金原则上是奖励职工服务的勤奋，凡属邮务职工，除雇员以及革退，辞退，退职未经核准和退职未经通知等职工以外，都能享受这项利益。奖励金的多少，以职工的薪给和服务年限为标准。凡服务满十年及十年以上者，按该职工这一年十二月份薪水数目（连埠际津贴在内，）给以等于一个月又二分之一薪水数目的奖励金。凡服务在十年以下者，按该职工这一年十二月份薪水数目，给以一个月又四分之一薪水数目的奖励金。凡服务未满一年或在年中退职者，奖励金按照该职工服务时最后一个月薪给，并服务月数比例计算发给。

倘职工业已死亡，其应得之奖励金，经邮政总局核定后，向其法定继承人发给。

此外信差以下各级，于发给奖励金之外，又酌给奖勤金，鼓励他们勤于职务，少告事假。奖勤金发给的办法是这样的：凡一年内事假不超过五天者，按该职工这一年十二月份薪水数目（埠际津贴须除外），给以等于百分之二十五薪水数目的奖勤金；事假不过十天者，百分之十五；不过十五天者，百分之十；不过二十天者，百分之五；满二十天以上者，无奖勤金。

四　养老抚恤金

养老抚恤金（简称养老金）有二种意义，一是邮务职工退职后的赡养费，一是邮务职工在死亡后给其遗族的抚恤费。因之在该款没有发给以前，不得指拨或抵借，或者作为担保品；但一经发给，领款人就有随意支配的全权。

养老金的设置始于民国十八年，发给的办法是这样的：凡职工服务满二十五年者，得在退职时按最后月薪给数目，发给二十五个月；其超过二十五年者每加一年加发给半个月。凡服务不满二十五年辞职者，不予发给，职工不得要求按成发给；但职工退休，倘系按章退休，因病休假，因病死亡，因公死亡等情由的，不受这种限制，可以按成发给。至于服务虽满二十五年而被革退，或弃职潜逃者，不予发给。

除上述养老抚恤金外，邮务职工如遇在职死亡，另有加给特种抚恤金的规定。这种抚恤金计分甲乙两种。甲种抚恤金给予因公死亡之职工遗族，规定：甲等邮务员二千元，乙等邮务员一千元，邮务佐以下各级五百元。乙种抚恤金给予因病死亡之职工遗族，规定薪给在一百五十元以上者，按在职时最后月薪给数目，发给二个月；凡薪给在一百五十元及以下者，发给五个月。这两种特种抚恤金对于甲等邮务员以上人员，应由主管邮局长呈报总局或交部从优议恤。

五　假期

邮局假期分短期假，长期假，病假和特种假四种。请假日期的或长或短，依照职工的地位和服务的年期而定，所以上级职工比下级职工，年资深的职工比年资浅的职工，待遇较优。兹将各种假期分别述于后：

（一）**短期假**　短期假亦称事假，每年规定为二十四日，各级邮务职工一律适用，在不超过规定日数内，一次或数次请假都可以。这种短期假请完以后，倘使有不得已事故时，亦得展长，但至多不能再逾二十四日，在此展长时期内，无薪给。信差以及以下各级职工除上述规定外，每年尚可得不逾十日之临时假，但原则上不能和短期假同时呈请。此外邮务职工倘使因婚丧而请假，亦以十日为限，但丧事各在服务以外的地方办理的，在途中来往的日期，也可请假，并且照支薪给。

（二）**长期假**　邮务佐及其以上各级职工服务已达例定年限，得请长期假，俾资休养，照支薪给，照常晋级。长期假并不一律，就大体而论，邮务员以上职工比较邮务佐的假期要长些，规定如下：

邮务员及其以上职工服务每满三年者，可享受长假期两个月，每满六年或六年以上者六个月。外籍邮务人员假期较多，每满三年者，可得长期假三个月，每满四年者四个月，每满五年者六个月，每满六年或六年以上者八个月。邮务佐假期较少，服务每满三年者，可享长期假一个月，每满四年者两个月，每满六年或六年以上者三个月。

这种长期假必须一次呈请，邮务长或副邮务长请长期假时，应于起假前六个月分别禀呈或由主管邮局长转呈总局局长；邮务员应于起假前三个月，呈由主管邮局长转呈总局局长；邮务佐应于起假前一个月，呈送主管邮局长核准。

邮务职工在长假期满后，倘有特殊事故不克返局服务时，可于假满以前之相当日期，呈请续假，但续假时期不能超过原来应得的长期假，并且不能支取任何薪给。

（三）**病假**　邮务职工呈请病假必须由医师出具证明书（病假不逾二日，可免）。病假分短期病假和长期病假两种。短期病假，每年内不得逾十四日；长期病假的长短依照服务年期而定。大概服务未满一年者可享受总计不逾六星期之长期病假；首二星期支全薪，次二星期支半薪，末后两星期不给薪；服务满一年未满三年者，可享受总计不逾十二星期之长期病假，首四星期支全薪，次四星期支半薪，末后四星期不给薪；服务满三年未满六年者，可得不逾六个月之长期病假，首二月支全薪，次二月支半薪，末后二月不给薪；服务满六年未满十年者，可得总计不逾九个月之长期病假，首三个月支全薪，次三个月支半薪，末后三个月不给薪；服务满十年或十年以上者，可得总数不逾十二个月之长期病假，首四个月领全薪，次四个月领半薪，末后四个月不给薪。

为沟通长期病假和短期病假起见，每年内分期所请的短期病假日期，倘超过十四日，那些超过的日期就作为长期病假的一部；同时每年短期病假日期给一次请讫后，倘假满后未满十日又续请长期病假时，也要作为长期病假的一部。

（四）**特种假**　邮务职工如遇特殊情事，如家族患时疫的时候，或是女职工生产的时候都可以呈请邮局长酌给防疫假或生产假。这种病假的日期并无明文规定，全凭邮局长酌量情形核夺。在假期内照支全薪。

六　旅费

凡邮政职工由原局调往他局者，出巡或有特别职务者，请长期假者，离局回籍者，应升级考试者，邮局均得发给旅费。兹将各种旅费，分别述之于下：

（一）**调遣旅费**　调遣旅费，是以职工等级的高低，已婚与未婚，有无子女等三个原则，作为区别的，兹将详情，列表于后：

类别	一等邮务员（外籍邮务员暨以上人员）	二等以下各级（邮务员及邮务佐）	信差及杂役等
未婚或单身者	本人及仆役一人	本人及仆役一人	本人
已婚而无子女者	本人配偶及仆役二人	本人配偶及仆役一人	本人及配偶
已婚而有子女者	本人配偶子女及仆役二人	本人配偶子女及仆役二人	本人配偶及子女

上表所载之子女，不得超过五人，已婚之子女亦不能报销旅费。除此以外，邮务长及副邮务长之有子女者，尚可报销家庭教师一人之旅费。由此可以看出邮局对于高级人员的待遇，可谓无微不至了。

关于调遣人员的火车，轮船舱位问题，也是按照等级的高低，而有区别的：

等级	火车	轮船
邮务长副邮务长（会计长及一等局长）	头等	头等
邮务员	二等	二等或官舱
邮务佐	二等	三等或房舱
信差杂役及仆役	三等	统舱

其他关于调遣人员所携行李的重量，亦有限制，按等级的高低，规定自二千公斤至四百公斤不等。

（二）**长期旅费** 请长期假之职工的回籍旅费，由当局按服务期间发还之：

服务满六年以上者发还全数；

服务满五年不及六年者发还六分之五；

服务满四年不及五年者发还三分之二；

服务满三年不及四年者发还二分之一。

长期假旅费不得预支，应俟假满回局时，声请发给，但已回籍或已达度假地方，得先请发该单程应得之旅费。长期假旅费的计算，是以起假地点至原籍往返过程中全部所耗的费用，按照上列年限的规定发给的。

外籍人员之长假旅费，分国境内及国境外两部分发给之，如取道西伯利亚回籍者，在国境内旅费则自服务局算至哈尔滨为止；如取道海路，则算至与服务局最近之口岸为止。在国境外之计算方法，乃自中国之最后口岸至该员原籍地方之车船票价，发给的成数亦依上次服务年限的规定发给。至于其他旅馆行李等费均须自理。

（三）**出差旅费** 出差旅费，是因人员暂时出差办理巡查事务或充任特种职务而发给的。凡出差人员均得享受伙食津贴，但有时间上之限制；派充暂时职务未满一月者，享受全数，未满二月者，第一个月全数，第二个月半数，超过二月者，除特别情形外概不发给。至出差人员及准予随同者乘坐火车轮船舱位之等级，一如调遣时之规定。

（四）**退职回籍旅费** 职工中凡因病休辞或被裁退者或服务一年以上告退者，其本人及其眷属均得发给退职回籍旅费，倘因就其他机关职务，或因革退，辞退，退职未经核准及退职未经通知而告退者，概不发给。倘职工因死亡而离局者，其眷属之回籍旅费及运柩费亦可向邮局请求，但须于一年内实行，回籍旅费之规定一如调遣旅费，仅不支取调遣津贴耳。

（五）**应试旅费** 应试旅费是为了奖励应升迁及考成考试的内地人员而设的，然而是否发给应试旅费，全视应试人员之考试成绩而定：成绩在百分之五十分以上者，发给半数，五十分以下者不予发给。经预试及格者发还半数，不及格者不给。至于应试人员之火车轮船舱位，伙食费，补助费，旅馆费等全依照调遣旅费之规定。

七　医药费

邮局内聘有局医，凡职工及其配偶或子女患病时，可于规定时间内到局免费诊治。三等一级邮务员以下之职工本人，并得酌给普通药品不须费用。倘为因公受伤之医药等费，员工可请邮务长呈请邮政总局核准全部发给之。

八　奖惩

奖惩可分考绩及记功与记过二类。

（一）**考绩**　考绩为最普遍之奖惩工具，系对于职工日常工作中服务之勤惰，品性之优劣等等条件上加以考核，而在晋级的时期上加以缩短或延长。通常由邮务长将四等三级以上人员之成绩，报告总局请为改优或改劣，同时再通知被呈报者本人，呈报时计分四等，以前用四种色纸书写。

1. 红色　代表最优等

2. 粉红色　代表优等

3. 蓝色　代表中等

4. 黄色　代表劣等

但自颜色制度取消后，优劣的分别改为三种，就是特别优长，优长和中常（参看第一节薪金和晋级项），但实际上还不过是仅仅改换名称而已。照一般情形看来，粉红色的最多，红色的也不少，最差的是蓝色，黄色的一种已经取消了。关于考绩方面，有二点颇堪注意的地方：第一在现在充满了欺骗与罪恶的社会中，邮政从一般的情形看来，当然可以说比较清正与公允的，可是有些地方，也不能脱离了这个社会的窠臼，如考绩即其一端，通常有势力有后台的人，红色可唾手而得；势力较差的亦可钻营而得；没有势力可以攀附的老实人，欲得一粉红色便已戛乎其难，更不必谈红色了。第二考绩的办法，只适用于邮务佐及其以上人员，信差及其以下的劳苦职工们是没有份的，我们可以看到在整个的邮政工作中，信差及其以下的职工所做的工作占到很重要的地位，我们岂可以因为等级的不同，就将他们的功绩加以抹杀。从上面两点看来，现行的考绩制度，并非是公允的办法，必须加以改善。

（二）**记功及记过**　上面已经说过考绩是一种普通的奖励工具，而记功及记过，是应特殊情事的发生而产生的。

记功的条件，大概如发现弊案，或在战地服务等：功分大中小三种，大功晋级缩短九月，中功缩短六月，小功缩短三月。至记功之为大为中为小，则全视主管人员按情形而定。

记过亦分大中小三种，按过失之轻重而定过之大小，按过之大小再将晋级时期加以较大或较小之延长，倘过失甚大者则予以撤职或革退之处分，照定章革退较撤职为重，因撤职后尚有复职的余地，而革职后即永不复用。撤职的条件是：

1. 废弛职务，或有其他失职行为者。

2. 操行不良，或性情恶劣者。

3. 因本身之不正当行为染有传染病者。

4. 因过失行为，致公款受有重大之损失者。

5. 兼任内外有偿职务，未经核准者。

6. 不奉调遣者。

7. 冒名入局经查明属实者。

革退的条件是：

1. 依刑事确定判决受拘役，及拘役以上处刑之宣告者。

2. 依刑事确定判决受褫夺公权之宣告者。

3. 有违抗合法命令之行为者。

4. 有吸食或运输鸦片及其他麻醉品行为者。

5. 有渎职舞弊受贿或亏空公款之行为者。

6. 有前条辞退事由之一而情节重大者。

九　总记

从上述各种邮政待遇上看来，一般地说来是比较优厚的，可是就邮政本身的范围内看，无论在加薪率，假期等等项目上，上下级的差数的确是太大了，因之可以说邮政的优厚待遇，是厚于上级而薄于下级的。可是翻开整个邮工运动斗争史看来，在民国十九年十项悬案大罢工以前，情形还比现在要坏，在大罢工中，下级职工得到许多重大的胜利，如现行的加薪率，年终奖励金，以及埠际津贴等，都是当年的胜利收获之一部。

第六节　员工的负担与生活概况

邮务员工的待遇，虽还比较优越，但多数的低级邮工仍觉得负担奇重，入不敷出，其中当然不能否认有少数邮工为了生活荒唐不善于支配经济，大多数的邮工，还是为了上海生活程度与社会环境的关系。今将各级邮务员工的负担概况分述于后。

一　员工的负担

（一）**甲等邮员**　甲等邮员大半是组长、股长、局长之类，他们在局服务的历史都很久，薪金都在三四百元之上，所以他们的生活豪富优裕，住的房子不是洋房便是住宅，穿的不是西装便是绸衣，家里雇用厨子娘姨，进出都有包车，局长还以自备汽车代步呢！子女都能受中等以上的教育，他们的负担虽重，但有全局最优厚的待遇！

（二）**乙等邮员**　乙等邮员的薪金，服务年限少的有五六十元，年限多的有一两百元，照这薪金来过中等阶级的生活还不致有什么问题，但生活不能过于奢侈阔绰，有几位负债邮员就是为了生活糜烂的缘故。

（三）**邮务佐**　邮务佐每月收入约四五十元，以上海的生活程度来支配，一夫一妻的小家庭底生活尚能勉强维持，假使有老母子女供养，那就得各方面紧缩预算，不能叉麻将，吃烟酒，每月还希望请帖不要光临，家里不能有人生病，否则生活就要发生障碍。

（四）**信差** 信差在邮局中占着重要的职务，工作要算最辛劳，最刻苦，每月的收入不过三四十元，家庭的开支很大，住很小的三层阁要出十三四元的房租，每天的伙食（包括盐油酱柴米菜）至少要六毛大洋，人口多还不够，局里虽有制服供给，家里妻子小孩的衣裳不能不做的，这样又多了一笔负担，局里有“家门”的组织，有“弟兄”的关系，所以每月至少有几张请帖来拜望，为了面情，为了环境，不得不花几块钱去应付应付，子女的教育费，医药费便不能胜任了！所以有病只好不看，读书只好不进学校，家里假使发生婚丧喜事，那就倒霉，不顾将来负债痛苦，向亲友借钱筹会，来完成此事。信差每月收入有限，负担这样浩大，就是不嫖不赌也没有办法，所以生活腐化的更不必说了！

（五）**听差** 听差的薪水与信差相同，一切的负担也相仿，不过比信差多负些衣帽鞋袜和乘电车费的负担罢了！因为他们在局没有制服供给，也没有免费乘车的权利。

（六）**额外听差**　额外听差就是公司洋行的Boy（练习生）性质，都是失学的青年，家境贫困，无力继续求学，只得向社会上谋事，他们的待遇很低微，每月只有十四只老洋，怎叫他养家活口，他们的生活还严正，不荒唐，不嫖赌，大多是没有结婚的青年，负担较轻，上进心都很迫切，晚上进补习夜校求自己不够的知识，预备应试邮务佐考试，这也可以说是当局待遇苛刻迫成的。

（七）**邮局苦力**　他们的待遇，一般地讲起来，比其他产业部门苦力较优越，每月的收入多者有二十块钱，他们大半是江北人，能刻苦耐劳，节衣缩食的度过生活。

（八）**额外苦力**　他们的职务完全与正式苦力相同，被当局加上“额外”两字，额外苦力应有的待遇，保障完全被剥削了。邮务工会也瞧不起他们，不要他们入会，不承认他们是会员，说他们不是邮政人员，你想他们可怜不可怜，每月的工钱只有十四五块钱，他们也有家，也有父母，妻子，子女的负担，一样要租房子，一样要吃饭，所以他们的负担最重，生活最苦，在局里可算最不幸的一群了！

（九）临时苦力（野鸡） 他们在局里的职务最繁重，工作最劳苦，最卖力，待遇却最苛刻，最低劣，生活毫无保障，做一钟点算一钟点，一个钟点八分大洋，每天可做三四毛不等，或一天一钱也找不到也有。还好，他们大部分没有家都是光身汉子，没有老婆，没有沉重的负担，今天有钱吃饭住客栈，没有钱吃大饼困弄堂，穿的更不容说了！新的布衣更根本不会到身上，都是些破旧的布衣，一天的劳苦代价拿来温饱肚子已经算幸运的了！

我们都知道邮政职业是社会上称为优越职业，可是从上面所述的邮工负担情形看来，便可知道除少数的高级邮员外，多数的低级邮工仍在饥饿线上过活的，那么，其他的劳苦大众的负担可想而知了。

在一般工人生活中，上海邮工的生活，比较还算好的，虽然在同一角落里，像邮政苦力的生活，也不过月得十余元，只能维持最低生活，过得自然不算好，一般的说来，也许比其他厂里好一点，因为，纵然是苦饭，邮务工人总稍微安定一些。

二　邮工的衣食住

严格分起来，邮务工人其实还可以分成两级：(一)邮务佐以上为一级；(二)邮务佐以下又为一级。邮务佐以下由于月入较少，生活自然比上级苦一点，因之衣着也几不同。

(一)**衣**　乙等邮务员和邮务佐的衣，虽然较其他洋行银行的行员朴素，然而，较信差苦力的衣，还是讲究的。他们通常是长袍革履，自欧风东渐以来，穿西装的也一天一天的多起来了，虽然提倡国货的呼声也相当地高。

信差苦力的衣大抵是本色，就是说他们大都有“号衣”，所以穿的方面可谓简单得很，他脱掉号衣以后，并不是没有比较稍好的便衣，甚至穿西装的也未始没有。

但在小市民和劳动阶级中，邮工的衣着，还是保持着朴素之风，这是无可否认，也是不得不然的俭德。

(二)**食**　至于食，邮务工人的吃我想是推板的，通常大概是极简单的便饭罢了。自然讲究吃的，时常要买点贵到四角钱一斤的肉吃，但两三元国币一只的鸡，吃的人是不多的。在局中包饭每月不过五六元，饭菜吃得并不好，至于家庭里的吃，邮务员佐或许好些，一般苦力，不外是蔬食而已，自然也有例外。

由于平常吃得不大好，所以每逢年节，就盛行聚餐，大抵岁尾年头，每一邮务工人平均有一顿吃，吃得奢侈的，不妨吃十七八元一桌的盛筵，苦点的则各出四五角钱也仍然可以饱嚼一顿。

这里应该指出是邮务工人并没有茶饭的津贴，一切都要挖腰包，由于生活指数日高，饮食方面，自然不能不节约一点，一般苦力，平时也常带菜饭进局，到饿时用开水泡来吃，至于做三班头的，就是说做早中夜班的，可以回家用膳或吃了饭再来，所以不必带饭了。

不过吃饭的标准，邮局还有一种奇怪的不合理的规定，假如工作过时，邮局是有膳食津贴的。不过有三角五分，三角，一角之分，假如邮务员佐饭贴该三角五分，以示优待，听差只有三角，而临时苦力大抵只有一角。所以吃在现社会，真有极势利的分野，“朱门酒肉臭，野有冻死骨"，可诅咒的是自古已然。

（三）**住** 住的问题在上海是最难解决的问题之一。作为社会阶层之一的邮工，自然也不能例外。因而多数的人，只能住住客堂间或厢房楼，这还是好的，省俭点住亭子间及阁楼的也尽有，至于苦力，则颇有住自建平房的。主要的原因，是因为上海是寸金尺地，节省一笔经费，自建平房，便可以免日后每月支出房租。

然而邮政员工家属是怪多的，每一工人平均家属在三人以上，一间亭子间如住不下的，那就只好打地铺，尤其是自"八·一三"后，自战区到上海的邮政员工，因为房租太高，这种现象最为普通。住亭子间，阁楼，或晒台楼，灶披间的人，在上海工人中还算是好的，要知道尚有大多数工人，这样的地方还没有住的呢！除了住在邮局周围（现在应该除去东面，因为那边还是日本军人的禁地）的人之外，稍远的固然可以步行，较远的因了时间的关系，就不得不乘电车及公共汽车，每日由劳苦工人汗血取得输送到资产阶级囊中的，虽然好像为数无多，但日积月累，每人付出的总和，就可得惊人的数字。假如在内地乡村，没有电汽车之类，也得走，但交通发达形成都市的上海，普通人如不坐“稳快价廉”的电车代步，而巴巴地赶路，那是没有的事，但邮局下级员工，因为所入不多，家庭的负担又重，不得不特别节省，经常也还是走，不肯坐车。

三　一般嗜好

高尔基曾说：“我在当时不喝酒，也不嫖！代替这两种方式的嗜好是书籍。”

但在邮局里，代替这两种嗜好而努力读书的，不是没有人，恐怕成分太少。

邮局中上级员工对于赌，成为一种普遍嗜好，趋之若鹜，办公室里，常听见中风白板追述昨夜战绩，有声有色的闲谈，也有谈回力球逸园的心得的，甚至于曹家渡观光，也是题材之一，这是由于收入较丰而又没有正当娱乐的缘故！至于下级员工，与嗜赌的人也不少，但没有把这当做事业似的。

吸烟的嗜好，也是很平常而普通的，因为这不如饮酒是风雅的事情，每人嘴上衔一枝烟，说起来，也并不算了不得的坏事。至于嫖，虽然并非无人，类如被称为

“脱底的朋友”者往往就是，但是这类的人，邮局幸而还不多。

至于高级的嗜好，例如读书、绘画、摄影、刻图章等等，则这种富于艺术修养的人才，也所在多有，可惜的是曲高和寡罢了。

我还忘记提出报告的是邮务工人还有一个普及而集中的嗜好，那就是下棋，差不多大多数人的兴趣偏重于着棋，棋又分围棋象棋，下象棋的人是更多的，但每一个人都津津有味。

四　婚丧状况

邮务工人的婚丧大事，就收入说，应该是简单的，但多数则分外铺张，甚至举债以撑场面的很多，其结果，往往结婚或丧父后按月收入提百分之四五十还债，由于生活的不能维持，又加新债，循环往复，一生常在债务人地位的，真是指不胜屈。

由于生活的不宽裕，平时有积蓄的很少，一旦举行婚丧大事，因而就不得不赖借债度日，在组织家庭后，肩负着生活的重担，由此没落的，可谓颇不乏人，所以提倡俭婚，实属必要。

邮务工人死亡，照例是有抚恤金的，因此本人已故，身后是后辈的问题，如本人的直系尊亲属亡故后，一笔殡殓费的筹划则由自己负责。这一点邮务当局及工会，都还没有妥善的办法，所可能帮助他的就是朋友的赙仪以及银行的贷款了。

五　娱乐体育

邮务工人的娱乐，和社会一般的情形相同，不外是看戏听书，以及打打雀牌。最近有雁群话剧团及雁鸣歌咏团的组织，开始参加的人，是相当多的，后来渐渐的少了，大抵非公演或表演一次不足以资吸引，号召。其中固然不少热心的人，认话剧，歌唱，音乐是高尚的娱乐，但一般的工人，还是要找低级趣味的娱乐的，显著的如沉溺于跳舞，溜冰等等，依然不少。

体育方面也是邮务工人活动的一部分，过去有田径赛，球类竞赛的种种运动，近来由于环境的关系，田径赛不大听见了，代之而兴的是玩篮球，网球及游泳等，网球篮球的人才，据说是颇多的，此外也还踢踢小皮球，打打弹子，大抵娱乐及运动，邮务工人是无所不能也无所不为的。

六　交际

交际可分对外的及对内的两方面来说，邮工本身间的和人交际，那是简单而质直的，因为邮务工人生活较有保障，无须对外的交际，所以交际一直也就没有精彩内容可言。虽然，其中也有不少人专好结交朋友，长于辞令，但拿普通社会的眼光来评价，他们与趋奉逢迎靠交际以图存者有别。

至于对外的交际，邮局虽然是个颇大的集团，对外交际得法，在社会上一旦取得相当地位，造成了个特殊人物的，还只有少数人。但对外社交普通一般人自然也乐意参加，逢到开会，出席，发言，但他们多半老老实实。

邮务工人的地域观念，还是很深的，譬如，东北撤退的员工，他们的交际，也仅局限于东北同乡的周围里，而福建、广东同胞，则也自有他们爱乡心的集体表现，就是闽浙人的集团里，外省人的交际，是不大容易插足，这虽不仅邮局为然，社会情形，相差不远，我只是将在邮局见到的，率直的报告一点而已。

七　文化状况与信仰

（一）**文化**　邮务工人一般的文化水准，是比较高的最低限度，必须懂国文，并略识英文，因为邮件上载有英文的很多，所以苦力中识英文的也常有，至于信差以上，那就中英并识，而且思想前进的更多，无疑的是一个文化阵营中，不容忽视的堡垒。

除英文以外，懂俄法日德文字的也很多，而且一般人大都有懂两国以上外国语文的要求，知识欲是相当高的。对于新的认识，进步的思想，能够接受了解的很多，基础是好的，也还须教育的力量。

读书会已普遍的组织起来，演讲会也经常举行，这于提高文化水平，加强自我教育，都是重要的工作，此外邮局工人又发行一种刊物，现在是采用“大众”的名称，内容是正确的丰富的，虽然由于环境的压迫，还不能达到理想的程度。

邮务工人的教育水准虽比较的高，然而，仍然是不够的。他们都有进步的要求，又苦于教育事业的商业化，没有代价是不能取得高等教育的，针对这苦闷的一点，一部分热心的邮工已组织一个补习夜校，就是适应一般工人向上的考升邮务员佐的需要而设的。这夜校如果成绩优良，则一般文化水平更可加高，无疑的是有助于整个工人阶级的基本的任务。

这夜校的课程虽然偏重邮政知识，然而也并不忽略一般知识的灌输，特点是完全义务的，并不收费，这一点我们不得不企望他们长期的努力！

（二）**信仰** 邮工的信仰是多方面的，其中有耶稣教徒，天主教徒，回教徒，也有信道教的，信佛教的。回教，基督教，虽然也有些去做礼拜，但真正信仰的确是少数，因为在今天说来，邮工一般的文化认识，和历史上的斗争经验都给他们证明了神鬼不足以解除人类的痛苦，佛教对他们的影响，因为习惯上的关系，倒是多一些，比如有一些人，为了报娘恩，报爷恩，吃长素三年或终身的是有一些人的，家中遇有婚丧大事，焚香叩首，请和尚念经的，也是常有的事，不过这些举动也往往仅限于仪式，出于本心的，恐怕也是不多。

至于政治信念，因为有历史的关系，这一点确值得注意，相信国民党的固然不少，但因邮工本身的斗争，大多是由共产党员英勇的领导，曾有不少的共产党员为了大众利益，遭受了杀戮，比如首创工会，领导邮工为了反封建，和争取自身解放的顾树本英勇的牺牲，以后络续的几批因代表大众利益而被捕入狱或调到外地的许多群众领袖，所以邮工们每一念至以前的真正代表工人利益的领袖们，莫不感叹非常。因此共产党对于邮工们影响是相当的好，不过十年政治的威胁，所以邮工们纵然对于这一主义有相当的好感，但恐怖的心理存在了很深。自“八·一三”抗战爆发以来，统一战线形成，恐怖的心理，虽然消灭一些，但门户之见，仍有相当的浓厚，而一般员工从历史上，从抗战中，从自身的斗争经验中，深刻明白了谁是代表工人利益的。至于国民党自一九二七年“四·一二”之后统治了中国政权，邮务工会当然也完全在它领导之下了，十年的工夫，自然有不少的信徒存在了。在现在看来，还存在着一些以前的作风，然在大体上说来进步了很多，邮工们对它的信仰，也有了不少的改变。他如各帮派，色彩有相当的浓厚，几乎每一个人都参加的，比如最大的毅社是在朱 ×× 先生领导之下，有学生六百人上下；畅社在张 ×× 先生领导之下，有学生三百人上下；嵩社，是在杨 ×、彭 ×× 二位领导之下，有学生一百多人；升社在王 ×× 领导之下，有社员三四十人；邮社，在史 ×× 甲等邮员领导之下，完全属于高等职员，为职工会的中心柱石。互助社，进社，三二社，他们不是老头子制，是一些员工为了应付本身迫切的需要，自动组织起来的，在工会领导之下他们与各方面取得联络，共同进行各种于国于身有利的工作。

除以上宗教的，政治的以外，邮工们还有各种各色的不同主张不同信仰，但大体上，都不在以上范围，因为他们在历史上，久经战斗，所以虽有大多数人外表上好像不管闲事，其实每一个邮工，心里都明白一点是非长短，这倒不是自夸，而是他们的生意不常调动，在局中做了十年二十年，自己不积极参与任何活动，而一件件的事情，摆在他们面前，流水一般的度过着，谁好谁坏，谁对谁不对，事实总归胜于雄辩，邮工们大体上看得清清楚楚。

第七节　邮工活动史

一　最初的罢工与工会成立

（一）**第一次罢工**　自“五四”运动以来，我国有识之士，感于国势之日危，对于政治改革，努力参加，而一般劳动阶级，感于资本家待遇之菲薄，残酷，无人道，亦多风起云涌作反抗的运动。

记得邮工运动，是从邮政局邮务佐起到苦力为止，因生活程度日高，薪资不能维持普通生活而起来的改良运动，上级职员奴视下级职员，像有病不得请假，平日要做过度的工作，假如联合起来有所声请，或预备抗争，一被闻知，就要立遭革退的。这亦是掀起邮工运动的一大原因。

邮工运动的开头应推小报间，工部间，挂号间，运输处，死信间等处。各间热心的人，有的借景林堂开茶话会，有的借酒席馆作聚谈，可惜都没有相当的结果。那时局中有国民党同志多人，在环龙路四十四号国民党总部与国民党廖仲恺，胡汉民诸先生相遇，谈到邮局工人解放运动的情形。廖先生等就劝邮局同志，在邮局里组织党团，于是全局同事方才有联络。

全局中要推田厚乡、顾治本、宋并镜、蔡炳南、王小楚、沈孟仙、肖清珊、宋昆山、王铨、方培莲、周颙、王若枯、孙铸东、蒋炳勋、陆京士、秦培亨、程佐卿、张克昌、李子刚、程维昌、姚国勋、奚颙、张汉杰等为最热心，他们约定十四年八月十八日，在闸北旱桥某地，先商讨团结内部的方法，想不到到的人很多，因为地方小不能开会，后来改在宝通路某工会举行会议，到者竟超过六百人，地方仍不够用，然而情势非常急切，大家都主张组织工会，即日罢工，要求增加工资。当时各友会及总工会李立三等，都认为我们没有组织，不主张即日罢工，但是环境虽恶劣，并且没有经济和其他各种后援，而人心都不满现状，异常坚决，万难允许罢手，故当日就先成立罢工委员会，主席顾治本、宋并镜、肖清珊、蔡炳南、沈孟仙、周颙、王小楚、王铨、方培莲、奚颙、王若枯等为委员，筹备一切罢工手续。

罢工委员会既已成立，于是各委员就领着全体会员于天明四点钟进局，命令全体会员罢工，并发表宣言如下：

上海邮务工会罢工宣言

邮局为国家机关，邮员为国家服务，在理劳资之争，不成问题，不知吾政府懦弱成性，邮权管理，为外人所潜夺，高位要津，尽为所据，食丰禄，享优权，一月之俸可抵吾华员数年之粮，直接浪费国库，间接剥削华员，喧宾夺主，令人发指。邮权既为之操纵，吾华员生活之黑暗可知，邮务本极辛苦之工作，在理工作时间应如何缩短，谁知有每日工作逾十二小时者，每月工金竟不满二十元，吾华员操作如牛马而忍气吞声如故也，上级人员为巩固其地位计，一切措置莫不秉外人之意志，压迫华员，即所以谄媚外人。吾华员服务，因时间冗长，工作艰苦，在精劳神疲之际，安得无疏忽错误之点，于是罚金记过，稍不慎，即被开除；吾华员无时无刻，莫不在喘喘自危中也。吾华员受此重重压迫，应如何积极反抗，乃同人向无团结，既无联络一致之机关，一盘散沙，何能奋斗，同人等感觉此等痛苦，知组织工会之不容缓，已集议定章，正式成立工会，一方面联络感情，尽力改良生活，他方面促进邮务，彻底巩固邮权，为本身计亦为国家计，吾人既负此两重使命，应绝对服从本会，听本会之指挥，现本会已议决于本月十七日起宣告罢工，以议决之七项要求，为复工条件，在罢工期内，同人须极力镇定，绝不可有出规之行动，致贻人口实。愿吾同人秉此宗旨，再三共勉之，则积极从事奋斗，成功可操左券也，谨此宣言。

十四年八月十七日

又发表《告邮务员书》如下：

邮务员全体公鉴，敬启者：同人等鉴于邮局之大，同人之众，而团结机关独付阙如。同局办事，而不相识，朝夕相见，休戚无关，致同人等沦于生活困苦中久矣。图谋补救，戛戛其难。兹为联络感情，互相合作起见，爰于八月十六日有上海邮务工会之组织。一致议决：要求条件七则，并于十七日实行罢工，以示决心，非有隐痛，宁忍牺牲。同人等亦出之万不得已耳！所议虽大部分与本身利害，然末条所述，对于

诸君关系，亦匪浅鲜。邮局待遇

诸君，可谓优异，然各邮虽已撤销，大权仍沦外人。

诸君其亦注意及之乎？

诸君为全局知识较高尤占人员多数，并未闻有若何之组织，此同人等深为叹息者，或亦为

诸君引以为遗憾者！同人等发起新会，为同人生活计，亦为邮政前途计。

诸君试易地而处，将作如何感想？愿束手无方而不自拔乎？抑集群策群力而谋自拔乎？

诸君高明，何待赘述，倘荷同情，予以合作，同人幸甚。邮局幸甚。

上海邮务工会启

八月十七日

至九点始，派代表田厚卿、宋并镜、王小楚、奚颙、方培达、周颙等六人，持要求条件面呈多邮务长。具体要求条件如下：

（1）承认工会有代表全体会员一切事务之权。（2）邮务职工薪水全以关平银两计算，薪水最低限度以下列为标准：①邮务生三十五两；②拣信生二十五两；③听差及信差二十两；④苦力十五两，以后按照附表章程每期递加，不论如何不得逾期。（3）工作时间以每日六小时为限度，工作不得逾四小时，如在二小时以内，应加薪半日，在四小时以内，应加薪全日。每年应给短期假三星期，其他假期，概照邮务员同等待遇，不得留难，星期日与例假照例休息。如遇值日须加薪一倍。（4）年赏仍旧，如服务期满十年，另给奖励金全薪一年，补助金存款本利年赏及奖励金，不论因何故离局时，应立即发还。（5）邮局不得追查关于此次合理要求之出力人员，并不得于日后无故除退，凡须除退者，须经工会之同意，方为有效。（6）其余一切不平等之待遇，及不合理之办法，工会在无论何时，均有提出要求改良之权；自民国十五年起，停止再进洋员。

多邮务长与秦副邮务长接阅之后，以条件要求太大，不能作主，一面呼巡捕警备全局，图施镇压，一面呈报交通部，听候回训。但社会上殊不愿邮局延长罢工，亦知邮局罢工工人生活实苦，故商会会长虞洽卿、林康侯，交涉署杨小川等均到局调停罢工。交次[1]郑洪年来沪允先增加津贴，续商其余各项条件，又有虞洽卿之担保，罢工委员会以自己组织尚欠健全，若坚持下去，亦恐有不利，不得已始承认复工，并登报通告如下：

上海邮务工会通告

同人因感生活艰苦，待遇不平，爰组织罢工委员会，于本月十七日起，实行罢工，主旨在改善同人生活，并不受任何方面煽动，亦非有意与邮务长多福森君副邮务长秦印伸君个人作难。现本会所提条件，已经总商会会长虞洽卿先生有力担保，静待正式解决，如不照原议，本会仍当力争。本会认为满意，即日起宣告复工，

[1] 指交通部次长。——编者注

罢工委员会经议决取消。再邮务工会名义，在工会法未曾颁布以前，暂改邮务公会。至此次罢工期内，各界所受影响颇巨，不胜抱歉，但事变仓卒，全出于不得已之苦衷，希各界原谅。

以上乃邮务工会第一期斗争之大概。

（二）邮务工会的成立　第一次大罢工胜利之后成立邮务工会。兹将章程录下：

上海邮务工会章程

第一章　大要

一　本会定名为上海邮务工会。

二　本会以联络感情，巩固邮权，改组邮务员之生活且保障邮务员各人之自由为宗旨。

三　凡邮务生、拣信生、听差、邮差、苦力，及杂役员，均得为本会会员。邮务员希望加入者，须先经本会干部执行委员会之通过。

第二章　组织

四　本会组织系统如下：

全体会员大会——支部会员大会——小组会员大会，支部会员联席会议——小组书纪联席会议——小组书记执行委员会议——支部执行委员会。

五　小组为本会之基本组织。

六　支部委员联席会议及小组书记联席会议，为全体会员大会及支部会员大会之摄理机关。

第三章　小组及支部

七　总局之各室，及各支局内组织一个以上的小组，各组以三人乃至八人为限度，推举一人为书记。

八　一室或一支局之会员不满三人者，则由于部执行委员会，将其分配于最适当之小组或与同一情况下之他室或支局之会员合为一小组，而附属于适当之支部。

九　各室或支局有三个以上之小组者，得组织支部。由支部会员大会或小组书记联席会议，选举干事三人乃至五人，而组织支部干事部分担总务、会计、文书、组织等事项。

一〇　一室之小组不满三个时，由执行委员会将其分配于最适当之支部，或与同一状态下之其他之组，合组一支部。

第四章　最高机关

一一　全体会员大会为本会之最高机关，但大会闭会中，则以干部执行委员会为最高机关。

一二　干部执行委员会，由全体会员大会或支部会员联席会，选举会员二十五人组织之，执行本会一切事务。

一三　干部执行委员会分设交际、文书、会计、庶务、总务、监察、编辑、教育等科，由正副执行委员会长总辖之。

第五章　任期

一四　小组书记之任期三月，但得连任。

一五　支部执行委员之任期半年，但得连任。

一六　干部执行委员之任期一年，亦得连

任。

第六章　开会

一七　小组每星期至少开会一次。

一八　支部会员大会及小组书记联席会议每周至少一次。

一九　全体会员大会或支部委员联席会议至少每月一次。

二〇　支部执行委员会至少每周一次。

二一　干部执行委员会至少每周一次。

第七章　会费

二二　会费定为会员每月收入百分之二。

二三　会费由支部委员会，集交干部执行委员会会计科保管之。

第八章　纪律

二四　各级大会及各级会员之决议，本会会员应绝对服从。

二五　有不纳会费或违反决议案之行动，由干部执行委员会与以相当之惩罚。

第九章　附则

二六　本章程之修改权属于全体会员大会，或支部会员联席会议。

邮局为交通部直辖机关，故关于邮务要政须经该部批准始能有效，关于邮务工会一层，交部曾借口我国尚无工会法，迄未正式承认，工人方面不得已，改组邮务公会，并规定邮务官员亦得为会员，将原章加以修改。于干部执行委员会第十六次常会中，特举出改组委员五人，组织改组委员会，办理改组事宜。十四年十二月将修正之章程及各项计划书等，呈交邮务长，转呈交通部请求立案，始蒙批准，并给予创办费银一千元。此外由民国十五年一月一日起按月给予经常费银一百元，此款即在入款账内拨付。惟该项津贴，并不专给任何支部，而系补助该公会全体之用，至用途之分配，可由该会会员取决之。每年应由该会缮具报告表，呈交该管邮务长查核，此外不专给任何款项。兹将批准之公会章程列后：

一　本会定名为上海邮务公会。

二　本会以联络感情，交换知识，提倡互助

精神，及谋一切上海邮务职工之幸福为宗旨。

三　凡为上海邮务办事人员，自邮务官起至苦力及杂项专门员役止，均得为本会会员。

四　现在之邮务长为本会名誉正会长；现任副邮务长为本会名誉副会长。

五　本会设评议与干事两部，均以正会长一人，副会长两人统辖之。

六　本会正副会长系由评议部选出之。

七　评议部系由各级会员自行选出之评议员组织之。各级会员人数在一百人以内者，得选出评议员一人；二百人以内者二人；三百人以内者三人；依此类推。

八　评议部设正副评议长各一人，记录员二人由评议员互选之。

九　评议部除评议会中一切事务外，接受及讨论各级评议员提出关于局务之陈诉或建议事项。各种议决案交干事部执行，或呈请邮务长核办。

一〇　评议每星期举行常会一次，由评议

长召集之。如有特别事故，或评议员三分之一以上之请求时，得召集临时紧急会议。

一一　干事部系由评议部选出之干事组织之，分正副干事长及总务科、文牍科、会计科、庶务科、教育科、游艺科等职；由各干事互相推定，各科事务由正副科长主持，科长由各该科干事自行推举之。

一二　干事部如得评议等之通过，得聘请职员襄理会务。

一三　干事部每星期举行常会一次，由干事长召集之。如有特别事故或干事员三分之一请求时，得召集临时紧急会议。

一四　本会会长有复决权，但须于二日内提出。

一五　正副会长，评议部，及干事部之任期，均为半年，选举得连任一次。但一人不得兼任二职。

一六　本会章程及评议部之决议，一切会员皆须绝对服从之。

一七　会员如违背本会章程或评议部之决议，须受评议部裁判。

一八　本会次第举办下列数种事业：

（一）邮务职工补习学校，

（二）图书馆，

（三）体育会，

（四）音乐会，

（五）学术研究会，

（六）戏剧社，

（七）消费合作社，

（八）其他。

一九　本会除呈交通部每月酌给补金外，本会会员须缴纳会费如下：邮务官大洋一元；邮务员大洋八角；邮务生大洋五角；拣信生大洋三角；听差及邮差大洋二角；苦力大洋一角；杂项专门员役大洋一角，二角或三角。

二〇　特别费用得临时向会员征收之。

二一　各组组织法，由评议部评定之。

二二　本章程自交通部批准之日，发生效力。

北伐开始了，邮工到处都与革命战斗取得密切联系，他们利用了历史传统，无论在戒严时期，怎样禁止行人，但是孙传芳的老总们对邮工是不禁止的，纵然他们是负了革命的使者穿过敌军，遇见了站岗的步哨，也不过：

“口令！”

“邮政局！”

“跑信的？贼你奶奶，过去吧！”

八月罢工之后，虽名义上改为公会，但他们的革命精神，组织力量在日日增长着。不久又为了要求米贴，宣告二次罢工，结果没有得到成功，但是“工会”原名旋即恢复。当国民军到了嘉定松江时，上海各业工人积极活动，邮工反站在最前线，组成了有力的队伍，全局实行响应北伐军的政治罢工。邮工纠察队全体发动，使敌方交通，受了很大的阻碍，使社会状况，大加扰乱恐慌，加速其崩溃，终于获得了光荣的胜利。

（三）**邮务职工会**　至于邮员方面，另有职工会，大概情形如次：

（1）成立经过　十六年春，上海方面邮员于革命空气弥漫长江之际，召集邮务官员大会，交换意见，为促进邮政之发展和谋自身利益，形成团体，当于三月四日成立上海邮务同人协进会。提出三大宗旨：（一）收回邮权，（二）改良邮务，（三）增进同人之利益。会员二百十五人。三月廿一日，国民革命军到上海，协会亦参加欢迎北伐军同盟罢工。五月九日改组，成立上海邮务职工会。大部分工作多与邮务工会协同办理。在全国工会颇有历史的邮工不但工会与职工会分立，还有大批额外苦力，临时野鸡，仍未准予加入工会，储汇局同人亦曾自动请求加入工会，但至今这些人也未加入工会，更无加入职工会，故邮务工会和邮务职工会仍不能成为“全体邮工”之团体。

（2）组织　以小组为基本组织，小组以三人至五人为限。执行委员会分为九股：总务、组织、经济、文书、交际、智育、体育、游艺、宣传；每股股长一人，常务三人。另有监察委员，后改为四股——秘书处、总务、组织、训练。

甲等以上之邮员才得参加职工会，历年来所做工作，多与工会协同，必要时开职工两会联席会议。

全国邮工大会及全国邮务总工会、全国邮务职工总会，上海都起中心作用。

二 在北伐时期中的邮工

北伐军已到了杭州，周凤岐的军队已经反正。消息传到上海，大家都笑得跳起来。眼巴巴青天白日的旗子快要在上海飞扬起来，不久，就是三民主义的天下，上海工人在总理的三大政策扶助之下，改善生活，成立团体，享受集会、结社、言论、出版、居住、信仰之完全自由权……每个邮工都参加了政治的斗争。“拥护国民党，欢迎北伐军”，大家异口同声的喊着这个口号，不怕流血，不怕牺牲，革命的热情充满着每个邮工的心里。

（一）**“三九的前奏”** 一提到邮工的“三九”，参加行动的人，谁也不会忘记这有趣而有意义的一天。

上海总工会已命令全上海的工人组织工人纠察队，准备响应北伐军，来一次政治罢工的斗争。我们的工会，在顾治本、王荃等领导之下，迅速的开展这伟大的行动，每个邮工都奋勇起来了。在三月九日的晚上，工会召集各间各局的干部，开联席会商议进行计划，不到七点他们都络络续续地到来。一时这北江西路泰安里沿马路的工会客堂，挤满了八九十个邮工战士，十几张凳子是坐不下这许多人的，有的用报纸垫着坐在地下，有的连报纸也不用，在紧张的空气中，热烈的讨论起来。

“北伐军已到了，杭州周凤岐的军队也反正了，所到的地方，全是民众起来响应，所以很顺利的进展。上海是革命的中心，工人更应该起来表示伟大的力量，尤其我们邮工，更应站在前头。现在总工会已命令各工会组织纠察队，准备一次最后的战斗，我相信我们的邮工，一定很英勇的起来拼一下……”

主席激昂的报告以后，每个人都表示热烈的情绪。

正在总工会代表勉励工人和指示工人怎样进行的时候，门突然开了，走进了一个面孔陌生的人，大家都异样起来，经主席的询问，才知道他是外地调来的同事——何伯行，他不是我们的干部，被请出去。

“何伯行，”一位同志怀疑的询问着，“他和副邮务长科登往来很鬼鬼祟祟的。”

“不要管他，进行我们的工作。”主席很安定的不愿放过这个机会，于是大家又热烈地讨论组织纠察队，准备武装等各种重要议案。

在九点光景，讨论得正起劲的时候，突然“笃笃笃”敲门的声音，大家都息静下来，空气陡然地紧张。“通通通……”声音越打越急促了，大家都觉得苗头不对，但都镇静地注意着意外的遭遇。

“朋朋……”接连撞门的声音，于是大家着急总工会代表和佩带武装的张培君，催他赶快上楼隐避，他们就迅速地上楼去了。

“乓！”门被打开了，冲进来一二十个武装巡捕和西捕。“不许动！”他们用手枪对住我们。我们都高举着手，听他们摆布，于是一个巡捕抓住两个人的衣领，一对一对地送上汽车。

三辆汽车倒有二辆是正广和汽水厂的卡车，都挤足邮工同志，谁也不慌张，准备着任何牺牲，勇敢自在地跳上卡车。

“打倒列强，打倒列强，除军阀，除军阀……”第一辆车上的同志开始唱歌，第二第三辆车上的同志也附和起来，洪亮的歌声打破恐怖的空气。

“工农兵联合起来向前进！万众一心！”一只唱了

又一只，一路上唱去，好像大军在行进。

到了闵行路捕房，先到的被关在拘留处，后到因为挤不进去享到优待，站在外面，大家才不觉怎样。“还是唱歌吧。”有人提议。“好！”一致赞同，又唱起歌来，雄壮又激昂，鼓励着每个人的心，一部一部轮流唱着，到十二点，口渴肚饥喉咙又哑，没有一滴水供给，于是大家都向捕房要求，胜利了，馄饨担挑进捕房里，被我们吃得一空，他倒做到一笔生意。

遥远听到鸡啼，天快亮了，捕房里开始提人询问，西捕手里握着一叠小照，问到一个拿小照对一对，好几个平安的过去，挨到王明甫了。

“你叫啥？”“王明甫。”西捕把小照一对，和翻译在商量。

“瞎话！你叫顾治本。”翻译恶声恶势地说着。

王明甫回头一看，大家向他示着脸色。

“是的。”结果他承认了，被拘留起来。

询问的结果，共拘留了王荃，王礼清，王明甫（顶替顾治本的）三人，其余有的报假名，有的互相换名都平安地过去，在曙光才见的时候，我们是被开释了，黄浦上清凉的朝风，吹在身上很觉爽快。

恐怖阻止不住我们的行动，更使我们积极，每个人都起来要求营救三位领袖，当天就推派代表向邮务长交涉，请他设法营救，据代表回来报告，邮务长的态度还好，答允除王荃以外（因王荃已被借故离局）其余可保安全，王明甫当日可以释放。

北江西路的会所被搜查了，保险箱和一切文件都被带去，这是对被捕的人不利的，听说被捕的不久要解法院，于是又请律师为他们辩护，在国民革命胜利的空气中他们是被延宕下来。

听说第二天的上午何伯行在家里被人击毙了！这个消息使每个人心里快慰。

（二）“三·一三”**的罢工**　日子快到了，大家准备着，上海总工会的通告告诉我们，于是大家忙着准备和军阀作最后一次的斗争。组织行动委员会，组织工人纠察队，准备武装，学习战斗，迅速地在邮工中进行着。只待命令一到，我们立刻行动起来，马上就可以看到工人的力量，每个邮工这样回答着。

在三月十二日晚上，我们接到总工会的命令：“我军已越过松江，上海工人一致起来，罢工响应。”行动委员会就决定明天上午开始罢工，当夜由交通队通知各行动委员，各级干部，准备明天的行动，这使每个人血液在跳跃着。

在十三日的黎明前，总工会的工人纠察队已开始袭击南市车站，我们邮工就在七时开始罢工。这一次没有一些关于改善待遇的要求，全是为了光明政治，响应北伐军，大家都勇敢参加这次斗争，没有犹豫，没有畏缩，罢工的命令发出几分钟后，都完全执行了。

行动委员在出口间内利用写字台拼成主席台，一霎时群众都涌到出口间来，纠察队在队长褚士良、宋启明，参谋长张汉杰指挥之下，迅速地执行他们的职务，大门天井，各处要道，出口间四面，都有绿衣的邮差同志，用木棒代替武装站冈，雄纠纠的威风，使残余的军阀封建势力帝国主义者见了害怕，整个邮局大厦，在纠察队控制中。在主席台周围也站着一队，他们是维持秩序和等候出发命令的。

主席团是宋昆山、张一道、沈孟仙，他们高着嗓子挥拳蹑脚地报告这次行动的意义：

“各位邮工，各位同志！我们盼望的国民革命军已到达松江，中国的革命快要成功了，我们不久就见到光明。可是万恶的军阀还在顽抗，意图最后的挣扎，我们全上海的工人，一致起来打击残余的军阀，使它早些崩溃，让我们早些过快乐的日子。邮工们！勇敢地站起来，做上海工人的先锋……”

一阵热烈轰轰地掌声，接着千余人嘹亮的口号，像雷一样的轰起来。

打倒军阀！

打倒帝国主义！

欢迎北伐军！

拥护国民党！！

国民革命万岁！

中华民族解放万岁！

……

主席台上不断地有人演说，一个下去一个上来，刘保民、盛积才等的演说，激烈热诚，都很感动人，每个人的血都被沸动了，只要一声号令，每个都是勇敢有力的先锋。

职工会方面也参加了，大家热烈欢迎。

包探来了不少，全被纠察队阻止在出口间门外，情报不住的传来，捕房方面要来干涉，又有李宝章向捕房要人，我们的主席团最后宣布罢工法：（一）无工会命令不准私自上工；（二）不论任何职工如私自上工者作工贼论；（三）在严重时间各人回家静候消息，邮差一律穿着便衣；（四）交通队纠察每日向指定地点报到。正待结束的时候，约十一时左右，纠察队上来报告，李宝章大刀队来了，一时空气紧张起来，有几个勇敢纠察队准备捉拿，但被主席团劝阻了，主席团立即宣布，命令邮工退出邮局。

顿时邮局大厦成了一座空屋，各间都封闭着，我退出邮局的时候，天井里留着两副馄饨担，和几个杀人不怕血腥的大刀队背着雪亮的刀，在天井里梭巡着。

南市暴动是失败了，北伐军尚未到松江，这个消息不能动摇每个邮工！就会来的，我们罢工等着；但疯狂的军阀，还图垂死的挣扎，更残暴的对待革命的勇士，不管是非，抓到就杀，十来个牺牲在他们的手里。

不怕杀头，不怕牺牲，响应北伐军，是我们工人唯一的任务。虽则在西门、在北站、在虬江路，到处挂着被军阀的刽子手李宝章所砍下的革命战士的头颅，它吓不退我们。英勇的邮工，在罢工期内，依然活跃地在各处，西门、北站、路口里弄，散发着张贴着“欢迎北伐军”、“拥护国民革命军”的传单和标语。

三天的罢工表现了邮工的力量，军阀胆寒起来，当局也顾虑着邮件，他们都要求我们复工，当局派人四处找寻工会负责人和主席团，最后，我们接受总工会的提议，“斗争一次，多加一次经验，这一次斗争的教训，使我们认识加强组织的必要，在复工期内，我们可以加紧组织和宣传，使下次斗争更有伟大的力量表现出来”，于是接受当局劝告，向邮务长提出保障职工安全，营救“三九”被捕的二领袖，这次参加行动委员的十四人均给假期二星期等四项要求，一切都接受了。由领事团签字的安全保证书，也拿到了。第四天一早全体复工了，第一次伟大的政治罢工就此结束。

（三）“三·二一”**的战斗** 多一次斗争，多一次经验，上次虽然罢工来响应，但没有拿更有力的表现——参与直接战斗，似乎是美中不足，“单罢工不够打击军阀”，每个邮工都这样说。

行动委员会接受上次教训，加强纠察队的组织和训练，使每个人成为有力又勇敢的战士。没有几天，参加纠察队的已有一百多人，最多的快信间信差，每个都是队员，第二要算工部间了，各分局也有人参加。就在这几天了，在北伐军进展和军阀的阵线摇动的空气中，每个人预备出手，只等总工会的命令到来。

行动委员会在黄河路一爿酒店楼上设立办事处，成为队员和干部打听消息的中心，每天有好几十人来往，因此惹起法捕房的注意，在十九日的晚上被搜查了。抄去四十多支长矛，这是纠察队的武器。

一天紧急一天，在二十一日早晨得到总工会的命令，在下午一时发动罢工，立即暴动夺取武装。我们指定的地点是闸北，交通队迅速地传达命令，限下午一时前在总局集合，消息传到每个人耳边，都欣喜地奋发起来，再也无心工作。

午后，行动委员，各分局干部邮工，都络续向总局集合，彼此亲爱地招呼着，交通员又分散至各处探听各地的动情，不到一时，都飞也似的奔回来。“电车已首先发动了，一辆辆在路中间抛锚，开车卖票已离开车去参加战斗了。”“闸北工人开始暴动！”这消息使每个人兴奋的疯狂起来。

一点了，我们的行动号声已响了，各间的邮工都向天井集中，由主席团沈君站在卡车上领导举行升旗典礼。

“我们盼望的北伐军已到了，青天白日的旗子马上就飘在我们的眼前，我们当欢呼自由幸福的日子到来……”大家都欢呼起来。

“但是残余的军阀还在顽抗，邮工们，用我们的力量打溃他！用我们的力量建造新中国。”又是一阵狂欢的呼声。

“升旗了！”大家眼光都集中在旗杆上，望着一面簇新的青天白日旗像条活龙似的欢跃地升到顶上，在三月和暖的阳光中愉快地飘荡着，底下千余个邮工拍手抛帽狂欢着，接着主席在热烈的空气中领导大家向新国旗行最敬礼。

“欢迎北伐军，

打倒万恶军阀！

拥护国民革命军！

中华民国万岁！

民族解放万岁！

胜利万岁！”

雷轰似的口号声惊动了四川路桥畔。遥远地听到四川路接连不断的爆竹声，好像大除夕的迎春炮仗。

最后宣布大家到闸北去参加战斗，大家如涌潮似的跟着主席的卡车拥出去，大门被捕房的大队巡捕关闭着，门外停了两辆红色警车，上面架着机关枪。勇敢的纠察队员，冲着前阵，冒着西捕棍子对抗着，一忽儿退下，一忽儿又拥上去，没有一个畏缩的，后来胜利了，大门开了半扇，不许汽车开出，只许我们络续走出去，外面好像大军的防线，十多挺机关枪对我们排着。

在总局的西边停了三辆邮政卡车，许多纠察队员和行动委员跳上卡车，命令向宝山路开去，一路上唱着革命的歌曲，开到河南路爱而近路口，已被英兵用铁丝网拦断，再也不能过去。只见勇敢的工人向北火车站袭击，冲着，劈劈拍拍的枪声不断地响着，不能过去，许多纠察队员眼看人家在英勇的战斗，非常不快；不久消息传来，劳神父路正在开市民大会，邀我们去参加，许多人不愿意去的，另外找参加战斗的途径。

到劳神父路是失望，据说市民大会被法捕房阻止了，中华运动场是紧闭着，只得跟主席团回到黄河路等着发展。

在四时后突然有辆汽车来接主席团，纠察队员叶春荣上来报告：“我们已攻下胡家木桥，一部分向宝山路攻击，一向虹镇发展，请快去维持！”真是喜出意外，大家跳上车子，向胡家木桥开去。在车上他得意地说着宁波官话报道战绩！

“我们钱静庵、鲁振、杨林、董金等几十个人宝山路不能去，就走到北四川路，那晓得都拦断了，就走到胡家木桥天潼路，一到那里，警务还守着岗位，大家一看，机会来了，一齐走上去，不管三七廿一把他们武装夺来，再说真便当，没有遇到什么抵抗，有一个巡长很顽强，和我们开火，被我们解决了。我们一鼓气冲到警察所，他们往后门逃了。”他得意地笑着。

车子开到狄司威路天潼路口停了，沙包堆里走出一个绿衣战士向我们行个军礼。

“正！”鲁正祥高声地喊着，大家笑了！

我们被引到保卫团部。

“这三位是我们的司令。”他向我们介绍，又是一个敬礼，我们就在保卫团作临时指挥部，他们很欢迎我们驻扎下来。不久纱厂工人纠察队也来了，他一见我们已到，就要求他们彼此合作联络，大家很亲热地结合起来，他们又回引翔乡虹镇一带去。

现在大家计划攻击和防守，感到武装太少，夺得十几支步枪，实在不够分配，都想到保卫团武装可以借来一用。一面和纱厂工人连防，彼此照应，一面派交通队召集未到达的纠察队，速即报到。突然一个纠察队员进来报告：听得流氓预备扰事，抢夺武装，趁火打劫，在引翔乡里已有发生了。

“凡未有武装的人们，寻取任何可以作战的武器，帮同步哨警戒。”主席吩咐着。

“是。”他一说出口大家笑起来，他又走着体操的脚步，精神十足地退下去，大家又笑起来。

这里保卫团头领是位虹口丝厂资本家朱宝善，他带来几十盒糕点慰劳我们，真使我们难为情，他还说了恭维我们的许多好话，实在不敢接受。最后他接受我们的提议，组织临时治安委员会，我们三个主席和他是当然委员，保卫团的武装借了一部分，团丁归我们节制，一切很顺利的进行着。

深夜了，队员络续报到，增势不少，因宝山路在激战，都赶去助战。我们和主席沈君在静寂路上巡视着，除了枪炮的吼声，一切都平静。我们的战线又扩大了，东头到虹镇，西头已冲到宝山路，大多和商务纠察队结合起来，合攻图书馆，天通庵已在我们掌握中。

据前线下来的战士报告，一部分队员在张培君指挥之下，利用屋顶向北站进袭，敌人放烧夷弹，几处已着火，无法扑灭。轰的一声，突然一个炮弹打断门前的电杆，大家都感到有味，多哄出来寻炮弹。

整夜在战斗中没有休息。

第二天战事依然没有停止，东路军已抵龙华停住，没有参加作战，大家更奋发作战。一早很多邮工到来，顿时热闹起来，许多都自动参加防务，增加声势，现在狄司威路被我们切断，沙包堆在路中，车辆至天潼路为止。

突然听得火车震声，大家提高警心，很多人带了武装奔到江湾路去，约半小时都回来了，报告有趣味的战斗：

“由吴淞开来的一列车敌兵被守防江湾路的工人纠察队和上大学生发觉了，大家散开准备袭击，一到面前都奋不顾身地攻击着，手榴弹和枪弹对中打着，有一刻多钟，车子倒回去了，我赶到的时候，大家都拼命的追赶着，直到车影子不见，才回来。”

流氓真可恶，在引翔乡里招摇扰事，被我们的战士解决了，又得到几支步枪。

午后战事很顺利的进展，在三点左右我们的战士已冲进北站，消息传来，大家都狂欢起来，我们都到北站去。到北站，许多战士忙着搬取胜利品，我们得到两箱机关枪子弹，两大箱大连饼干，五十六袋面粉，三箱炸弹，五匹马。

另一部我们的队员占领了青云路保卫部，就做临时司令部，派人到北车站来接我们，于是大家把所得到的胜利品往青云路司令部搬去。一路上我们的战士和骑不来马的司令都骑着马，领头向青云路进发，浩浩荡荡地显着工人的威风。

到了青云路已近晚了，那边很荒凉，司令部四周没有人家，流氓又多，我们感到不妥，大家主张搬回去。“怎么办呢？许多东西还要通过日军防线。”大家都顾虑起来。后来张指挥主张拉只小船将东西运去，我们又可以护送在船上过一宵，大家赞成，队员四面去找船。

找到了一只小的江北艒艒船，船上一个女人，一个小孩，怪可怜的哀求着，我们答应给她两元，担保她回来，不用她出力，她应允了。在黑夜里几十个人忙着将战利品搬到船上。

狭小的船身容不下这许多人，于是一部分人放下武装由天通庵步行，留一部分人躲在船里，紧握武器，枪口对外准备，船小人多，水浅，船走不动，不到八字桥又下来，分一些人步行。

这时我们沈君和日文邮务生张君等在暗黑的夜里摸去，也不晓得方向，只跟他们走着。天通庵车站到了，看车的小屋子灯光亮着，我们推门进去，打听路径，一位看守的老乡很客气招待我们，敬茶敬烟，弄得我们不好意思。

我们照他所指点的路途走去，钻过二节火车轮，摸到大德里相近，遇到了日本哨兵，我们张君上去讲了几句话，就放过去了，我们还记得一句："邮便阿省。"回到天潼路，已深夜十二时了。他们已搬到警察所，今夜就在警察所休息。

这次战斗，勇敢的杨林在商务印书馆牺牲了！大家都痛惜着。

第三天下午市公安局来员接洽让移，大家都舍不得的样子，主席团向大家解释我们是成功了，我们不要舍不得让移政权，我们希望光明的政治就会到来的，还要用我们的力量，帮助光明的开展！交还政权，正是我们的正大光明！

就这样结束了邮工光荣的"三·二一"战斗。

（四）收回邮权运动 国民军北伐之后，北方邮权仍握洋人之手。上海既经工人起而占领，邮权当然又须收回。工人久经斗争的结果，在组织上，不但有巩固的工会，在经验认识上亦进步了很多，这种不平等的待遇，如何能忍受呢！民十六年十月国民政府设立邮政总局，与在北洋势力下的北洋邮政总局形成对立的形势，进行与他们实行妥协的协定，规定国民政府在未统一之前的过渡办法。除北方局长，总办，会办之外，国民政府亦派局长，会办一人，同时加派旧总办兼国民政府邮局总办。这一协定本已迁就，事实上公使团方面还认为不满，提出抗议。一方面政府仍进行交涉，一方面职工大加愤怒，提出严重抗议，决与恶势力不合作，及后总办法人铁士兰辞职，于是外人的势力日削，邮政主权，逐渐由外人手里收回，收回邮权运动遂告一段落。

三　“四·一二”事变后的邮工

（一）**继续英勇的斗争**　邮务工会负责人顾治本、周颙经“四·一二”事变之后，不幸被枪毙！而三千邮工，并不从此崩溃瓦解，仍进行英勇的斗争。工会始终不停止为工人谋福利的要求，各局各间建立起坚固的分部，小组，并经常有组织生活，讨论各间各部的日常生活，及政治问题，在沈天生等英勇的领导之下，邮工情绪是日渐高涨。民国十七年四月中旬，上海邮务工会向当局提出改良待遇等项要求，其中最重要的：邮务生以下，各级人员，加薪五元。当局提交交通部，关于薪金增加问题，由交通部批饬邮政总局于三个月之内修正，但迁延数月不见回答，于是十二日宣告罢工，并复加添六项新要求，共为十六项。改革薪金问题，经各级会员讨论，一致主张上下级薪金相差，以四与三为比例，病假无限期，不得扣除工资，并配给医药费以及邮工教育等问题，较之以前要求，增加数倍，当局表示不能接受，于是罢工更趋严重。可惜在罢工之始并未和职工会接洽妥当，新要求亦未和他们取得一致，上下级薪水之差，更为冲突，所以在邮务工会领导下层人员罢工期间，职工会的会员仍照常办工，因此本埠信件全停，而外埠的来往及各部上层工作还在进行，罢工阵线大加困难，内部团结发生裂痕，于是在上海市党部调解复工时，邮务工会以解散职工会为先决条件，市党部终于允许。不过职工会以后又继续恢复起来。

（二）**封建势力的增长** 当这一时期，比较热心分子，当局予以深刻注意的另一种封建势力渐次增长。“四·一二”以后封建势力，当时的发起人是十二弟兄：

陆××、朱××、张××、赵××、萧××、刘××、于××等，后扩大为三十六弟兄，再扩大到一百个，分布在各局各间。工会中进步分子各个调到内地，×××成立×社收徒弟，张××成立×社，刘××成立×社，分头进行帮派活动，局中人几有不入×门即入×门否则不能存在之势。不过革命的邮工，以他们的伟力撑住轮舵，仍能领导着三千邮工，进行要求。而孤军作战，始终难以久持，但真理始终是存在的，为真理而蹈汤赴火的人，永远是百战不屈的，何况有中华民族的当前大敌不许我们自相磨擦呢?

（三）**“九·一八”与邮工**　“九·一八”事变发生了，一声轰动，四万万同胞振臂而起，东北邮工，东北同胞，遭受了敌人的蹂躏。全体邮工，又感觉有一致团结救国之必要。淞沪抗战爆发，组织义勇军七百多人，全体邮工各捐薪金百分之十，作为服装训练费用，聘请教官每日清晨训练，又组织救护队直属于中国红十字会，编制第十九支队，派往嘉定后方伤兵医院服务。待三月二日我军退守嘉定，日机追逐大肆轰炸，一时秩序大乱，救护队在万分危险时，冒险离境，一组出西门，绕道青浦松江抵上海，一组出南门至马陆镇；又分为二组前进，一组向西至梵王渡回上海，另一组仍越南翔联络进发。不料迎面敌人先锋奔驰而来，一时脱险不及，潘家吉、陈祖德、陆春华，被敌杀死，全局非常愤慨，除热烈的募捐追悼外，并以实际工作为纪念先烈的表示。

邮务工会邮务职工会致十九路军总指挥部文

谨启者：

贵军全体将士，奋勇抗敌，两旬以来，屡奏捷功，凡属国人，莫不热烈拥护。敝会等及全体邮工，素懔大义，心抱偕亡，只以牵于后方职务，恨不克共赴疆场，为国杀敌，是用勉劝同人，自动捐募，由敝会等先行汇集捐款，总数计大洋二千一百十三元二角五分，小洋二百二十一角，铜元一百枚，随函奉上。自知杯水无济车薪，惟念集腋成裘，聊表犒忱耳。即希察收，敝会等一息尚存，当再悉力之所及，为贵军后盾，敬此布达，诸希

察照，此致

十九路军总指挥部

二十一年，二月十六日。

又经全体同人致马占山将军电慰奋勇抗战。接得回电如下：

马占山主席复电（一）

上海邮务工会勋鉴：

奉读专电，谬蒙奖勉，益深惶惧。但国难方殷，军人膺重，仍当督饬将士，努力持卫，即有一兵一卒，亦必再接再厉，务祈唤醒民众，一致御侮，后援有人，前锋必锐，杀敌俘虏，指顾间耳。

黑龙江省主席马占山锐印

马占山主席复电（二）

邮务工会勋鉴：

来电奉悉，辱承奖饰，并叨原贶，三东袍

泽，同布谢忱。本政府现移海伦，尊处汇款，刻已派员前往哈尔滨接洽拨转，谨闻。

马占山印

又派代表赴京请愿要求政府坚持抗战，并愿执干为国先驰，接得政府复电如下：

国民政府复电

邮务工会鉴：

奉主席谕来请愿代表递呈已悉。查所呈各点，均属救国至计，中央早已有最后之决心，与全国共同救国。**惟望各工友沉着应付，严守秩序免致他人乘机借口**为要，特达

国民政府文官处江

“九·一八”事变发生后，东北全体邮工，民族自尊的精神，格外可钦，始终不与敌合作。一九三二年七月廿五日，被日方嗾使的傀儡政府，强行接收，三省邮工，不受日伪当局的威胁利诱，冒着危险，不辞坚苦，

万里跋涉，毅然入关。他们不顾一切的前途困难，不顾一切的家产牺牲，只是为了将来的光明，国家民族的尊严，大中华民族的儿女，完成他们不与敌合作的任务。三千邮工离开之后，伪国邮政，全部停顿，政府的封锁政策的执行，全赖全体邮工。

这些东北同胞，远离家乡，人地生疏，但他们不觉得自身的痛苦，无时不在思索着“打回老家去”。他们忠于职务，努力学习，对同事间也有时难免习惯不合格格不入，不过他们从东北带来了无限的民族英勇之气，带来了吃苦耐劳的精神，带来了刚强豪迈之风，给了上海邮工一个大大不同的作风。返回来讲，他们自己也增加了不少的新知识，因此就形成一团，与上海三千邮工结成一体。上海沦陷之后，一再进行护邮斗争，邮工固受益于十几年来的斗争经验不少，而东北三千铁军的长征，也给了上海三千健儿一个好榜样，你听：

“妈那巴子，我们从东北到上海，难道说到了上海反变成了敌人的顺民，越来越退化不成！”

“人家东北同志能舍家背井，我们就不能离开吗？”

这是国民的新精神，我们更将再接再厉为护邮而奋斗。

（四）护邮罢工 （一）反对中美航空公司合同运动：民国十八年四月，政府为发展商务邮务航空事业起见，特设中国航空公司，任孙科为理事长，和美国航空发展公司，订立中美航空邮务合同二十七条，经政府批准颁布之日，航空界及邮界人士群起反对，一致认为偏重美国实益不顾中国利害。邮务职工两会于十月十六日成立“上海邮务同人反对中美航空合同委员会”，积极进行交涉，提出理由有四点：（中国邮政）

1. 按照国际航空公约协定规定，凡公司如非遵照所在国之法律，不得在该国经营航空事业，乃该合同第一条，只与美国德里华省注册之航空公司订立合同，是该公司只受美国法律保护，中国之法律以及任何法令，不得加以拘束，以航空事业之重要，而不受我国法律之拘束，其流弊何可胜言。

2. 该合同第十条，关于酬金之规定，亦与事实不符甚远。依照该合同有效期间十年计算，损失当逾四千万元，是将整个邮政改作赔累之用矣。

3. 该合同第二十一条规定，对于沪粤汉京平之航空线，与行将开办之沪粤平线，以及将来络续开办各线，中国公司均让与美国有邮件运输之专利权；依此规定，中国之航空事业，直无国人经营之机会，势必至全国航空线悉由美人承办，独立国之主权损失尽矣。且美国由是可挟无量数之飞机，翱翔于国内天空，一旦有变，国防上殊觉有害也。

4. 兴办航空而设立必需之工厂，为当然之事实；惟依照该合同第十四条之规定，则该厂之设施及用人之权，均操之外人之手，其影响于国防民生如何耶？且依照该合同第二十一条之规定，公司有权装置马达无线电报机及无线电话机，将来权操之于外人，将使我国秘密尽泄之于世界矣。

热烈反对结果，十九年三月美总公司派董事长蒲林氏到上海会商，修改了不妥之处，另订互惠条约，将原合同取消。

（二）十项要求：当此时邮局内部磨擦甚烈，对热心分子采取压迫手段，因此对邮工生活恶化也随之加深。反之，邮工的反抗亦加剧，当时适逢金贵银贱，邮工要求金贵银贱津贴，以补物价昂贵后所受的损失，于是提出十项要求。这十项斗争，同时怀了反对邮政总办刘书藩与合并储汇局二大目的，这一项可说是罢工的序幕，十项要求如下：

1. 短长假病假及婚丧例假之增订；

2. 全国邮务佐以下多级薪金之改订；

3. 取消邮差童证书，并改良其待遇；

4. 邮政经济公开；

5. 金贵银贱津贴；

6. 恢复人员更动半月刊；

7. 更正总局通令第二〇八号关于邮政总办秘书享受邮政之同等待遇事；

8. 规定因公受伤及年老之信差为局内信差；

9. 明文规定服务满十五年以上之信差或听差经简便考试升为邮务佐；

10. 年终奖励金之改良等。

上述十项，迁延一年多，当局未加可否，邮工空气非常紧张，当局恐酿成风潮，交通部次长韦以黻于八月十日，赴沪和职工两会代表接洽得圆满解决：

1. 关于（1）邮政经济决算，预算，按期于各区公开；（2）总秘书不能享受邮政人员同等待遇；并二〇八号局令更正问题；（3）服务满十五年以上之信差听差改为邮务佐之优待考试问题；（4）另设局内信差一级，安插因公受伤及年老之信差；（5）恢复全国人员更动半月刊等五件，按照该会呈请意见办理。

2. 金贵银贱津贴：全国邮政人员，自本月份起，一律津贴二元。

3. 年终奖励金：服务一年以上十年以内者，一律一月四分之一，十年以上一律一个半月。

4. 改良差童待遇：（1）差童名称另订；（2）起首薪水改为十五元，最高薪水改为二十一元；（3）三年后不能升为邮务佐者，一律改称为听差。

5. 改订邮务佐以下各级薪水问题：由工会派代表会同当局尽于二个月内修订竣事，并订于七月一日起实行。

6. 改良假期问题：由两会推派代表，会同当局，尽于一月内改善另行。

十项答复，而“驱刘”并储，仍积极进行，刘自动辞职由韦以黻代，驱刘完成，“并储”则被牵入“巩固邮基”运动中。

（三）罢工　自储汇局分立及交通部向邮局提款津贴航空公司，全国邮工认为破坏邮政之经济制度，当时有一比喻，即交通部有两个儿子，邮局是大老婆养的，储汇局是小老婆养的，父亲偏心，把大老婆的儿子所赚的钱，去给小老婆的儿子。政府又因航空储汇亏本，实行撙节，把金贵银贱的津贴取消，又接交通部九〇四号通令限制晋级。因此种种原因促成全国“巩固邮基”大运动。

呈请一中全会要求“取消储汇局，并以邮政经济养邮政”，指出邮政储金汇业局设立之非理。五月十一日一面备二次呈文申述刘书藩所主办之储汇，分列其中害处甚多。

1. 破坏邮政一贯统一之良制。

2. 目的错误，把邮政机关误认为一般银行。

3. 紊乱行政，任用私人，不按邮局考试制。

4. 淆乱会计，机关繁立，人员众多。

五月一日起已组织起护邮运动委员会，并密令各地准备必要行动。第二次呈文发出之后，一方面发告各界书，一方面公宴各界，并赴党政机关报告请求援助。五月十八日电请中央作最后恳求，终未得结果。反谣言四起，威胁回攻，邮工一致怒吼，于是五月二十二日上午五时宣告罢工。提出以下要求：

（甲）裁并储汇局。

（乙）停止航空公司一切津贴。

（丙）维持邮政一切用人制度，除局长一人得由交通部委派外，副局长以下人员，概由邮政经过邮政考试人员充任。

（丁）邮政经济专养邮政，实施特别会计。

此外关于取消九〇四号通令，及恢复金贵银贱津贴并未单独提出。总会本于二十一日下令各地暂缓复工，不料上海罢工后二十三日北平、天津、开封、太原、济南、南京、安庆、福州、郑州、杭州、洛阳、青岛、烟台、苏州、常州、无锡、镇江、徐州、宁波、松江一致罢工。

罢工后第三日即二十四日，上海市政府令推派代表于二十五日下午三时至市政府宣布政府意旨。实则虞洽卿、王晓籁、史量才、林康侯、张公权、杜月笙、潘公展等七人出面调停，届时在西爱咸斯路市政府联社举行谈话，工会方面有朱学范、陆京士、张克昌、齐嘉谋、传德卫、史诒堂、劳杰明、林单午等八人代表，吴铁城亦出席谈话一次，把调解事报告罢工委员会，一致表示接受调解，定于二十六上午十时开讨论。

当时全国邮工严肃守住自己的岗位，纠查队交通队勇敢的执行任务，各地邮局交叉着罢工委员会的封条，穿绿衣服的人们一个也不见了。但是他们各自换上便衣到邮局附近轮流梭巡，警戒，所以上层的交涉有力主要依靠下层团结，故能得出以下的结果。二十六日下午一时宣告复工，通知各地，二十七日一律复工。兹将巩固邮基方案，及解决原文分录如下：

方案纲目（纲为原则，目可为办法）

纲一　以邮养邮之原则为本方案之总纲，巩固邮政基础。

纲二　裁并邮局储金汇业总局及其汉口南京两分局，恢复邮政原有组织，使储汇业务仍继续由邮政总局办理，增进实效，节省糜费，以符中央紧缩意旨。

纲三　暂维原有邮资，并停止由邮政拨给

中国及欧亚两航空公司之各种款项，以减轻邮政负担，弥补邮政亏累，巩固邮政之经济基础。

目一　邮政总局如有盈余，除照规定提出百分之十为人员养老金，并存百分之二十为邮政基金，以为天灾人祸之准备计外，其余应由邮局充量用于邮局之建设，及发展，交通部不得提用。

目二　邮政原有之制度及待遇保障，应与切实维持，自副局长以下除秘书顾问若干人（有定额）外，应由经过邮政考试之邮政人员充任之。

目三　所有局务之处理，及员工之升黜赏罚，以及款项之调拨投资，非经专任副局长及主管处长签字不生效力。

目四　为裁并邮政储金汇业总局手续便利起见，交通部应派总局局长，接管邮政储金汇业总局，以便立将储金汇业总局内总务处、秘书室、会计处、营业处、保险处、联合会计处分别取消归纳，惟将储金及汇兑两处保留，并入邮政原来组织，而收实效；并应立将南京汉口两储汇分局取消以节糜费。

目五　交通部立即就现在邮务长中选派邮政总局副局长两员，一员专任储金汇兑保险事务，一员专任其他邮务事宜以专职任。

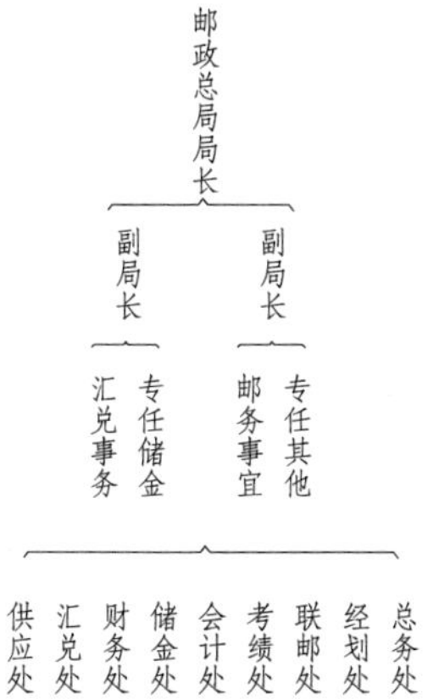

目六　将来邮政总局之组织表应如上示。

（五）巩固邮基运动罢工的检讨

1. 这次罢工普及全国，为从来所未有，表示了邮工的行动一致。

2. 步调一致，行动有纪律，布置有相当周到，在罢工行动中，组织问题值得学习。

3. 不是反映全体切身要求，因为当时的要求主要是米贴而米贴并未提出。“并储”问题一般人并不是十分关切，且所反对者并非“储汇局机关”而是刘书藩系，至于这一反对的主动不是全体人，而是派别之争，因此促成少数人对罢工操纵，利用了工会历史上的威信，下了命令执行罢工。

4. 因为不是全体人迫切要求，故很多人是被动的，罢工事务的分配不是会员自愿的普遍的，而是命令的，开房间大吃大喝，花了大量的会费，除工会已有的积蓄全数荡尽，到斗争结束又征收一笔福利基金作为弥补。

5. 罢工结果，会员复工，储汇局并未归并，只有刘系赶跑，代之而起的陆系登台，决不能与前几次相提并论。

这一斗争结束，工会一部分上层分子自觉威信提高，帮派风行，下层一部分腐化分子亦随声附合，会务渐趋散漫。“七七”爆发，“八·一三”事变，全面抗战展开，邮工上下走向一致团结，为了卫国，为了护邮，为了自身，展开了伟大的力量，为了共同目标而斗争。

四　在统一抗×运动中的邮工

（一）**统一的初步**　邮工在“九·一八”、“一·二八”中，虽尽了应尽的责任，并且直接上前线作战，这样军民大联合的热烈情况，是大革命以来所少见的。未直接参加战争的邮工，则组织一支战地服务队，在这个时候开进闸北，奔走于前线后方之间，担任输送与传达的工作，——在当时军邮尚未创立的时候，是克尽了邮工之所专长，而使得战斗着的部队，得到莫大帮助的。

然而总结当时的活动，显然是有很大的缺点的。就是说，活动是分裂的，抗 × 工作始终局限在少数热血青年之间，几乎是游离于广大群众的。就三千邮工的队伍而言，三十多人的一支战地服务队是对比得何等渺小。即就实质来说，也是不成其为三千邮工的结晶的。因为大部分的邮工还是格于环境，未曾被启发其抗 × 救国的热情，这一阶段可说是不脱乎原始单纯军事主义的风味。

《淞沪协定》签字以后，我民族度过了屈辱的五个年头，人民大众的愤怒是与日增长了。从“一二 · 九”北平学生悲愤的吼叫划破了北国阴霾的天空以后，抗

× 救国活动如像爆裂了预埋的地雷似的到处发动起来，各界成立了救国会，并且结合成为救国的大联合，而以上海的各救国会作为其中心。就在那个时候，上海邮工之间也有了救国运动的开辟，个别的分子，先后参加了救国会（职）国难教育社，及带有半军事性的民族武装自卫大同盟，以无比的英勇与耐心，企图在职务周围垦莳出一片园地——那在当时多年官僚与帮会的统治之下，几乎是成为一片荒芜的石砾场了。

那样的开辟与号召统一是艰辛的，主观力量与客观情势的对比显然是处于逆势，但是由于无限救国热情的推动，他们到处摸索着，找着每一个间隙。他们要作报春的小鸟，带给人们希望的信号。

其中一个小组出版了鼓吹救国思想唤起邮工抗 × 的油印刊物（十六开八面），叫做《呼喊》，在当时的情况下，无论印刷，发行，都是克服了许多艰难在进行着。当这个刊物印出来传观于小组之间，以及邮寄发往各处的时候，工作者的喜悦是无可比喻的。可惜因为经济的困难，出到二期就停顿了。

另一个小组发动了一次英勇的行动——响应当时

的救国号召。这一组邮工突破了北站的封锁线，进行慰劳晋京请愿的救亡学生团，在那样军警严重包围之下，当着一群绿衣使者出现到那一列“救亡列车”的站台时，真是何等使人感奋的情景啊。那种象征工学联合救国的结合，使得大家不自觉的潜流着悲愤的眼泪，彼此只感到脉搏跳动的一致，默默地好一刻说不出话来了。

那时几次公开游行示威的队伍中，也有不少邮工参加，在那样响亮着口号与歌声的队伍中，人们积压着的愤怒得以尽情宣泄，往往一二邮工，扶老携幼一家都去参加，成为“救国的家庭行列”，那热情也是非常可贵的了。

但由于保持工作秘密的关系，当时邮工的救国活动，还是处于多元，分散的状态，一直到“八·一三”抗战爆发局势开朗之际，才形成一个集中的统一的组织。

当时曾经发表过一个组织邮工救亡同志会的通告，进行过京沪杭三区救亡邮工大联合的号召，就是企图来弥补上述分散的缺憾的。那个通启有历史意义，值得在此记录出来。[1]

---

[1] 当时京沪杭三区部分员工，因两广事变军邮服务而有密切的联系，故救亡会之发动，扩大至三区。

发起组成邮工救亡同志会通启

“中华民族已经到了危急存亡的最后关头了！由于敌人无餍止的侵略所造成的空前的国难，实在是意味着历史把最艰巨的重荷，课给现代中国的青年们，那么，英勇的去担负起历史所给予的神圣任务，对于我们实在是一重无可逃的责任。

我们邮工在过去反帝反封建的奋斗中，常常竖着英勇鲜明的旗帜，远如“五卅”运动和北伐时期，近如“一·二八”抗敌之役，我们都曾经坚强的斗争过来，服役过来，以至牺牲过来，先行者的血迹，将始终成为历史上的光荣的一页。

可是到了今天国难是更加严重了，形势是更加紧张了，由于外交失策，汉奸横行，碎切零割，终亦不能餍暴敌的贪欲；国命叠卵，至此已极，而我邮工，默无奋起，实在令人百思而不得其解！

是的，我们都有家小妻孥，抛不开骨肉

啊！——可是，在暴敌压境的局面之下，谁还能保得住生命财产，父母妻女的安全？正在炮火淫威蹂躏下面的华北同胞，会真切地告诉我们可悲的答案。

是的，我们有安定稳固的职业，抛不开饭碗啊！——可是，在国土沦亡之际，谁还能保障我们职业生活的苟延，饱经颠沛的华北流亡邮工，会真切的告诉我们可悲的答案。

所以，现在已经不是愿意不愿意救亡抗敌的问题了。悲惨的现实，迫使每一个中国人，发出最后的呼喊，以与民族敌人作誓死的抗争，从炮火中争取生存！

为此，我们发起邮工救亡同志会的组织。

我们深信群众力量的伟大，谨以最大的热情，作此广大的号召，企待着各方的响应，我们愿见三千邮工团结的力量，跟整个民族的抗战力量配合起来，成为全国救亡运动中一个有力的环节，是为通启。

二十五年十一月十五日

总结这一时期的活动，可说是一个启蒙的过程，是一个涓滴细流，蔚成江河的过程。日后一切力量的结合，是在这个时期茁长萌芽的。

（二）邮政组时期 “八·一三”全面抗战的火炬亮起来了，天地苏醒过来了，各处潜伏着的革命力量蠕动起来了。一切呈现着新的局面，但是人们面对着这一项瑰奇伟丽的划时代的变局，开始不免要为之炫耀了眼目，心头盘算着这样一个疑问：“军事工作呢？群众工作呢？”直到最后感觉到要在这次民主性的全面抗战中加强职工运动的比重的时候，这才作出了后一个答案。这样，经过了近乎一个月的沉寂局面，邮工部门又开始了新的活跃。

经过三天奔走的结果，在九月间某一个晚上，一个具有历史意义的谈话会召集起来了。有老革命者，有新进分子，也有不老不新的“中间阶层”，十几个人在沪西一个狭窄的房间里集议起来，在灰黄的灯光下，呼应着老远闸北战场传来的机枪声。那个谈话会的场面是多么严肃呀！席间经过各个人的自我介绍，每人都发表一些意见，对于当前邮工所应担负的历史任务取得一个共同的观点，就是说，秉承过去革命的传统，加强邮工自身的组织与教育，发挥对于当前抗战的服役。一致同意于这个观点。于是谈到组织及名称，为了避免在原有邮务工会之外另立名号起见，不取邮工救亡协会的名义，采取了加入职业界救亡协会成立邮务组的决定。

十月初，职业界救亡协会邮务组正式宣告成立。在中区一个小学校里，空前生动的一个成立大会召集起来了。到者邮工三十余人，以及职救理事，救亡同伴等，济济一堂，蔚为盛况。即席起草宣言，划分组织，选出干事十一人，分掌总务、组织、宣传、训练四股。于是邮政组规模初具，而邮工新生的力量亦得以此项形式为其适宜的规范。

到大上海沦陷为止，二月之内，邮务的事功举如下述：

1. 宣传与教育工作

（1）壁报的创刊

当画着绿色群雁作为报头的邮工壁报能贴到各局墙壁时，给予三千邮工感奋的情意是不可言喻的。诚如创刊号开场白中所说的“如像嘹亮的雁声，划破了长空，带给人们清醒的感觉”。

到上海沦陷为止，壁报刊出十三期，每期轰动全局，收到墙头宣传的良好效果。

（2）演讲会的举行

先后三次盛大演讲会的举行，每次都把会场挤个满堂。渴求着对于抗战中这个动荡时代演变的了解，邮工们挤来听讲是决非偶然的，这在群众教育上有其重大意义。

（3）游击训练班

在大上海沦陷前后，预见到配合大江南北的保卫战，有待于各处发动市郊的游击战争。因之而有游击训练班的开办，由留申军事专家 × 先生担任系统讲述，参加人数虽然不多，但后毕竟有些人抛弃了职业，参加上海各救国会所动员的一个游击支队，出发于莘庄一带实践其所信念。这在往后扩大沦陷区游击战的观点看来，无疑是非常正确的。

2. 组织工作

经过多年来官僚与帮会统治所植的恶果，到“八·一三”时邮工的组织已经陷于非常破碎松弛的局面了。各分部代表者，也成为挂名差使的传声筒，群众除了缴纳会费之外，一无所得。针对着这种情况，邮政组一成立就积极推进组织工作，划分小组，当时发展，提拔群众中的优秀干部，均进行健全的小组生活。

3. 统一工作的推进

由于抗战潮流的推动，邮务工会此时亦有进步的方向，在邮务组活动时期，工会亦出《大众先锋》周刊，共出三期，鼓吹抗敌，分发会员阅看。后方又成立邮工战时服务团，进行慰劳伤兵，代伤兵写信寄信，救济难胞等工作，给予各方以新的印象，当时邮政组曾进行与战时服务团通力合作，以求统一工作的谈话，这在日后统一战线工作的建立上，可以作为一个契机来看待。

总结起来，邮务组成立的历史意义，就在于集中邮工抗敌救国的力量，使之具有一个规模，而为日后的开拓培植了广泛的根基。

但由于工作者经验的缺乏，邮务组的工作不能没有缺点：

（1）工作还是在若干方面停留于热心分子，而未曾深入于广大的落后群众（有的个别负责者，甚至还不免关门主义倾向）。

（2）工作方式原则化，未能以适合邮工的各种方式进行活动。对于在邮部门占很大比重的帮会师门之间，未能进行影响与说服。

（3）统一工作进行得不够（甚至个别负责者遗留浓重的反工会倾向），对于当时工会的进步倾向即使是很微弱的，不能及时抓取而加以发挥，为日后统一工作的建立求得更顺利的条件，那是一件很遗憾的事。

（三）**沦陷后**　廿六年十一月国军撤离沪西，上海沦为孤岛。一时租界上成为风鹤惊心之态。邮政组也在那样环境的转换之中，自动宣告解散，各会员为求活动的更深入，即先后成立职员及信差各自的团体，保持密切的联络。

由于战区扩大，各地交通断绝，邮政业务也就受到莫大的损害。廿七年一月时，邮政收入每日仅在千元左右，其后虽日有起色，而所增不多，这样就使得邮政当局嫁祸于员工，意图“疏散浮冗人员”，以资节省。消息传出，全局员工大起恐慌。多数员工，服务邮政，多则数十年，少亦七八年，差不多已成终身委之的景象。数十年岁月之中，为职务所磨折，壮者衰老，衰老病死。现在在战争紧张的当儿，忽然要将依邮局职业为命的员工委弃于一旦，任何人都在恐慌之中感觉到不平，在群情高昂之下，由邮政组人物发起了签名运动，号召全局员工一致进退，誓死反对变相裁员之实现。这个运动一经发动，立刻得到广大的反应，不出一天，愚园路临时局址各间都把名字签齐了。这样推动工会交涉的结果，使得当局推诿其事，始终不敢把这事付之实施。

二月间，部令员工薪给普遍打折扣，员工以战事之际，百物昂贵，下层工员，生活已属难以维持，如果再打折扣，无异剥夺其生机。无论邮政经济，如果加以通盘调节，是否已到山穷水尽的地步，未必尽然。即使到了非减员工薪给不足以维持的地步，也应当规定一个最低限度的基本生活费，以便下层员工少受损害，方算得是公平的措置。这样又经邮政组人物的推动，发动了要求规定基本生活费的请愿运动。居然实行“军事编制”，以突击的姿态，出发到各局宣传。随着传单与口沫的飞舞，立刻得到中下级人员普遍的同情与响应，不出三天，几纸请愿呈文上已经密密重重的盖好“小戳子”。[1]这样推动工会交涉的结果，经过三转四回，最后做到规定四十元基本生活费不打折扣的地步。

如此反对裁人减薪的风潮，绵延三个月，此起彼落地呼应着，经过马斯南路局所大聚议，终使当局感觉群众威力的伟大，迟迟不敢实施高压，这在日后三次护邮斗争之际，成为监视当局的力量，值得大笔一书者也。

邮政当局裁员减薪时的政策是由于邮政经济的支绌而欲嫁祸于员工，邮政经济的支绌，是受到敌人军事侵略的影响，当然邮政员工很清楚的明了此际的情形，而知欲求职业生活的彻底保障，唯有加紧服役于抗战，以求早日击溃 ×× 帝国主义者的侵略，建立我民主共和国。但是为了加强邮工本身服役于抗战的力量与团结，对于目前的职业地位与生活，亦非全力加以维护不可，其间是有着相互的辩证的联系的。邮工今日反对裁人减薪斗争的胜利，亦就是为进一步实现日后反对敌人统

[1]“小戳子”系木质方形的戳记，上刻号码，乃系信差随身法宝，作为其标记者。信差属于低薪者多，故规定生活费的请愿运动，在信差中进行尤见热烈。

治，保卫邮权完整斗争胜利的张本。这在以后三次护邮的实际行动中是充分证明了此项辩论逻辑论点之正确。那些“抗战不谈生活”的左倾空谈，以及“唯有饭碗第一”的右倾蠕虫主张，到此都被一一加以粉碎了。

自上海沦陷后半年之中，邮工活动主要的就是以经济斗争团结与焕发了广大的群众力量，保障了自身职位与生活的绵延，而为日后护邮的斗争培植了坚实深厚的基础。

（四）五月护邮　当着邮工胜利地结束了反对裁人减薪的斗争之际，正是到了鲜红的五月里，人们潜意识中已经感觉到风雨行将袭来。那时候，上海沦陷已经半年，敌人的军事势力包围着整个租界，自从三月廿八日南京成立伪政府以后，敌人又多着牵线的傀儡，那些赤着屁股的丑类，秉承敌人的意志，俨然就以主人的姿态，觊觎租界内我政府残留机关的地盘，企图加以攫取。这样，在五月之中，就一连串爆发了护关、护邮、护院（特区法院）、护校、护鱼（鱼市场）的斗争。如像雷声贯动大地似的震奋了孤岛的人心，博得全国人士的同情。不用说，那时英勇的邮工是站在战斗的最前线的。

原来自五月初英日订立海关协定之后，英国政府就将江海关权利轻轻送给了日人，作为分赃的计谋。五月六日，汉奸李建南（伪江海关监督）衔日人之命公然走马上任，进行接收海关，于是爆发了“五七”事变，全体关员一致罢工严拒伪命，后又召开华员大会，组成护关委员会，坚决维护关权，声势非常轰烈。其时邮局情势，亦处危迫之境，自伪政府设置交通部邮政司，伪司长王芗侯频频来局“拜会”，其意在于阴谋接收邮局，司马之心，不言可知。外籍局长乍氏感觉局势的严重，遂有四月杪汉皋之行，请示于政府，当其返沪途中，海关事变爆发，邮权亦岌岌可危。

原来海关邮局本是姊妹机关。当海关事变爆发之先，预感到风雨的袭来，邮工即与关员有联络。当时计议，原拟联合各界，组织保卫海关，邮局主权大同盟，先予敌伪以打击，不幸进行未曾成熟，而海关事变率先爆发，出击之计不成，只得各守壕垒，相互呼应了。

其时邮工内部情形亦需加以调整，为的是应付当前严重的变局，散处各方的力量需要最广泛的加以团结。对于邮工原有机构邮务职工两会，尤需加以推动，以便其担负起存亡关头领导全体邮工英勇战斗之职责。这样，经过热心邮工奔走多日，以原先职员信差两个团体为中心，在保卫邮权的伟大号召之下，贯穿集合，团结起各方面的有生力量，组成了一个护邮运动促进会。

促进会的成立，顾名思义，即在促动自职工两会以下全体员工进行护邮工作。五月八日成立后即行发表宣言，响应关员的斗争。原文如下：

上海邮务员工反对接收易帜响应海关宣言

我中华邮政，自萌芽生长，迄今四十余年，其间迭经艰苦奋斗，始有今日，如一九二三年之取消客邮，一九三七年之收回邮权，最近之裁撤民局，中华邮政之完全统一自主，始克告成。过去国家多难，统一未成，而我邮政员工，始终淬励奋发，忠勇服务，力保邮政组织之统一，维持邮务于不堕，当国民革命北伐时代，邮政员工反抗北洋军阀，尤有悲壮热烈之英勇斗争，足为我辈模范，先烈以血写成之光荣历史，早已昭昭在人耳目。

此次抗战发动，举国响从，邮工出死入生，

颇多牺牲，然邮务运输，则未尝一日或辍，此盖我人深知所负邮政使命之重大，而邮政机构之不容一日停顿，不容任何人横加摧残，乃为世界联邮之定义。近闻敌伪以军事陷于颓势，经济危机，日益尖锐，不惜破坏国际信约，进行接收邮局海关，迫我全体华员于百劫不复之地，其手段之毒辣，世所罕见。按邮局海关，关系密切，无异兄弟，邮局之有独立性及国际联系，盖任何人不得临以威胁，加以破坏者，至于海关有担保债信关系，已如华员所述，两者主权属我，决非某方手制之傀儡组织可得任意变换易帜。一旦缔造艰难之中华邮政，横被摧残，则我上海全体员工为维护行政定整，保障主权统一，维持邮局令誉起见，不惜迫与周旋，坚决奋斗，拒绝合作。除已电呈总局请求明令撤退以示决绝外，仍盼各界人士同情及援助我人为争取国格，发扬邮运之斗争，俾我邮局海关同人，共踏前人血迹，并肩迈进。谨此宣言，上海邮局全体同人，二十七年五月。

为的是使护邮运动得有规范以资遵循起见，促进会制定了护邮六大纲领，这六条纲领日后成为历史的文件，历次斗争都以此为依据，原文如下：

上海邮工护邮六大纲领及其说明

一、保障邮政行政主权之独立与完整，誓死不在伪组织管理之下服务，反对一切侵害邮政主权或便利迁就敌伪统治之设施。

诸如

甲、悬挂伪旗。

乙、接受敌伪行政上之监督。

丙、经济权的丧失，邮政收入解入敌国银行。

丁、公文案牍用敌国文字。

戊、其他便利或迁就敌伪统治之设施。

有此一端，即须发动护邮斗争，坚决抵抗。

二、保障邮工生活，解决撤退后邮工生计。

在邮权完整之前提下，对于员工生活，应一体加以保障，不得有借故裁员情事。及至发动护邮斗争，实行撤退以后，对于员工生计，尤应为严密周详之计划，讲求适当之措置，以免日后员工为生计所迫，仍回伪旗之下服务。此点极关重要，可分：

甲、要求邮政当局，发给生活维持费。

乙、集体开拔至后方，要求政府给予服务之机会：

1. 开发边区邮务。

2. 集中训练以后，分发各处军邮站服务。

3. 安插至后方邮局或其他交通部门。

丙、举办消费合作社，以谋撤退期间，员工得半价消费，节省开支之便利。

三、在邮务工会领导之下，积极完成护邮使命。全体员工应一致服从邮务工会之领导，实施全局总动员，积极完成护邮使命。

四、强化本身组织，充实护邮力量。

在工会机构之下，组织应予强化，小组活动应予恢复，各间、各局、各级分部会议应予经常召开。普遍展开护邮纲领之讨论，灌输其护邮意识，激发其护邮热忱，并随时分析当前危机而指示其应有之准备。

五、严密监视汉奸分子之活动。肃清内奸，整饬阵容，布置侦探网，严密监视汉奸分子之活动。如于员工内部发现内奸及其嫌疑者，实行

甲、劝告。

乙、警告。

丙、调赴后方邮局，加以监视。

丁、有效之制裁。

六、扩大宣传，争取各界同情与援助。

邮政关系国家主权，护邮非仅邮工本身之事，应扩大宣传，争取各界同情与援助，进一步联合各界，组成保障邮权大同盟，采取一致行动以为对付。

促进会又发出调查表，征询员工对付敌伪接收之意见，归纳调查表之意见，绝对多数主张敌伪接收之际，全体邮工应即一致撤退，以示决绝。此项群众情绪之反映，可见当时邮工护邮情绪之高涨。

这样，护邮运动促进会的成立，成为邮工坚决护邮战斗意志的具体表现。但是，如果促进会对于推动工会进行领导护邮的工作不能收得效果的话，那么它的工作还是只做到一半的。在此，促进会负责人由于正确的执行统一战线方策的结果，在这方面是做到很有成效的地步。工会负责人因之而一改过去包而不办的作风，毅然与员工一致，进行斗争的准备，且进而以正义的立场，争取高级人员连外籍局长在内，站到这方面来，共同对付外力的压迫，其态度的贤明，颇可加以赞许。

这样以职工两会为领导，全局员工的团结为基础，配合了高级人员的同情与赞助，坚强的护邮阵线是建立起来了。彼时海关护关会突遭解散，关员被调，护关运动一时陷于失败。而邮务方面，独能兀然不动。伪邮政司长虽经伪政府屡加敦促，乘机接收邮局，而终迟迟未曾下手，这固然也由于邮政方面，国际及社会关系的错综，使得当时护邮的客观条件优利于护关；但是毫无疑问的，邮工本身团结奋斗意志的表现，及其战斗的准备，实为决定事态的重要关键。假使那时邮工不能以其战斗意志及时表扬于外界，假使那时邮工不能随着这项意志的表扬而为及时的准备，假使在那样的准备之中，不能运用正确的战略，团结全局上下为整然一致的阵线；假使当时邮工，不能这样做法的话，那么，随着敌伪接收海关的完成，其贪横的凶锋，立即触及于邮局，是不会有多大疑问的。这项战斗教训的启示对于日后两次护邮的进行，实有其重大的教育意义。

（五）十一月护邮　五月护邮胜利之后，护邮运动促进会即停止活动。嗣后又有进社的产生，不久又扩大为互助会，深入于群众，进行日常教育工作。其时邮政危机，演变而为外弛内紧的局面，分析言之，可如下述：

1. 战区业务的恢复。在外籍局长指挥之下，战区（即沦陷区，后称游击区）邮政业务，着着实行恢复，战区邮局，逐一开张，撤集上海员工，纷纷还乡。抗战方酣，而邮务推进于敌人的后方，其于地方秩序之安定，民众流亡之招辑，实有莫大之帮助。是则复邮之举，不啻客观上为敌寇尽“宣抚班”的效用，而资傀儡政权以便利。此项举措实施的理由，无论为“便利民众”也罢，为商业观点打算也罢，实为资敌之举措，其政治上影响之恶劣，实属无以复加。邮政前途危机之严重性，丝毫不容加以忽视。

2. 邮政收入的处理。战前邮政收入，向来解存中央银行。沦陷以来，改存英商汇丰及法商汇理银行。但是敌伪的意思，显然是要把这笔款子放到敌商正金银行，以便其自由攫取而扼握邮政经济的命脉。因此，这项收入处理的争持，亦为邮政危机严重的表征。

3. 重用日籍人员。沦陷以来，原有日籍邮员二人，一个任为署理邮务长，一个任为总巡员，且有已经辞退的日员一人亦加起用。靡不扩大其职权。

4. 录用日文通译。由于战区邮务之恢复，为应付“业务需要”，六月间以邮务佐待遇招考进局者有日文通译十一人，然对付内地民众，并无讲日语的必要，可知所需要的，不过是应付 × 方罢了。由于重用日员及录用通译之举，日后邮政用人黜陟，趋向如何，实在是包含着严重的危机。

5. 停售国民政府印花税票。国民政府印花税票，本由邮局窗口代售。六月间忽由局长布告停止代售。此举表面上并无何项理由，其内幕实在是为了接受伪上海市政督署“公函”所开要求而出此。

如此所述，邮政危机已经从表面的挂旗接收，转变到邮权实质的侵蚀，趋于深刻化的地步。面对着这项深重的危机，邮工主观力量方面固然已在惊风骇浪之中形成初步的团结，但在力量的发挥上还有很多的缺憾为之牵制，举而言之，约有三点：

1. 当此危局，工会于必要时发动护邮斗争，固有决心与准备，可是工会的领导，始终还停留在上层机构之内，对于广大会员群众的动员，启发，与教育工作，做得非常不够。而且由于师门，帮口之间的成见，对于员工自发意识有所隔膜的地方，也还不少。

2. 员工自身的觉悟程度，还有很大的参差，清醒进取的人，在数量上虽见增加，就比重言还占少数。很多人还对危机遍伏的局面取无所关心的态度，只顾吃饭拿钱，过些“太平日子”。

3. 对于外界的宣传与联络工作做得实在太少。因之，致外界对于邮政局势，或多或少的不了解，而减少其关切与同情之程度。举互助社成立时所做的，就是针对上项缺憾，致力于督促工会，唤起邮工，联络外界的工作，这在进行三个月之间，已经收到相当成效。

八月十五日伪临时政府设置伪邮政总局于北平，敌伪高唱邮政统制一元化，企图在“南北合流，邮权统一”的口号下，夺取上海邮局于其掌握。邮政情势突然又见紧张，当时部分邮局高级人员，曾图粉饰太平，认为“此类事实，可以一笑置之”（见八月二十六日《大美晚报》所载谈话），即经邮工加以抨击，认为：

“……伪邮总局设立的企图何在，已经昭然若揭——就上海而论，诚然，现在上海邮局还没有正式被接收，但像邮件检查，印花停售，战区复局，日文人员的录用，收入改存第三国银行等等，这一连串事实的推演，无可否认的表明邮政主权实质上已在逐渐发生变化，对于这样包含着莫大危机的变化，我们正应该大声疾呼唤醒全体员工，上下团结，共谋挽救，如何可以‘不屑与辩，一笑置之’呢？……”

当时邮工内部情形。由于互助社活动的加紧，乃得推动工会进一步走向更积极的道路。关于统一战线建立的具体成果之护邮刊物的出版，护邮机构的设置，就是在这个时候产生的。

先是邮工中有自行出版护邮刊物的，取名《驿火》。

其创刊献诗曰：

一

你照彻：荒淫、逸乐、苟安、无耻与悲，
你照彻：坚决的斗争，不妥洽的搏战，
在这里刻划着你的唾弃与颂扬，
起来！你号召着躲在幽陬里的力量！

二

严肃的生活下容不了优游，
群众的力量汇成一条洪流，
在激荡的风雨的中宵，
驿站上的火把亮起来了！

三

驿站上的火把亮起来了，
在激荡的风雨的中宵，
虽然比不上星月的皎大，银河的长，
但你是从黑暗到黎明的桥梁！

四

你温暖了旅人们的寂寞的魂灵，

千万颗心向着一个光明，

在前进的行程中你帮着越过险阻，

指出了什么是泥潭，什么是路！

其时邮务工会亦出《雁声》半月刊，二者各出一期之后，为的是集中力量，统一宣传起见，即行合并而出《前锋》。于是以朝野合流显示统一战线面貌的护邮刊物出现了，这在护邮历史上是个新局面的开始。

九月初，工会理监事召集互助社代表正式谈判，在第一次绵续三小时具有历史意义的晚会中，推展了新的局面，而使护邮工作具有宏大的规模而受统一的领导。

当时谈话要旨分为三项：

（1）当前严重危机之分析

（2）护邮工作之具体进行

（3）互助社存在问题

就其最关重要的第二项讨论之结果，决定于邮务工会理监事会之下，设置护邮运动，福利事业两个委员会，选任贤能，共负艰巨。

护邮运动委员会设委员十七人，于主席委员一人之外，分掌组织、宣传、训练、交通、情报、纠察六股事务。

福利事业委员会设委员十三人。于主席委员一人之外，分掌文书、会计、调查、公益、教育、俱乐六股事务。

就当时所任为委员的人选看来，虽非以民主方式选出者，但尚不失为网罗朝野之英才，形成一致之团结，完成统一的初步。

当时护邮委员会似限于国民参政会的性质，有事建议于理监事会施行。其于护邮小组之建立，始终未见实施，实为遗憾之事。

其时《前锋》半月刊改名为《大众》，至是亦隶属于护邮会之宣传股。

福利事业委员会一经成立，则以开办学校，举办公益，积极开展群众工作。举凡于教育及日常生活能以团结员工充实护邮力量者，进行不遗余力，成为护邮会一个有力的辅助机构。举福利会成立后所建事功，略如下述：

1. 公益股

（1）医药组　举办施诊问病。

（2）法律组　举办律务咨询。

（3）常识组　举办常识问答。

（4）服务组　接洽厂商买物折扣，并进而筹拟消费合作社的举办。

2. 教育股

（1）子女义务教育组　介绍子女入学免费或折扣，并进而筹办子女义务学校。

（2）职工补习教育组　举办夜校高级，初级两班，授以投考邮员邮佐之科目。

（3）学术研究组　举办哲学，文艺二讲座。

3. 俱乐股

（1）话剧组　收并原有剧团。

（2）平剧。

（3）丝竹。

（4）西乐。

（5）国术（各项详情，具有福利汇报）。

如此进行到十一月初之际，南京伪政府忽通令“所属”各机关于纪念日及星期日一律悬挂伪旗，以资“庆祝”，事当南北汉奸联合委员会开会之际，江海关首当其冲，遂于十一月四日，被强迫悬挂伪旗。从兹庄严关厦，蒙受淫辱，一时人心愤激，黄浦江潮，亦为之汹涌若不胜其愤怒。其在邮局方面，伪丑扬言十日亦来悬旗，于是局势紧张，抵达极点！

当时邮务工会即行联络职工会，组织行动委员会，凡护邮会宣传，交通，情报，纠察，各股全部动员，漏夜奔走，准备于伪旗挂出之际，率领全体员工一致撤退至法租界会集，只留下来一座空屋，以作敌伪丑行的点缀。其时大部员工情绪，经三月来局势演变，渐见低落，亦经各方加以鼓励，重见兴奋之状。一面则努力争取上层外籍局长及华籍局长帮办，以期于该十日之期，强硬应付。如是剑拔弩张之态连续三日，结果敌伪毕竟慑于邮工严整的阵容，知难而去。（当时高级人员应付伪丑之言语，亦见得宜。）因之，终于十日那一天，朔风怒号，而屋顶以精光的旗竿，安渡难关，十一月护邮，亦即告一结束。

总结十一月之护邮，是五月护邮之绵续，由于五个月来危机演变的深刻化，到得十一月十日，敌伪企图悬旗之时，原有水到渠成之险，幸而此一时期，员工团结加强，动员深入，且以争取上层应付之得宜，才得以勉渡难关，留为日后决斗之余地，这是十一月护邮的大概情形。

（六）三月护邮及前途展望 十一月危机以后，敌伪鉴于邮工上下团结坚固，意志坚决，遂避免正面进攻，改为侧面袭击的方策，进行布置汉奸活动，分化邮工内部，以冀日后收水到渠成，一举击破之效，此项活动具体见之于事实的，可从伪中华工人福益会迫行拉拢的丑事来加以叙述。

以邮局三千职工这一庞大的园地，敌伪进行插足汉奸势力，原不自伪工人福益会才开始，早在廿七年三月伪维新政府成立之初，就有汉奸来局散发传单，上面印好一些标语说道：

拥护劳动生活，

绝对反对裁汰职员，

选出能干职员筹备罢工，

邮务工会再建万岁！

上海市总工会万岁！

当时邮工正进行经济斗争，汉奸的散发此项传单，显然是企图套住当时群众的斗争情绪，鼓动罢工，以冀乘机推倒邮务工会，另立汉奸工会，那手段可谓阴狠之至，可惜其传单所署“总工会”地址沪西极司非而路九十四号，经人一加调查，乃系沪西日本宪兵司令部所在，那些狐狗兔崽子，原来与其主子同一地址办公，于是奸貌毕露，人们除了吐一口唾沫之外，再无别项反响了。

这样轰然一炮走了气之后，以后行动就隐秘下去了，那时有个大汉奸陈群，以前在党治下做过大官，是个有名残害革命者的刽子手，此刻摇尾一变而为维新伪政府的内政部长，他的门下食客，纷纷跳梁，都做小汉奸。邮工之中有些人拜杨 × 及彭 × × 为师的，因了杨彭与陈群的因缘，此时亦趋于态度暧昧，后来有个三等汉奸海员工会宋筱云亦系彭 × × 的门徒，正式投到虹口去成立汉奸工会，邮工之中也有败类随之以去，自后魔窟新亚酒店之中，就有伪邮务工会牌子挂出。

但是三千邮工，秉于革命传统，都能深明大义，正气所在，使得一些小丑无所施其伎俩，只能幕后伸手领津贴，开了旅馆房间，作为报销，甚且做出阴阳面孔在众人面前，也说护邮救国这一套，如是而已。

这中间有个败类姚秋华，忽思异军突起，积极做汉奸，结果死于枪弹之下，只能泉下去“派串头”。

依照护邮纲领严察监视汉奸活动这一条，原可以将此辈败类，一一调至后方邮局加以监视，但工会大员，因为多所顾忌的缘故，未能加以执行，以致坐令奸风张大。

到十一月危机过后，敌伪以伪中华工人福益会，进行拉拢邮务职工。当时看中了拥有社员三百余人、在邮工中有相当历史的 × 社——彼时由于其领袖政治上的失意，对护邮工作趋于消极，就这一点，成为敌伪看中的对象。结果在二个无耻门徒牵引之下，由伪福益会请客在会宾楼大嚼了一顿，到 × 社小老大五六十人，演出伪福益会伪秘书者韩人林资炯劝酒的一幕丑剧，发挥其顺天应时一片荒谬大道理，据其所言，邮局被接收，已经是命定的事了，我们反抗，徒然牺牲职业，不如安心服务，是为上策，关于职业，乃可由我人（林自称）加以保障。

但如前所述，邮工深明大义的实占多数，当场拔出

“苗头”，知是汉奸，反应大为不佳，即时有人起立演说，提醒大家别跟汉奸跑路，一时群情愤然，伪秘书者见事不妙，溜之大吉，余人乃以“吃在灰孙子头上”为调侃之词，纷纷散去。

此事发生后震动全局，工会负责人即与 × 社上层进行谈话加以制止，而 × 社热血分子，发表告 × 社弟兄书，在那篇言词质朴而情意真挚的文告中，捧出了 × 社志士忠诚为国的心意，使得奸佞阴谋，为之粉碎。

原文如下：

仁侠好义，守信不移的 × 社弟兄们，

吾人自参加本社的第一天，即宣誓为家尽孝，为国尽忠，路见不平，拔刀相助，弟兄们义气通天，有福同享，有祸同当，本社门生，个个应该在家为孝子，在国为良民，投名师，访义友，修桥补路，养老济贫。

因为我们光明正大的宗旨，山高水长的义气，所以弟兄们相敬相爱，社务也因之而扩大，乃今竟有不肖分子，利用本社之名，招摇撞骗，

假借 ×× 楼聚餐，引伪中华工人福益会秘书者高丽人林资炯，宣传投降，企图蒙昧众弟兄，危害邮政主权，既有害于国家，又陷弟兄于不义。念吾社，一贯清白。今竟沦为汉奸，遗臭万年，应速警醒，表明自己“忠孝节义，誓不做汉奸”的立场，对于勾结敌寇，认贼作父之沈某戴某，鸣鼓而攻之，永远不使我光明磊落之社，容有此辈无耻之徒！凡我黄帝子孙，中华民族的儿女，均得擒而诛之，转此告白。

这样一来，汉奸阴谋大受打击，只能拉拢个别败类，暗通消息，再待时机。

敌伪侧击失败，又攻正面，到二十八年一月，推演着十一月的风波，伪政府以皇皇公函重行要求邮局悬挂伪旗，还掮出“民国肇兴，旗悬五色”的丑话，以示其所要求之正当。邮局即以此事请示于重庆，回电命“严拒伪方悬挂任何旗帜之要求”，三千邮工，得此消息，莫不欣跃，因为在这电示之中，显示了邮局态度的严正与英明，在这电示之中，显示了政府对于我三千邮工所遇厄难的关怀，也在这项电示之中，显示了三千邮工的护邮斗争与祖国抗战步调之间的一致。这样一个正确的指示，必然转成为此后护邮运动有力的指针。

但自后高级当局经常接触于日员及外来之压力，由于其阶层的动摇性，态度日见其软化，尤以外籍局长举措之表现最为明显，此在高级当局主观上，亦未始不欲维护邮权之完整与独立，只以态度的不坚决，举措的不适当，尤其是离开之三千邮工的生动力量而孤立应付的结果，客观上恰恰葬送了邮权的完整与独立，造成便利于敌伪进攻的局面。

这在三千邮工方面，原可以将团结一致的坚决斗志，进行克服高级当局的动摇，拔出于妥协主义的泥淖，但在一个较长时期的准备中，各方面的进步，尤其是工会上层领导方式上的进步，表演得很慢。甚至工会上层自己亦陷于脱离了三千广大群众而孤立应付的自杀局面，结果倒是形成了高级当局与工会上层之间某种程度的提携，而于广大群众生动力量的发挥反而远落于事实需要之后，于是高级当局只求扩大自己职权以为“应付危局”之计，工会上层从旁策助之，遂有三月一日驻沪办事处的设置。

原先在十一月危机之先，外籍局长二次西行晋谒部局，当时就已向部局提议设置总局驻沪办事处，结果部局以权衡利害，颇有商酌之余地，一直延搁下来，到三月危机之前，外籍局长尽向部局催促，工会上层亦以私人关系从旁策助，遂以总局训令于三月一日正式设置交通部邮政总局驻沪办事处于上海，其情形如下：

职权　统辖沿长江及以南沦陷区各局所邮务

组织　主任之下设置总务、业务、计核三处

人选　主任　乍配令（上海管理局外籍局长）

总务处长　王伟生（上海管理局业务股长）

业务处长　金治谨一郎（上海管理局日籍局长帮办）

计核处长　格罗维（上海管理局计核股长）

驻沪办事处的设立，在它好的一面来讲，未始不可以表示我们政府主权尚能伸张于敌伪包围中的孤岛，设置机关于经常遭受敌伪威胁的邮政大厦之内，予人以阿Q式的精神慰藉；但就坏的方面来说，实在是造成一个争端局部解决的机缘，将国家主权的转移，化为地方性的事件，而就办事处内加以处理，实在是意味着莫大危机在内的一个机构。

而外籍局长乍氏于是兼摄主任之职，权限扩大，形成挟天子以号令诸侯的局面，亦属危险万分。

果不其然，办事处成立不三日，而乍氏即行任用日人为不列等邮员，计自三月份起络续用进者已有十人，计开：

三，一　　梅野岭人

　　　　　小松盛人

三，四　　小岩武

　　　　　柳内

三，八　　森田光次

三，十七　仓田修六

三，廿二　安岛敏夫

三，廿七　中鸟成康

四，六　　本田正一

四，十八　高木政雄

以后络续将有涌进，可以断言，此等人员既不按照邮政用人条例经过考试，又不经部局加以诠叙等级，因之称为不列等邮员，但其薪金则远较普通列等邮员为高，计于月薪二百六十二元五角之外，另每月支给房租津贴七十五元，计每人每月支给国币三百三十七元五角之外，更就其政治上的含意来说，此等人员，不啻为“满洲国”或“冀察政府”行政顾问之变相，日后实行侵蚀邮权，监视邮政行政者，即为此辈幸进人物，其演变前途，极堪注视。

对照着日员的涌进，则有大批资深华员的调赴内地，以三月二日的局谕所发表，一次即调动六十五人之多，其中又有更换名单之弊，遂形成三月反对不公平调遣的风潮。

当时局长态度强硬，工会领导态度不定，敌伪觑隙进攻，而群众情绪低落。为的是唤起三千邮工对于日员涌进，华员他调所含严重危机的注意，为的是反抗当局挟权自主一意孤行的压制，为的是督促工会上层，这一次反对不公平调遣斗争的重大意义是不可忽视的。二十五人三星期中奋勇的战迹，始终成为三月护邮史中灿烂底一章。

由于这项斗争声势的壮大，使得三月廿八伪维新政府成立纪念日的危机反而成为三月护邮的尾声而结束，敌伪嚣傲日久的三月易帜之说，最终仍未得见之于事实。

现在时序是到了战斗的五月里，仰望邮厦的屋顶，象征护邮战斗的前途，是那样明朗的一片晴空，但好些时候风雨昼晦的日子，我们所经历是：

1. 配合着敌寇军事泥脚的挣扎，配合其对于上海租界的政治进攻，敌寇进行接收邮局的野心只会日见其炽烈的，由于一年来护邮斗争教训了他的结果，日后其进攻布置，必然趋于更为完密而周详，其实行策划汉奸活动，必然趋于更为具体而有效。由于汪贼兆铭通敌求和所引致的半天妖气，转见波及于邮务，如像四月十一日伪工人福益会伪邮务代表在汉奸大上海电台所发无耻广播言词，就是在作汪贼的应声虫，在为此后邮奸大蠢动开一个端倪。

2. 由于日员涌进的结果，邮权实质上遭受侵蚀，有可能易帜之举，放在最后实现，但邮局前途，无疑将见面目日非之态。

3. 当局继续采取退让政策，邮工团结力量的发挥一时不足以抵消外力所及于当局之压迫。

4. 工会上层进步很慢。

5. 广大员工由于未能过工会组织生活，未能发挥其生动力量。

所有这一些，无疑又得把最艰巨的任务课之于全体邮工的头上，我全体邮工应贯彻百折不回的斗志，出之以机动有效的方式，充实工会内容，精诚团结，纠正妥协与软化的态度，打击贪婪与狂妄者的侵略！比之于钢铁的旗杆的话，三千条胳臂将最终地支撑着风雨中倾圮的危厦！久经战斗的锻炼，迎接着祖国大地的舒苏，战斗着划破沉默的天空，使之充满于光辉与欢笑。

第十四章　上海电话公司

第一节　公司历史及其营业状况

上海电话公司，创始于西历一八九八年，初为华洋合资，原名华洋电话有限公司，分设东、南、西、北、中央，及路升、虹桥等七处人工接线区。在一九三〇年，因改装自动机，资金不足，始转让于美商经营，旋即全部改装自动式接线机，年来业务蒸蒸日上，故上述七区，已不敷应用，现已扩充分行至九所之多，但路升及虹桥二区，系越界主权关系，不能改装，所以迄今仍用人工接线。"八·一三"沪战爆发，虹口及沪西沦为战区，因之东、北及虹桥三区颇受损失，其中以东区损失为最大。后战事西移，孤岛畸形发展，各界要求装置电话者很多，营业日益猛晋，此盖由于各地人口丛集上海之故，所以最近营业发达异常，每月收入达九十余万至百万元之间。

第二节　公司组织

公司上设股东会，由董事会委任总经理一人副经理二人，内一人为华人，但大权操于洋经理之手，华人副经理仅挂名而已。其下则设五部，为计核、营业、行政及人事管理、装修工、交通，每部置主任一人，都属洋人。

第三节　管理方法

自改装自动式接线机后，工人显已被机器所控制，形式上似并不严厉，实则无形中已被机器牵制，不容有时间走开或休息。每一分部或分行，置华人领班一人，实行分工合作制，故人手又减少不少，亦资方加重工人工作，加紧剥削方法之一也。

第四节　工资待遇

华工工资，视工作性质而定，约可分四类：装修电话及地下电线修理者，自十余元至三十余元不等，试线间及自动机间之职员，称为试线员及纠错员者，则自二十余元至六十元不等；但通常总在三四十元左右者多，很少可能达到六十元者。再上为六十元至九十元一级之职员，达到此数者多为各部各分行之华人领班，但人数很少，最苛刻者，为一种见习员，进去时工资为十八元，彼等多属学识丰富之有为青年，但为生计着想，不得不领此十八元干薪。

赏工——凡在公司服务满十年以上者，年终得领赏工一月，未满十年者，则为半月。

一年中工人不免有生病之时，但并无一定假期规定，全视管理洋人高兴与否为定，有告假几月仍照发全薪，有告假数天而反扣薪水者，惟人工接线生病假则扣半薪。

赏罚——每一工人有工作卡一张，除对公司推销电话有成绩者得获赏外，该卡唯一用处，在记录工人之过失，及告假日数以为处罚之根据。

升工——工人一年到头，辛苦工作，使公司营业年有发展，照理工人亦该享受些好处，但公司对工人之升工并无一定规定，须视与其上级洋人之感情好坏为定。故一到季节，送礼之风甚盛，且每次所加数目，竟有三年加一元的事情，但工人们多不自觉，认为不停生意，就算侥幸，不知此是工人之应得权利，唯有靠全体工人来争取才有达到的希望。且公司更有苛刻者，对于在外因工作受伤残废，或因之死亡者，并无切实保障，生前既不给予保险，死后亦仅给予若干治丧费用而已，对于遗孤寡妇则从未予以抚恤，即轻而易举的工人子弟学校，亦未有一所。

第五节　工人生活概况与工人活动

工人收入微少，大多对于衣食住行四项，非常刻苦，为了生计，终日忙碌工作，自无所谓交际娱乐，此概由资方对工人剥削之加紧及待遇之苛刻所致。工人们那来经济可以抽出来去娱乐？加以每天工作之后多已疲乏不堪，休息之不暇，更那来时间去娱乐或其他运动交际呢！

工人一切活动，公司方面非常注意，经常派人予以监视，所以工人活动机会很少，即使是最普通的体育组织，亦以公司提倡体育为名，派人把持，虽有体育干事会等组织，但一切决议和设施，概须经公司方面允许和同意。但自“八·一三”抗战爆发后，工人们多已觉醒到要得到生活上的保障和改善，则非努力求得抗战胜利不可，故工人活动比较上较前来得展开。

过去在改装自动接线机时，因反对裁员，曾有过一次罢工，但因工人行动未能一致，又有工贼从中破坏，并无好的结果，便复工了。不久之后，工人中领导分子及热心工会者次第被裁，因此次罢工，给予工人们损失很大，以及此事后当局对工人的管理方法的加紧，致七八年来工人们形成一片散沙毫无组织，对于工人们自己的生活及待遇，至今一些没得到改良。

工人由于无工会组织，不能团结起来，所以对于工人本身生活上的要求和待遇的改良，便无从向资方提出，即使提出亦因为没有力量，资方亦可随意拒绝，所以要达到生活的改善，只有大家团结起来，组织起来，才有力量，可以跟资方开谈判，否则谁要敢说这话，谁就有被开除的分儿。

工人们虽无工会的组织，但对救亡工作都做得很起劲，如“七七”献金、购买救国公债、每月捐等。但是个别之间，没有好好联合，亦就是相互间的统一还未形成，希望每一个热心爱国的工友，大家牵起手来共同向着民族解放大道迈进。

第十五章　印刷业

第一节　印刷业史略及职工数目

上海最先有印刷业大概在六十八年前，第一家就是《申报》。

《申报》当初是石印的，后来才改铅印的。

铅印第一家是上海道官办的著易堂和商务印书馆。

商务印书馆是我国最大的文化机关，它创始于民国纪元前十五年正月，资金仅数千元，印刷机不过数架，至纪元前十四年六月，置屋十二楹并添购机器，再惨淡经营五年，才建印刷所，设编译所及收发所，那时规模才算粗具。迨后靠了劳资通诚合作，和工友不断努力，生产和营业日渐扩展，到了纪元前八年，择地上海闸北宝山路，建筑大规模的总厂，成为生产的总机关，占地八十余亩。其中分印刷、制造等部；印刷部分计分：彩印、石印、银印、铸字、排字、校对、照相影印、铜版、纸版、铅版、藏版、装订、装切等四十余处。制造部分计分：发电、木工、铁工、仪器、标本、文具、华文打字机等处。男女工友，约三千余人，印刷机器，应有尽有，总数达一千二百余架之多，在远东实无其匹。“一·二八”战事发生，曾受重大损失，赖职工的努力，得以恢复。“八·一三”时，因受前次教训，损失尚小，其营业发展至南洋及国内各埠，上海本厂范围虽缩小，但职工可派至外地工作。

除上述申报馆、商务印书馆以外，新闻报、大美报、时报、华美等报馆，以及中华、大东、开明、世界等书局，都是印刷界的巨擘。至于其他小厂，则为数甚多，有电话号码可查的，在二百四十家以上。

至于上海印刷工人的数目，一般说起来，是相当多的，差不多在一万二三千人以上。分布的情形，大约商务有三千多人，占全数百分之二十五；中华一千多人，其他各比较小的铅印出版合计五千多人；报界五百人左右，西商铅印零件三四百人以上；西报一百多人；日商出版、报业、零件共三百多人，华商零件一千多人；彩色石印五六百人以上，日商石印也有一百多人。

第二节　印刷工人的工资待遇

印刷业的工资比较高一点的，首推商务。商务职工工资，分包工、月工二种，平均五十元薪者约占百分之十，四十元薪者约百分之二十五，三十元薪者约百分之三十五，二十元薪者约百分之三十。

关于奖励金，在战前每年发给一次，现在分为二次，由公司随意酌给，其多寡或有无，职工无权过问。此外于每年末，职员加发二十四天升工赏，工友加发七天升工赏，而杂役除加发十二天升工赏外，每逢佳节各赏给四元。设职工因病请假，医药费由公积金项下拨付，其工资除开始第一日外，余亦由该项公积金贴补三分之二，以一月为限。商务职工年龄在三十以上的，占绝对多数，工人多有妻子儿女的负担，有的还有祖父母，父母，兄弟姊妹等的负担，在“一·二八”前，工人们有争取到的许多利益，和生活较低的缘故，所以，还可以勉强过活；“一·二八”后，工友们原有的利益，多给一般工贼出卖给公司，工人的生活就相当的困苦。有一个很明白的例证，就是工人的死亡率，要超过以前一倍呢！每个工友，因为收入减少，负担随年增加，再加以工人所有过去血汗的积蓄，在“一·二八”全给炮火轰毁，工人生活困苦情形，可想而知了。最痛苦的要算女工，薪资要比“一·二八”前减少五分之三，过去争到的分娩时的待遇，亦完全取消，但是她们仍旧要担负家庭的生活。“八·一三”后，工人的薪资，又给资方打了个七折，工人们为了要争取民族革命的胜利，为了避去劳资的磨擦，忍耐含痛的在过着艰苦生活，相反，资方营业是很可观的，我们想恢复工资，是工人的正当要求。

其他各厂方面，也分包工制、月工制二种，包工的定价是每千字排工四角，内经过上下手分做，上手二角四分，下手一角六分，快手每天只能做四千左右，平均每天只有五六角，还有代配样子，因里面还有缺字，一直配到付印为止，是分文不取的。工人一月只能做二十二三日的生活，其余数天，是毫无进账的，大致每月可以做十一二元之谱，但是工作的时间却特别的长，每日要做十小时多，从“八·一三”战争发生后，工资又要打上一个八折，就是从前每月收入十一二元的下手，现在只有八九元了，平均每月收入有十八九元的上手，现在只有十四五元了。工头还要拿九六折，工友做到一元，要被他拿去四分。这还是少数人的收入呢！有的厂内做古书，里面生字很多，不去查出还要罚钱，计每字二分，就是买一个字，也不要二分。浇字房过去三角五分，现在也减到二角四分，每月只能做到十二三元，印书间过去每千部一元三角，现在已减到每千部一元二角，每月能做到二十元左右。

彩印方面：石印的落石，现在普通二十五元左右，上手高些的，三十元左右，下手低的十五元。磨石头的每月大概平均十六元，车间里车工头、二手、三手共计每一千张三角，工头一角，二手八分，二个三手各六分。因为每部车需要四个人，夜工六时算一工。橡皮车、磨铅皮，每月二十元左右，橡皮落石上手五十元左右，低些三十元左右，一般的十八元左右；车间里每一千张印好有四角，车头拿一角半，二手一角，三手八分，下手七分半，现在一般普通厂家打的利息是这样：香烟壳每五千以上打三厘半，布牌商标每五千以上打三厘，纱牌商标五千以上打四厘，股单、支票、礼券、赠券打四厘、五厘，招贴二厘，牛皮纸五千以上打三厘，五千以下打二厘。

印刷工人的收入，既是如此少，则其生活情形可想而知了。就拿待遇比较好的商务来说吧，工钱大一点的，平日上饭店，菠菜，百叶，油渣豆腐过日子。差一点的，咬咬大饼，也算一餐。其中最苦的要算女工了，她们拿三四毛钱一天的工钱，当然没有上饭馆的资格，只好从家里包一碗冷饭，在放午饭时，用开水冲来填肚子罢了。其他各厂职工，比商务待遇还要差的，则其职工生活的困状，可想而知了。

第三节　上海印工组织的发展情形

然而这个拥有相当数目的印工，他们为自身利益而斗争的组织工作，却比别的工人落后。这原因是：他们的生活多半是包工制，在大包小包的层层剥削下，生活是非常困难的；同时，他们大多数是短期性的包工，除了商务、中华等几家比较大的厂，经常在一起工作几年以外，一般多是半年三五个月的短期雇用，这样东掉西换，流动性极大，不能长时期在一起，当然组织活动的进行，就比较困难。但是他们的特点是：和一般工人比较起来，文化程度较高，没有文盲，大多数可以看书看报，容易进行宣传教育。

在一九二三年以前，上海印工的组织，虽然曾有中华书局的进德会一类组织，可是，这些组织对工人本身，可以说是完全没有关系，相反的，却在他们少得可怜的生活费中，再加上一笔会费的负担。

到了一九二三年以后，上海的邮务、缫丝、纺织、丝织、香烟、五金、电气等，都已有了相当的组织和行动。这给予在层层剥削和压迫下的印工一个绝大的刺激，当时就有一部分比较觉悟的分子，用了极灰色的浙江旅沪工会的名义，开始组织活动，加入工会的，也都限于浙江籍的印工。不久，各省在沪的印工，也先后加入工会，于是浙江两字也就在章程上取消了，而会牌上的名义仍照旧。

这个工会规模虽然不大，可是也做过一些像职业介绍、娱乐、谈话会等工作。

这样，加入工会的印工，一天天多起来，到了一九二四年（十三年）秋季，就正式成立上海印刷工人联合会。商务、中华的工人，其他铅印出版工人，报业工人，中西零件工人，石印工人，装订工人，纸店业工人等，都加在内，差不多包括了上海印刷业工人的各部门。

第四节 “五卅”时期的印刷工联的活动

“五卅”事件爆发以后，上海的工人，差不多全部罢工，这时的“印刷工联”，已经有两千多会员，也就大大的活动起来，大多数会员都做了印工组织单位的核心，巩固与扩大了上海的印工组织；同时，还跑到各处去发展别的工会组织。在“五卅”事件的坚苦斗争中，组织成了报馆工会、商务职工会、中华印工会、中华文明两发行所职工会、华商印刷工会（中国人开设的，专印洋行、银行等印刷品的工人所组织的）、日商工会、西报工会、装订工会等，接着就以这许多组织单位，产生了上海印刷总工会，就是那时赫赫有名的印总。上海“产总”以印总为最早。它在上海总工会（老工会）领导之下，是相当有力量的组织之一。因此，散沙一样的上海印工，在“五卅”的反帝斗争中生长起来了，接着为自身利益的斗争活动也开始了，商务全体职工的大罢工，就是最明显的一个例子。

第五节　上海印工改善生活的斗争

商务印书馆是全国最大的文化机关，也是全国民族资本工厂中规模比较大的一个，它有现代化的组织和管理，更有十分高妙的压迫和剥削手段。全厂三千多工人中，除了绝少数特别者外，大都是在包工制的剥削和虚伪的文化宣传的蒙蔽下。在平时，商务的资方，常常对外界作优待工人的宣传，因此，社会上一般人士，都以为商务工人生活优越，决非其他工人所能等量齐观的。等到“五卅”那次罢工爆发，全体职工提出改良待遇等要求，立刻引起全国的注意和诧异。全上海的报纸，都把这个消息用最大的标题，登在最显著的地位上。起初商务资方用尽软硬一切手段来对付工会，即使后来资方勾结当时上海警备司令邢士廉，用军队来压制，但是因为工会组织严密，工友团结一致，还是不能把这罢工的浪潮平静下去。

一星期的罢工斗争，终于工会代表和馆方代表以对等的合法地位，开始谈判。工会提出的：增加工资，减短工作时间，废除限制大小便、罢工期间赔偿工人的损失以及其他不良待遇的改善等条件。资方接受了一半以上，罢工就胜利的结束了。

这个斗争的胜利，给全上海工人的鼓励和刺激，实在不小。接连再来的有：报业工人的废除工头制，增加工资，缩短工作时间等斗争，也得到较大的胜利。此外、中华书局、大东书局、世界书局，以及华商印刷工会下的各支会、墨色石印工会、广帮印刷工会等，也都继续不断的罢工，要求增加工资，减少工作时间等生活改善的斗争，结果也大致获得相当的胜利。其他的工人，因见了商务大罢工的胜利，和其他工友改善生活斗争的胜利，也纷纷的都起来斗争，像邮务、五金、电气、纺织等工会，都作了改善待遇的胜利斗争。

一九二六年的春夏间，商务工人的第二次大罢工又爆发了。这是在第一次大罢工结束时就已种下了的种子，必然会结出的果实。因为在第一次罢工斗争过程中，深深感觉到自己力量的不够，部分高级工人和工头们的暗中破坏，以及一部分工友不知道自己的力量而犹豫；同时，对当时的客观环境的把握也不够。因之，在得到比较圆满的结果后，就胜利的结束了斗争。“斗争是最具体的教材”，这次大罢工，教育了商务的工友们，所以，他们在罢工结束后，就努力加紧组织工作和训练干部。经过半年的努力，在克服过去种种的错误中，爆发了更大的斗争，也就表现出更伟大的力量。这次罢工继续到九天（或十三天，记不清了），工会所提出的条件，差不多有十分之八都达到目的。特别值得我们注意的是：这次罢工不仅限于上海，全国各地的商务分馆以及北平、香港两地的分厂，也都采取一致的行动，互通电信，共同来对付奸猾的厂方，厂方怕工人力量的伟大，就想用金钱来收买印总的秘书陈复泰君（在文；在这里我悼念我们的陈君，并致敬意），以及商务工会中的积极分子，陈君等严词拒绝，坚决站在工人阶级的立场，结果只暴露了厂方的无耻而已，同时却更增强了全体工人的斗争情绪及力量。这次罢工胜利中最有意义的有：工会有代表全体职工之权，馆方不得自由开除职工，在不妨害工作和秩序时，可以随时召集会议，因工会工作而不能工作时，不扣工资，馆方每月得津贴工会一部分经费，撤换平时恃势欺凌工人的门警和车夫等条件的实行。

这个伟大的胜利，明白的表示出工人团结力量的伟大，而更刺激了其他部门工人的斗争和组织，因此商务的斗争行动，无形中就成了上海及各地工人斗争的模范。

第六节　一九二七年印工的英勇斗争

商务全体工友，在第二次罢工中，表现出组织力量的伟大，及行动的整齐，每一个职工都一致的完成自己的使命，特别是纠察队的努力负责，甚至日夜不息的站在自己岗位上工作，不仅使他们的工作得了更大的胜利，而且刺激了别的工友。接着来的是上海彩印工人在王梅卿君领导下，发动了生活改善的斗争，也得到了胜利。上海印工的组织，虽比较落后，可是，一有了组织后的英勇斗争，却特别来得坚强有力，尤其是在一九二七年春，欢迎北伐军第三次大暴动中。上海工人在“三暴”时的英勇和伟大，曾得到了国际职工会的赞扬，同时也使得帝国主义发抖。“三暴”的反封建斗争，用赤手空拳，把军阀盘据的上海夺取过来，成为我们的上海，并且武装了我们自己。

上海印工在“三暴”中的英勇表现，是更值得我们自信的。在与盘据商务同人俱乐部的奉军的战斗（该俱乐部经商务厂方特许为奉军的军械库），经过两天两夜的血战，终于把一队奉军全部缴械，获得了无数的机关枪、步枪、手枪、盒子炮、刺刀等。在宝山路口及北站，也展开了血的战斗。他们始终站在最前线，因此，在战斗中，壮烈的牺牲的，也以印工为多。

第七节　“四·一二”以后

“四·一二”事变后，上海大批革命工人被屠杀、逮捕、通缉，资方也就趁火打劫，把平时认为不安分的工人，统统开除。

站在斗争最前列的印工，受到的打击当然也最严重，四月十二日那天，工人们到天主堂司令部去请愿时，反动的军阀竟开机关枪屠杀，在前面的中华书局代表，差不多完全殉难。

从此以后，虽然也曾有过不少的反抗斗争，但是完全进入秘密状态，除了商务还有一个变了质的工会以外，其他的组织大部分转变了作风，采取了新的工作方式，在更艰苦的条件下，进行着卓越的斗争。

“一·二八”沪战爆发后，大批前进的印工，参加这一神圣的民族解放战争，他们不但参加救护队、运输队，而且，直接参加到前线去，同十九路军肩并着肩，同敌人作战。等到这次抗战给汪精卫汉奸们出卖以后，战事结束，硕果仅存的商务工会，也给商务厂方巧妙地解散了。

环境是一天比一天的恶劣了，要形成总的组织来进行大规模的斗争是更困难了。于是，印工就分散在各个不同的革命组织中，培养和蓄积他们的力量，准备作一次新的斗争。

第八节　在反 × 民族斗争中的上海印工

一九三五年十二月九日，北平学生运动爆发后，全国各地的救亡运动，重新又用新的姿态出现了。一九三六年春夏间，上海成立了许多救亡团体，而在工人方面，因为特别受注意，不可能单独形成组织，于是就参加在别的团体里，主要是在职业界救国会、妇女界救国会、和国难教育社。而前进的印刷工人，大都参加职救、国教，以及武装自卫会，在每一次示威游行中，在每一次扩大宣传和募捐中，他们总是最坚决最勇敢的。可是，那时还只限于比较大的几个厂，像商务方面是参加武装自卫会和职救的，中华、世界、大东、开明都参加国教。

一九三六年冬三七年春，北区一部分印工，组织了"印刷业失业工人互助会"，吸收了更广大的群众，办过补习学校，做过许多救济互助等工作。因此它的基础日渐扩大，变成为全市的组织。原在各救亡团里工作的积极的印工，大都参加。

七月七日，卢沟桥畔燃烧起抗战的火花以后，印刷工友们，除参加各救亡团体所发动的各种行动以外，就开始准备把互助会改为印刷界战时服务团，可惜因当时受种种不必要的登记手续所障碍，未能大量开展工作。而 ×× 帝国主义的炮火却已经轰到了上海，住在东北两区的印工们，大多数在十三日上午，还在厂工作，仓猝间从厂里出来，跑过苏州河，可是生活却成了问题，于是大家聚在白克路群英新闻社，印刷界战时服务团，也只好“非法”地先成立起来，登报号召印工来登记，一面开始组织各种服务队，如救护队、宣传队、侦缉队等。同时开办救护训练班，军事班、干部训练班。一面派代表同各救亡团体联络，向社会局要求失业救济金，救济失业工友。

另一方面，各工厂工友又自动组织起来，向厂方要求。如商务的“代表团”，世界的“通讯处”，开明的“同人会”，为要求救济而作许多的胜利斗争。而在业的印工们，像中华书局等，组织了沪西青年救亡团，参加各种宣传募捐等工作。

苏浙行动委员会别动队成立，大批前进的印工，抛了家庭，弃了工作，武装自己，走上了前线。

一九三七年底，在抗战中没有受什么损失的中华书局，竟准备停工，工人们一听到这个消息，就立刻分头活动。因为这不但有关他们自己的生活，而主要的是因为中华书局是我国最大的文化机关之一，在这抗战时期停工，致使各地爱国民众，缺乏抗战的读物，实在是抗战中的大损失。所以工人们就准备好，以行动来抗议。一九三八年一月四日，全体工人进厂要求厂方收回成命，立即复工，厂方完全不管，一味推托，工人没有办法，只好留厂以促其觉悟。谁知厂方竟报告捕房，把老工人驱逐出来，而新厂方面，因人数较多，而且说动了捕房的中西人员，总算没有被驱出。

当时，国军西撤不久，上海空气非常沉闷，在敌人包围中大家都不敢有所表示，有些人把环境估计得非常恶劣，而中华的斗争，就打破了这种空气。其次，抗战以后，有许多近视的资方，只晓得自己的私利，不管工人同胞的生活，借口抗战时期，拼命加紧剥削工人。而在工人方面，又恐破坏统一战线，不便轻易发动斗争，因此痛苦非常，中华这次斗争，正确地告诉全上海工友们，在不妨害抗战的大前提下，为了改善我们的生活，应该发动斗争，并以斗争来争取资方，巩固双方的合作。

在斗争中，最感困难的是干部的缺乏，因为“四·一二”大屠杀时，中华工友牺牲最壮烈。他们是请愿队伍的最前列，差不多完全成仁了。而况有的干部，大都是“西青”的活动分子。他们虽然有充分的热情，但不知怎样斗争。

可是，这并没有减低他们的斗争情绪，相反的加紧了他们的学习和努力。新的干部在斗争中产生了，而且也只有在斗争中才能产生和培养。

在同人会的领导下，在各界的鼓励和别的印刷工友积极的援助和全上海各产业工友热烈的支持下，虽然厂方以威胁，收买，分化甚至贿买捕房个别警员殴打工人的干部，有些走狗想出卖斗争，但是中华的工友们却表示了空前的坚决，不达目的誓不休，终于得到了完全的胜利。

这次斗争不但教育了中华的工友，而且也教育了全上海的印刷工友，当他们在积极援助中华的斗争中，感觉得相互间非密切联络不可当。“印战”解散后，许多干部都到抗战的最前线了。在总工会领导下的互助会，又没有十分积极的工作，这许多青年工友，就组织了印刷界职工联谊会。

联谊会在艰苦的物质条件下，在困难的环境中，坚决不移的向前迈进。到了一九三八年下季，用民主的不记名的投票，举行了一次改选理事，改选以后，联谊会也改成联谊社，它的工作主要的是提倡正当娱乐，联络相互间的感情。在一九三九年的阴历新年初二，借浦东大楼开了一个盛大的征募基金同乐大会，到会观众在一千三四百人以上。虽然因为初次，免不了有些缺点，可是大体上是处理得很好的，印联的工作，更扩大了。

印联目前最主要的缺点就是：全体社员，并没有个个过印联的生活。因此，数十个有关系的工厂也不能好好的联系起来。而在教育工作方面，也做得比较差，因为要革除坏习惯，提倡正当娱乐，还得好好地教育。

另一方面，互助会现已改组为印刷业产业工会，以商务为根据，但是因为它并没有广大的群众为基础，负责的又大半是比较老年的人，因此印联和产业工会虽不对立，可是并未合并，为了工人内部的团结，这两个团体当然应该统一团结起来。

可是，统一团结，并不是谁并吞谁，而应该用平等的民主的方式，首先从行动上统一。

第十六章　机器及铁工业

属于重工业的机器工业，如造船业，机器制造业，在中国并不十分发达，还很幼稚的存在着。上海虽有这类规模比较大的工业，如英联铁工厂（瑞榕机器造船厂），怡和洋行，慎昌洋行，谦信洋行，制造轮船和机器，每家平均都有千余以上的工人，可是皆非中国所有，而为外商经营，明明是中国工人亲手造出来的货品，但是在货品的招牌上，总标明 × 商 ×× 洋行或是 × 商 ×× 厂制造。

中国上海的机器工厂，除了五六家规模较大的如江南机器造船厂，中央机器厂，源昌五金机器厂，大隆铁厂，大鑫机器炼钢厂之外，其他各厂，规模都不甚大，资本不足，技术落后，原料多仰给外国，有些厂简直杂着外人投资和用外国工程师。

中国机器厂虽亦能制造纺织机，车床，铣床，刨床，但是出品的使用上，外观精巧上，工作准确上，和外商慎昌或谦信等厂出品比较，的确相差很远，不能不说是次等货。但在价格上，外商的出品与华商出品是相隔甚远的，比如一架车床，源昌机器厂的出品只须一千元到二千元上下，但慎昌洋行的出品，则非要四五千元到七八千元不可。因为一部车床的好坏，要以施工的准确，便利，耐用为标准，要适合这些种条件，必须在制造这部机器时，有详细的设计，采用上好的铜铁为原料。凡此都是华商机器厂所缺乏的，外商制造的车床，硬而且韧，能久经磨擦；国货车床，一经用了相当时候，机件即因磨擦而受损，以致制造出品时尺度不能准确，故难与外商竞争。

同时机器厂最主要的原料，为杨子铁，即矿铁，大部分仰给外国，中国重要的矿山，不是开采权属于外人，便是中外合办，华商对于原料的购买受着种种限制。此外钢也是制造机器的重要原料，许多工具，机件，路轨等的制造，都不可缺少钢，但只有外国厂才能炼钢，大鑫虽亦能够炼，但品质粗劣，不合细用。在这种种情势之下，愈使华商机器厂，不易与外商机器厂竞争。

然而我们着重说明的，中国并不是先天的不能发展机器工业，而是说中国的机器工业，受外商的阻碍，受帝国主义在华种种特权的控制，妨害了它的发展的前途。如果将来帝国主义在中国的特权消灭，外商的竞争减少，机器工业受到国家的特别重视与保护，工人的报酬提高，恐怕工人们那时会特别兴奋努力，比今日在慎昌、谦信制造出来的货品，要好百倍以上。

上海的机器工厂——连小铁厂在内，一共一千二百家，分布在杨树浦，虹口，沪西，闸北，南市等区，可是在这许多铁工厂中，百分之九十以上是小规模的，平均只有二三十工人至五六十工人，甚至还有些是七八人的小作场。并且大部分是造机器的专造机器，翻砂的专门翻砂，营业上与大工厂有依附的关系。兹为便于说明起见，分为三类述之。

第一节　外商的机器工厂

外商机器工厂，规模宏大，资本雄厚，起码在两百万以上，以造船、机器制造为主，现举英联铁工厂为例，以明一般。

英联铁工厂的前身本为瑞榕机器造船厂，属于英国资本。先是瑞榕设立后，营业发达，股份增多，遂添设耶松铁厂，祥生铁厂，和丰铁厂，董家渡铁厂，每厂平均三四百人。其营业是为了便利外商各大轮船公司修理船只，制造浅水汽船，适应帝国主义对华运输交通经济侵略。此外亦制造一些轻工业如纺织工业需要的机器。这些铁厂利用资本的优势，中国劳动力的低廉，年年获巨大的厚利。但后来创办人死掉，几个厂便由几个股东独立营业，只是在互相帮助，宛然成为机器工厂中的一个小托辣斯。“八·一三”战争爆发，耶松、祥生、和丰、董家渡等厂皆停工，而瑞榕所处地带比较安全，故仍开一部分。战事西移后，耶松铁厂让给马勒公司，改名马勒船厂。祥生铁厂，董家渡铁厂仍停工，但和丰与瑞榕合并，改组易名为英联铁厂，全部复工。此时上海机器工厂，有的停工，有的移到内地，所以英联趁此机会，独占市场，各轮船公司船只的损坏，都到这里修理，职工增到三千人左右，三分之二住杨树浦，三分之一住在租界。其工作部门，分制图、木工、翻砂、铜匠（钳床，打磨），机车（车床，刨床，铣床，钻床……），装置等部分。其管理制度，除厂长职员外，直接管理工人的是工程师与工头。这里与中国铁厂不同的地方，就是在工人当中，学徒仅占少数，其余百分之八十以上是正式熟练工人。

在待遇方面：工程师从外国请来的很高，月薪有五六百元。工头由年数较久的熟练工人升任，月薪至多六十元。工人工资分包工（件工），点工两种计算，造船与制造整批机器的工作多用包工，其余都用点工，但无论怎样，最高工资一元四角，占全部工人百分之十。其次工资在一日一元左右，大部工人工资由五六角至七八角。除包工外，点工每日工作九小时，做夜工则加半工，礼拜和例假停工，没有工资，若生产忙做礼拜工也是加半工，战前年赏，西籍职员赏薪一个月，华籍职员赏薪半个月，小轮船员赏工二星期，点工赏工一星期。

在“八·一三”战前，本厂每年获利是十万多元，最多二三十万元不等。但在今年因营业发达，一年内竟赚到二百八十多万元，比往年多赚七八倍，但在年赏上反更不平等起来。西籍华籍高级职员年赏比从前增加一倍，而小轮船员则赏薪六天，比从前减少一半多，点工年赏完全取消，故工人对此非常气愤，曾在年底发生怠工，得到部分胜利。

但是英联的待遇，与华商机器厂比较，仍要较好一些，工资稍高，工时较短，所以许多工人都希望到这厂来做工。但厂方招工，须通过工头之手，因此工头奇货可居，每介绍一个人，必须对方送给三四元至十元不等。还有工头私招学徒，每人纳五十元的保证金，进厂后必须替工头做足五年，吃住都由工头包办，第一年由工头每月给薪一元，第二年每月二元，第三年每月三元……到第五年，必须由工头作主，认为是否合格才得加上五元，可是在这五年之中，从始至终，工头在外国人前面替学徒领到的，仍是普通熟练工人一样的薪水，每日一元大洋左右，因此工头在学徒身上，每月是赚了不少的钱。厂方外国人对工人的处罚，须通过中国工头。一些坏的工头，便乘机作威作福，某某人好，某某人坏，随他的喜怒乱讲，外国人十分之九都依他的话办理，于是一般工人便倒霉了。所以一些胆小的工人，为了自己的饭碗，只好敷衍工头，逢年遇节，送他一些礼物，所以工头在这方面又大开财源。

工人中以宁波人为最多，其次是本地人，广东人亦不少，宁广二籍人过去曾对立过一个时期，常常因事冲突，近年以来，受了一些教训，关系较好一点，冲突少了一些，不过在日常生活中，因语言习惯的关系，仍有许多隔膜。红帮青帮分子亦在工人中活动，以拜兄弟的形式活动着。此外有一个工会，但无群众基础，只是在每年七月举行打醮，是由工会出面。工人民族情绪很高，政治认识亦相当清楚。可惜现在还没有广泛巩固统一的群众组织。

第二节　国营的机器工厂

江南造船所，中央机器厂，皆为我国政府办的机器工厂，前者的规模最大，历史最久，兹特别说明之，可以概括国营机器厂的情形。

江南造船所设备完全，规模宏大，为全国各造船所之首。过去所造船只，不下千余艘之多，入坞修理者更不知凡几，海关，邮局，英商之大来公司及招商、民生等轮船公司之船只，大半造自该所，营业日益繁盛，造船技术亦与日俱增，该所优誉，早已声至中外。自北伐后，接管于海军部，改称为海军江南造船所，行政人员由海军部指派，其他各方面亦有相继变动。职工二百多名，工人二千名以上。

造船工程，相当复杂，江南造船所专设各种部门，建造各种工程，分工合作，各任专职。比方造一只新船的时候，第一步工作为制绘图样，后经木模厂之制模，翻砂厂之铸造，再加工于铁匠、铜匠、车匠、钳床等等工程，而成为各式各样之机件，经冷作部之排筋，钉船壳，帽钉等工程而成为船壳。船壳下水，再由各部门之员司机匠技术人员之通力合作，全部工程完毕之日，一只几千百吨以至数万吨之铁船，可以到洋面上操纵自如了。兹为详细说明该所内部组织与工作情形起见，列表如后：

- 所长
  - 工务
    - 绘图处　小工间　电气间
    - 木模　翻砂　打铁　打铜　车床　线床　钳床　等厂
  - 总务
    - 秘书　统计　会计　簿记　材料
    - 采办　庶务　报关　调遣
  - 警卫
    - 水警
    - 陆警

该所除修造军舰工程外，对外来营业工程，亦同样承造，在过去将营业所赚填补在海军工程方面之款项，不下数百万以上。该所靠海军名义，对外来材料之报关费用，往往可以避免，因此营业工程，比别家船厂，容易赚钱，当然主要的是靠几千个技术优美员工的劳动。

一　员工待遇

（一）**工资**　1. 职员的工资：职员的工资等级繁纷，往往在同一部门中，同一职级，工资相差很大，这主要靠各人的靠山来路。（1）所长除月薪七百元外，另有车马费交际费，每月约千元的收入。（2）工程师月薪四百元至六百元之间，另有英籍总工程师二人，月薪一千数百元，并且定有长期合同，他们的生活舒适而又有保障。（3）课长月薪二百元至四百元，大半为海军部或所长之亲信，故增加薪水十分便利。（4）课员月薪自八十元至二百元不等。（5）司事地位最小，每月薪自二三十元至七八十元不等。（6）学习生多在绘图课，自开始学习之日起，头三个月内，是没有工资的。三个月后，考其成绩，合格者都有十二元一月之津贴，以后视工作成绩而逐渐增加。

2. 工人的工资：工人的工资亦有许多等级。（1）工务员是从服务年代最久，工作技术优美，经验丰富之工人提拔出来的，他们的工作，因有实际经验，往往比工程师为切实，因此他们的薪水，相当的高，有的每月甚至在二百元左右。（2）匠首工资以日计，每星期结算一次，星期六发给，日薪每天二元至四元。（3）匠工工资最低每日为八角，最高为二元。（4）学徒工资自三角起，至八角止。在学习期内，对于读书，亦很重视，所方聘请教师专门指导各种有关造船工程之课目。

加薪在造船所是没有标准的，不依年份，不以工作成绩作标准，而是谁的靠山大就加谁的薪。职员方面如此，工人方面亦如此。

（二）**储蓄与补助金** “八·一三”前二年才有规定，员工皆有，按工资之大小，而提储百分之若干，工资越大，抽储愈多，补助金亦同。

（三）**住所** 外籍职员与上级华员才有宿舍，且系精美洋房，并可带家眷同居，下级员工没有这项权利。

（四）**膳食** 员工膳食，皆系自给，惟所方建有中西膳堂，以备中外员工之需，价格比外面低廉。

（五）**赏罚**　工人由考工员随时检查，以工人之勤惰，分别记功记过。

二　工作时间

职员每日上午七时至九时到所，先后至所长办公室签到，再到各课或营理员处划到，分上下午二次。匠工到所工作，进出时以打钟为记号。职员请假时，只须将理由日月等填写于请假条上，由各部门之课长，转呈所长，惟工匠以日计薪，则告假期内，工资照扣。

职工籍贯：造船所职员，自海军部接收，多由海军学校毕业的学生充任，并因海军部长是闽人，故这般学生，多系闽籍，如果“八·一三”战事不发生的话，不久的将来，造船所的职员，就要办到“清一色”，凡员皆闽人了。（就海军方面，上至舰长，下至士兵，那一个不是闽人，所以海军部添造舰只时，有些人说：这是制造福建人的大饭碗了。）

工人各地人均有，机铜匠多宁波人，铁匠多无锡人，木匠多广东人。在互不侵犯的状态之下，倒没有什么磨擦。

职工组织：在职员方面有一职员会，是由高级职员包办的，所以只有形式而没有内容。工人方面的工会亦由所方代为组织，故生气更少。

现在状况：自“八·一三”战事爆发，造船所工作即陷于停顿，国军撤退上海之后，敌人即将其占领，招收大批工匠，收买汉奸，开工制造他们的侵略工具。照目前情形看来，除非把敌人赶走，是不能有办法恢复的。现在最严重的问题，倒是数千不愿替敌人服务的员工生活，他们很清楚的认识到敌人的占领是不能长久，最后胜利，只是迟早问题，他们宁可自己在生活上受些苦，帮助敌人造侵略的工具是不愿的。所方对于高级职员，早有二百元，一百六十元，八十元三等的生活费发给，小职员亦有月薪三成的维持费，独有工人，自战事发生到现在（一九三八年十一月），共只得八元的维持费，在生活程度如此昂贵的上海，叫他们如何维持。他们屡次由工会出面交涉，可是不得要领。造船所是国营大企业之一，员工都有相当年代历史，而其繁荣发展，不无汗马之劳，有些外商工场如英美烟厂在停工之后，而且发相当数目维持费，一个国营工厂，反能置工人于不管吗？我们希望工人：（1）要加强对抗战的信心，生活无论如何痛苦，始终不为敌人利诱；（2）加强自身的组织，充实工会，推派代表，继续向局方呼吁，不达到目的不止。

第三节　私营机器工厂

私人资本的机器厂，规模最大的机器厂，要算大隆铁厂。现在上海有二十多家，著名的为大鑫、铸亚、新业、昌源、吴淞等厂，具有制造机器的完全部分，职工由三四百人至一千人以上，工匠占百分之四十，十六七岁至三十岁的学徒占百分之六十。利润非常之高，为一部丰田式布机，其售价与成本，常为四与一之比，“几而”一支，成本顶多不过三元，而售价可至拾元。故常常流动资本不到五万元，而每年起码赚到五十多万。就以这厂为例来说明私营机器厂吧！

该厂开设于民国初年，为留美机械工程师回国创办，资本五十万元，建筑厂房，购置机器，具有机器生产过程之全部，管理之严，技术之优，为上海各华商机器厂之冠。初办时只求进步竞争，不计利润，后来历经改良，营业便日渐发展，设总厂一所，分厂二所，职工由一百多人，增加到一千四百多人。经常制造纺织机（除细纱机外，其他开棉机、粗纱机、并线机、摇纱机、织布机、织绸机、打包机，无不可以制造），磨粉机，车床，刨床，机关车等。申新纱厂，福新、阜丰等面粉厂的机器，大部分由该厂制造。其出品全国闻名，为同业所称羡。“八·一三”战事爆发，奉政府命令迁移内地复工，迁移费由政府津贴，工友学徒，除因特别事故外，皆随到内地工作。

该厂和其他华商机器工业一样，职工雇用侧重学徒制度，在全部职工之中，学徒占百分之七十以上，正式工人反占百分之三十。正式工人工资每日八角至一元三角左右，学徒没有工资，由厂方供给食宿剃头肥皂，进厂一年以后，才由厂方按月给零用钱一元至二元。每日工作十小时至十三小时，一步不准出厂，就是阴历年假，也得家长和保证人领带和担保，才得请假出厂。所以学徒进厂，便如判了有期徒刑一样。

厂内设有球场，俱乐室，内面可以打台球、唱戏、看报，工友与学徒，在日工做完之后，只要不做夜工，得随时在厂内玩耍，尤其是夏天，厂内娱乐都活跃异常，只有少数不好动的学徒，才在俱乐室内看看旧小说，或呆坐在宿舍里。间或厂内开放无声电影，以供消遣。因有球场，学徒们自己组织有排球、篮球、足球等队，有时在假期日由厂方负责人带领同外界比赛。吃饭在一大饭堂，睡觉分睡在几个大宿舍内。起身、做工、娱乐、吃饭、睡觉，皆有严格的规则，学徒机械地遵守着。照他们的生活说来，自比外间的苦力工人好一些，然而一想到他们白白替厂方做工而没有工资，对这生活又不感兴趣了。

华商机器工厂和铁厂，其所以提倡学徒制度，学徒数目占全体职工数目百分之六十至七十以上者，可以说是一种完全不合理的封建剥削。学徒在初进厂的二三年，厂方没有什么东西给你学，只叫你做一些苦工，在翻砂间里铲铲泥，扛扛铁架子，在机器间里凿凿浇口，锉锉毛头。有了学徒白替厂方做这些工作，厂方便不用另雇苦力工人了。及至后来自己学得了一些技术，甚至你的技术和正式工人——老师父一般高，厂方仍借口你的学业期限未满，要你继续白白地替他做工。老师父虽比学徒经验多一些，但一般说来，老师父能做的，学徒也能做，如在新业铁厂内，有四个学徒，比老师父的技术还好，厂方故意要分学徒与老师父，不过是特别剥削工人的一种办法。所以我们可以说一句，华商铁厂的发展，是建筑在这些青年劳动者无代价的剥削上面。名为学徒，实际上是白白替厂方做工而又没有工资的工人。

这群工人在厂里所受的剥削最重，但地位亦更低。照例学徒进厂时，要填一张志愿书和一张保证人的保证书，志愿书不外说明愿意刻苦耐劳，守规则，不中途出厂，保证书担保学徒照志愿书实行，如有问题，惟保证人是问。学徒进厂时须交保证金五十元（各厂规定不等），要学满三年，服务二年，才得自由离厂，发还保证金，若不足五年，中途离厂，保证金没收，损坏机器，要在保证金内扣除赔偿。这样一来，保证金便成学徒身上的枷锁了。

厂方为了鼓励学徒们的工作情绪，以“刻苦耐劳终有好”，“吃得苦中苦，方为人上人”等话向大家讲，有些规模较大的厂，开设工余补习班，利用晚上时间，教些物理化学数学与工作有关系的技术知识。一般小学初中毕业而又无力升学的青年，在这失业的浪潮里，找到一个学徒位置，已觉不十分容易，既可暂时解决自己个人生活，又可以有了一条出路的希望，所以明知进厂之后，要白白地做几年没有代价的劳工，仍趋之若鹜，厂方看准这点，故更大胆普遍采用学徒制度，剥削工人了。

正式工人——老师父，一般的说起来，和学徒的关系是很好的，他们自己亦曾是学徒出身，同样是被资本家剥削下的劳动者，尽量帮助学徒，爱护学徒，培着青年后进的阶级兄弟。学徒对老师父亦尊敬听话。但是糊涂的老师父亦不少，向学徒摆出“老师父”的架子，和普通工厂里坏的拿摩温一样，对学徒差使一切，有时候不如意，还给学徒两个耳光。尤其是那些小铁厂，这种现象很多。资本家更利用这一点，分散熟练工人与非熟练工人的团结。

五年前一个老师父每天工资起码二元，现在则普通只赚七八角一天。同时因为学徒一天天增多出来，技术与老师父不相上下，而待遇相隔太远，于是影响老师父更不值钱。故各厂排挤老师父，只用最小限度的老师父，年纪大一点，体力不足的老师父，更容易变成失业者，因此老师父的利益，实际与学徒利益是一致的，大家应该共同起来，反对学徒制度，确定劳资的正式关系，保障年老与年幼劳动者的生活。

第四节　小铁工厂

上海的小铁工厂，大都没有制造机器全部过程的设备，翻砂的专做翻砂，制造机器零件的只制造机器零件。职工自七八十至五六十人不等，厂房是作场式，因陋就简，规模不大，设备不全，缺乏独立生产能力，甚至其主要营业亦依靠大厂。大家接到了生意，本厂来不及做，才拿到这班小作场来做，价钱特别低廉，大厂可毫不费力赚一些钱。但是小厂资方亦不吃亏，他会在工人头上取偿。因此厂越小，生活就越苦，工资更低，工作时间更长，其他一切待遇，更谈不到。

"八·一三"战后，有些大厂或者停工，或者迁往内地，但这般小厂，因环境的需要，如雨后春笋一样的畸形发展起来，在租界上开工的，仍有几百家之多。

兹将外商，国营，私营机器厂及小铁厂工人工资，工作时间，以及其他待遇，列表如后，以便读者参考。

外商、国营、私营机器工厂职工工资、工时及其他待遇比较表（学徒在外）

厂别 / 项次		外商（瑞榕）	国营（江南）	私营（大陆）	小铁厂
工资	最高	1元8角	2元	1元8角	1元2角
	百分比	10%		5%	10%
	中等	1元2角—1元4角	1元—1元4角	1元3角—1元5角	7角—1元
	百分比	50%		15%	50%
	最低	7角	8角	7角—1元	5角—7角
	百分比	30%		70%	35%
小工		5角	5角	4角—5角	3角—4角
百分比		10%		10%	5%
工时		9小时	8小时	10小时	10至12小时
升工		夜工礼拜工工资加半假工工资照给	无	夜工工资加半假工加倍年假做工加二倍假期工资照给	夜工工资加半年假做工加倍
赏工		年底赏工六天	无	年底赏工半月	无一定有时年底赏半月有时六天有时没有
假日		礼拜和例假停工工资没有		每月停工二天年节放假天数不定	无定期但停工无工资
其他					

第五节　工作情形

（一）**翻砂间**　翻砂间里随处摆着粗粗细细的泥砂，工人用气力的铲着簸筛着，砂的成分拌好了，就一天到晚蹲着制模型。口里鼻里不断地呼吸着砂尘。尤其在夏天，工人不得不接近几千度的熔铁炉，铁熔了，分途一缸缸的抬着炙热的熔铁，向模型上浇，迟了，熔铁会失效。所以这时工人最紧张，满身大汗，一秒钟也不停地工作着。有时候放工钟敲过，但铁尚未浇好，就得熬着饿肚皮，延长到一小时到三小时，尤其是浇大机器，开大炉子的那一天，那时候工人的苦，是说不出来的。

铁浇好了，模铸成了，下工时才松了一口气，踏出厂门口，呼吸着另一种空气，虽然为时甚暂，但也觉得清爽舒畅。身体既疲乏，饿肚皮又催促，便大步走回家去，吃饭之后，洗脸的时候，把手巾放进鼻孔内一挖，会使你吃惊，黑的砂泥，把手巾变成了黑色。这时你疲倦不堪，但一时并睡不着，因为周身关节，都一阵阵作痛。不过做工日久便成习惯，渐渐不觉得了。可是那时你会发现，背脊有些弯曲，面黄肌瘦，眼病，肺病相继而来，身体衰弱了。在这部门工作的人，身体矮小的居多，只有一个大块头，那便是管理员先生。

（二）**机器间和铜匠间** 机器间和铜匠间，虽然和翻砂间比较好一些，但是也不过五十步与百步之差。车间内金属屑粉和尘埃混在一起，到处飞扬，机器运动声，马达声，工具磨擦声，敲铁声，初做工的一星期，使你精神不宁，一天到晚很难过。后来做久了，倒也平常，只觉得是一些单调振荡的声响而已。

一般说来，车床，铣床，刨床等机器工作，因利用电力发动，只要驾驶运用纯熟，倒不特别吃力，如大刨床刨制大机器时，校好了高低度和大小度，开了车，机器就会自动往返刨造，工人只须坐在机旁监视着，不动一动，有时可到两三个铁头。做铣床工作，虽也省力，但碰到铣不平常的工作物，或牙齿，就得用气力做，同时又得用脑算计牙齿和作物的大小，车度等，在各项机器之中，要算铣床工作，用脑最多，技术程度最富。说到做车床，若是做一部老式的，就吃力些，动作也多些，并且一天到晚站着弯腰工作，做得太久，也会得驼背的毛病。不过新式车床就不同，它有自动性，省力，容易做，制造机件比较准确，工人可以减少一些对工作上的注意力。

铜匠部的钳床打磨，因用手力，工作就比较吃力一点，尤其是当做着有连续性的工作时候，会使你上气不接下气地赶，因为若果你做得慢，下手工人就会空起来，给主任或管理员看到，不罚工钱便挨骂，最低限度也得看白眼。在主任巡来巡去之下，你得手不停地做，从开工到吃饭的五个钟头，会觉得如一年一样的长久。尤其是初做工的一些时，肩膊酸痛，仍得机械地动作着。到冬天，手足上生起冻疮来，第一期红，第二期肿，第三期溃烂，痛如刀割，但手仍不可停。有时候碰到东西上，或用力不匀，将铁锤打到冻疮上，痛得叫天叫地！那时你要停工吗？一来冻疮是不易好的病，二来停工没有工钱，得饿肚皮才行。

第六节　其他

（一）**宿食**　老师父多半有家眷，自己租房子住。学徒多半住在厂里，不过像前面讲的大隆铁厂那样的宿舍是极少的。普通的宿舍，就是一间大工房，摆满着三层铁架木板床，人一层层地睡满，天花板上装着半明半暗的电灯，看书与识字，只有在床上，以箱子当做台子。睡在下层的因光线不够，就得燃起洋蜡烛来，热天时候真糟透，满睡着许多人，闷热到极点，蚊子臭虫特别多，学徒们没有钱买蚊帐，只得以毯代帐子裹着全身，一面流汗喘气，一面睡觉，不然蚊子就要光顾你。电灯关了，臭虫又排队驾临，有时随便一摸，会捉着一个臭虫，这么来便会使你一夜失眠，直到三四点钟睡不着，然而第二天仍得按时起来拖着疲倦的身体做工。到冬天，蚊子臭虫匿迹了，可是因天冻，不得不把四周窗子关起来，因此碳酸气充满全室，尤其睡在上面的最高层，一股难受的气味，简直使你几乎窒息死。

至于小铁厂的学徒，尚没有资格享受这种宿舍的待遇，他们只有睡在阁楼里，或作场里门板上，铺位白天里收起来，晚上临睡的时候才摆下。

关于伙食方面，各厂的情形不一律，老师父吃得好一些，学徒普通是两饭一粥，吃饭时两荤一素。所谓荤菜只是上面放几片薄薄的鱼肉，吃到第二碗，菜就吃光了，但肚皮没有填满，白饭也得下咽。至于小铁厂，伙食更坏了，甚至十多人一桌，只有两碗菜，饭是最坏的米做的，黑黄色，若果没有看过的人，第一次见了不相信这是饭。

在老师父中，十个人平均有六七个人已经结婚，每人起码要维持家庭三四人的生活。儿女或自己生病，便要借债。所以他们过生活是非常谨慎的。未婚的工人或负担轻一些的工人，每月可省下一些钱，作娱乐交际费用，到最便宜的电影场看电影，或去看本地滩簧。大家将全付精神集中到舞台上，滑稽时哄笑，紧时很静默。吃豆腐，打相打的事有时也常在这些游戏场中发生，打起来时总是同厂工人自成一帮，谁也不肯向对方低头。有时流氓白相人从中鼓动挑拨，以便坐收渔人之利。因为到吃讲茶老头子来参加，他是要铜钿的。

（二）**娱乐**　手中不宽裕但又欢喜娱乐的工友，在夏天大家常常跑到工厂附近的空场上，几十个人一起，拉的拉，唱的唱，或歇一会来谈天说地，这时候讲滑稽的工友便大显身手，逗到大家狂笑。有时候也谈到国家大事。附近的他厂工友，亦可自由参加与旁听，不分男女老少大家融融洽洽，规规矩矩。每天放工之后，未睡以前，都这样聚会一次，大家好像有瘾一样，把这短短的时间非常宝贵，利用着来恢复整日身心的疲劳。冬天不在空场上而在宿舍里，或分途在各个工人家庭里，内容也是和夏天相似，不过大家睡得早，时间短促一点。

（三）**帮派**　在铁工厂里，没有明显的帮派组织，但是在青年学徒中，无形中的团结是有的。那就是以年纪大一些的为中心，这里七八个，那里五六个，互相接近，但群与群之间，对立的现象仍少。平日工人之间，交际上很客气，大家在厂内，虽混得熟，甚至嬉戏，但一离开厂，到各人家里白相，总是尽情地招待。

（四）**文化**　大铁厂里工友，因为要懂得一点初步机械知识，故文化水准比较高，不识字的占少数，尤其是在新招的学徒之中，起码是小学毕业，初中毕业和超过初中的也不少。但在小铁厂中则情形是不同的，文化落后一些，不识字的占多数。

第十七章 锯木业

（一）木材在人类日常生活中占一重要地位。因用途不同，可分为三类：一、建筑类，二、物具类，三、装运类。锯木业就是代出品厂商制造商品运装之木箱。

（二）上海锯木业，在“八 · 一三”前，分设沪市水道便利之处，计：

外黄浦——祥泰木行锯木部（英商）。

内黄浦——惠芳公司（英商）。

苏州河——榕茂木厂、益丰木厂（华商），精艺公司、贝乐洋行（英商），野村木厂（日商）。

南黄浦——德成厚、久记（华商）。

锯木车数：英商共约有三十五架，华商共约有十八架，日商仅四架。

箱板车数：英商共约有一百六十架，华商共约有九十架，日商仅二十余架。

工人人数：英商共约一千一百人，华商共约六百五十人，日商有一百三十人。

英商中以祥泰为首，开创于前清时期，营业为沪市锯木业之冠，且兼营建筑业。华商德成厚为首创者，久记为后起之秀，惟营业以建筑业为大宗，榕茂营业亦盛。日商仅供给沪市几家日商纱厂之用品。

（三）自“八·一三”以后，南市、闸北、虹口都处于被占领区域内，华商工厂都遭烧毁，英商尚完好如初，而租界内新兴小型箱板厂如雨后春笋，尤以西区为多，现将开工者一并统计列下：

旧地复工者：祥泰、惠芳、贝乐、精艺（英商）、野村（日商）、榕茂、益丰（华商）

以后新兴者：三井洋行锯木部（杨树浦，日商）、榕茂（新址）、鸿昌、泰记、金城、锠记（华商）等

锯木车数：英商二十五架，华商三架，日商十五架。

箱板车数：英商一百二十架，华商九十架，日商八十架。

工人人数：英商六百余人，华商三百六十人，日商

四百五十人。

（四）“八·一三”战前原料来源：一来自国外，向各进口行定货，如怡和、孔士、三井等；二来自国内，和杭州、温州、福建等处，是向木行掮客定货。各木厂买来元桶木料，用锯车自动锯成木板，以客户需要的多少和厚薄而定。

（五）“八·一三”战后，原有工厂多毁于炮火，加以水道封锁，元桶木料，无法应用，故今改由当地锯木厂锯成后装运来申，再行制过，对此类小型箱板厂，均极适宜，惟英国因为有国际关系，今仍可自行运来元桶锯用。华商仅榕茂一家，托三井洋行设法，付去许多手续费、税金，在日人腋下，将焚为瓦砾的工厂，仍行恢复，还加入什么“沪西木业公会”的伪组织。

（六）工作时间最初是很长的，后来北伐军抵沪，改工作时间为九小时，至民国二十三年，借口营业不好，加长为十小时，战后又加长为十二小时。

（七）职工全属男性，年龄自十八岁至四十五岁，平均以二十五岁至三十岁为最多，约占十分之六。

（八）待遇：各厂不一，战前工资最高为一元，普通的六七角，最低的四角，童工二角，长工一星期升半工，临时工做一天算一天，自己吃饭，夜班长工有七分津贴，生病没有工资，因公受伤没有工资，仅有医药费，雇用工人，是以生意忙否为久暂，尤以临时工为最危险。

现在各厂工资减少，如榕茂工人一概吃厂里饭，老工人旧工钱六角以上者，今改为三角五分，新工人二角五分，做夜工贴点心钱五分，自去年十月以后，三角五分的加一角，二角五分的加五分，以后新添工人一概为二角五分，升工一概取消，年赏节赏更谈不到。而给工人们吃的饭菜，异常恶劣，饭是洋籼米，小菜非常不好，时常是不清洁的青菜，烧得不熟的萝卜和一些青砖鱼、东洋鱼，都是不够下饭的菜。因公受伤的，工资没有，就是医药费，也不过一二角；住在厂里的工人，房子要自己动手，用木板钉成，放在潮湿的泥地上，没有电灯，四个人睡两只铺位，有的卧在非常震耳的机器旁边。木屑在空气中飞扬，开水里，饭里，菜里，卧铺里，肚子里都有木屑，工人们的生活是多么的苦，生命是多么短促。在去年秋天里，每个工人都生“绣球风”及“脚肿病”，这都是地上潮湿和厂里饮食不卫生所致，有不少的工人，都因脚肿气冲心而死去了，厂方并没有想办法救济与医治，还不断的叫工人息工做下去。工人大都没有钱，在生病的时候，不肯借钱给工人医治，一到病症厉害，不管病人的死活，就把他扛到旷地上，让他死去，报告巡捕了事（据说厂里不能死人）。

（九）我们工人的生活，可说是再苦也没有了；但我们的家庭呢，是更苦了，大概住在草棚里，有父母妻子，都是上厂做工，有的出外拉车，苦难的生活，真难过活，倘若有人生病，那更糟了。

我们工人的信仰，大都是信佛教，只有一二个是信回教，这是传统的，间有一二个连信仰都打破的。赌是一般年老工人的业余娱乐，但这只有少数。看地场戏倒是大部分人所欢迎的，因为那里只要出很少的代价，就可以看到愉快的戏，虽然是含有很浓厚的封建意识，但在上海区域内，是再没有像它这样平民化了，所以，这里可算是工人大众的集合场，只要从事大众教育事业的人，能注意及此，将来加以改良，其收效是很大的。

（十）现在工人们的思想是前进了许多，联合和团结，是每个人明白了的道理，可惜还没有集群的力量表现。当资方进攻的时候，每个工人都愤怒，例如在去年六月热天，生意非常好的，叫工人每天工作十二小时，工人怎能吃得消？想请一二天假休息，都遭了管理员的怒骂，讲工人们偷懒，甚至用“告假即开除”来威胁工人。唉，真太可痛心，工人们个个做得汗珠直流，手软脚软。但是，工人们只有含愤与咒骂，没有集合的行动，或许有这心意是苦于团结不够，同时，更为了在抗战时期，国内应该统一，应该共同对外，就此忍下去了，如资方仍进攻不止，或如榕茂老板一样与敌人勾结，那我们工人就再不能忍受了。

第十八章　卷烟业

第一节　卷烟业工厂数目与职工分布及生产情形

吸烟为各国民族普遍的嗜好，有钱的人在业余酒后以吸烟来帮助消化，刺激神经，寻求愉快；劳动者在工作之后，亦常以吸烟恢复疲劳，振作气力，准备继续的生产力。我国以前民间吸烟，分旱烟、水烟两种。即将烟叶切成烟丝，装在竹制或铜制的数寸长有时甚至三四尺长的烟杆内，用火燃烧，这就是旱烟；如在烟杆的一端，装置以盛水的部分，使烟燃烧之后，透过水，减少其火气，这就是水烟。自欧化东来，旧式的吸烟法即逐渐淘汰，无论自大都市以至穷乡僻壤，皆改用卷烟。昔日的旱烟水烟，很少人吸了。

一 中外烟厂的分布情形、资本和工人人数

卷烟厂以英美烟草公司为巨擘，该公司创设于一九〇三年，至今已有三十六年的历史。根据美国人所著《外国在华投资》一书的估计，一九三一年外人在中国的投资总数为三二四二五〇万美金，其中英国占一一八九二〇万美金，对总数百分比为三六点七，居第一位。又据一个英国人的报告，一九二五年在上海英国工业的企业资本为二六六〇万镑，而其中英美烟草公司的资本占一九〇〇万镑，即占百分之七十一以上。英美烟草公司在整个帝国主义对华经济侵略上所负的使命，在这里我们不能不表示惊讶！

现在英美烟草公司，除上海而外，在汉口、天津、青岛、沈阳、香港，都有它的分厂与分公司。据一九三二年估计华商烟厂公司六十家的总资本是一五四六万元，英美烟草公司一家的资本是三六〇〇万镑，合国币四万万元，从这个数目，可见英美在中国卷烟业中的垄断地位了。英美最近改名颐中烟草公司，美商花旗烟厂亦被其收买过去。

除英美而外，在外商方面，属于美商的有：大美、

多伦、美迪；属于意商的有宝大；属于希腊的有锦华、杜柯、健身；属于日商的以前有东亚，现在（“八·一三”后）又强占华商华东改名华生第一厂，强占华商新华改名华生第二厂；属于华商的有南洋、福新、华成、大东、和兴、华美、利兴、中原、德隆、友利、德兴、汇中、信远、大东南、江浙、鲁兴、新民经济、三新、永利、中和、大幸、大英、昌大、大达、爱四、中南、大中国、义成、中国、华菲。

以上各烟厂人数，根据各厂工友传说，及偶然报上所载消息，总共约二万五千多人，其中英美占最多数为七千余人。其余则为福新、南洋、华成、华东、汇中，人数皆自一千五百至二千人以上，华成在战前曾有四千人左右。至于其他各厂，大都在一千人以下。这是直接由烟厂雇用的工人，此外还有做匣子、洋铁罐、锡纸、箱子等工人，也是和烟厂有关系的，他们是依靠烟厂生存的，反过来说，烟厂也非靠他们不可，假使把这些人加起来，至少要多三分之一。

在烟厂里女工要比男工多八倍，在各烟厂都是一样，可是女工的地位呢？恐怕比男工低八倍以上。这是女工们的耻辱，现在让我举一个例子，将各部分分布情形来告诉大家，更可使大家容易了解。

（一）叶子间女工（三十岁至五十岁的占多数；手工）

（二）烟丝间男工（车上做）

（三）烘房间男工

（四）卷烟车间男工（车上做，十六岁至三十岁）

（五）锡包间女工（十六岁至三十岁占多数）

（六）大包间

（七）装箱间男工

（八）坏烟间女工（老太婆）

假使有十部车的一个烟厂，则其人数分配如下：

叶子间　女工二百人。

烟丝间　男工十人。

烘房间　男工六人。

卷烟间　男工二十人。

锡包间　女工三百五十至四百人。

大包间　女工（人数不定，有的厂没有）。

听头间　女工（同上）。

壳子间　女工（同上）。

装箱间　男工六人。

所以把整个烟草男女工人百分数比较起来，女工起码占百分之八十五以上。

关于年龄方面，十分之六是十六岁至三十岁，十分之二是三十岁至五十岁，十分之一是五十岁至六十岁，还有十分之一是十岁未满至十六岁的。

籍贯方面，浙江宁波、绍兴一带的人总计占百分之四十五，浦东人占百分之二十五，江北人占百分之十五，广东人占百分之五，无锡、常州等人占百分之五，其他成分占百分之五。

烟厂最高的行政权在总经理手里，以下为副经理、厂长、副厂长、管理员、各部部长、职员、拿摩温。在工厂里对于增加工资和赏金等问题，是由经理厂长等决定的，小职员无权过问。但有时若发生增减工资的纠纷时，小职员是同情工人的，对工人是很有利的。在工厂里面的事情，像烟打翻，或有一点不当心做得不好，便要罚钱甚至开除，不准讲话等等，这都归职员与拿摩温管理。大账房里是不知道的，有的厂里甚至把罚钱当做职员赚“外快钱”的干，他们罚来的钱买东西吃。像福新烟厂，拿罚来的钱充当职员买运动玩具，他们厂里在四楼有个运动场。还有侮辱老年和童工或老实工人，这也是工场内职员和工头寻开心的事。当然如考工和部长们“公正”一点的话，也可以免掉这种太明显的舞弊事情发生。像花旗烟厂里新来一个部长，规定谁罚钱一定要到账房内去，假使是工头罚他的，那么工头也一定要同他一道去，先由工头告诉部长要罚钱的原因，然后部长问工人你为什么要做得不好，倘若是工头造谣或夸大的地方，工人可以根据事实报告部长，再由部长决定罚不罚。假使工人和工头争论，只要工人有理，部长在工人面前他也批评工头不对，但这是个别的情形。普通一般烟厂里，多半是袒护工头无理罚钱的。工人去问他为什么要罚工钱，工头就说：“我要罚就罚。”无论工人如何有理的事情，告诉高级职员，他们总是帮助工头说工人不对。

二　生产情形

讲到烟厂的生产情形，先说生产工具，一部卷烟车的价值，中国制造的要值一万元左右，美国制造的要值一万五千元到二万元左右。同时卷烟车与切烟丝车是相连的，有一部卷烟车一定要有一部切烟丝车，切烟丝车约五百元左右。这两种机器，是烟厂里主要生产工具。除这以外，还有烘烟筒，磨刀车等等。

卷烟车有快刀头、普通刀头二种，快刀头车一分钟可以出七百支香烟，一天十小时计算，可以出四十二万支香烟。烟厂里卖给纸烟店的时候每箱装五万支，故一部车的出品，每天可装八箱。

普通刀头车每天可做六箱左右，每箱香烟，须烟叶一百五十多磅，如每磅七十元计算，须一百零五元，统税每箱一百元，女工工资每箱三元五角，车工工资一元，锡纸八元，大油封三角二分，小油封二元，大匣子小匣子共须十元，总共算起来，一箱香烟要成本二百三十元左右。但卖给纸烟店可以卖二百八十多元，所以每箱烟可赚五十五元多，一天出二十箱烟，可以赚一千一百元。如福新烟厂每日可出一百多箱，华成每日可出二百多箱，他们赚的钱可想而知了。我们从这些数目的计算中，又明明地看出，他们赚钱的来源，主要由于工资的低廉。

第二节　工作时间与工资

一　工作时间

男工工作时间，普通是做十小时，分日夜两班。日班早上七时上工，下午五时半放工，中间停工半小时吃午饭。夜班五时半接班，到明天早上四点钟放工，中间也停半小时。工作忙的时候，加钟头做到十二小时，工资照算。比方四角钱一天，加一个钟头四分。男工多半做车上的工作，如切烟车，烟丝车，卷烟车，都是由男工做的。其他与机器直接有关系的工作，如烘烟间烘卷好的香烟，也是由男工做的，资方分日夜两班的缘故，在使机器运转不停。

女工工作时间的畸形现象，恐怕在任何产业里都没有的。女工的工作时间，是随厂方货色需要与否来决定。在货色需要紧急的时候，一天做十六七个钟头。即早上六时或五时进厂，做到晚上十一二点钟放工。最倒霉是在加印花税的时候，比方从下月一号起要加税了，那么厂方就准备在一号前多出货物，各烟纸店和外埠烟店，听到要加税，也一定预先多购货色，到印花税涨价后，卖给买主可以多赚钱，于是各烟厂都开始做夜工，接连做十六七个钟头。一九三八年三月里，伪统税局也加过一次税。烟厂老板当工人比租来的机器还不如，一点也不负责地强迫工人劳动，像福新烟公司，在这次加税的时候，最后二天强迫工人连做三十六小时。不许工人回家吃饭，叫小贩拿一些冷大饼、油条、馒头等东西，到厂里来卖给工人吃，直到第二天晚上厂方货色赶好后，才肯放工。在厂方没有宣布放工的时候，连有病的工人也不许请假，谁要请假，厂方就拿收牌子（即开除）来威胁你："你出去，以后就不要再来做工。"在放工的时候，每个工人已做得精疲力竭，脸上一点气色也没有了，都是软搭搭地连走路的气力也不行了，回家已不想吃饭了。有好多人生起病来，但烟厂老板是一点也不负责的，好与坏对他更不相干。他与工人刚刚相反，安如泰山，快乐地计算这次赚多少钱。上面已经说过，烟厂的工作时间没有规定，是依照货物的需要为转移的。那么厂方货色需要不十分紧急的时候，一天只做一二小时，有时停一天做一天，还有时停一星期或一个月都没有一定，特别在黄梅天香烟容易发霉，所以烟厂便不做存货，卖多少做多少。有时明天做不做连厂方自己也不决定，等买主决定。假使今天有人来定货，今天便叫男工开夜车，明天早上女工就有做的了。工人不是隔夜关照的，若果没有做的，明天只得跑一个空，不管路远近，落雨晒太阳，都是这样的，厂方是决不会想到工人的苦处的。他们只关照管门巡捕："工人来，告诉他们不做；明天也没有一定。"工人一个钱也没有做只得空空地回家去，心里当然是很难过，但家里的人还要叹气道："今天没有做，日子怎样过下去呢？家里现在连泡开水的钱也没有了，拿什么东西来吃呢？"所以烟厂工人时常过着半失业生活，在饥饿线上挣扎。

因为工作时间没有一定，所以烟厂工人吃饭的时间也没有一定的。比方下午二时或三时要放工，午饭工是不放的。多数的工人都是饿到回家去吃饭，或者是到厂门口去买一只冷大饼、馒头一类的东西来充饥。正是在这时候，工作最为紧张，因为谁做得慢，未包好的香烟，就要被工头掷给做完的人做，那么做慢的人就要少做了，所以他只得拼命的做，连小便都等到放工时候才解。做快的人也是这样，因为想多做一些，所以从早上到放工为止，连吐气的工夫也没有，这样工作时间，对我们的健康，真有很大的害处。

二 工资

男工的工资是按日计算的，工资的多少，是看技术的高低，年份的长久，以及牌头的大小来决定。会开车，修理机器的工人工资由七角到一元二角；普通男工，就是将卷烟车上做好的香烟，捧到木头盘里，或将烟丝倒在卷烟车上，普通叫做这样工作的男工为捧香烟小郎。他们的工资四角到五角，年数做得多时，可以升做开车工人。至于老司务，年岁比较大一点，他们的工作就是把空的木头盘搭到车上，再把车上装满香烟的木头盘，搭到烘房里去烘，然后再把烘过的香烟，拿给女工去包。还有扫地装箱等事情的男工人，工资五角至八角左右，一天也是十小时算。

女工除了扫地的小工而外，都是论件的。扫地的小工每天工资三角到四角。女工工作主要的分锡包间，听头间，叶子间，壳子间，匣子间。锡包间就是把香烟包在锡纸内再装到匣子里。十枝廿五包装在匣子里我们叫一条烟，工资各厂有大小，一分四厘到一分九厘左右。廿枝廿五包装在比较大的匣子里，普通叫一只烟，工资各厂也有大小，二分七厘至三分左右。十枝五十包装在匣子里，我们叫做一匣烟，工资二分四至三分。一个钟头一点也不休息，要拼命的做。普通工人可做七分左右，做得稍慢的人，只有五分钱可得，所以不管快或慢的工人做一个钟头，也只能得到几分钱。

听头间就是把五十枝香烟，卷在一张比较厚的纸头上，再装入洋铁罐里，叫做一听烟，工资三厘至四厘，听头烟比锡包烟少，有好多厂是没有的，工资平均计算起来，比锡包间好些。

叶子间就是把叶子中间的一根筋扯掉，所以每个工人手上，都起了泡，特别在热天里，叶子刚烘好就拿到叶子间，那热气与烟气，难受是形容不出的。衣服裤子都被汗水透湿，流下来的汗水都是很黄的，像在烟灰水里洗过澡一样。工资是拿烟筋做标准的，每撕一磅，二分起至三分。磅的时候，弊病很多，职员和这工人比较好，或有什么私交情的话，那她做十磅就是十磅，假使和这个工人不好的话，一样多的烟筋，他说你只有八磅九磅，工人是不能说话的。一个钟头之内，每人平均做二磅左右。

壳子间，做一千只壳子，工资二角至二角四分。撕坏烟是指卷得太松，或在车上碰着油的香烟，普通叫做松烟或迹烟，不能出卖，须重新把卷好的纸撕掉，仍做烟丝，工资是以烟丝做标准的，每磅烟丝二个铜板至三个铜板，一个钟头大约撕四磅。

以下是论件工，工作时间是没有一定的，所以工资也没有一定。烟厂的工作每年平均最忙三个月，其余九个月不是做半天停半天，便是完全不做，像锡包间，平均计算起来，每天最多四角，有好些小烟厂还没有这么多。

因为生活程度日渐的提高，和我们工资相差得太远，所以有工做的时候，只得拼命做快，提高工作的强度。根据《国际劳工月刊》五卷十期的统计，一九二六年到一九三八年生活程度的提高情形如下：

	1926 年	1938 年
平房每间	1.969	5.68
楼房每间	1.972	6.478
香烟每包	1.035	0.06
咸雪菜一斤	1.035	0.163

可是在这同时期之内，我们烟厂的工资变化如何呢？

	1926年	1938年
一条烟	0.015	0.019
十听烟	0.020	0.022
撕坏烟一磅	15文	20文

因为生活程度的提高而工资不能与之适应，那么工人怎样来对付每天不可少的支出呢？这只能拼命的多做，提高工作的强度，在一个钟头之内：

1926年	1938年
100包（10枝）	160包
30听（50枝）	100听

车间里虽是论时工，但工作强度也提高得很多。因为厂方很会想办法，他们说："那一部香烟出得多就有赏钱。"所以也将一切精力都拿出来，拼命地想把车开快。

这样无限制地提高了工作强度，损坏了工人的健康，折短了工人的生命至少是三分之一的年龄，增加了不知多少的东亚病夫。

第三节　工人待遇

十二岁以下四十岁以上的童工和老年工人最苦，还有平日不大会说话的老实人也很吃苦，另有少数比较狡猾点的人，时常送点东西给工头与职员，那么他可以便宜一点，可以多赚钱，特别在女工方面，因为工作是论件计算的，烟拿得多可以多做一点。因此工头在分烟的时候，普通工人每人发一盘烟（大约可做五条左右），但他自己的人，就分一盘半，别人做完坐起来等，但这些人可以继续地做，不必等。这种不平等的情形，在福新烟公司更厉害，特别在工作轻的时候，大多数和工头职员没有关系的工人，做二个钟头便放工，但工头的亲戚、阿妹、外甥女、堂姊妹或经常送东西给工头的工人，至少可做三个钟头以上，甚至做四五个钟头放工。假使有谁对这一种情形表示不满意，工头便会造谣说这个工人怎样不好，怎样不守厂里的规则，想法罚你的钱，或开除你，所以使得好多工人，都敢怒而不敢言。

童工和老年工人，时常受工头打骂，开口总是骂："老家伙！""老不死！""老太婆！"一声不响，任他去骂便罢，假使谁和他争嘴，他便动手打，或罚工钱（当然好的工头例外），童工总是被叫做“小鬼”，“小猢狲”，工头要打便打，要骂便骂。烟厂里最小的童工，只有七岁（只要有人讨牌子，厂方是不管年纪大小的）。我想，有钱人家七八岁的女儿，恐怕还要他们父母抱着睡觉咧！贫苦人家的孩子，虽然贫穷，但是却一样也是小孩子，心灵还是脆弱的，那里经得起工头，职员们粗暴的喉咙和铁板一样的面孔呢？在厂里，时常可以听到童工们悲惨的哭声，叫人不忍卒听，笔者过去也是童工之一，我亲自尝过童工的苦味，所以，我希望早些能把这种哭声消灭掉。我想说一说我做童工时一个永远不会忘记的罚工钱的事，这也正是千千万万的童工们所同样会遇到的。

我是在九岁那年七月去做工的，其实八岁还不满，那时我的小手还不能拿十枝香烟，只好分做二次，五枝一拿，摆在铜匣子里面，在做工的第三天，工头阿新在我后面来看了好多次，我吓慌了，不知怎样，在五十包锡包里面，有一包只包了九枝香烟，因为我们是生手，做好的香烟，都要给工头看过后，再拿到账房间去领工钱（这时候南洋烟草公司是发现钱的，做五十包两个铜板）。工头用她尖利的眼光，将每一包香烟都看过，果然给她看出了其中一包是九枝香烟，于是她就将我的小辫子一拖，要我到账房间里去，我发抖了，连话也不会说了，尤其到账房间去，使我更害怕，我一定不肯去，工头拖着我的小辫子非要我去不可，这时候的情形，好像是马路上黄包车夫跑错路，巡捕硬拖着他到巡捕房去一样的。于是，我放声大哭，被拖到账房间去，罚了二百文，这一天我只做八十文，在吃中饭的时候，从家里拿来十二个铜板给厂里，才算完事。晚上回家去，我就发寒热，昏昏沉沉的睡了半个月没有起来。这一次病是我不会忘记的。另外，在四年前，我还看见过华成烟厂一个十二岁的小姑娘，她的母亲靠她做工吃饭，但是因为做错了一点小事，职员一定要收她的牌子（即开除），她要求职员，她将家里的苦处都告诉他："沈先生，谢谢你给我做做，我母亲要靠我做工吃饭的，原谅我一次吧，以前我从来没有做错事，以后做错，我给你收牌子好了！"她哭着说，好像已经看到她母亲忧愁的脸，和家中没米没柴的困难情形。她跪倒在地上，向职员先生拜了又拜，哭得非常悲惨；二千多工友都为她流着同情的泪！可是那位职员先生却好像是铁打的心肠，非收牌子不可，这个小姑娘，当场就昏过去，工友送她回家后，她嘴里吐了很多的水，对她母亲说了两句："我吓煞啦。我吓煞啦，要收我的牌子！"第三天，她就死了，据医生说，她的胆吓破了。

上工的时候，迟到几分钟，就要"吃排头"或不许进厂，男工早上都要领工牌的，迟到就不能领了，就是和厂方去说明迟到的原因，还是要记过，即使是因为家里死了人而迟到，他也不管。记过的次数多了，就要开除。女工上工时虽然不领工牌，但是管门的巡捕，工头，管理员，这三个关也是逃不过的。管门的巡捕有好多是同情工人的，他们看着工人淋着雨雪，站在厂门口时，在可能情形之下，总是放工人跑进去的；但是如果厂方特别关照他"在上工时间外，不许再有人进厂"，他就无能为力了。即使是通过了巡捕的一关，但到了厂里，不是香烟领不到，白坐一二个钟头，便是仍给职员或工头赶出，有时甚至于大吃了一顿"排头"之后，再加上罚洋四角。所以，工人迟到的时候，总是像"贼骨头"

一样轻轻地走进去，心里不住的跳，希望最好是不要被工头看见。

在厂里，两三个人讲话也是不可以的，要是给工头或职员看见，马上要骂“死人，做工来格还是讲话来格”，有时也要罚工钱的。天热的时候，假使厂方觉得那几天风吹进来香烟容易发潮，那就无论怎样闷热，窗子也不许开，工人热得发痧也不管，谁开一开就罚工钱。

香烟做好了，要拿到账房间去“交烟”，没有做的烟，要拿到位子上来做。三十条烟，非常沉重，搬来搬去非常吃力。从做工的位子到账房间，起码有一百多尺路，有的还要从楼上拿到楼下，更加吃力！一九三七年底福新烟厂里有一个怀孕的女工，晚上十点钟，在极度的疲劳之下，交了卅条烟之后，就受伤小产了。“做工的人是拿性命来换饭吃。”谁说这话不对啊！另外有少数烟厂，限制工人十条一交，这样虽然比较轻一点，但是工人的时间却浪费更多了。

烟厂里，男工和女工的待遇是不同的，待遇较好的厂里，男工每一星期赏香烟五十枝或一百枝，每月有一天或两天升工，有节赏，年底有两个月赏钱，还有“分红利”。可是女工呢，除了年底赏五十枝香烟和一张月份牌外，什么都没有。罚工钱的事，男女工也不一样，男工做错事，总是记过的时候多，罚钱的时候少；女工呢，一来就是罚一两角，甚至五六角一次。

男女工人待遇的不平等完全是厂方破坏男女工人团结的一种手段，下面一件事实，就是最明显的一个证明。

一九三四年，某烟厂加了一次工钱给男工，厂方对男工说：“你们不要说出去，因为女工人数太多，我们不加她们工钱，假使她们吵起来，连你们也不加了。”于是有些男工居然受了骗非常反对女工加工钱的要求，他们想：“我们本来可以加的，女工厂方是预备不加的，现在吵起来，连我们也不加了，那不是女工害的吗？”他们不知道厂方狡猾的挑拨手段。

男工的待遇虽然比较稍好一点，但是他们同样是被剥削的人。过去有一个大烟厂，一年赚了三百多万，只拿出两万元分给五百多个男工；而高级职员像经理先生几个人拿的红利，恐怕比这个总数目还要多，至于那些开厂的资本家们不劳而获的利润更不知要多出多少倍呢！所以女工应当提出男女平等待遇的要求，但不应当妒忌男工的稍好待遇，男工亦应当帮助女工要求改善待遇，而决不可自满于自己较优的待遇，帮助资本家反对女工们合理的要求，男女工人应当精诚的团结。

颐中烟厂（即英美烟厂）的工资和其他待遇，比较好一些。在北伐以前，这厂也和其他烟厂一样，工作时间没有一定，生意忙便赶做，日夜不停，生意轻便停起来。工资很低，其他待遇和别的厂一样坏。但到北伐时候，男女工人都起来罢工，组织工会，向厂方提出条件：（一）改良待遇；（二）增加工资；（三）女工生产时津贴三十元；（四）每年盈利，照工资每元五分计算到年底发给工人；（五）每月米贴三元；（六）做满五年拿储蓄金一次，数目依照盈利计算，如五年拿五十元盈利，则所拿储蓄金亦相等；（七）如工人做满五年厂方因生意轻解雇，则加发储蓄金一倍半；（八）工人死亡抚恤金三十元；（九）每星期至少做五天，每天至少做九小时，如一星期没有做足四十五个钟头，工资仍依照四十五钟头发给；（十）各纪念节放假，工资一半。

英美烟厂工友经过多次英勇不断的斗争，厂方才逐渐接受，每次罢工接受二三条，直到现在完全实行为止。

但是为这些条件奋斗最积极的一般工友，在一九三四年资方与当局共同压迫之下解散了，这是非常痛心的事。

然而厂方对工人的力量，是始终认识的。“八·一三”战事爆发，厂方每名发二十五元逃难费，规定开工时每月抽还二元，停工期内按原有工资之半发维持费，三十元工资发十五元。一九三八年伪“维新政府”向厂方借一百五十万元，厂方亦与工人的积极抗 × 态度一致，坚决表示拒绝。

第四节　工人生活概况

我碰见过好多朋友，都和我这样说：“你们烟厂里工人生活惬意呢，纱厂里真苦来，一天要做十二个钟头，有时还要加钟头，生活多苦啊！”的确，我们很同情纱厂工友们所过的非人生活；但是我们烟厂工人实际的生活情形，却也是和纱厂工人相差无几，我们也是终年在痛苦的深渊中挣扎！

烟厂里的工友，江南人占多数，衣服比较入时和清洁，因此在表面上看起来，都觉得烟厂工人的生活比较惬意。烟厂里，一班落后的工人，往往看不起穿破衣的工友，所以，有些工人自己没有钱，就是向别人借点钱，也要做两件衣服穿穿，特别是在过年过节，或是那一位工友结婚的时候，为了要应付朋友，竟至用很大的利息去借钱，或是发起一个一元钱的会，来做新衣。男工可以说全体都是有家庭负担的，女工也只有百分之三负担比较轻一点。大多数的工人都没有好的衣服穿，在天热的时候，有好多工人，只有一套衣服，放工回家换了破衣，把身上的衣服换下来洗洗，第二天早晨再穿了去上工，这些工人，她们每天都穿同一件衣服去上工，工头和比较富裕家庭的工人常常看不起他们，甚至为了讥笑而相骂起来，都是常有的事。比如："你为什么每天穿这件衣服，不翻翻行头呀！"（翻行头就是换衣服的意思。）"我没有钱呀，像你有钱可以翻行头。"于是两人便会吵起来。这样，没有衣服的工人会感到难以为情，万分痛苦的。冬天，只有一件棉袍子和一件罩衫的人更多，在停工的日子里，把罩衫洗一洗，明天依旧穿了去上工。有好多工人，家里实在很穷，但是因为怕别人讥笑她，在表面上也不得不假装好汉。工人的痛苦，是说不尽的啊！

为了容易了解起见，我介绍下面四种典型的工人家庭：

甲、父母姐弟四人的家庭：父亲是个半失业的工人，没有固定的厂做，到处做做临时工，一年之内，只有两三个月做工。弟弟还不能做事，母亲在家里烧饭洗衣服，有时替别人家做做针线，洗洗衣服，姐姐一个人在烟厂里做，每月平均收入十五元，连父母的收入，每月平均二十元，要维持四个人的生活，他们的支出大约如下：

房租	买米	买柴	小菜	零用	总计
6元	6元	1元	5元	2元	20元

住的房子表面上也还好，总是单幢的楼房或石库门房子，住平房的人很少，可是里面呢，单幢楼房起码要住上十家，即是：（1）前客堂，（2）后客堂，（3）前二层阁，（4）后二层阁，（5）前楼，（6）后楼，（7）前三层阁，（8）后三层阁，（9）亭子间，（10）灶披间。有的还有晒台楼，至少每一单幢楼房，共住大小五十人左右。以前我住在虹口塘山路的时候，租一个后客堂，五元半钱一个月，窗户也没有，里面阴暗潮湿得一塌糊涂，烧饭在走

道里，就在我的房门口。所以，房间里不但是阴暗，并且还有煤烟，晚上睡觉的时候，既没有窗子，又不能开着房门睡觉，所以好像是关在大木头箱子里面一样，一点空气也不透，大家都是碳酸气里呼吸，天亮起床的时候，头昏得要命。这虽是我个人家庭里的情形，但烟厂工人，住这样房子的最多。有的比这还要坏，同住的人既然多，小孩子的哭声，相骂声，打牌声，弄堂里小贩的叫卖声，往往吵得人不能安睡，厂里常常可以听到工友们这样说："我昨天晚上一点也没有睡着过，因为前楼人家小孩生病，吵到三点钟。"天热的时候，更加倒霉，臭虫像战场上坦克车一样的厉害，你要睡下去，它就要吸你的血，身上咬得一块一块红的，有时整夜都不能睡觉。还有蚊子像飞机一样嗡嗡的声音，使人听了也害怕。

吃的东西更是谈不到什么好的，五元买小菜，平均每天只有一角六分七厘，就是五十个铜板，十个铜板买油、盐、酱油等，还剩四十个铜板，够买什么菜呢？所以，青菜、豆腐、黄豆芽、油黄豆、油条等等，是我们经常的小菜；白菜、黑大头菜、黄鱼，都是我们不容易多得的好菜了。

两块钱做零用，像买肥皂、毛巾、泡开水、倒马桶钱等等，根本就不够用。要是生起病来，大多是没有钱去医治，真像是活受罪一样，另外，还要应付朋友，送礼啦，过年过节啦，常常还要失业啦。所以，烟厂工人经常总是在恐慌，忧虑，饥寒交迫下过生活。大多数的工人都是负债的。在死人的时候，更明显的可以看得出，死尸摊在板凳上，没钱买棺材，于是东奔西跑的借钱，这可以说每一个工人家里过着丧事的时候，都是急得活人要想寻死！

乙、父亲已死，只有母，弟，妹等的家庭，或是两姐妹共同做工的也很多。那么，两人要负担四人的生活，也只能住亭子间，或是灶披，阁楼等。

丙、丈夫已死（或失业），还有婆子，这样专靠女人工钱来维持生活的也很多。

丁、男工有父、母、妻、子女或弟妹的较大家庭，两夫妻都去做工，母在家烧饭带小孩，或妹妹也在做工的也很多。

总之，烟厂的工人，无论是男工女工，平均每人要担负二人以上的生活费，像这样的家庭经济，那里来钱做好衣服，吃好东西呢？好多工人，住在闸北每天要到兰路，华德路做工，住在租界中区的工人，到提篮桥一带去做工，来回需两个钟头，早上怕迟到不能进厂，有时坐坐电车以外，平时总是步行的，就是下雪天，如炎热的太阳下，也是一样。

以上所说，都是“八·一三”以前的情形，抗战以后，我们烟厂工人的生活更起了很大的恶化。

第五节　烟厂的卫生设备和工人的职业病

卫生设备在表面上是有一点的，比方上海几个大的烟厂华成、南洋、大东等都有医生和药品的设备。工人生病时，可以免费诊病，药也不要钱，天热时有电风扇，以及太平门等。厂内平时很讲究清洁，特别在有人来参观的时候，职员和工头指挥着工人扫地，整理位子（做工的台子）上的东西，忙得不亦乐乎，有时弄得不好，烟打翻在地上，又要罚工钱。举一个例子，在一九三五年夏天的时候，有一班女学生，据说是女青年会领去参观南洋烟草公司，那时刚刚是上午十点多钟，工头一听有人要来参观，于是大叫："位子快点弄清爽，烟快点交掉，不去交就要充公了。"于是工人争先恐后，遵令照办，这样一来，香烟有的打翻，有的轧坏，结果罚钱受骂的人很多。扫地的小工更加忙得一塌糊涂，扫得不好，还要挨骂。同时大家不许说话，参观的人来时，工场里似乎还清洁安静，可是她们那里会知道刚才那紧张的情形呢！同时，她们也不会看出来，这样的清洁和安静，是工人受骂和罚钱交换来的啊！参观的人去了，工人便骂的骂，讲的讲，有人骂道："婊子生，没有地方好白相，到工厂里来白相，害得我们倒罚掉两角钱。""是呀，吃了饭没有事情做，大概她们影戏院里白相厌了，所以到厂里来……"当然，厂里的工友是不会知道，参观的人是为了来求得了解工人的生活，准备将来帮助工人呢，还是来玩呢？

工人对厂里的医生，都不大有好感（在这一点上，男女工不同，像华成等厂，男工生病有医生证明，停工可以有工钱，所以对医生比较有点好感，但病重时除厂里医治外仍有到外面去找医生的）。一方面是医生对工人诊病马虎，同时病重的，也拿不出什么好药来，普通只有阿司匹灵、黄药膏、橡皮膏、红药水、沙眼药水等一类东西。而我们烟厂工人生的病，好多都要用贵重的药和长期治疗才会好的。像肺病、干血痨、产后痨等，还有普遍的头痛病，可怕的鼻炎，不但用药不会好，甚至还要用手术，这也非简陋的医药设备所可济事的。至于小的烟厂，简直就连医生也没有，有的连橡皮膏也不预备。厂里的地板，总是一两个月才洗一次，勤的半个月洗一次，扫地的时候也不洒水，所以空气中充满了烟草的碎屑，吸到鼻子里，说不出的难过。同时香烟中含有“尼可丁”一类的毒质。厂里不清洁，吸到鼻子里日子多了，鼻腔就会溃烂发炎，轻的发头痛，流鼻涕，重的鼻子常常要失掉作用，不能嗅味，不能呼吸，最后鼻孔一点不通，完全要用嘴呼吸。我们只要到烟厂里去看看工人用的痰盂，里面都是黄色的浓鼻涕，这就可以证明鼻炎病的普遍和严重性了。鼻子是人的重要呼吸器官，鼻子有病，直接会影响到肺部，加上饮食不好和时常受饿受气，所以生肺病和干血痨的人非常之多。华成烟草公司工会出的工友死亡统计表上，生肺病和干血痨而死的工人，占全数百分之八十以上，这是铁的事实。

工人生了病，无法医治和休养，拖病做工，是很普通的现象。所以有好多的工友，临要死的前两三天，还在做工。下面，我讲一个叫做裁缝嫂女工的故事。

裁缝嫂年二十八岁，是华成烟公司听头间的工人，她丈夫失业，在三个月前，她养了一个小孩，产后没有得到很好的调养，所以她患了严重的产后痨。

女工姊妹们常常谈到裁缝嫂的病：

“裁缝嫂今天还要来做工，你看她脸上一点血色也没有，像是棺材里拖起来一样的。”

“你不要这样说，她听见要难过的，这是没有法子呀，你想伊勿来做工，家里三个人靠谁吃饭呢？”

“我刚去问过她好点吗？她说：‘比前好点，今天可吃一碗饭哪。’我说：‘你停几天好啦，去看看医生呀！’她说：‘好的医生要一块多钱挂号，还要买药，那里有钱呢！住在家里，心里更加烦闷，还是来做做吧！而且到月底还要付房钱，所以我现在正在求菩萨吃仙方（即是香灰），慢慢也许会好点吧！”

后来裁缝嫂又接连做了两天，第四天，她在贫病交迫下，再不能挣扎了，真的到棺材里去了。值得可气的是，裁缝嫂死后，工人中不知谁传来了一个谣言，说："她前世的丈夫寻到了，所以菩萨也不能救她，只好死去了！"

烟厂里的鼻炎病，工人都不大注意，他们总觉得鼻子塞一会不要紧，慢慢就会好的。因为鼻炎、肺病等都是慢性病，初起的时候工人都不觉得，还是手上面生个小疮注意的多，因为立刻就要不能做工的，当然，就是生肺病、鼻炎等，注意它又有什么办法呢？

几乎每个工人都时常患头痛病，厂里每天可听到的是："我今天头痛来，一点也做不动，本来想今天不来做，再想想到发工钱的时候，又不够用，所以又来做了。"可是，很多的工友，不明白自己受苦的原因，他们说："前世不修呀！命生得苦没有办法呀！"

每年到五六月的黄梅天里，烟厂就不许开窗门了，因为怕香烟要还潮，工场里闷热，阴暗，一点空气也不透。有时工人吵闹要开窗门，好多厂方还指使职员工头来责骂工人："香烟要紧，还是你们人要紧，要讲卫生，不要来做工好啦。"为了开窗门，常常有罚工钱的事，职员和工头，热了可以到门外去吹风；可以到账房间里去吹吹电风扇，工人的死活是没有人管的。比较大的厂，也有电风扇，可是一百多个人中间只有一个，只能吹着几个人。

工厂里吃饭的饭间是没有的，男工中午停一个钟头（十二时到一时），除很少的人返家吃饭外，大多数的人，都在厂门口买些点心吃，或往小饭店去吃饭；女工都是论件工，吃中饭的时候，大多数的烟厂是不放工的，就是像大东、德兴等厂，中午放三刻钟吃饭，但是事实上工人不能回家去吃饭，因为大多数的工人家都住得很远，往返须要一个多钟头，也只得在厂门口买一些点心吃。早上我们一爬起来就急忙的要去上工，有时连洗脸也来不及，在路上买两个大饼，或是粢团，烘山芋等东西，带到厂里吃，给职员或工头看见，还要吃排头，男工有时要记过。在厂里，可以说做工用的一切东西，像台子，木头箱等，都是沾满了碎烟屑的，女工，工作是论件计算工资的，当然都想多做几包香烟，多赚几个铜板，所以女工吃点心的时候，都是咬一口放在台子上（也就是放在烟屑堆里），做几包香烟，再咬一口，这样边吃边做，许多烟屑都跟着吃下去了。女工吃早点是这样，吃中饭也是这样。如果早上带冷饭的话，中午到热水汀里去泡一泡吃，要算是第一等的好饭了。有的厂没有热水，只好吃冷饭，天热的时候，工人都不大带饭，因为饭带到烟厂里很容易发酸。多数是买点心吃，还有一班人是买瓜果一类的生冷东西当中饭吃，因为许多工厂都没有茶喝，做到中午，心里发烧，吃不下大饼等东西，都想吃一点黄金瓜，生梨瓜，杨梅，梨子等东西，来解渴充饥。不过像这样吃中饭和早饭，对工人的身体是最有害的，所以在热天霍乱吐泻的病很多。假使能够统计出来，每个工人每天吃进多少烟灰和烟屑，我想这数目一定很可观的。

最可怜的是，许多工友生了病还不知是什么原因，及到死了之后，别人还要说她是前世未修，命根不好，或是前世的某人寻到了等等迷信的话。

第六节　上海烟厂工人的抗 × 活动

远的不必说它，现在就从“一·二八”以后谈起吧。

在反 × 活动中表现出我们烟厂工人是和各业工友，全国同胞们一样的不愿做亡国奴隶，而肯冲破一切困难，牺牲一切而参加救亡活动。我们当时组织过兄弟会，姊妹会，茶话会，里面还分各厂小组，讨论的问题是各工厂的情形，和工人本身问题，灌输民族意识，提高抗 × 热情，暴露敌军在东三省的暴行，和 × × 帝国主义的野心。有一次我们讨论在吉林省，有三百多个工人，被日本人拉去当苦工，做完工后，日人只说拍照相叫他们站好，然后忽然用机关枪把他们统统打死，听的工友全数感动得哭了起来。

一九三四年春，抗 × 志士潘洪生出殡，虽然各界都有代表去参加，但那时政府还不许我们工人有行动。工人自己约集了各厂小姊妹，自制了许多反 × 的旗子和标语传单，勇敢的去参加了。参加的人没有统计，一个很长的四人一排的队伍，从虹口兆丰路出发，向公共体育场前进，参与了伟大的行动。可是在散会回来时，有两个小姊妹被捕了，受了打击后，有好多人都阻难我们，监视我们，用种种手段恐吓我们，他们说："各烟厂里有捣乱分子活动，调查出后，捉他去吃官司，谈抗

× 便是不良分子。”但是工人一点也不害怕，也不灰心，只有更镇静起来，秘密地组织了一个抗 × 会，虽然不限制别业工友的参加，但大多数都是烟厂工人，大约占着十个厂的单位。可惜的是当时参加的全是女工，连一个男工也没有。当然，这不能说是男工比女工落后，只是因为当时当局对男工特别注意，男工所受的压迫更厉害一些，同时社交不公开，工厂组织不合理，把男女工人隔离开来，没有机会和时间互相认识和了解，所以在抗 × 的活动中，也不能统一。

后来，因为环境关系，我们把抗 × 会改成自强会，我们的会员也增加了。

一九三四年五月间，宋庆龄女士等发表“中国人民对 × 作战基本纲领”，烟厂工人有三百多人参加签名。

一九三五年，汉奸殷汝耕宣布脱离中国政府，成立伪“冀东自治政府”时，烟厂工人中的热心分子，每天都讨论怎样起来唤醒工人大众。十二月九日和十六日，北平学生的广大救国运动爆发起来时，大家在报上看到他们不怕一切困难，在冰天雪地里，冲破大刀和自来水龙头，而英勇的起来喊醒全国民众抗敌救国。他们的精神，激动得烟厂工人流泪。第二天，有些烟厂工人，便在提篮桥借了一个工人夜校的地址，讨论学生界的游行示威，参加的有一百多人，后来产生了一个女工救国会。不到一星期，上海妇女界的领袖发起组织上海妇女救国会，烟厂女工也是上海妇女中的一部分，为了行动和工作的统一起见，便取消了女工救国会，去参加上海妇女救国会。妇救第一次召集在四川路青年会开会游行时，有一百多人去参加，在妇救里，也有烟厂工人干事。从此以后，凡是上海妇救，各界工救等召集的一切游行示威，集会演讲或出发宣传，无论是非法合法，只要对抗 × 有利能唤起民众的，烟厂都去参加过。

例如：（一）大陆商场集会出发到闸北开大会，当在大陆商场门口时，我们有好多烟厂工人被打伤了。（二）欢送暨南大学学生到南京请愿，到了不少的人。（三）援助工友梅世钧惨案游行示威。（四）为纪念“一·二八”抗战牺牲的民族战士，游行到公墓前开大会。（五）“三八”国际妇女节，由妇救领导开会游行。

其余如“五一”南京路集会；“五九”卡德路集会；“五卅”市商会集会游行；扩大援绥运动，分队出发宣传；在各工厂也推动了职员工头捐钱，单在华成一个工厂里，就捐了四百多块钱。“九·一八”纪念前，烟厂工人即出发宣传，当天并参加了游行示威，这一次又被捕了两个工友。受重伤的十七个，轻伤的不计其数。工人受伤后，回家也不敢说，因为那时有些工友家里的人，还不了解不赞成儿女的爱国的行动。工人早上出去参加游行示威时，对家里仍然说是去做工；工厂里，虽然停一天工不要紧，但工头是要来问的，工人只说家里有事或生病，一向是常生病的工友，那么工头来问时，只说是旧病复发，昨天去医院里看病，这样还可以掩饰得过。但是有时去参加的人太多了，工头当然不会相信大家一道生病，比方一条弄堂（工场里的一排坐位）十六个人或十二个人，跑掉一两个当然不要紧，跑掉一半，厂方就要怀疑起来，因此有时工人只好少去几个人。有一次，工人想了一条计策，就说去吃喜酒，出嫁的小姊妹是大家的朋友，所以要一道去，真的他们很相信，我们就成功了。受重伤的小姊妹连路都不能走了，就由没受伤的小姊妹扶着坐黄包车回去，家里人看见很吃惊，只说在厂里做工时，搭空盘不小心被碰倒而受伤的，所以家里的父母都很相信，同居的人也很同情，相帮去买伤膏药。有好几个小姊妹的母亲说："运气真不好，碰倒一次会碰得这样厉害，身上一块青一块紫，连动都不能动，一定是碰着'赤老鬼'了，今天去买一点锡箔烧烧吧。"这样，连受伤的小姊妹都暗笑起来。其实并不是碰着"鬼"，而是为了 × × 鬼子。也有几个人被家里知道了，便挨打受骂，以后一切行动也不自由了。

从"七七"卢沟桥事变后，神圣的抗战开始了，因为这种伟大的民族解放战争，是不知花多少人的精神，血肉和生命督促成功的，所以这个抗战刺激得工人发狂，什么都忘掉了。烟厂工人中热心分子，天天的宣传鼓动，热烈的学习救护，讨论游击战。预备等到上海抗战一爆发，便到前线去作战与救护伤兵，但是怎么去法呢？我们想：只要我们准备好，一定有办法的，那时一些热心分子，都预备脱离家庭，大家的热度已到顶点，当时的热狂，非笔墨所能形容。但是，一班想上前线去的朋友，也犯了一个很大的错误，就是没有想到假使上海战争开始后，工厂都停工了，二万五千多的烟厂工人，以及几万家属的生活怎样办？这时应该叫厂方给工人一点钱，或是暂借多少钱等等。当时一般热心分子，一点也没有计算过这些，连自己做的十三天工资也没有拿着（因为工资是半月一发，大多数的厂是每月十五号三十号结账，十六号和二号领工钱，“八·一三”抗战爆发，离发工钱还有三天）。想去上前线的一般工人，倒不觉得什么，因为自己的衣服和家里的一切东西都不要了，连父母也不管了，那里还管到别的，所以当时对厂里大多数工友最关切的逃难问题，反而忽略了。一谈起逃难问题，大家总是这样说：“这一次打起来不像‘一·二八’便当，不会短期就结束，这一次是长期的，而且全中国都要打，没有地方可逃。乡下也靠不住。”有时还要讨厌别人，一天到晚讲逃难。从这些事实，可以很明显的看出，一班前进热心的工友，完全脱离了大多数的工友，没有和大家讨论过将来生活怎样办；全面抗战是有钱出钱，有力出力的，资本家应该负什么责任。果然“八·一三”开战时，大家乱得纷纷，死的死，伤的伤，受难的受难！死多少呢？伤多少呢？谁也无法统计，因为没有统一的组织，一部分工人只顾一部分，因此到现在烟厂复工后，不用我们老工人，我们就没有办法。像华成、南洋等厂就是这样。

那时我们好像觉得，全面抗战，全国都是火线，没有什么后方。

这时，据我所知道的，有六个救护训练班，参加的有南洋、华东、华成、华美、大东、福新等烟厂的工人。后来，风声一天一天的紧起来，外面逃难的人也多起来了，家里的父母也要逃难了，但是我们不愿跟着父母逃难，爷娘对我们哭劝，要求我们同他们一道逃，但是我们一点也不被他们感动，只顾自己学救护，和朋友们谈论离家的希望。这里，我想介绍一二个小姊妹离家的情形：

（一）英　家里有母亲和弟弟，她母亲看她样子不对，自己不逃难，也不顾家里人，一天到晚到外面去，放工以后，老是不回家，知道她要离家了，所以在十二号那天就不许她去上工，硬拖着她到法租界亲戚家去避难，她不肯，她母亲求她，拖她，使她无法脱身。到了亲戚家里，不许她出来，晚上也睡在一道，怕她要逃走，她母亲睡在外边，叫她睡在里边。可是到了第三天早上，五点钟她假装着要小便，就偷偷地起来，什么东西也没有拿，只穿了身上一件单衫，不顾一切的逃出来了。第二天，她在法租界找着了她的同伴，她像找着了三年不见的爱友一样的亲热和快乐，因为，他们是和她一样的，离开了家庭，要去为祖国的自由解放而奋斗的。后来，她去做过防毒面具，到难民所服务，现在，已经去战地服务。

（二）娣　家里有一个婆，丈夫，因为她刚出嫁还不到一年，丈夫很奇怪她的行动，奇怪她不要逃难，也不怕打仗，什么东西也不整理，只整理一只小包裹。她恐怕丈夫逃难的时候要她一道去，所以，她只得说："我在家里照顾东西，你先去，风声不好时，我就出来。"家里的人不肯，因此大家没有走，直到十四号，才空手的逃出来找事情做。

（三）翠　家里有父母弟弟，十二号她父母就要她逃到英租界去，她虽然知道战争快要爆发了，父母不认识路，非她一道去不可，但因为事情忙，只得说这两天不要紧。十三号晚上，炮声已经响了，她也就帮助父母整理东西，预备在十四号早上送家里人逃难。晚上八点钟，她照例到训练班去学习，预备大家离开家后到什么地方，和以后集合的地方，后来大家决定要她负责到法租界去找一个地方，做暂时的集合处。讨论定了，已经是晚上九点多钟，炮声很响，电话也不通，马路上的行人已很少，店家也都已关门，她不能回家去，就在相近的朋友家里睡了一夜。第二天一清早，她就到法租界去找训练班的集合地方，完全忘掉了家里的父母，还在等着她伴送到英租界去。后来过了半个多月，她家里房子烧了，她的父母才由救命车救出来。

在烟厂工友当中，像这样为了国家而忘记自己一切的人，也不知有多少！

“八·一三”抗战刚刚爆发的时候，整个的上海都在混乱中，各个救亡团体，来不及有计划地介绍这大批人的工作，上海总工会又不知搬到什么地方去了，所以这许多热血沸腾的烟厂工人，却陷入了深深的困难中。当时最大的问题就是工作，住和吃三大问题不能解决。男工比较好一些，许多人各投到别动队，游击队里去。最困难的是女工。

十四号早晨，为了要解决这些问题，一些热心分子去找了好几个妇女界的领袖，史良、胡子婴、罗淑章女士等，在百忙中也抽空为我们召集了一次临时会议，可是会议的结果，她们只能同情我们，亦没有办法帮助我们这许多人解决住和暂时的生活。讲到介绍抗战工作，这时更没有办法。

当时大家很失望，过去的幻想竟成了泡影，几个负责的人开始在马路上徘徊，在辣斐德路、霞飞路、贝勒路等地方跑了四个多钟头，所有的朋友都去找过，但大家都说没有办法！那时，大家的焦急和苦闷是说不出来的。当时，一般小姊妹都已经离开了家庭，唯一的希望就是妇救能给工作做，这时，没有团体的介绍，个人是不容易找到工作的，尤其是生活成问题，大家袋里都只有两三角钱，整天地流浪在街头，华成、南洋、华东，以及英美各烟厂的工人，都是如此。

当时，虹口已经成了战区，白渡桥已经不能跑进，虹口的工人都三三两两的跑到租界上来，我们没有别的法子，大家只好饿肚皮，睡弄堂，有的到难民收容所，还有许多人由女青年会帮助，就住在她们办的收容所里。

一个星期之后，大家用尽了一切办法，总算是暂时住的问题解决了，由妇女后援会的帮助，在法租界开了一个救护训练班。但是却没有实际的工作可做，这是工人所最苦恼的。为了找工作不知碰过多少钉子，不知跑过多少空路，看见过许多敷衍的面孔，还听过许多冷话和讽刺。有一个地方说："这一班工人，现在没有工做，饭也没有得吃了，所以才要到这里来做事。"他们完全污蔑了工人爱国的热情，这样的态度，使得许多女工气得哭了起来。

举一个例子吧：大约在十九号那天，抗敌后援会介绍一部分烟厂工人到震旦大学的伤兵医院去服务，大家比过去失业时找到工做还要高兴，因为介绍人说里面有很多的伤兵，没有人服侍。所以他们连早饭也没有吃，就到各处去叫人。到了震旦大学，接洽的人叫他们每人写一张履历表，当然，他们很忠实的说：以前做工，读过几年夜书，会写信，会包扎，服侍伤兵，洗伤兵的衣服。他们老老实实的将自己会做的事全说了出来。可是写好的表拿进去以后，过了半个多钟头，一个人跑出来对他们说："现在医院里服务的人很多，还没有算过那部分缺少人，你们留一个通信处，以后要人再通知你们。”唉，我们只好默默无声的跑出来了。这不是矛盾吗？介绍人刚说过里面没有人做事。

这样的事，不知经过了多少次，但是他们一点也没有灰心，仍旧继续找他们可做的工作。

后来，他们终于找到工作，像服侍伤兵，难民所服务，洗伤兵的血衣，做防毒面具给前线兵士等等工作，还有的出发到各商店和里弄去募捐，慰问伤兵和难民，帮助里弄组织，帮助文化界救亡协会登记失业工人，后来有很多的人都跟着各救亡团体到内地参加抗战的工作去了。

照以上的经验看来，政府平日对于工人的组织，训练，以及有计划的去使用他们的力量，这是何等重要啊！

第七节 “八·一三”后的烟厂工友

敌人的炮火无情地毁了工人的家，更加上炸毁了工人全家依靠的工厂，因为烟厂在战区里占了四分之三，像几个大烟厂都在虹口和浦东，如英美、南洋、华成、华东、大东、华美、华菲等是。当战争时，都不能开厂，从此，工人因为没有家，也没有工厂，使工人生活都起了空前未有的变化。

在“八·一三”那天，炮火就向黄兴路那边开始进攻，全上海有钱的人，差不多在十天以前，就逃到安全的地方去了，可是，工人呢？在十四号还到厂里去做工，直到飞机来轰炸工厂时，于是才从飞机机枪射击下逃到租界上来，但在路上被鬼子打死或打伤的也不知有多少。工人去受危险，因为是：第一，厂方不肯早发工资给工人（工人的工资，是规定一月二次，在十六号一号发的），因为这时工资就是避难费，没有钱当然不能走啊。第二是厂方不许停工，有的厂是口头警告工人，谁停工就开除；有的厂是贴通告，像华成烟厂就贴通告说“工人们不得避往他乡，要继续工作下去，假使不服从命令，当即开除”，所以，工人只得不顾一切，拼命地去做工。结果到十四号上午十点多钟，再不能继续做工了，工头职员他们都坐汽车到租界上去了，连管门的巡捕也逃跑了，工人仍没有拿到工资，只得空手跑出了战区，连家里的东西也没有拿。有好多爷娘找不到儿女，儿女跑到家里，找不到爷娘，弄得全家四散，不知下落。更加苦恼的是：到了租界上，没有钱租房子，只得徘徊在马路上和弄堂里及难民所，还有少数的人，是住在亲戚的家里，也有的回乡下去了。在战前工人的生活，只是能勉强过去，在战争时生活的痛苦，是更可想而知了。

只有英美烟厂，因为工人比较有组织，在战争时，发给工人半数工资作维持费，直到开厂为止。在“八·一三”前几天，每人还发二十五元避难费，但中国工厂呢？一个铜板的避难费没有发，维持费更是没有。好多厂连战前的工资也没有完全算给工人，像南洋烟厂每人只发五元工资，事实上十三天的工夫，做得最慢的也有七八元，做得快的有十元多。华成烟厂，在战前半月工作特别快，每天总做十四五个钟头，所以工人工资都在十元以上。但是厂方说：账簿在战区里，没有拿出来，所以，不论做多少，每个工人发拾元工资，其实他们是明明知道的，每个工人工资都在十元以上，至十七八元，这大约是厂方趁火打劫吧。

从“八·一三”到中国军队退出时止，只有沪西福新烟厂没有停过工，还添了许多的新工人，在炮火机枪声下，拼命的叫工人生产，也是拿谁停工即开除的命令压迫工人做工。此外，还有几家小厂开工，总共算起来，当时还不到百分之七的工人有工做，大多数的工人，都过着流浪的生活，大家都盼望着自己的厂，能够早些搬到租界上来开工，或移到内地去。就是在乡下的工友也时常写信来问工厂里现在消息，什么时候开工？特别是几家大烟厂，像华成、南洋、英美等厂，好多工人都是全家老少在这厂里做工的，他们那里知道，厂方就乘此机会把他们都赶掉了，另用更贱价的新工人，工资打折扣呢？

从国军西移后，上海的秩序，表面是平安一点，比较大的烟厂，也在租界上，设法找厂址开工了，或叫别的烟厂代卷。所谓代卷，就是借别人家厂址开工，像德隆、瑞隆、利兴、大东南、江浙等烟厂，都在租界上，他们生意平时很清淡，时常停工的，工人用得很少。所以，从战区里搬出来的烟厂，都借他们烟厂开工，每做一箱给他们几元钱，有的每月给他们多少钱，等于是房客向房东租房子，只要每月付清租钱，对于这屋子里一切的主权，当然是房客自己有的。几家大烟厂里老板，如大东、和兴、华菲等厂都用老工人，只有南洋、华成烟厂，就借这一机会，翻起花样来。他们是中国烟厂历史最久声望最大的烟厂，也就是我们烟厂工友，替他们血汗流得最多，性命也牺牲得不少的地方。像华成烟厂在民国十年时，在法租界开办时只有资本四万元，经过全体工人努力生产的结果，现在他们自己有三十多部卷烟车，自造宏大的厂房、栈房，到现在十元的股票，已涨至九百元，由此可知他们赚钱的众多。在战后华成借德隆、瑞隆两烟厂开工了，南洋也借利兴烟厂开工了，但是他们现在要补偿在战时敌人给他们的损失，利用众多的失业工人，他们借代卷为名，拒绝用老工人，而另用新工人，工资打七折。他们忘掉了十几年来替他们创造盈余的工人，把一些可怜的待遇也取消，女工做锡包间，过去做十条香烟（二百五十包）有一角九分二厘，现在只有一角四分，平均打了七折，生活程度高过战前二倍多的现在，工资反打折扣。那么，工人的生活怎样过呢？像这样的烟厂老板，他们对全面抗战，似乎了解得太不够；他们也没有负担起抗战时资方应负的责任，及政府所颁布的保护劳工法令，相反的还借这抗战的机会趁火打劫。

华成工人听说要开工了，大家都非常之欢喜，总想可以做工了，生活多少可以维持一点，所以大家先后的都到发行所里去问，但厂方一点也不肯对工人表示明白，他们总是说没有一定。你们有别的地方做先去做好了，不要等我们的厂。工友们听了都觉得很奇怪，因为从职员那里的亲戚听到，牌子也发出去了，在三月十四号就要开工了，所以在十四号那天的上午，经几个热心工友的通知，都到了发行所门口，到十时左右，已到了二百多人，工人就派了代表五人，到账房间里去请求，条件如下：（一）仍用老工人做工，如果现在用得少，工人愿意轮流做工，以便维持大众生计；（二）战事起时，工资笼统发十元，须按照实数给予，工资不足的补发。这二个简单的要求，可以说工人一点也没有过分，而且是非常谅解厂方的，像第一条，工人恐怕厂开得小而工人多，使厂方为难，所以提出轮流工作制。就是补发工资更是应该的，因为这工资非但是工人们的血汗做成的，而且在十四号那天逃出来的时候，几乎连性命也为这工作而葬送了，家里的东西也是为这工作而牺牲掉的。

可是厂方不但不答应工人的要求，而且还很凶的对待工人代表。代表退下来时，几乎气愤得要流泪，当时大家决定仍等在门口，候老板出来时，要求他答复。在老板出来时，工人就去包围他们，所以他们答复明天几时去听他们回音。

在第二天（三月十五）早上九点左右，女工到了五百多，男工也有几十人，仍集合在发行所门口，秩序非常良好，一点也没有妨害交通，大家都静候厂方的答复。可是厂方呢？他们叫了五十多名的中西巡捕来，压迫我们工人，在报上说："因为工人数目众多，深恐肇事，急通知老闸捕房，派来大批探捕，向工人劝导，至十一时始散。"其实工人还没有到的时候，大批探捕已经在各马路口和门口等着了。当时因为工人严守秩序和好多华捕也非常同情工人，所以没有发生冲突，特别是有个华捕对工人说："你们真是很可怜，没有工做，一定要齐心到底，继续请愿，是会得到胜利的，厂方叫我们来一差，四个钟头，要五百元钱呢！你们只要不妨害交通，我们是不管的。"华捕很诚恳的对我们说。工友们都很感谢这华捕，但更觉气愤，厂方有这许多钱来给巡捕房，为什不肯给一点来救济工人呢？工人一直等到十点钟，一点回音也没有，我们只得仍派代表五人到账房间去要求，可是账房间里情形已与昨天大不相同了，除了经理老板和职员外，还有中西包探巡捕等，样子是非常凶，对待工人代表像是对待强盗一样。但工人的代表因为是替几千人解决吃饭问题，所以态度非常镇静，将去请求的理由都一一说给他们听，并讲现在难民收容所快要解散了，厂方再不用我们老工人，我们到什么地方去生活呢？一个工人代表说得悲伤哭起来了，几个小职员也随着流泪，包探也没有说什么，只得随着厂方说，没有办法，这可见包探们也是同情工人的，结果老板经理不和工人讲道理，就拒绝工人的要求了。至十一时就下令叫巡捕来打走工人，去请愿的六百多人，本来预备一道到工部局等处去请愿，要求他们出来主持公道，刚要走的时候，被大批巡捕来打散了，有好多的工友被他们打伤，可是他们一面打工人，而工人就在另一个马路上集合了一百多人，大家提议到宁波同乡会去请愿，同乡会里的主持人也很同情工人，并答应愿意给工人调解。在十六号那天，经几个了解厂方情形的人说，有一位姓戴的股东，这时候是同情工人，而且对这次厂方叫许多巡捕来压迫工人，感觉很不满意，所以工人就派了代表去求见他，并且将我们的意思，和厂方这样对待工人的情形，完全都告诉他。他非常同情工人，并说这次厂方的行动是不对的，后来向他几次要求的结果，他答应我们办一个难民收容所，开厂的时候，就叫工人做工，不去住收容所的人，三个月拿十元钱，住收容所的人每月六元伙食费，请仁济堂代办，所址就借在延平路申园跑狗场，住的房子是过去的篮球场。这样工人的代表都非常满意，并感谢他，不过，多数的工友还不知道，所以要求他在发行所的门口，开一个大会，工人代表可以将他们的办法都告诉大家，并且申明工人一定不妨害交通，经戴先生考虑的结果，替工人借一个宁波同乡会的大礼堂，给工人开会，并且答应工人，他也来出席，这真是使工人们高兴。

在开会的那天，工人到了七百多，戴先生也亲自出席，还对工人说了许多鼓励的话，到的人没有一个不举手的。在这里编好十人一队，可以使所内一切的秩序整齐。从此华成里的工人就从别的收容所，或亲戚家里，或乡下，都纷纷的跑到这个收容所来。大家都把它当自己的家一样，非常爱护它。还不到三个月，人越来越多了，由三百多人增加到八百多人，房子已不够住了，但外面华成工人天天来要求入所，这可看出，在外面失业的工人，生活实在困难得无法解决，就在这时，组织一个华成工友同人会，里面分：总务股、组织股、教育股、卫生股、募捐股等，办事都是工友自己。

在收容所里所过的，当然是难民生活，不过由于工人自己管理得法，比别的难民收容所是好一点，每天一粥二饭，小菜是十人小小的三碗。华成原有工人四千多人，此时所内所收容的，还不到四分之一，其余大多数工人，仍在所外没有办法，同时所内工人日子一多，钱都用光了，到六月里，天已非常热了，对于卫生方面，厂方一点也不过问，所以全厂工人推举代表，向厂方要求贴补每一工人零用费及添置卫生设备，及扩大收容所，但被老板们拒绝了。

在六月十六、七号，连日大雨，收容所里地下没有阴沟，水就不能下去，因此，所里积水如同小河，一片汪洋，大家都不能住了，但又没有地方可去，只得赤脚露腿过水牢般的生活，日间倒还可以混过去，但夜间怎能睡呢？到后来水直深到大腿上，实在是不能过去了，当时就推派代表十五人，到厂方去要求设法，去的时候正在下大雨，上面没有洋伞，下面没有皮鞋，就有也抵不住那尺余深的水，雨又大，工人怎样到厂方去呢？大家就想一个办法，每人头上都顶一个麻袋当雨伞，下面赤着脚，冒着狂风大雨，到厂方去要求经理先生，当时厂长先生凶狠的对代表说："你们到这里来做什么！"代表说："我们今天来，因为收容所大水积得很高了，我们日里在水里浸着倒还罢了，夜里实在不能睡下，要求先生替我们工人设法，或将收容所搬场，或将大水用打水机打出。"可是他们的脸色就立刻变得很凶："这是天意，与我们厂方没有关系。"代表更很苦的恳求他："假使先生不替我们解决此问题，我们工人实在是没有办法，而且这污泥浆和阴沟水都很臭秽，对身体是很不好的，所以，现在好多工友已经面肿脚烂了，再住下去都要发生生命危险了，在目前工人死掉一个，在抗战也少一分力量。"可是代表没有说完，那经理就说："你们自管也管不了，还能管什么抗战？”继之厂长说的话更是缺理，他凶狠向工人骂道：“你们这般都是下贱畜牲，偏要靠我们吃住吗？自己不好去找寻工作吗？”代表说：“只要先生能给我们一条出路，我们只要有工做，无论怎样苦的工作，我们都肯去做的。”那厂长又骂道：“这班下贱畜生，我这样说一句，又要找到我的头上来了，你们难道不好到虹口去做工吗？”代表道：“先生，我们为了 ×× 强盗的侵略才受了这样大的痛苦，怎么还肯去帮助敌人去做工呢？我们饿死也不愿意去当汉奸的。”厂长说：“你们这样爱国，目前已经是做 ×× 人的人民了。你们晓得吗？”几位代表几乎气得骂出来了。但是为了希望资方悔改觉悟，又不愿把事情弄僵，所以只得气在心里，仍以和平的态度，说服资方。这时刚要吃午饭了，资方说你们快出去，我们要吃午饭了，代表说：“我们是来要求你们答应想办法，决不会吃你们的午饭的。”他们吃好了饭，工人饿着肚子，穿着湿的衣服已经干了，老着脸仍然苦苦的哀求他们，可是他们见工人不走，又去叫了许多中西巡捕，将工人打走，这时工人饥饿太久，当然无力抵抗，由他们压迫，只好流着眼泪回到收容所，过水牢般的生活，后来还是仁济堂替工人想办法，分头送到各收容所去住了几天，到水比较小的时候，再回延平路收容所来。

在七月十日那天，厂方无故将给养停止了，一方面将工人分成长工、件工、临时工登报解雇。件工、临时工每人发二十元解散费，长工发三十元解散费，同时厂方通过上海大亨袁 ××，串通陈 ××、奚 ×× 两律师，收买同人会代表李秀清、李月英、厉杏妹三人，破坏同人会，帮助厂方压迫工人，拿解雇金，驱逐工人出收容所。厂方亲戚职员亦说："你们现在去拿钱好了，将来开厂的时候，一定有工做的，不去拿也是白白不拿，现在廿元钱到什么地方去拿呢？"并且有几个职员还说："你们来拿好了，以后一定担保你们有工做。"厂方用种种分裂、欺骗、威胁手段，一般意识落后的和经济压迫得没有办法的工人，便三三两两的去领这连自己也不愿拿的解雇金，并且以后是不是有工做，有些人还不知道。例如一个工人已经领了廿元钱，工人有人问他："你去领钱的时候他们怎样说？"他说沈先生说："开厂的时候一定给你们工做。"他还说："不知道什么时候可以开厂。”这可以看出去拿解雇金的人，不知道多少是受骗啊！他们的希望是要做工。住在收容所的工友听到这个消息，便召集大会，决定组织宣传队出发到劝工银行门口，宣传领解雇金的害处，经宣传队解说后，去领钱的人，才知道这是解雇金。他们说：“我们不知道什么叫解雇金，只晓得厂里发钱给工人，我们就来拿的，拿了以后就要没有做，谁要拿呢？”

同时在十一日那天，工友中（尚留在所内的工人）重新另外推派了三十个代表，到厂方去要求继续维持给养。不料经理拒而不见，派多数中西巡捕同武力压迫打退，并还喝令保镖一同打工人。去请愿的人，多是女子，那里能抵得住他们呢？结果被打伤的十几人，重伤者三人，打得头破血流，一跛一拐的回收容所。工人替老板流了十多年的血汗，那里会知道此时他们下这个毒手！经过这次斗争之后，华成收容所，遂成了历史上的一个名词，这一千左右的工友，也随着其他三千工友，一同被厂方抛弃，在街头当流浪人了。

在去年华成失业斗争的前后，沪西福新烟厂亦发生斗争。原来在“八·一三”战争爆发的时候，别的烟厂都停工，只有福新因为厂址在租界内，继续生产，曾乘机赚钱不少，强迫工人日夜工作。但是到了去年上春，生意渐渐清淡下来，同时上海英租界伪统税加重，福新又把本厂货品拿到法租界由别的厂家代做。于是本厂工人更无工作可做，平日做五天停二天，做七天停三天，工人平日每月拿不到三块钱。工人在此不得已的情形之下，于是向厂方提出：（一）每日至少要做六小时工作；（二）如不能做六小时，由厂方每日津贴大洋四毛；（三）工人入厂牌子钱由厂方负责，以减少工人负担。起先厂方毫不答应，后经工人停工再三要求，并举英美烟厂的待遇为例，以大义相责，厂方负责人面红耳赤，当时答应工人要求，并允次日出布告正式表示承认，不料次日厂方的布告，除第一项要求符合外，其余皆不符合。工人因此大愤，决定停止工作，促厂方觉悟，履行既已承认的各项条件。全体工人严守秩序，静坐厂内车间中，由早上一直到晚上，由晚上一直到第二天早上，经过一日一天，厂方不但毫无允意，而且曾用各种方法，威胁工人，就将车间内水汀开放，使工人热闷难受，以鞭炮在洋油箱内燃放，冒充机关枪的声音；在工人饥饿难忍的时候，使走狗佯叫工人出去吃饭。工人因支持过久，又看见厂方无理可喻，遂返家休息，另找斗争方式。此时工人的宣传扩大，外界多表同情，工部局工业科、青年会劳工部、妇女协会、总工会个别负责人，皆出面调解。资方在各界的舆论督促之下，始又承认工人的条件。工人亦相率复工，不料做工还未到一星期，厂方又食言如故，并且拟将原料搬走，且同时在工人间又有厂方解雇一部分工人的传说。因此大家认为有关全体工人生计，遂出来阻止。厂方调来大批流氓、巡捕与包打听，遂将工人包围毒打，重伤者二十多人，轻伤者不计其数。在工人情绪激昂之际，托派汉奸乘机出来煽动，提出极高口号，要厂方每日津贴大洋五毛。此时工人由于平日没有组织，在此纷乱之际，莫知所从，同时，工人的领导亦不甚健全，全体工人与领导的机关关系不甚密切，厂方乘此弱点，态度异常顽强。后经多方调解，厂方方才就范，但三百多名的临时工，厂方却乘机开除，领导这次斗争的六位工人首领，亦强迫解雇了。在这次斗争中，工人的牺牲很大，厂方亦得不偿失，但是特别值得警惕的，就是授托派汉奸以活动的机会，挑拨劳资的情感，扰乱租界的治安，这是何等危险啊！我们从这次斗争的教训看出，执行政府战时保护劳工法令，确是刻不容缓的。

与福新斗争同时发生的，还有大东的斗争。大东斗争的起源，与福新完全相似，也是由于厂中的生活少，工资不够维持生活，工人提出：（一）每天至少做二十四箱；（二）如做工不满二十四箱，由厂方津贴大洋三毛；（三）牌子费由厂方负责；（四）不得开除工人。大东厂方却开明、有眼光、深明大义，除第二条修改为每日津贴二毛以外，其余全部接受。以后劳资关系非常融洽，可作为烟厂中的一个楷模。这次大东斗争胜利的原因，与工人的组织团结有关系，与厂方的态度亦有关系，我们希望大东厂方的态度，保持不变。

第十九章　面粉业

第一节　面粉厂的发达及其营业

一九〇五年德商在上海设立增福面粉厂，是为中国有新式面粉厂之起源。一九〇七年，上海始有华商阜丰面粉厂设立，但规模很小，只有磨粉机八部，工人九十余人。一九一二年福新面粉厂设立，资本五十万元。一九一三年大有资本五十万元，华丰资本三十万元，立成资本五十万元，皆相继成立。上海较大的面粉厂，多成立于一九一二年至一九一三年之间。

一九一四年欧战爆发，各帝国主义都集中力量应付战争，非但没有粮食输入中国，且需中国粮食的输出，于是中国民族资本乘机活跃，由一九一四年到一九二二年，全国面粉厂在这期间之中增设到五十三所。面粉业常居出超地位。由一九一五年到一九二一年七年之中，出超总数竟达五千四百二十多万元，合银三九○○○○○两。但自欧战告终，帝国主义休息了两三年，又向中国进攻了。面粉业在帝国主义压迫之下，日渐衰落，自一九二二年后，则由出超转成入超，其价值常达二千八百多万元，合银二○○○○○○○两。到一九二九年入超数目竟达八千三百五十万元，合银六○○○○○○○两。兹为便于参考起见，特将一九一二年到一九二九年中国面粉输出入的价值刊表于下：

年次	输出价值（海关两）	输入价值（海关两）
1912	3,261,968	12,693,839
1913	610,112	10,300,612
1914	339,839	9,016,589
1915	697,032	795,137
1916	1,141,707	1,174,544
1917	2,292,382	2,818,576
1918	8,410,557	19,846
1919	19,872,318	1,242,285
1920	18,251,722	3,330,215
1921	9,366,254	3,503,513
1922	3,654,810	9,497,740
1923	782,788	18,668,478
1924	713,963	30,097,693
1925	1,303,191	14,904,833

续表

1926	533,377	23,712,503
1927	558,329	21,306,338
1928	422,929	31,464,402
1929	125,808	62,903,863

据一九二五年调查，全国面粉厂共一百二十三家，其中属于外商者十二家，中外合办者五家，其余尽属华商所有。

上海的面粉厂，在最兴盛的时代约三十多家。"八·一三"战前剩十二家，占全国面粉厂数百分之九点八，资本占全国总数百分之二八点二五，有磨粉机四一二部，占全国总数百分之三二点七。阜丰福新两厂资本最为雄厚，营业发达，其中尤以福新更甚。福新一共有八个厂，除第五厂在汉口外，其余都在上海，平均每厂有八九百至一千以上的职工。"八·一三"后，情形改变，福新在上海的七个厂，只有在莫干山路的二厂、八厂，和在老闸桥的七厂复工，但进出货物也须经过日商三井洋行，其余一、三、六等厂因厂址在战区，完全由日人占去开工。就是在二、七、八等三厂，亦时停时歇，或者轮流开工半个月。

阜丰除本厂及新厂外，裕通、祥新、信大等三面粉厂，亦为其厂主所有，共有磨粉机九十余部，本厂新厂职工共有一千四百人，其他三厂各厂平均约五百人左右。

此外尚有立大、华丰等面粉厂，平日营业亦很发达，“八·一三”战前每厂约五百人，战后已缩减至三百人左右。

每一大包小麦，合市秤一百斤，约值七元左右，可出粉八十八磅和麸皮三十磅，面粉每包重四九点五磅，价值四元三角，除另赚麸皮外和除人工机器消耗外，每包面粉净赚大洋五角，如阜丰“八·一三”战前每日出粉四万包，则厂方每日可赚两万块钱，现在每日出粉二万八千包，则每日可赚一万四千块钱。获利之大，实足惊人。

第二节　面粉厂的生产和工作状况

上海面粉厂的生产管理，各厂颇不一律，大体上可分为：（一）工务处管理生产的进行，职工工作分配，人员的招添，开革，及赏罚。（二）麦务处管理收进小麦，查验，过磅，制造表格。（三）粉务处管理每日所出面粉的查收，存栈和发行。（四）料务处管理购置一切用品。

以上四部分，最主要的是工务处，在其直接管理之下，分为机器部、打包部、推粉部、修理部等等。机器部有总领班，大领班，小领班。其他各部，只有工头一个，直接管理工人。此外还有外国工程师一位。

机器部是厂的中心部分，马达开后各磨粉机即运动工作，领班主持看粉，督促工人加油管理机器，分日夜两班工作。生意好便开全车，不好则开半车，但总分两班，每班工作十二小时，每星期停车一次，在停车时值班工人需工作十八小时，将机器揩油整理后继续磨粉。做十八小时，工资以二十小时计算，这叫做礼拜加工，可是工人只有吃力，一点好处都没有，因为在做过加工之后，便一点气力都没有了。若是开半部车，则大家的生活轻一些，从前一个人做的，这时两个工人做了，不过大家又做得提心吊胆，害怕厂方裁人。

打包部，又叫绞粉部，这部分是做面粉装包的工作，为全厂最吃力的一部分，因为这里工作以机器为转移，机器部磨出来的面粉，必须马上装包，若稍有停歇，则面粉堆积起来，更来不及了。所以每个工人都是继续不停地做工，每日分三班，每班工作八小时，但是工作吃紧，所以和机器部工人一样辛苦。阜丰面粉厂从前本来每天分四班，每班工作六小时，因为厂方在生产合理的口号之下，每班增加二小时工作，可是工作增而工资不增。

堆粉部的工作，是把打包部装好了的面粉包，堆到堆栈里，传掷抛递堆积起来，有时从地下抛上一丈多高，所以特别吃力，若是身体弱气力小的人便吃不消。不过这部分工作的轻重随营业的好坏成反比例，生意好的时候，买主接踵而来，把面粉从打包间直接用货车运出去，这时候工人可以空一些，但在生意不十分好的时候，工人一天十二小时不停地搬来运去，一直堆到屋顶，便十二分吃力了。

在机器部以前，还有一部，叫做下粉部，是把麦子洗好下到磨粉机里。这里工作是白天做，没有夜班，非常污糟，尤其在夏天，因为在露天工作，非常的热。

修理部的工人，就是铜匠，每天工作十小时，负责修理车间机器，如轮盘或什么零件坏了，由他们拿去翻砂配制。此外许多面粉厂还附有木匠，白铁匠，搬运夫。

第三节　面粉厂的工资和职工待遇

上海面粉厂的工资颇不一律，现在只举福新与阜丰两厂的工资来说明吧。在福新方面是：

部别	最高工资（以月计）	最低工资（以月计）
下麦部		16元
机器部	50元（工头）	16元5角
打包部	45元（工头）	16元
堆粉部	40元（工头）	16元
修理部	60元（工头）	24元
木匠间	30元	25元

搬运夫是按件计算，照厂方规定，做到一千六百钱，可以换到一元工资，普通每天可做七角左右。但领工资必须经过工头之手，而工头必须工人做上一千八百钱才可给他一元，如工人今天只做得一千七百九十文，差一文钱不够一千八百，则工人只能拿一千七百九十文的工资，但工头仍可账房间拿一元，故工头平时可以从每个工人头上白赚二百文，有时甚至白赚到一千二百文

以上。搬运夫的工资实际很低，厂方用这办法，本来是企图和缓工人斗争情绪的，但恰恰又给工头以发财的机会，因此工头把这职位当做“金饭碗”，管束工人特别厉害，想方设法使他的地位安定。福新有一个工头几年内甚至赚到几万块钱，有流氓大亨做靠山，有些看得眼红的人，曾经为抢这个“金饭碗”，演过一次全武行，结果由上海某大亨“闲话一句”，老工头退休，新工头上任，仍旧刮工人头上的血汗。

阜丰厂的工资较福新低一些。最高工资四十元，最低工资仅十二元。在一九三三年，因厂方加工资不平等，与厂方少数有关系的工人多加，大多数工人加得很少甚至不加，于是工人举行罢工反对，结果厂方答应普加工资一元五角，并规定以后三年两加，每隔一年半加一次，不过由“八·一三”到现在，早已超过加工资的时间，但厂方毫无动静。

逢年节放假，工资照给，平时生意清淡停工，如前年“八·一三”后的二个月，工资亦照给。

关于米贴，各厂亦不一律，阜丰从前本来发二斗六升米一月，后因没有家室在上海的一部分工人，不愿拿米，便由厂方按当时市值，折合一元大洋给工人，但是后来米价上涨了，而米贴并未随之增加。至于房贴简直等于空文，除了一部没有家属的青年工人可住工房外，其他大部分工人只得住在外边，自租房子，起码得三四元，厂方毫无津贴。

关于升工，照阜丰规定，夜工做到十二点加半工，若在特殊情形之内，二夜连做加二工，即连做二十四小时，则支四十八小时工资，不过这是非常苦的，工人得不偿失，这样连做之后，是会生病的。星期日升工铜板十枚。

年底双薪，阜丰有，福新没有，福新规定每年年底，多发十一天的工资，和四元“麦灰钱”，据说因从前以阴历为标准发薪，后改用阳历，这年工人吃亏十一元的工资，请求厂方补发，相沿至今。

工人在职期内死亡，照阜丰规定，可领抚恤金一百元，在工作中受伤，医药由厂供给，工资照发，厂中设有医院，但去诊病的，每天都有很多的人，看病无时间规定，又没有号牌与秩序，不管你病的轻重，职员工头有优先权，工人或其家属只得等他们诊好了才得轮到，所以大多数工人愤愤不平，宁肯到外面看病不到厂中医院去。但外边医生诊费又贵，不贵的医生医术又不高明，工人有时送命，所以归根到底，改革厂中医院，仍然是重要问题。

除医院之外，厂内还有浴室，老虎灶，每人发草纸大便，在某种限度以内厂方对工人亦略施好感，让工人努力生产，冬天每个工人发棉衣一件，表示关心工人。

至于职员的待遇，和工人相比，优厚得多了。阜丰高级职员月薪由一百余元以至几百元。普通职员都有三四十元至五六十元。练习生十二元。但是他们的食宿都由厂方供给，并且年终有红利可分，年终时高级职员可得红利几千元，普通职员可得几百元，一个小小的练习生，也可分到几十元。

此外还有面粉出栈提厘的规定，即平时出卖面粉一包，职员可提厘二厘，如每年出一千万包面粉，职员即可提厘二万元了。一般工人对于厂方这样优待职员，认为是别有用意，企图在分化职工的团结，使职员替资方统治工人。

第四节　面粉厂的职工负担与生活状况

面粉厂全部是男工，大部分都已结婚，是家庭的主要生产者，负担很重。现在分几方面来说明吧！

（一）**住的方面**　最多数的工人每月平均十五元左右，要负担三四个人口的生活，父母妻子，共住一个亭子间，后楼或后客堂，夫妇儿女睡在一床，父母睡在隔邻小床或地板上，每月房租至少四元，其余十一元则供三四人一月内衣食零用，可见难以分配了。有些仅仅只有两夫妻的，就比较好一些，如果妻子也做工，更宽松一点，但两夫妻放工回来，疲倦不堪，倒在床上，便睡着了，饮食都马马虎虎，没有人为之预备。没有家属在上海的，房租的负担少一些，有的住在工房内，有的在外面合租一间房子同居，但是他们必需汇钱回家，起码每月五元以上，故所剩亦无几了。

（二）**吃的方面**　每逢半月发薪的时候，先拿二三元去买米，米有了，小菜是马马虎虎的。现在鱼肉价贵，大都吃不起，顶喜欢吃的是大头菜，豆腐，小白菜和雪里蕻，除非到年节，那就额外买一点荤鲜，但也并不丰盛。每月除房租五元之外，米得五元，小菜得二元，其余三元，还要分配到柴、酱油、盐、肥皂、理发等等用途上面，所以工人如果家属生病或别的紧急用场，那非东拉西扯，来会或借印子钱不可了。

阜丰厂方设有工厨房，没有家属的光杆子工人，多在工厨房里吃饭，厂方津贴柴米人工，由私人包办，膳费比外面低廉一些，但是包办人从中揩油，小菜很坏，缺油乏味，又不干净，这人与厂方的关系很深，工人屡次抗议无效，所以一般工人非常不满意，计划工人自己举办。

（三）**穿的方面**　更是节省的，一家男女大小，除男工出外有件长袍外，家属都是短衫短袄，夏天是白布蓝布的，冬天是黑棉布袄，因为这经济耐用，又不容易污糟。有些人经过长久的省吃俭用及想别的办法，弄一件丝绸或呢绒衣服，要到年节或出去吃喜酒才穿，平时大都藏起来，舍不得穿。不过一般工人都疼爱自己的子女，吃的穿的，都先满足子女，然后轮到自己。

所以每个工人家庭，整天尽可能在“省”字头上用工夫，并且还要个人利用时间做生活，比如母亲妻子除看管子女烧饭外，必须抽点时间，替别人缝衣洗衣。大一点的子女，送到工厂里当童工或做小生意。

工人家庭妇女，生活是刻板的，一天到晚是看管子女，烧饭洗衣，年年如此，不像富贵人家的妇女，能随时出外消遣，看看戏，打打牌。

（四）娱乐方面　一般工人，大都欢喜看戏，多数到劳勃生路高升大戏院去，票价六分，或到英华里去听唱滩簧，票价更便宜一些。最普遍的娱乐，是叉麻将。不论老少，都很高兴。还有少数人到曹家渡赌场里去赌，这些人与其说他是赌博白相，毋宁说他是由于收入不足，存着侥幸的心理，打算赌赢一场，可以补助生活，谁知一赌就输，越输越赌，越赌越输，一直弄到不可收拾，来会，借印子钱，甚至闹到发狂。

一般青年工人，在夏天总欢喜三五成群，出来逛马路。阜丰厂的青年工人，组织一个票房，请人教唱戏。每人每月出钱五角，参加的工人很多，“八·一三”后，停顿了一个时期，现在又在恢复之中。

（五）交际方面　面粉工人更是简单的。工友中，若听到一个密切的朋友结婚，当然是送一份礼，普通只须一元钱，便已是很大的人情了。结婚的仪式很简单，在家里或酒楼里请几桌客，大家吃一顿。不过对于丧事，送礼倒是次要，死人之后，密切的亲友都来帮忙，把尸首埋掉拉倒。

到阴历新年，厂方停工，这时工人开心一点，彼此要好的互相拜年，彼此请吃年酒，请看戏，不过大都有来有往，谁也不肯失面子，经济拮据一点的，也勉力参加。

（六）**文化教育方面**　面粉工人是花钱有限的，很少有人看书看报。有些青年工人，虽曾受过小学教育，但文化程度很低，例如阜丰，在一千多个工人中：

能看报写信的	100 人左右
能看报不能写信的	300 人左右
识得百余字的	150 人左右
能看报能写信可读书的	20 人左右

其余六七百人，差不多都是文盲。大抵文化程度高的，是青年工人，文盲或识字不多的，为老年工人。一九三六年市社会局派人来厂，要求老板设工人子弟学校，学生当时共有二百多人，三分之一为青年工人，三

分之二为工人子弟，书籍由厂方供给，学校设备简陋，教室光线不足，日班是职员子弟，夜班是工人子弟，因此工人子弟多感觉不便利。青年工人因求知心切，教员对于解释字义，还相当清楚，故非常感觉兴趣。不料自广州失守，这位教员发出悲观论调，谓广州是富饶之地，为抗战的大本营，现在广州既失，胜利没有把握了。工人不满意他的论调，对之突失信仰，到最近只剩十三来个学生，而且小孩居多。从这点可以推测出工人们的对抗战信心的坚定。

在工人之中，现在十人一起，二十人一起，共同买报看买书看的运动渐渐地发展起来。许多工人的文化程度都比战前提高了。

福新方面工人的文化程度，比阜丰低一些，识字的百分比要小些。

第五节　面粉工人的帮派与活动

在福新面粉厂里，湖北帮与无锡帮里人占多数，例如在莫干山路的二厂、八厂，湖北人在厂内有四百名，在码头上有三百一十名，无锡帮有二百人，其他江阴，山东，宁波人都有，但为数不多，各帮工人彼此对立，互相轻视，在福新机器间，甚至因籍贯不同而分开做工。湖北帮势力最大，几乎全部都是红帮，拜码头工头为大哥。无锡人加入青帮最多，拜吕海山为师。在阜丰面粉厂里，安徽人最多，共九百人左右，其次湖北人亦不少，共三百人左右，这厂地方分帮并不十分明显。最近有三百多人，安徽人居多，加入青帮，拜中央捕房某包打听为师。工人加入青红帮的原因，为了想借集体的力量以保障生活，但又还没有认识到由自身的团结互助做起。到了同一帮派之内，彼此属于弟兄，从前地方的对立，往往又可得以和缓。有些工人参加青帮之后再参加红帮，但参加了红帮则不能再参加青帮。青红帮在中国的存在，是一个重要的社会问题，吾人不欲在这里评论，但在工人中并不能起进步的作用，不能叫工人相信自己的力量，且其中的“老头子”或“老大哥”多与资方勾结，仰承资本家的鼻息，并不能代表工人的利益，且遏止工人的斗争，老头子“闲话一句”，工人不得不听。而逢年遇节，做徒弟的人必需送礼，反增加工人的负担。故许多工人，参加进去之后，失悔起来说“呒啥道理”，甚至说“上当了”！

关于面粉工人的斗争历史，详细的情形已不可考。福新于一九二六年要求加薪一次，结果得到胜利，每个工人每日加五角大洋。后来又有一次工人发起加薪运动，推举工头传达，开始工头表示同意，并宣布罢工，说出很漂亮的硬话，可是几个钟头之后，厂方派人送一叠钞票给工头说：“请你吃茶。”工头因在群众面前，不敢收下，后来厂方又派人送到他家里，他就半推半就地收下了。回头到厂里向工人说：“闹久了没有什么意思，还是复工吧！”工人虽然非常忿怒，可是由于没有很好的组织，又没有防止工头出卖的准备，于是在强迫之下复工，斗争失败了。

“八 · 一三”后，福新曾停工一短时期，厂方将工资打六折发给工人，后来复工了，由湖北帮发动要求恢复工资，并邀请无锡帮工人合作，于是厂方答应工人的要求，由六折而增到七折八折以至全部恢复。

在阜丰方面，一九三三年面粉营业发达，厂方增加工资不公平。几十个姓孙的——老板的同族叔侄弟兄，和其他几个亲戚，一月加上四五元的工资，其他和厂方没有关系的老工人，那怕你的生产能力很强，顶多只加一元二元，有的甚至不加。这样的办法实行以后，工人非常愤怒，于是四月二十日，由机器间打包间首先发动，宣告罢工，全体工人一致参加，工作完全停顿。大家一致要求是全体工人一律普加三元，并附带要求米贴和礼拜天升工。罢工约经过四个钟头，厂方以电话通知捕房派捕镇压，惟工人众多，情绪激昂，厂方见工人团结一致，同时又恐罢工牵延，影响营业，在焦急之余，答应工人以下条件：（一）普加工资一元五角；（二）每月米贴二斗六升；（三）礼拜日升工一百文。厂方答应的条件，虽与工人原来的要求相差甚远，但当时工人缺乏健全的组织，厂方又派走狗到处分化威胁，工人为保全实力，只得暂时将罢工结束。

“八·一三”战事爆发后，厂中生产停顿，厂方宣布在停工期内，长工工资照给，未做满二年的短工则一律解雇，分文没有。那时短工九十多人非常着急，在战争期中，不容易找生意，无钱又不能回家，厂方所谓长短工的划分，虽完全没有道理，但大家看厂中生产既停，亦不复要求与长工同等待遇，只是要求发二十元盘费回到安徽老家。谁知这样合理的要求，仍为厂方一口拒绝，不顾同乡的情谊，不管在抗战之中负资方对劳方应有的责任。这九十多人走头无路，于是大家到面麸间里，占据不肯离厂。那时候如果厂方只须拿出一千多块钱发给工人，事情便可解决，但厂方并不如此，宁肯加倍拿出二三千元，雇用万国商团与巡捕来镇压工人，包围面麸间，准备用棍棒把工人打出来。当时工人见到这种情形，想起家庭的苦况，非但不怕，而且更加发火，大家都拿麸包，铁片等等生产工具，向外猛掷，与商团巡捕大打起来，相持甚久，终因商团巡捕的力量源源增加，而工人的外援隔绝，最后只得退出来了。可是商团不许工人一齐出来，只让工人由一条小路走出，于是工人出来一个打一个，棍子棒子齐向工人头上打，走得快的挨得少，走得慢的挨得多，差不多个个受伤，大都伤在头部，有十多人当时打得晕过去，到处是殷殷地红血。重伤的带到医院，轻伤的带到大西路万国商团兵营，扛一天的沙包。可怜这批工人一天没有吃，身上又挨了打，还要咬着牙关做苦工。这时上海正是炮声隆隆，恰为日寇进攻我们的时候，不知阜丰的老板为什么心肠这样硬！他在出够了气之后，待工人回来时，每名发十元大洋遣散。

现在阜丰工人每次提到这件事，都感觉心痛。他们希望这样类似的事件不再发生，并且他们也不念旧恶，愿意和老板携手对外。

第二十章　榨油业

上海共有榨油厂十五家，工友共有五千人左右，设立最早的有四十多年的历史。资本的估计，可以油榨为标准，如有一副花子榨，则连房屋用具在内，共需十万元；如有一副豆饼榨，则连房租用具在内，共需一万元。至于在油的销路方面：豆油销全中国，生油销华南，椰子油销本埠各肥皂厂，花子油销美国。在油饼方面：豆饼销广东，厦门，汕头等地方，其次则销宁波，常州，无锡。菜子饼，花生饼，椰子饼，花子饼，其主要销路在日本，其次则销南美各国。

兹将各油厂的情形，分别述之如后。

同昌油厂，为上海最老的厂，厂址在南码头，有四十多年的历史，出豆饼，花子饼，该厂职工有一百多人，通州人占多数，次为绍兴人，宁波人，江北人不多。工人是长工，十六元半一月，厂停亦有工资，但现在工人全解散，只有三四个工人在厂内管门。

大有余油厂，在上海算是最大的油厂，有三十多年的历史，开全车有一千多工人，现在只有二百多工人，每天出豆油八百多斤，出饼八百八十块，出花子油八百多斤，出饼四百多担，工人十六元半一月，临时短工六角五分三一天。

大德新是一家小厂，但出品优秀，有廿余年的历史，有四副花子榨，工人一百多人，每天出油八百多斤，出饼四百多担，全厂工人都是长工，工资十六元一月。

昌记油厂，有廿年多的历史，工人二百多人，每天出油二千余斤，出饼三千多块，以专做豆饼为主。现在该厂被敌人占领，不能开工。但是自“八·一三”后，该厂停工将近二年，存油早应卖完，但是现在仍在租界上卖油，据说这是大连来的油，换言之，就是在推销日货。和生油厂，是做花生的油厂，有职工八九十人，到现在才有九年的历史，在“八·一三”完全被敌人炸毁。

立德有卅多年的历史，工人三百多人，有花子车十二付，椰子车四付，椰子油最有名，花子名气亦不错，但豆饼做出没有人买，故豆饼车长久没有开过。工资五角一天，听说最近该厂与日人合作了。

大昌油厂，有七年历史，工人三百多，有豆饼，花子饼，椰子饼。豆饼榨八十几付，花子榨八付，工人每日工资六角，现在该厂为敌人占领，没有开工。

穗丰油厂有廿多年的历史，有职工二百多人，只做豆饼，出品优良，每天可出六千块豆饼，有用人力的榨四十多付，用电力的榨亦四十多付，每月每人工资十六元半，是长工制。“八 · 一三”后被敌人占去。

顺裕油厂，有廿余年的历史，职工二百人，出品为花子饼，花生饼，椰子饼，有榨十二付，工人每月工资十六元，是长工制，该厂现在被敌人占去。

恒兴泰油厂，有廿余年的历史，有职工二百多名，榨八付，花生油很有名，工人每月工资十五元半，是长工制，该厂被敌人占领，厂主已与日人合作，开四付榨工作，职工约百余人。

顺和龙油厂，有十余年的历史，职工三百多名，有豆饼榨五十几付，花子榨八付，工人工资每日六角，是临时工制，该厂现在为敌人占领，不能开工。

同生油厂，有七年的历史，职工四百多人，有豆饼榨四十多付，花子榨八付，工人每日工资六角，是临时工制，现在该厂已被敌人占去，不能开工。

长德油厂，有六年的历史，职工三百多人，豆饼榨五十多付，花子榨八付，工人每日工资六角，是临时工制，该厂自被敌人占领，厂主即与敌人合作。现开四付花子榨，有职工一百多名，工人在敌人压迫之下过生活。

大德油厂，有六年的历史，职工一百多名，有榨六七十付，专做豆饼，该厂现被日人占去，不能开工。

东新油厂，是今年一月一日新开的，有职工四十多名，专做椰子油，工人工资每月十七元，是长工制。

从上面的情形看来，可见榨油业在战时的损失是非常重大的，在这十五家油厂中，有四家已与敌人合作，保持完整的主权，继续开工的仅有三家，其余八家油厂，完全不能开工，宁肯牺牲，不愿无耻地与敌人勾结营业，这是非常值得称许的。

油厂行政管理，各厂大致类似。厂长以下，由各部分职员工头管理各部分工人。添招工人，由工头作主，职员不管，停工人则职员有权干涉，但依油厂向例，如果工人没有重大错误，厂方是无权停歇工人的。

油厂除长工制外，其他工人每年只有八个月的生活好做，有时工头在忙的时候，喊几个工人进厂做工，做不到一个月又停，再找别的厂做。他们的生活最不安定，非常苦闷，花子饼最忙的时候，是八月到十二月、一月到七月，但做做停停是没有一定的。豆饼二月到八月最忙，九月要停一个月，十月到二月也是做做停停。

工人的工资，是受工头剥削的，工头由账房间内把工人应得的工资全部领下来，然后分发给工友，每人每月要被工头扣去五角至一元左右。

关于赏钱方面，如花子榨，照各油厂规定，做到一百多车以上，赏三分半，做到二百五十车以上，赏大洋一角，工人由血汗拼来的这种赏钱，工头要坐分三分之二，这是何等的不平。而且这种赏钱，只有车间的工人，炉子间的工人，以及铜匠木匠可拿，其余工人是无权过问的。

在工作时间方面，车间里上手工人三小时一班，每天做二班，共做六小时，下手工人做十二小时。其他各部分如修饼部，烺饼部，拉饼堆，也是做十二小时，一个月有二天假期，为一号与十五号。

花子车，铜匠，炉子间，清油房，宁波人占多数。其次为海门人。豆饼车间里，十分之七是湖北人，十分之三是江北人。识字的很少，宁绍帮人十分之三欢喜打花会，十分之二欢喜叉麻将，还有十分之五在家里做事，烧饭，精神好就到马路上玩玩，不好则睡觉。

湖北人十分之二欢喜唱小曲看小说，十分之一的人看叉麻将，有时自己也叉叉。还有大部分人是在家里做事。

上午在家里吃饭的人不多，普通都是带米进厂，到汽锅内蒸，或到炉子间内烧。

油厂工人现在还没有组织，一般人对抗战的信心都非常高，失业工人许多都到游击队中去了，在业工人时常在厂内做节约献金的工作。

第二十一章　码头业

第一节　产业略史及现在生产营业状况

一　上海码头的经济地位

上海不仅是全国最大的工商业都市，它还是世界最繁荣的十大都市之一，它不仅是沟通南北洋贸易的枢纽和全国货物的集散地，而且它还是国内与外洋贸易的中心。一切进口的舶来品大多要由上海分散内地，一切出口的土货也大多集中上海装运出口。因此，上海的商业运输特别发达，广泛的码头工人随着产生起来。

上海的航运可以分做四类：

一、外洋班：专门行驶欧、美、日本。

二、南北洋班：南洋班行驶宁波、温州、厦门、汕头、香港、广州一带，北洋班行驶青岛、烟台、天津一带。

三、长江班：行驶沿江各大都市。

四、内河班：行驶江、浙内河各埠，多属小火轮及中国式的客船。

码头工人大都依照各固定的航运码头和船公司而做工。

二 “八·一三”以前航运及码头状况

“八·一三”前上海码头包括的范围很广，自黄浦江南端高昌庙起，到下面杨树浦底为止，浦东、浦西合算起来不下数百个，加上苏州河的数十个内河码头，繁盛情形可以想见。根据海关发表的统计数字：民国二十六年一月到八月，八个月中进口四六九九四一〇〇〇元，出口三二五七八一〇〇〇元。八个月进出口货物总值在七万万九千五百万以上，平均每月进出口货总值在一万万元左右，可见上海的码头是多么繁盛了。

“八·一三”战事爆发以前，外洋货物大多在公和祥、华盛、华顺、汇山等码头起卸，停靠的船只都是一两万吨以上的大轮船。南北洋班及长江班的轮船，大多集中在南市外滩及法界外滩一带，不过也有怡和、日清、大坂等几个外国公司的船，停靠在虹口各自公司的码头。内河船只都是停靠在苏州河天后宫桥一带，而且沿河一带货仓栈房十分多，货物搬运也十分热闹。

“八·一三”前上海的码头营业，可以说是日日向上的，工人数目虽然没有详细的统计，但至少在三万以上，因为根据华岗著《中国大革命史》第二册，一九二七年上海码头工会，就有二万五千会员了。

三 “八·一三”后至现在码头状况

“八·一三”以后，由于上海与内地交通受军事影响，由于各大都市及农村遭受日兵的骚乱，上海的贸易突然的衰落了，虽然上海人口反而比战前激增，虽然交通也有部分的恢复，虽然 ×× 帝国主义可以乘此机会把它的商品大量向我国内地推销。可是上海的贸易，仍是远不如战前，就拿一九三八年十月（“八·一三”后上海贸易额最高的一月）来看，据江海关所公布：进口二七〇一七九五二元，出口二二七九五三七一元，总数四九八一三二三三元。总数只有四千九百多万元，比“八·一三”前差不多少了一倍。

上海的货运减少了，上海的码头范围更缩短了，现在上海最繁盛的码头，只有从外白渡桥到十六铺一段，虽然苏州河也早已恢复航运，可是拥挤情形已经远不如前，虹口公和祥等外商码头和浦东的外商码头，虽然也有船停靠，可是由于在日本势力包围底下，货物差不多仍旧用驳船运到英、法租界外滩登陆，所以虹口及浦东的码头，已远不如从前的繁盛了。

对于现在的码头，可以一个个按照秩序来简单的叙述它们的营业状况。

先从十六铺尽头说起，由十六铺法华交界处起到金利源码头十二号栈房为止，这一段码头是十六铺一带鱼行承租下来的渔业码头。“八·一三”后，上海鱼市场沦入战区，十六铺渔业码头就成为鱼市中心，租界内所有各小菜场的鱼贩，都在早晨三四点钟陆续的分乘卡车到这里贩货，渔船也各挂着不同的外国旗在这里靠岸。沿电车轨道的圈子周围，排满了鲜鱼咸鱼，各鱼行设立临时记账的桌子，用竹杆支起数十只电灯或更亮的小电汽灯，照耀如同白昼的进行营业。有的鱼贩直上渔船购买货色，渔船的舱口上面，悬了一根大秤，鱼贩要买鱼，就把自己的竹皮篮子吊下舱底，底下把鱼装满再吊上来，在大秤上一秤，由管秤的老板照市价口头上算出价钱，鱼贩当面付钱。如果鱼贩货色拿不动，就交旁边有扁担的野鸡工人，挑上卡车而挑往近处的菜市，看货色轻重，路途远近，以及市场上的忙闲，而言明挑一趟多少钱，普通到每年三四月里黄鱼上市和十月的带鱼市特别繁盛。最近日本在虹口提篮桥设立鱼市场，强迫渔船在那里停靠，以便征收鱼捐，各菜场鱼贩无法，也大多到虹口去贩鱼，因此十六铺渔业码头，每天早晨已不如从前繁盛了；但是每天早晨仍有几只渔船靠岸，而且咸货都由大船运来，所以，市场也还能勉强支持。

从金利源码头一号栈房到十二号栈房这一带的码头，以前是招商局的，现在已经改名罗斯福码头，由美商卫利韩公司经营。一号到六号栈房一段码头，平常差不多都停靠怡和公司南北洋班的轮船，来去停靠的船，总共约二十只，每星期内到上海及开出的船约六七只。船的吨位大都在三四千吨左右，货物入口，北洋班多是杂粮、果菜、油、海货之类；南洋班多是糖、水果、洋纸之类。出口南北洋班都以日用工业品及香烟居多。除怡和公司船只以外，罗斯福码头还经常停靠行驶浙江沿海口岸的船只，总计各小公司的船只，也有二十多只，吨位都在一二千吨左右，货物十分拥挤，入口的多是棉花、草纸、茶叶、鸡蛋、食品，出品的也是上海的工业制造品居多，大约每只船，最多一星期就可以来回一次。

紧接着罗斯福码头，直到爱多亚路外滩，这一段是太古公司的码头。靠近罗斯福码头的头两个码头，是停靠北洋班船只的，货物最拥挤；再接过去的两个码头，是停靠南洋班的船只的，自从广州陷落，上海与内地的交通改道安南以后，南洋班的船，无论怡和太古，都直开海防，昆明与重庆的货物，都由海防转口，不过南洋班的船，大多是出口货多，入口货少；再过去正对着法大马路的一个码头，是停靠太古公司开往常阴沙新港等长江口岸的船只的，货物比较少，乘客比较多。总计太古公司大小航运船只，不下二十余只。

在太古码头左边紧靠着一个码头，铁的篷顶是它特殊的标记，这个码头中间割开为两部分，右边是专供抛锚在黄浦江中的外国兵舰小汽艇来往用的，左边是停靠驳船用的，时常在这里起运些杂货由卡车运走。

在爱多亚路外滩，高立着一个和平之神的铁像，在这和平之神的左手一个码头，是平常专门起运棉花的码头，但有时也起运煤炭，在和平之神右手，就是新关一号码头。

从新关一号码头，一直到江海关大门口为止，一共有七号码头；这些码头同罗斯福码头两样，它都是一个一个独立的小码头，而罗斯福码头却是一直连到底的大码头。新关的这些码头，每天晚上七时以后，就有许多小轮船在这里靠岸，第二天早晨七点以前，又陆续的完全开走；这些船都是来往于江苏海门、崇明、常阴沙、新港、张黄港等长江下游各口岸的。船最大的不过一千吨，都是悬挂英、德、葡各国旗帜的小轮船公司所有。客人很拥挤，货物倒没有多少，早晨七点钟以后，停靠在这些码头旁边的驳船，就开始起装货物，新关一号二号码头是煤炭码头，差不多所有上海需用的煤，都在这里登岸，因此起运非常忙碌，直到下午两三点钟左右，才比较轻松。每天这两个码头，也有些装载杂粮的驳船靠岸，在煤炭运完以后或乘着煤炭不搬运的空时起岸。

三号码头到七号码头都是停靠驳船的，这些驳船多是装运停在虹口的外洋轮船的货物，在这里起陆或运去；因此，多是洋货、麦、面粉、钢铁等。新关码头没有栈房，都是由卡车、老虎车，往来于各洋行栈房，加以运送。

江海关左边是九号码头到十一号码头，都是有铁篷篷的码头，主要的是供给乘坐外洋轮船的乘客，上下送客的小火轮用的，也有些日本小火轮，往来于黄浦江上游各村镇的船，在这里停靠。

十二号码头到十五号码头是工部局码头，现在三面用墙竹篱围了起来；为什么要用竹篱笆围起来呢？可想而知是为了禁止闲人入内，为什么要禁止闲人入内呢？因为平常在这里靠岸的，大多是日商的小火轮，来往黄浦江上游各市镇及新港等长江口岸，乘坐的多是汉奸和日本人，因此这个码头特别有许多武装巡捕保镳。除此以外，这个码头每天也有些驳船起运货物，不过这个码头的工人，都是临时喊雇，没有包工。

在外滩公园的旁边，“八·一三”后新建了一个花园码头，又叫新怡和码头，因为它是由怡和公司承包下来，停靠行驶新港、常阴沙一带港口的船只的，有时也停靠别的公司的船只，日商的浦江轮渡，也在这里靠岸。

除外滩一带码头以外，在苏州河，现在天后宫桥一带，仍是内河轮船码头中心，航行权大半由日人经营的上海内河轮船公司统制，客货上下都很冷淡。在自来水桥与四川路桥之间，是上海的木业码头，比较热闹。在苏州河北岸，天后宫桥与老闸桥之间，有许多五金号，因此也有许多运钢板铁条的老虎车工人和二轮大车工人在这一带。老闸桥是上海的蔬菜市场，每天有许多蔬菜船在这里起货。

在虹口的码头仍是以公和祥码头比较热闹些，外洋班的轮船差不多仍在这里停靠，工人每天早晨六点半钟由花园码头免费乘坐码头公司的小火轮到那边去，每天下午下工以后，工头计算明天需要多少工人，发给号头纸，第二天来时凭号头纸掉换牌子做工，工做完毕再凭牌子发给工资，在这里除了领牌子做工的工人以外，没有野鸡工。由于外洋班船只都在一两万吨左右，每只船停靠起卸货物，都须三四天，虽然船只往来很慢，但各种公司船只很多，码头也很少有空闲的时候；另外，这里还经常的有一部分搬煤炭工人和搬黄沙工人，把码头上的煤炭黄沙扛入驳船。

在汇山码头、大坂码头、黄浦码头，也都有很多日本开来的大小轮船和来往天津、大连的轮船，这些船大部分是运输军队的给养和供给虹口居民的货物，以及运输伤兵和死尸骨灰回国的；在这些日本码头，也有相当数目的码头工人，不过这些码头上的工人，大多是居住虹口的。

在浦东的太古码头、怡和码头等，也常有些太古怡和的船只或其他公司的船停靠，都是起卸货物存入栈房或装货，不过码头工人却很有限。

第二节　行政管理系统及生产组织

一　行政管理系统表

由于各码头情形不同，只好分列数表，然后附注说明：

（一）罗斯福码头

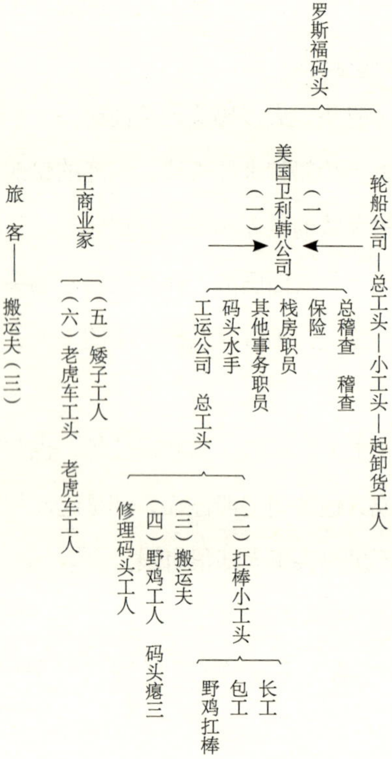

（1）这条线表示船公司在船靠罗斯福码头时要付一定的租金，工商业家把货寄存罗斯福栈房时，也要给一

定的租金。

（2）罗斯福码头的扛棒长工有四十余扛，专门负责把船上卸下的重货从码头扛到路旁，或把客商交船公司转运的货由路旁扛上码头，因为码头的规则是不准笨重的货车推上码头的，只能放在路旁。包工是以栈房为单位，负栈房内货物搬出搬入的责任。野鸡扛棒是在长工或包工不够用时才喊来用的。这三种扛棒在工作时，都由栈房发给美国工运公司的铜牌子，如表一样的扣在手腕上。

（3）搬运夫由码头公司发给号衣，替客搬行李上下，由客人任意付钱，搬运夫每月还要交给码头公司一定数目的钱。

（4）野鸡工人是指专门用背扛货，担任搬运由码头到栈房、由栈房到码头的货色，也由公司发给布制的证章，工人都放在口袋内不露在外面。码头瘪三是没有任何证章的工人，货多也同野鸡工一样做，货少就靠偷偷东西过活。

（5）矮子工是有扁担的野鸡工人，专门担任把上下船的货如水果、鸡蛋、鱼等，挑给十六铺的各家水果行鱼行。矮子工和野鸡工都是没有束缚的自由工，任何人只要有气力就可以去做，矮子工因为与栈房无关系，所以连证章都不要。

（6）老虎车工与矮子工担任的工作相同，而且矮子工挑不动的重货，老虎车工都能搬运，这是因为老虎车工有比较好的生产工具，不过老虎车工有工头，普通的老虎车不能上码头来做。

（二）太古码头

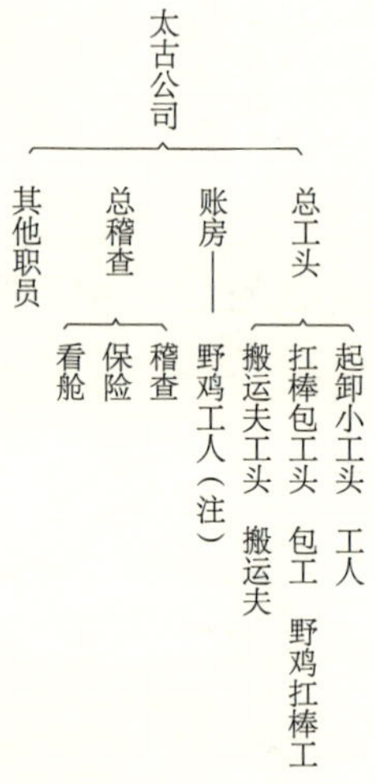

注：太古的野鸡工人不要证章，其他各种工人也没有证明牌子。

（三）新关码头

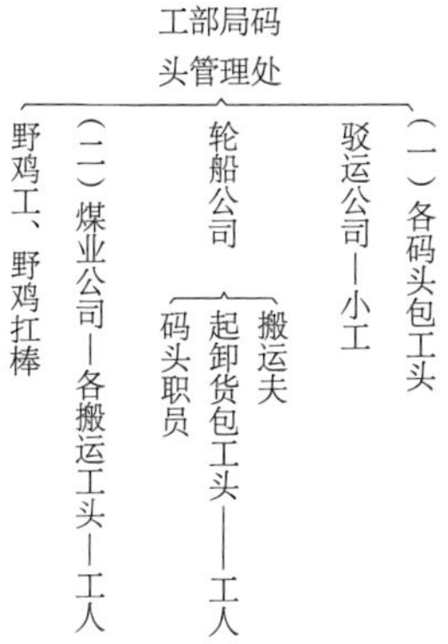

（1）新关码头的工人是以各小码头为单位的，各号码头有各号的包工，别人不得侵入做工。

（2）这里的煤业公司具有特殊的情形，各煤炭业有各自的煤炭头脑及煤炭工人。

（四）公和祥码头

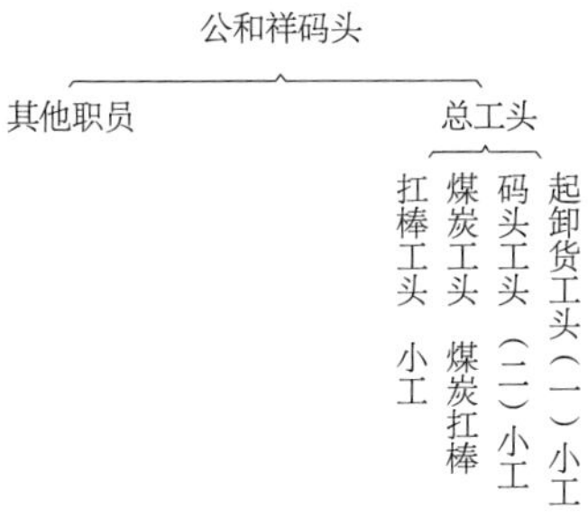

（1）这里的起卸货工人，很少与其他工人接触，都是成天在船上，不能自由上下，吃饭时也在船上不下来。

（2）这里所说的码头小工，专门指在码头上面工作的工人，这些工人是把船上卸下的货，用码头公司的老虎车推进栈房。

二　生产组织

码头上从船靠岸起，直到船载货后开出止，它的生产过程是这样的：

当着一面正方形的蓝白方格交错的旗帜，被码头水手扛来竖立在码头上的时候，这表示竖旗地方，快有船只靠岸了。

船上抛下了缆索，由小江划把这缆索的一端送到岸上，几个码头水手像小孩子拉绳游戏一样，拼命的拉去把缆索的一端套在缆柱上，在船还未完全靠岸时，几只江划载着一些胆大冒险的矮子工人，身上背着扁担如背着步枪一样，靠进轮船，从船上垂下的绳子攀登上船，寻找性急登岸的旅客，替他们搬运行李，岸上还有大批的搬运夫和矮子工，在等着做工。

客人还没有完全离船，起卸货工人就上船做工了。

南北洋班轮船的货舱，普通分为四舱，船头是头舱二舱，船尾是三舱四舱。因为货舱很深，在舱的半腰还有一层阁楼一样的阁层，这阁层恰好与外面的码头差不多相平，阁层的两边普通都开有两扇小门，使货物容易搬进，不过这小门差不多都不使用，阁层的货物仍是由货舱上面的大舱口，用起重机吊出。行驶长江的轮船和浙江沿海的轮船，由于吨位小，舱底小，普通都没有起重机，工人做工时也分着前舱后舱两舱做工。

每只船用多少工人，是看货色多少和停船时间的长短，临时由总工头手下的“当手”决定。普通南北洋班的轮船，和开往浙江口岸的轮船，都用四五十人，有时南北洋班还要多些，南北洋班的船，普通要用到十个小工头，头舱四舱各二个，二舱三舱各三个，因为二舱三舱都比较大。每一工头看他所担负是何部分工作，用的工人多少也不同，每个工头用多少工人，也由“当手”决定。

在起卸的工作当中，分舱内的工作和舱外的工作，舱外是担任开火龙关（工人对蒸汽起重机的普遍称呼）和喊关（喊关是“命令”开火龙关的人把货物升起或降落）。火龙关有单关和双关，单关是一个关单独运用，双关是两个关合并运用。合并运用时，一个关对准舱口叫大关，是把货物从舱内吊起或放入，另一个对准船外面的码头叫小关，是把货物从码头上吊起或放下，货物在空中时，大小门一松一紧，使货物往来。单关在运用时还要用一两个工人拉关，因为单关只能把货物直上直下，必须用人力把火龙关拉来拉去，才能使货物从空往来于码头与船舱之间。

在舱内的工作主要的是：把货物用大绳或网包扎紧，再由火龙关吊出，或是把吊进的货物散开，推集整齐。在舱底普通是每舱以龙骨为界，分两班或三班做工，另外再由一人拉钩（火龙关的钩头），把钩头轮流分给各班工人钩挂；在上货时，每舱有一班工人，在码头上做同样的工作。

货物运上码头以后，再由扛棒工或野鸡工搬进栈房，或是直接由矮子工、老虎车工搬交各货行。船上的货起空以后，要由这船装运出口的货物或转口货，也由各商行或栈房搬上码头，船上货后，乘客也已上船，当着黑色的竹球升上轮船的桅杆时，船又在送客和旅客的白布挥动下，驶出了。

第三节　工人数目、年龄、籍贯

要知道码头工人的确实数目，是一件十分难以统计的事。第一，码头工人的做工，不是像工厂一样的集中，他们是零碎分散在广大的地区工作。第二，它也不如工厂的劳资关系那样密切固定，今天货色多工人就多，明天货色少工人就少。第三，他们比工厂工人自由，而且具有很大的流通性，因为码头工人不要什么多大的技术，只要有死力气就能做，做得多做得少，是看你的力气吃得消吃不消。特别是上海战后，大批工人的失业，很多乡村农民来上海或又回乡，只是把在码头上出卖苦力做一个暂时混饭的地方，工作一些时候走了，又有新的来补充。同时有许多码头工人，只能称做半码头工人，因为码头做工太苦，而且很多的是收入连个人的生活都不能解决，因此有许多工人，依靠着自己的亲戚或朋友过活，而不是完全依靠码头做工，有时做做，有时休息休息。

因此，以下的数字，只是凭个人的观察和推算出来的，而没有十分确实的根据。

（一）罗斯福码头

工人种类	人数
起卸货工人	800
老虎车工	150
野鸡工	1,200
搬运夫	150
扛棒工	500
码头公司下级职工	200
矮子工	200
共约	3,200

（二）太古码头

工人种类	人数
起卸货工人	500
矮子工	100
野鸡工人	1,000
老虎车工	150
扛棒工	500
搬运夫	150
共约	2,400

（三）新关码头（包括花园码头）

工人种类	人数
包工	800
煤炭工	300
野鸡工	500
搬运夫	300
起卸货工人	500
共约	2,400

（四）苏州河一带工人

工人种类	人数
木业工人	250
野鸡工	250
大车及老虎车工（卡车工人不算在内）	600
共约	1,100

（五）公和祥码头

工人种类	人数
起卸货工人	600
扛棒及煤炭工	300
运货工人	300
共约	1,200

黄浦、大坂、汇山各日本码头

共约　一〇〇〇

另外还有浦东的各码头，各不知名称的码头，以及各大洋行商栈码头工人，实无法推测，更无法统计了。

总共现在比较重要的码头，共约工人一万四千余名。

码头工人的年纪，普通多在二十岁到五十岁之间，在罗斯福及太古码头，小至十三四岁的小孩子大至七十岁的老头子都有。因为野鸡工当中，只要你有力气扛得动货，那是不像起卸货工人和包工那样严格的。

在罗斯福码头和太古码头的工人，大多数是江北人，至少占总数十分之八，其余多是上海本地人、南京、无锡、常州、宁波一带的工人，栈房的职员多是宁波人，船上看舱的多是广东人。新关码头江北人也占半数以上，青口人也占十分之三四，其余各地人都有。码头上通用的语言，江北话为主，上海话为次。

第四节　工作时间、劳动强度与工资

一　起卸货工人

起卸货工人的工作时间，普遍都是每日分为四工，由早晨六点钟到十一点半，算上午一工，由十二点到下午五点半，算下午一工，由下午六点到夜间十一点半，算半夜工，由夜里十二点到第二天早晨五点半，算通夜工。由于劳动强度的不同，工人的工资，南北洋班轮船上，每工三角五分钱，千余吨的小船上做工每工四角钱。

为什么小船上做工的劳动强度比大船高呢？由于：第一，大船上有很多的火龙关，工人工作只要把货物用绳扎好，由火龙关吊起吊落，再把货搬列整齐就行。在小船内做工，却多必须把货物用臂扛或是用背背，所以，吃力得多。第二，大船舱内工作，都是每舱分为两三班同时工作，而每舱只有一条火龙关来往运送货物，所以每班在把货扎好或搬好以后，总有两三分钟休息；小船上做工，中途休息的时间却极少。在大船上开火龙关的工人和喊关的工人，因为须要有一点熟练的技术，所以工资比舱内工人多些。

在工厂内做工，每日的劳动时间，普通是十二小时，一日工作延长到十六小时，可以算是最高的纪录了。可是在舱内做工，由于要把一条船中的货物起空和装满，往往做工一天一夜甚至两天两夜，就是说要一气做工二十四小时、三十六小时，甚至四十八小时。这种无限度的劳动支出，在任何人听到的确要大吃一惊。可是，这在码头工人，却已经成为习惯了，在四十八小时的劳动中，除了每五个半钟点之间有半小时休息，给工人吃饭，以准备劳动的价值再生产以外，虽然做工时间当中，还有许多很短的时间休息；但是正确的说，这不能算是休息，只能说是喘息，因为没有这个喘息的时间，每个工人苦力的支出连三个钟头都不能继续。当工作延长到二十四小时以上的时候，有时工人也能在工作时间当中，躺在麻袋或木箱上睡一两个钟头，但是这不是每个同时做工的人享受得到的。并且，这一两小时的睡眠，与平常每人应当睡觉八小时比起来，是毫不足道的。当时，工人是有充分的权利不去连续如此长时间的做工，你如果中途不做，工头立刻可以找到别的工人来做，而且工头也不会怪你，但是事情不在有没有权利或是工头会不会怪你，事情是在一个工人如不这样的做工，就不能维持自己的生活，因为像这样一条船，一气可以做六工或八工，是每星期至多只能轮到一次；另外，每星期再到别的船上做五六工野鸡工，平均下来每星期做十二工左右，即是四块钱左右，一个月做十五六块钱，这是起卸货工人一般的情形。

二　野鸡工

野鸡工的工作时间，在表面上是没有一定的，野鸡工没有工头督促，他们高兴休息就多休息休息，高兴扛就多扛扛，没有人管束；但是实际上，野鸡工的工作时间仍有一定的限制的，因为他不扛一定数件的货物，就是说不扛一定时间的货物，就不能解决最低限度的个人生活。

普通从早晨七点钟起，野鸡工就开始做工了，因为码头栈房的门，在七点钟才开，他们做工的时候是断断续续的，这一批货多，就多扛些时候，那一批货少，就少扛些时候。最普通的是扛草纸，一捆有三四十斤，扛到远些的栈房有五六百步远，有四个铜板一件，扛得近也要扛二三百步路，有三个铜板一件，力气大的可以扛三捆，普通的也能一次扛两捆，有些本领大的七捆八捆都能扛，码头上的一群流浪儿童，力气小的只能扛一捆。普通本领的野鸡工，一点钟能扛一角钱左右。

糖包、杂粮的麻袋，普通有一百五十斤左右，这都是码头上的老资格野鸡工扛的，一个生手野鸡工就是扛得动也轮不到扛。一包麻袋或糖包，扛进栈房有八个铜板或是十个铜板，也要跑二百步上下，平常还都扛上二层楼或三层楼栈房，每扛一包要俟过前面许多人才能再扛一包，一点钟也能扛五六包。

平均起来野鸡工人每天要断续的扛六小时左右，普通收入在五角与八角之间，太古的野鸡工稍好，因为码头公司的剥削比较轻，这在后面劳资关系一节再详细说明。

三　扛棒工

扛棒工是码头上最出力气的一部分工人，凡是重在二三百斤以上，一个不能扛起走的货物，都是由扛棒工来扛。

普通包工的扛棒，都是以码头上各栈房为单位，每个栈房有一定数目的扛棒工，每日的工作时间，是比野鸡工更不一定，忙的时候也要做夜工，事少的时候常只做一二小时的工作，不过每星期当中，总能有两三天，起码有六七小时的工作好做。

扛棒的工资虽然也如野鸡一样扛一件算一件，可是因为他们有工头，做工有一种集体的性质，大家总共扛了多少件，算在一道，每天五六点钟做工完毕的时候，参加今天做工的人大家平均拆账，工头不做也分一份。罗斯福码头的扛棒工，平均每人每月收入有三十元左右，太古码头因为包工比较少，但货却很多，并且公司的剥削也轻，所以收入也最好，有时一月有五六十元的收入。

野鸡扛棒因为做工不如包工长工可靠，另外又加受着包工长工多一层的剥削，工作时间虽也差不多，收入却要较少些。

罗斯福码头还有四十多个扛棒长工，他们的做工时间时常比包工还要忙，工资是每月二十一元，另加七块钱饭钱，每月收入二十八元。

四　矮子工

矮子工的工作时间与收入，比以上三种工人更具有不固定的状况。普通矮子工的工作有下列几种形态：早晨三四点钟就起身，背了扁担到十六铺替鱼行及鱼贩挑鱼，身上挑着百斤左右的鱼，要爬过好几条渔船再送到行里或卡车上，早上挑得好有四五角钱好挑。上午九点钟以前在各家水果行门口望望等等，如果有水果贩买了水果，矮子工就逗上去挑，替水果贩把水果送到家里或水果摊上，看路的远近也有两角钱左右好到手。九点以后，很少有水果贩来贩水果了，矮子工大多跑上码头，如果早上钱赚得少，他们就专心等船靠岸，好到上面去替旅客挑挑行李，因为有号衣的行李夫时常是不够用的，运气好也能挑到几角钱。另外没有事时，总常到码头上走走，看有什么船上卸下的水果之类的东西，替十六铺的水果行挑去一担，大约也重有一二百斤，挑一担也可以有两百钱左右。五六点钟没有事，都可以回家休息了。老资格的矮子工，从一早到晚上，东找找，西找找，也能每天找到一块钱左右的进账，普通矮子工每月的收人大约在二十元左右。

五　其他工人

（一）**新关码头工人**　新关码头因为主要的是驳船

停靠的码头，所以主要的是各码头扛包的小工。在一号二号码头，因为又是煤业码头，所以驳船停靠的比较少，虽然这两个码头由固定数目的工人包做，但是每星期拆账下来的工资，往往还不够个人维持生活的消费，每天一大早不管有得做没得做，都得等在那里，直到天黑以后才能回家。每日的工作呢？时常只有二三小时的工做。从三号码头到七号码头，是由青口帮、天津帮、怡和帮三班工人轮流一帮一天的做，不轮着值班时，工人就在新关码头一带“打野鸡”，有时甚至野鸡还打不着，反而要赔两顿饭钱，在一号至七号码头的工人收入，每星期大多只有三四块钱。竹篱墙内的码头没有包工，都由临时招集的野鸡工去做工，收入也是拆账计算，野鸡工的收入至多同这里的包工差不多罢了。

至于这般工人的劳动强度呢？不做工便罢，一做工时就要同牛马一样，背负着一二百斤的麻袋、钢条、铁板、木头箱，不停的由码头扛上卡车，由卡车扛到船上，连续的工作几个钟头不等，要直到货色扛完为止。因为船只在码头多停一点钟就要多缴一点钟的码头费。再说三百斤重的，特别是铁条木箱等物，放在身上，实是难受，所以，背起来只得快走。

花园码头就是新怡和码头，这个码头的包工很少，每天工作时间都是在晚七时到早晨五六点钟之间。自己码头的包工做工总是做不完，时常喊野鸡工做，包工在包工头的指示下，能揩油野鸡工的一部分工资，有时包工并不十分忙，竟有一两元收入。

在每天晚上七点钟以后，许多商船靠岸，有许多起卸货工人上船工作，也有很多野鸡工，扛运货色和搬运乘客行李，这些工人一夜做下来就有六七角钱的收入，劳动也是相当吃力，所以，第二天天亮，都不得不补偿睡觉了。

（二）**公和祥码头工人**　这里特别提起的就是起卸货工人以外的一部分在码头上工作的工人。这种工人经常工作的在二三百人之间，有青口帮的工头和宁波帮等六七个工头，担任各种不同公司的外洋轮船卸下货物的搬运，但是工人差不多还是这些人，主要的工作是用码头公司自备的老虎车，把货推进栈房。车子不够用时，就要用人力扛。每天早晨七点钟开工晚上五点半停工，一天七角钱工资，夜工做到第二天早晨五点半也是七角。差不多天天可以有得做，工作比船内做的来得重，比罗斯福、太古码头的野鸡工来得稍轻。

公和祥码头还有些扛煤炭工人和扛黄沙工人，每天十小时工作，工资一元。可是这种工作，普通身体的工人都不敢尝试，因为近二百斤一筐的煤或黄沙，扛来扛去不停的做工，扛一个钟头臂膀就会痛得要命起来。

公和祥码头的扛棒工约有一百五十人，工作时间与别的工人差不多，比推老虎车的工人较重，因为他们是包工，每天有一元四角的工资。

（三）**煤炭工人**　在新关一号二号码头，以及爱多亚路外滩太古码头，每天早晨七点钟以前就排满了运煤卡车，每个公司有每个公司的煤炭工头，招用一定数目的煤炭工人，在不够的时候，再招雇野鸡扛棒工，扛运驳船运来的煤炭，总共在这一带扛运煤炭的工人不下五百人。包工的工资是扛一吨煤两角三分，每吨分十筐扛，普通由早晨七点钟扛到下午两三点钟就扛完了，每天扛六七小时，大约可以扛得一块半钱左右，有时忙起来要扛到天黑，那就可以扛得两只洋以上。临时喊来的野鸡工虽然也是一样扛，可是他们只晓得扛，不知扛了多少，拆起账来，都是由包工头随意分给五六角钱或七八角钱。

（四）木业工人 在沿苏州河的四川路桥与自来水桥南岸，有着二三百专门扛运木头的码头工人，整块的木块也有，木板木棍也有，普通都是两个人合扛，劳动的强度不亚于煤炭工人。工人也是和煤炭工人一样分为包工和野鸡工，工作的时间是从早搬到夜，比煤炭工人的工作时间还要长，可是工资的收入还不及煤炭工人，普通的野鸡工人甚至于一天扛得的收入，仅能换得粗饭，使个人的肚皮一饱而已。

（五）搬运夫 一般的搬运夫都是由码头公司发给号衣，他们的劳动时间最短，劳动强度也不十分高，可是他们的收入有时比一般的码头工人都要好，但是他们也还受着码头公司的剥削，码头公司给他们在码头搬运货物的特权，他们也要按月回敬码头公司一定数目的收入，如在罗斯福码头，他们要按月缴给公司十余元。

第五节 工人生活概况与负担

一 衣食住

（一）衣 由于码头工人一般的是能混饱肚皮就已

不错，所以对于衣服是不大注意的，事实上也没有法子去注意。在做工的时候，工人是与货物滚在一起，衣服不能讲什么整齐和清洁，至于工作时被钉子划破一条钩破一洞，那是常有的事。因此码头工人经常都是一律穿着老蓝布褂裤，上面补着颜色深浅不齐，一块块像地图一样的补钉，一般的工人，尤其是野鸡工，很少有两套衣服时常换洗的，但即是有两套衣服的，由于要节省洗衣服的费用，也不常去换它。在夏天当衣服臭不可闻时，因为洗起来干得快，倒常脱下来拿到码头边上自己洗洗。到了冬天，比较宽裕点的工人，可以做套老棉袄棉裤，或是买件厚的卫生衫、毛线衫，把它穿在蓝布褂裤里面，但这是很少数，大多数是到旧货摊上“淘”（买的意思）一两件旧的或半破不烂的棉袄棉裤或破大衣算事。至于有些连破棉袄都买不起的蹩脚野鸡工人，他们是尽量的把找到的一切破衣破布破麻袋都裹到身上来了，变成一种奇丑不堪的服装，有的忍不着风雪的侵袭，就在这冬天里被淘汰了，在最寒冷的月份里，那一天没有几个工人冻死在码头附近呢？如最近已开始，每天平均死亡三四人。

当到天气渐渐暖和起来，棉衣穿不住了的时候，脱下来的棉衣如果可能时也随着送进典当保存起来，能够有钱再从典当里赎出来，那除非等到下半年冬天再说。

鞋子在码头上还能算是必需品，至于袜子对于工人已经不能叫做必需品了，大半工人成年的赤着两只脚没有袜子穿。工人穿的鞋子，普通都是草鞋，十二个铜板一双，可以穿一个星期或者十天，三角钱一双汽车皮底的布鞋，在码头上也很受欢迎，每双至多可以穿一个月。另外，工人们最喜欢到卖旧货的地方去“淘”一双半旧的长统球鞋，二三角钱，可以穿好几个月。

（二）**食** “食”可以说是码头工人出卖苦力最基本的目的，同时资本家为要使工人继续供他榨取，也必须维持码头工人使他肚皮饱能出力气，现在我们就来看看码头工人整日辛苦所希望的一饱是怎样的情形。

早晨，工人最普通的早食是五分钱或两百钱的一大团蒸饭，野鸡工当然还吃不起这么多，吃豆腐浆这还是少数的工人，因为不及一碗茶多的一碗豆腐浆就要六个铜板，在一般工人看来是太浪费了。

中饭，一般的工人都是在码头上吃，码头上普通都摆有饭摊，白米饭要十四个铜板一碗，而米还是最粗的洋籼米，一般都是大食量的工人，没有两三碗饭是吃不饱的。至于菜呢，蔬菜差不多都是十六铺菜场卖不出的剩菜，被饭摊老板廉价买来，这些菜买回来后，也不把烂叶杂草或小虫择去，只是大堆的放在篮内到江边上马马虎虎一洗了事。而江边的水呢？在早晨潮水还没有涨起时，一切臭的粪腐烂物都有，菜就被这种污水一洗后下锅了。炒菜的油只是一种点缀，实际上炒一大锅蔬菜的油，还不及普通人家炒一碗菜的油多，这种菜小小的一碟竟要卖到两分钱。汤呢？同一碟菜差不多同量的菜，加一点盐、酱油与水，就要卖到四分钱一碗。普通工人吃饱一顿饭，最低限度要四百钱，倘若是工人要吃一小块肉或一块鱼的话，当然四百钱还是不够的，而且工人很少每天吃肉的。吃面比较便宜些，六分钱一碗的阳春面吃两碗也算了，但是你要加些咸菜或排骨在里面，那就同吃饭差不多了。倘若同码头上的肉或鱼讲起卫生来，那种鱼肉是连外国人的狗都不吃的。工人也晓得码头上吃饭贵，但除了很少数的工人有家，能在早上带饭来在码头附近的朋友处放一放以外，其余的工人因为中午休息的时间有限，也不能跑到离开码头很远的地方去吃饭。其实就是带饭来吃的工人，也不过是用茶把冷饭淘淘，搭一点冷蔬菜下饭而已。

晚餐，工人们大半有家的回家去吃了，无家的也离开码头到别处吃去了，因此晚餐也许要比午餐吃得好些，但是五十步与百步之差，也不过差得有限而已。

工人的家庭日常饮食也是尽可能的清苦的，早晨一般都是白水泡饭与少量的咸菜，大饼与油条都很少吃，每天中饭与晚饭的菜蔬，也不过是尽够下饭罢了，脂肪与蛋白质是十分缺少的，因此工人的小孩及女人，普通都是面黄肌瘦。

（三）住　当现在上海房租贵到如此地步的时候，工人住的问题是怎样解决的呢？

去看看工人的住宅罢。在全上海的码头工人中，你找不到一个工人的家庭他住的房屋只有一个人或二三个人睡觉！工人普遍的情形是三家或五家合租一间房子，除了地板上要睡满了人以外，在半空中还要用木板搭出一层阁楼来，有几块板子架成床铺已经不错，普通工人都是困在地板上，白天把被头卷起来。

房间的空气是最恶劣不过的，旧式的楼房向来的窗子很少而且很小，如果住在后楼，那每日房间的空气，整日的汗气集在里面，因此走进工人的房间无论白天或晚上，总是经常有一种恶味。工人睡的被头，一两月是难得洗一次的，被单无论是白布制成的也好，花布的也好，总是弄成一种灰黑的颜色，一天工作弄得满身是灰的身体，顶多是把脸洗一下就滚进被窝去了，澡是两三星期难得洗一回的。

在晚上男的女的小孩子都困在一道，几对男女睡在一间房间，父母儿子儿媳也睡在一间房间，未成年的男女也睡在一起，对于儿童教育当然是留下很坏的影响，皮肤病传染病很容易蔓延。

但即使是这样恶劣的住所，每月还得三四块钱，就是没有家庭的工人，一个人寄宿在别的工人家里，也要一两块钱。

有些光杆子一个人的工人，差不多野鸡工最多，没有一定的住所，常常到了晚上临时到小旅馆借一个铺位，每夜要花到两三百钱。（这种铺位在上海的小旅馆都有，都是摆在旅馆一进门的客堂间的两旁，木头制成的两层或三层的铺位。）但是，当没有钱时，就只好露宿马路两旁的弄堂口了。

“八·一三”战后的难民收容所替不少的码头工人解决了住宿的困难，在南京路、北京路、浜北一带的收容所，都收容了相当数目的码头工人，另外还有一部分工人因浦东房屋比较贱，住在浦东东昌路一带，但每日往来的渡江钱也要二十个铜板。

工人住宿的区域，大概分为四部分。一部分住在法界外滩永安街、小东门一带，一部分住在菜市路、康悌路、老西们一带，一部分住在浜北，一部分住在浦东。

二　家庭借贷

码头工人起码有一半以上是没有老婆的，原因很简单，他们娶不起老婆，甚至性欲冲动时，连打野鸡都不可能，因为他们今天辛苦赚来的钱，今天就吃掉了，他们集不起钱来解决他们的性欲问题。

娶老婆的工人，时常在娶老婆时要借一笔很重的债，这笔债要到儿子长得很大时都还不清，请“会”也是他们常用的办法。

中国有一部叫《王老五》的影片，是描写码头工人家庭生活情形的，虽然这部影片有些地方太浪漫，但是在描写工人家庭的痛苦时，是十分深切的；工人时常在娶了老婆以后，大量的生出小孩子来，使工人的负担一天比一天重，自己时常弄得养不活一家。其次，工人的老婆如果明了，大体在夫妻之间尚能互助，工人自己因而减轻痛苦；工人的老婆如果糊涂，那么工人更加困难，虽然他的老婆同样是不幸福的，除了整天在家抱小孩洗衣服烧饭以外，还要常受到丈夫的打骂，成了丈夫泄愤的对象，因此工人的家庭，很少是快乐的温和的。

工人的小孩子，很少受教育，小的时候整天的玩耍，十岁左右的小孩子帮助母亲抱孩子做家事，男孩子到十二三岁，有的到码头上扛野鸡，有的送进小商店或小手工业去做学徒，女孩子再长大些，有的送进厂做工，有的简直嫁出去了事。

工人的借贷，普通是把一些多少值几个钱的东西送进当铺，有钱的时候再赎出来，没钱的时候把当票也卖掉。还有一种普通的情形是摇“会”，请些朋友参加，每人几块钱一月不等，自己做会头，拿第一笔钱，以后按月抽签，谁抽到谁领钱，按月应交的钱由会头去催。

除以上的借贷方法以外，码头上还有放印子钱的，大多是流氓，借一块钱每天要收两个铜板利息，每月就得交两毛利息。

三　病

码头工人的病有两类，一类是由做工的伤害所造成的病状，一类是生理上不卫生造成的病状。

码头做工的伤害特别是在起卸货工人，时常在搬运木箱时压着脚而造成终身的跷脚。在货堆上搬运货物时，失足跌下舱底，因而把腿或腰跌坏，或是把头跌破。开火龙关时不留神，也要把手指截去。在舱下做工不留神，上面的火龙关钩头落下来，就要把头敲破。如果货物捆扎的不好，货物钩在空中绳子松了货物落下来，也常把工人压伤或压死。

至于生理上不卫生造成的病，最普通的就是忽冷忽热造成的肚痛和痢疾，饮食不清洁和忽饱忽饥造成的胃病，不常洗澡造成的皮肤病、癞疥疮、癞痢头等等。

到了夏天，特别是因为工作过度，码头工人时常在工作时昏倒过去，以及因饭食不清洁而传染时疫。

工人的家属，由于营养不足和起居不卫生，也时常生病，特别是小孩子多因病而死亡，这些都无形增加了工人许多负担。

四 嗜好

工人一般的嗜好是烟、酒、赌和看戏，这在码头工人也是相同。

香烟在码头工人里是非常普遍的，吸的多是最起码的牌子，品海和红锡包是收入最好的工人吸的。普通的工人一天香烟的消费要一包到二包，平均约要五分钱。

酒更是工人最欢喜的，只怕口袋里没有多的钱，一有，定去吃酒无疑，无怪平时码头上的饭摊面摊，都有酒出售，吃饭以前或是没事，就去喝一两杯，钱宽一点，也会上小酒店或小饭馆痛快的喝几杯。

赌，最简单普通的赌是在码头上举行，只要一张草纸和二个铜板就可以当做赌具，用草纸把铜板盖起来大家押宝，大概是看铜板的正反面决定输赢，赌得厉害起来甚至有几毛钱下一注，但平常都是几个铜板。这种在码头上赌钱，给巡捕看见是要捉进捕房的。

打麻将也是工人喜欢的，但不常赌，赌的时候都是到附近那一个工人的家里，最高的输赢也只几角钱。

听戏，一般的码头工人最高兴了，特别是年青工人最爱好，但一个月也难得去一两次，他们听戏的地方多是小的江北戏院、大世界，或是大舞台、共舞台。

除此以外，码头工人在码头上闲着没事的时候，还喜欢吃零食，蚕豆、五香豆、香瓜子是常买一两个铜板吃吃的。

五　工作副收入

由于做工的收入如此之低，同时工人的生活如此之苦，负担如此之重，所以，工人做工的收入时常感到不够，因此，工人也就要在码头上找些外快，有些落后工人，不从如何增加工资去提高自己的正当收入，甚至做些不名誉的事。

在每条船上起卸货物时，因为货包的坚固和货包有大小的洞眼，时常流落出零碎货物，贵重的被看舱的收了去，普通的零碎货物而又难以一点一点拾起的，就随它散在地上，不拾起来了。工人在工作的时间可以拾些放在口袋里，或是放在帽子里，或是包扎在身上，下工时带回家，或是自己受用，或是卖出去。这些零碎的东西多是以杂粮、干果、茶叶等食物居多，有时带得多，可以卖两三角钱以上，不过带得太多了，走在码头上被巡捕抄出来，是要带进行里去的。码头上任何东西拿出来，都是好卖钱的，只要你有本领，别人看不见被你弄来，就是属于你的。

六　信仰

大多数工人都是谈论迷信的，甚至相信神鬼灵魂与命运等，但是，真说他们一定信仰什么宗教，倒也不是。

他们相信刘伯温还在人世，他们相信蒋介石是天狗星下界，他们还相信许多神奇古怪类似武侠小说的故事，但是他们一般也有一种坚信，认为中国不会亡，可是这种信心虽然有一部分认为是气数不该亡，但是实际上他们也听了些人家传说关于游击队的事情，和做亡国奴的痛苦。因此，他们并没有宿命，等待的论调，而是认为决不能向敌人讲和，应该打下去。

他们的生活是使他们工作一天吃一天，他们要用全副精神在生活的斗争上，他们没有相信宗教的经济基础，所有的迷信只不过是长期封建宗法社会传给他们的余毒，事实上这种余毒，在他们生活上，已不能起多大作用了。

码头工人有很多忌讳，他们不愿意听丧气话，如“今天不要被钩头碰破”等，在早晨不作兴讨债、借钱、赊账等。

七　婚丧

工人的婚丧都很简单，与一般穷人家结婚的旧规差不多，不过朋友多的多发几份帖子，朋友少的少发几份，朋友交情深的或是调帖兄弟，送份子多送一点（三五块钱），普通朋友送一块钱。

如果工人死掉父母，丧事也很简单，把棺材送出门以后，仍照旧工作，只是在帽子或鞋子上缝一块白布而已。

八　交际

年青的工人，喜欢结拜兄弟，年纪比较大的就不常有了。

平常在一起，比较要好的朋友，才有金钱上的往来，一起去看看戏、玩玩吃吃，谁用谁的都不要紧，工人平常在一起，你请我吸只香烟或我请你吃几颗蚕豆，都是普通的事。

工人们在一起，互相间都喊绰号，什么大麻子、小侉子、跷脚、小滑头等等，平时互相间的姓名很少知道。

每个工人在码头上都是大亨，你“吃不光我”，我也“吃不光你”，你欺负我不成，我也不能欺负人，打打玩玩不要紧，但是不能“光火”，也不能老占别人的便宜。除了码头的巡捕和海关关员外，他们任何人都不怕。

第六节　文化状况

一般的说来，码头工人的文化水准是不能算低的，四通八达的水路交通，带来欧美各国与中国南北各地的见闻，国内各地的大的变动，都能给上海码头工人以影响。特别是“八 · 一三”开战以来，工人一般的知识与常识都增加了，不久以前，德国进攻捷克问题以及张伯伦向侵略者的屈膝，竟成为工人每天谈话的重要资料。张伯伦、希特勒已经成为工人周知的人物，德国、意大利也已经成为工人周知的强盗国家，是帮助日本侵略我们的。

但是工人接受教育的现状，是非常缺乏的，工人大半是从乡间来，或是全家在码头有二三十年历史的。他们小的时候，终天是种田或是游荡，年青的时候或是种田或是做工，很少有读书的机会。因此码头工人的识字比例，也同全中国人民与全国识字人数的比例差不多，十个人里至少有八个不识字的，就是那一部分识字的，也都是识得有限，顶多是小的时候在乡下读过一两年的古书，连一份报纸都不大看得懂，写一封信也得请人代笔，真正看得懂报纸的是码头上极少数的工人。

教育程度的落后，使工人对于数千年来旧有的文化传统，以及封建残余的意识迷信等等，还未能肃清，这是值得注意的。

第七节　劳资关系

码头的劳资间剥削关系是不如工厂一样的明显的。首先，码头资本家所加于劳动者的榨取，是通过包工头对劳动者榨取。码头公司雇用一定数目的包工头，再由包工头负责招集一定数目的包工，包工头除了在公司中领取有限的工资以外，再按照公司规定的价格，付给手下包工以工资，在工人的工资中，再抽取一份，作为自己的报酬。例如新关码头工人，罗斯福码头扛棒工等都是如此，起卸货工人虽然不是计件工资的形态，但是榨取的关系也是相同的，轮船公司的总买办或总工头，雇用许多小工头，给小工头少许的工资，由小工头去招集工人工作，有时小工头也如工人一样的工作，领取同样的工资，工人的工资由小工头向总工头手下的“当手”领取以后分发给工人，包工头不过有选用与自己有亲密关系的工人的权利和工作的保证而已。

在码头上不只是有这种双重榨取的关系，而且还有另一种榨取的形态。包工头招集一定数目的包工，但往往工作不是少数的包工所做得完的，因此，包工再招雇野鸡工人共同工作，资本家仍是照件数付工资给包工头，包工头也照件数付给手下的包工，然后包工再在野鸡工中揩油应得工资的一部分。这种形态如太古码头的扛棒工，花园码头的包工和煤炭工人等都是。

在这种复杂多重的榨取关系下，码头资本家与劳动者的剥削关系，表面上不明显，因此，许多码头工人不明了这一点，只痛恨包工头，而忽略在包工头背后站着的资本家。

至于野鸡工，在工作关系当中，与资本家的关系是比较明显的。他们每扛一件货物，就由栈房发给一根上面烙有值钱几个铜板的筹码，甚至这种筹码在本码头上成为一种通用的货币，依上面的所值直接购买大饼或其他专在码头上出卖的食物。在罗斯福码头，一麻包杂粮客商付给搬运费一毛钱，而野鸡搬运只能拿到八个铜板，各栈房的扛棒工也是受到同样重的剥削，因此扛棒工与野鸡工一般的都非常愤恨。太古的野鸡工所受的剥削稍微好些，不过在每日工作后，向账房以筹码取现钱时，还要被账房扣去全部收入的十分之一，这是最明显不过的榨取。

第八节　工人活动

一　帮派

码头工人的帮派组织，现在已经很少带有乡土关系的性质。帮派大都是由做工上来分别，譬如罗斯福码头有招商帮、怡和帮、虹口帮等等。招商帮是从前招商局的工人，现在招商局已经没有船行驶，但工人仍旧要靠码头吃饭。从前招商局工人，分天津班、广东班、长江班、宁绍班，分做开往天津、广东、长江各埠，宁波一带的船只。现在长江班与宁绍班的工人已经合并在天津班与广东班一起，天津班有九个小工头，广东班有十个小工头，加入做怡和公司的船只。另外怡和也有自己的老工人，因此怡和的船只就分一部分给自己本帮工人做，一部分给招商局的天津班、广东班做，那一帮人做那一只船都有一定的。除此以外，虹口帮的工人是从“八·一三”战后由虹口逃到这边来的工人，他们多是做野鸡班的船，另外一些开往浙江沿海的小轮船，大多由旧招商局的工头做，无所谓帮派。

在新关码头，工人也有青口帮、太古帮、天津帮，他们轮流一帮一天的在五号六号码头工作。青口帮完全是青口人，共约二百多；太古帮是“八·一三”以前在太古做的一小部工人，多是江北人；天津帮只是工头是天津人，工人各地的都有，以江北人居多。

公和祥码头也有什么青口帮、宁波帮等等的区别，但实际都只是依照小工头的籍贯为别，工人仍旧是那一批工人，只是他们今天跟青口帮工头做，明天同宁波帮工头做而已。

因此码头工人的帮派观念，除了青口帮土人乡土观念较深以外，并没有什么帮派之间的矛盾，帮派之间打架更少发现。

二　工会与斗争历史

码头工人现在没有工会，也没有什么类似工会性质的活动。

平常，工人也没有什么政治的活动，各政党也没有很明显的活动，他们很少用政治的眼光观察人。不过一般工人对于政治的认识倒是十分注意，特别是目前军事的发展，他们不但注意而且很清楚，每天在码头上，工人们只要不做工，谈话的资料总是以时事为主，五个人七个人围在一道，包你十成有九成是在那里大谈国家大事。看报纸的工人，报纸放在手里看，不论认识与不认识你，一定有人靠到你身边来揩油，而且要同你谈，不识字的也要来问你：“今天打得如何？”

三　抗×活动

码头工人听说起东洋鬼子和汉奸，没有一个不愤恨的。×× 人烧了南市占了虹口，他们的家大半毁灭在 × 人手里了，现在他们拘束在租界的小阁楼上，每天收入又这样少，“八·一三”前他们那一天没有块把钱好赚呢？这完全是 ×× 鬼子害的。

他们的抗 × 活动，就以码头工人都不愿意到虹口去做工就可以证明了。在最近有一天，黄浦江涨着很大的潮水，沿码头的马路上水都到小腿深，有一只小渡江划从浦东东昌路驶到罗斯福码头靠岸，上面走出一个衣冠整齐的汉奸，身上的黄色汉奸符号忘记取下来，被正在谋福轮上做工的工人看见了，上去两个工人把他痛打了一顿，最后还把他丢在马路上的潮水里，衣服弄得一塌糊涂，巡捕走来问什么事体，他们说打汉奸，巡捕也很佩服他们。平常码头上打架，巡捕不管你有理无理，都要用棍子打的，但是这次巡捕不但没有打，而且很客气的请这两个工人到捕房走一趟，告诉他们毫无关系，只是让他好把事体交代一下，两个工人很爽快的同巡捕去了，一会儿都放了回来。

码头工人很多愿意去当游击队，而且佩服游击队的勇敢，但是他们大多摸不着门路。

第九节　与码头有连带关系的劳动者

一　海员

海员是与码头工人最接近的劳动者，同时海员也是与码头工人运动最有密切关系的劳动者，海员与码头工人的合作，可以扩大斗争的实力，可以扩大斗争的影响。不但如此，海员还能帮助各地码头工人的联系，帮助各地码头工人组织的发展，帮助各地码头工人在斗争时兄弟之间的援助，因此海员工人实际上成为各地码头工人的纽带。本来这是一个特别重要的复杂产业部门，尤其中国过去有光荣的斗争历史，以下所描写的，不过是个大略吧！

普通每只轮船上管理系统是这样的：

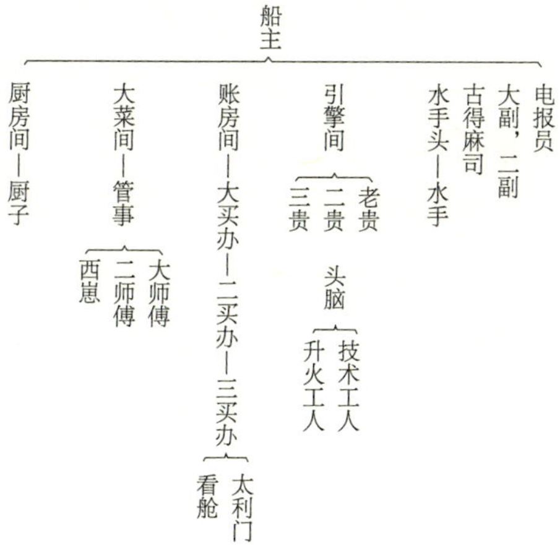

船上最苦的劳动者是水手和引擎间工人，水手在普通的南北洋班轮船上有十几个人，由一个水手头指挥，每天一大早五点钟起要开始工作，洗船、漆船、锤铁锈以及一切船上的清洁工作都是由水手做。船在靠岸或离岸时，起锚和抛锚的工作也是水手做，每天由早晨五点钟到晚上五点钟，无论船靠岸或行驶，工作是不停的。水手头的工资每月有四十元左右，水手的工资只在十元到二十元之间。

引擎间的头脑又叫铜匠头脑，管理引擎间的工人、升火工人大约五六人，一天到晚在引擎间里烧炉，以及担任通烟筒的工作。技术工人约四人，专门做修焊的工作，每天做工约八小时，工资每月都是最高不过二十元，头脑有四五十元。

水手和引擎间工人，工作的劳苦是容易想象的，在海洋中无论天冷天热或是多大风浪，都要到甲板上做工，而引擎间工人，整天都是在温度极高，不通空气的机器旁边工作，升火工人还要时常把头用特制的皮套罩起来，钻到烟筒内把一点一点的烟筒积的烟灰肃清，而他们睡觉的卧室，是在船动摇得最厉害的船头上。

电报员和其头脑是整天的坐在船主室里，两人日夜轮班工作，薪金也相当丰富。

船主之下位置最大的就是大副，二副，在船开或靠岸时，大副在船头指挥，二副在船尾指挥，当船在海洋中行驶时，他们是成天吃了睡睡了吃，薪金也最多。

古得麻司一只船上有四五个人，平常穿蓝衣服腰围红带的就是，担任的工作是摇箱盘和打烂泥。箱盘就是如轮一样管理方向的东西，根据船主的命令，转动船的方向，打烂泥是一种特殊的技能，用管子通到海底，把烂泥打上来，可以知道船行驶在什么地方，距岸多远。古得麻司在船上的地位与水手头差不多，每月工资也有四十元左右。

引擎间的老贵，二贵，三贵是像工程师一样，管机器的，也是事情少，薪俸大的船上高级职员。

账房间的大买办，专门负责客商的交际和评货，如同全船管理旅客和货物的总指挥；二买办是点清货物和管理客票；三买办是清理货单，计算各种货物多少件，多少吨重量，全船职工和旅客人数，报告海关；太利门是在船停靠后，起运货物时管理发筹和收筹的。看船是管理船内货物，什么货应该放在什么地方，什么货应当起出，以及货包破了，缝紧货包的工作。普通太利门和看船都有七八人左右，船在开驶以后，就没有他们的事了。大买办每月薪金约七八十元，二买办五六十元，三买办三四十元，太利门和看船的只有十多元。

大菜间是最轻的工作，管事是承包全船伙食，大师傅是做菜，二师傅是做点心，西崽约有三四个人不等。

大师傅，二师傅每月有三十多元工资，西崽也有十元的工资，吃的住的，算船上最惬意的工人。

海员中等级分得最明显，最高级的船主，大副，二副，大贵，大买办，在外商轮船中，除大买办，都是外国人担任，中级是二轨，三轨，二、三买办及头脑古得麻司，最下级的是水手，引擎间工人，太利门，看船及西崽。

水手和古得麻司大多数是天津人，在怡和公司的船上账房间多是广东人，太古公司船上多是宁波人。

下级海员的日常生活是最枯燥的，整日工作完毕，到晚间五点钟以后，他们就可以休息了。在休息的时候，看书报的很少，就是有几个识字的，也是看些神怪小说。一般说，他们对政局尚不太十分注意。在下级海员的嗜好中，不好的现象是太利门与看船，十个有九个是吸鸦片的，因为他们工作不费力气，船开以后又无事做。至于水手和引擎间的工人，普通都没有这种嗜好，不过每到一个码头，由于平日得不到性的解决，这时逛窑子嫖女人是很普遍的。

由于海员收入很少，普通常弄些外快，一种是卖铺位，让铺给旅客睡，自己困地板，每次可收入三五块钱。还有一种是带货物经各码头贩卖，但如果被海关关员查出来，处罚得很凶。

“八·一三”战争以前，曾有海员工会，不过是公办的机关，只收会费，为工人做事很少，与一般下级海员关系非常不密切。还有一个天津水手工会，以前在虹口元芳路，现在也无声无息了。中国轮船公司的海员，从前都有单独的组织，一九三四年在共党领导之下，反对交通部利用考试名义裁减人员，发生激烈的斗争，并得到胜利。

小驳船，除了驳船公司的大铁篷篷驳船以外，在外滩一带，还有数百支民船，专门驳运各大轮船上起的货物，运上码头起货，或者替商家装货运经停泊江中心的轮船起卸，每装卸一次货，须一二天的工夫，有五六元的收入。这些船户大多是以船为家，或用一个船老大帮助做事。各船之间，因为常靠在一起，互相都得熟习，船户多是本地人，平常没有什么更高的要求，知识及文化水平不高，但斗争情绪是浓厚的。

小渡江划，沿浦江码头的渡江划不下四五百只，一部分专门摆渡乡下人往来浦东上海之间，贩菜或贩货，每渡一个客人，要十个铜板，一次可载七八个人。另一部分是专门渡运旅客经江中心上船，或是渡停泊江中心船上的人来往码头之间，有时一天收入也有两三元之谱，船户或船夫大多是吴淞人或山东人，性情刚直，文化水平很低。

平常以上二部分人与码头工人也常接近，但没有什么了不起的关系。

第二十二章　黄包车业

第一节　绪言

在上海的苦力部门中，黄包车夫实占着重大的数量（共约拾万人），同时在交通上亦占重要的地位；可是他们都来自江北的穷乡僻壤，故文化落后，知识浅陋，本身漫无组织，以致受尽车主的剥削，乘客的欺侮，捕房的虐待。他们日夜替社会劳役，但还不能解决他们草棚内简陋凄惨的生活。于是，他们对于生活不满的，遂愤怒彷徨，悲观消极，往往以赌博饮酒来麻醉现实的痛苦，遂使生活更加沉闷。但他们多半还不能了解这半封建半殖民地的社会给他们痛苦的原因。

在这民族抗战的大时代中，如能把这十万车夫加以组织训练，改善他们的生活，提高民族意识，灌输抗

× 教育，使他们都有政治的觉悟，那么这伟大的力量，将变成一支民族革命的洪流，一座坚强的堡垒，会吓得敌人丧胆落魂。

第二节　黄包车业概况

上海的黄包车已有四十余年的历史，当初名叫东洋车，因它仿造日本式样。那时车轮用木料构造，外围铁圈，车轮很高，自民国以来，才陆续加以改造，并改名为黄包车。

上海黄包车的数目，在公共租界有九千六百辆，法租界据说有一万辆，车夫在公共租界登记的四万四千辆，法租界闻有五万以上，他们的籍贯多属于江北东台、盐城、阜宁、高邮、泰县等处，少数则属于南通、海门。他们拉车的年数，有自五年起到廿多年的。

在以前，车行大部分布在虹口、闸北、法租界一带，自“八·一三”后，闸北、虹口沦为战区，故该处车行全部迁到法租界，沪西，及苏州河北一带经营。

在十年前，上海有二家规模宏大的外商创办的车行——南和公司、飞星公司。他们每家都拥有几千辆车，资本非常雄厚。现在他们所有的车辆，早已卖与华商经营，故目前的黄包车，已十足是我们民族的资本了。

车租（日夜廿四小时称一整班）在“一·二八”前，曾经超过一元以上，“一·二八”后，营业清淡，同时，互助会宣告成立，乃将车租限制为八角半，前年“八·一三”后，区域缩小，营业减少，故又改为七角半（有少数出租八角），但车主按月每辆车除开支外，仍能获十余元的利润。一九三九年四月，车商又不顾工人死活，增加车租，工部局亦表示考虑，现在尚未解决。

车主每部车辆，按月的开支及盈余如下：

支出：
- 车照三元八角（公共租界二元二角，法租界一元六角）
- 互助会费一元五角
- 修理、油漆、另件杂费等五元

共支出拾元零三角。

收入每月廿二元五角（每天车租七角五分，以三十天计算）。

收支相抵尚盈余十二元二角。

第三节　车夫生活

车夫拉车分早晚两班，早班每月约可拉二十天，晚班每月约可拉十五天，平均每天可赚一元左右，家庭生活万分清苦，终年住草棚，穿破衣，吃小米，这即是他们替社会服务所得的报酬。

他们最受压迫的是巡捕滥抄照会，随意殴打，尤其是法租界更为厉害（据说法捕房强迫华捕按月应缴照会若干张）。

罚款是公共租界三角，法租界五角。

其次是一般无耻的所谓高等华人及下流外国人，他们态度横蛮，坐车不讲车价。但到了洋行、机关或舞厅、旅馆等目的地后，他们随意付一些车钱，便一溜烟的进去了。如果车夫要想进去同他讲理，则管门巡捕就会立时来把车夫推出去。

总之，巡捕要虐待他们，乘客要欺侮他们，所以，他们真是“弱小民族”。

车夫文化水准最低，他们有十分之八是文盲，十分之二略识几个字。因此，他们对于社会、政治，不容易了解，只有凭自己的生活经验与人们的口头传说，去知道一些。

车夫的生活，较任何部门的工人更为困苦，他们终年穿着破旧衫裤，身上补丁一补再补，冬天棉衣裤的破絮很多一块块地拖在外面，有时他们感到实在不能再穿的时候，如果经济上有办法，那么设法到旧货摊上去买一件（家属小孩亦多如此），如有身材不合，再携回家去修改。

他们大都每天吃两餐饭，上午十时半一餐，下午四时半一餐，有四五口家眷的车夫，每天小菜规定一角至二角为限，故除吃一些廉价的青菜、豆腐、咸鱼以外，对于鲜虾鱼肉，一年中除废历过年过节之外，平日绝对没有吃到的。

在上海两租界（包括法租界单面照会）的十万车夫中，大约有六万是没有家眷的，他们都住在车行里，由承放人搭建二层三层阁楼供给车夫居住，在每一家车行的二层阁楼上，须住着二三十个车夫，一间三层通阁，则须容纳四五十个车夫。他们在地板上铺着肮脏的被席，依次的排列着，他们中间拥挤得没有一些距离。这里的空气是污浊的，地板是龌龊的，臭虫白虱是这里的特产品。他们的生活是一般住洋房坐沙发的大人先生们所梦想不到的，一个大人先生在这里不会有一分钟的停留，但这六万以上的车夫，就一年二年甚至十年二十年过着这样的生活。我们很希望社会上各团体及注意劳工生活者发起来参观参观黄包车夫的宿舍，给他们进一步认识下层劳工的痛苦。

在这四万有家属的车夫中，约有二万以上是过草棚生活的，他们在沪西越界筑路一带空地上花费一二十元的资本，每月付几角钱的地租（有的没有地租），搭一间简陋的棚舍勉作栖息。

棚户最感痛苦的是没自来水（虽则工部局在棚户附近每天上午开放太平龙头一小时，但因人数拥挤，要取得一二铅桶的清水，须走相当的路，并须依次等待）。是的，棚户区内大都掘有水井（大都是泥潭），但因为钱出得太少，而经手人又要揩油舞弊，故水量很少，水质污浊，不堪使用。

第二是雨后道路滑泞，脚踏在上面，就陷入泥淖中，很难行走。第三是屋内没有地板，泥土潮湿，尤其是雨天。第四是冬冷夏热，冬季北风从芦片空隙中侵入，刺入骨髓，夏天强烈的日光，从低矮的棚底透入，使人熏蒸难受。

此外，约有一万以上有家属的车夫，他们在沪西公共租界边境及法租界打浦桥、菜市路、芦家湾一带，租屋居住，他们一间破旧的楼房或石库门，总要住上二三十家的住户（一个二层阁楼，要住上四五家车夫），好在他们只有几个包裹和几张破旧家具。

车夫简直谈不到娱乐，他们有空，除睡眠外，多数以赌博为唯一消遣（纸牌、挖花、牌九、麻将），此外，则到茶馆去吃茶听书，再也有的去看看江北戏。

车夫约有十分之九信仰佛教，信仰理教者（不吃烟酒）亦占十分之一二，至于信仰天主或耶稣教者，则绝对少数。

但车夫为环境所迫，他们拜老头子的很多，综计约占百分之九十。因为车夫不经过这种手续，到处要受人欺侮。（其实拜老头子亦同样受人欺侮压迫。）

第四节　车夫斗争情形

在抗 × 活动方面，因车夫文化最低，环境的压迫，不许他们本身有抗 × 组织的机会。他们对于抗 × 运动，素来没有集团力量的表现，但车夫都非常恨 × × 人，尤其是在“八 · 一三”后，大都受到切身痛苦，大部分车夫原住在闸北、胡家木桥、太阳庙、大洋桥一带，他们的老家，都给敌人炮灰毁灭，非常愤恨。故自“八·一三”抗战爆发，各界纷纷成立救亡团体，协助政府抵抗暴敌，于是车夫方面，也起来响应他们，于一九三七年十月十九日，在南市组织车夫救亡协会积极动员车夫，帮助军队运送辎重，建筑工事，担任向导等工作。同时，他们并向市府建议，将互助会基金十八万元中，提出十万元购买救国公债，不幸数日之后，上海沦陷，车救随无形解散，而互助会购买公债十万元，亦就无法实现。

虽然这车救因国军西撤而夭折，未能以伟大的力量贡献政府，但车夫集团抗敌运动的表现，是值得我们敬佩的。

此外，“八 · 一三”战争爆发后，上海市抗敌后援会曾向人力车同业公会要求发车送往前方应用，由同业公会发放车辆三百部，并征车夫五百名，送往前线服务。自战事西移后车夫只有二百左右回沪，重操旧业，其余三百名车夫，随军西撤，这也是值得赞许的车夫的光荣历史。

黄包车到现在虽已有四十余年的历史，但车夫集团斗争的发动，在一九二七年才开始萌芽，那时因为受了反帝反封建大革命的影响。迨北伐军克复上海之后，本市各业工人，纷纷成立工会，于是华界车夫遂有数十人发起组织工会，成立以后，有车夫三百余人，前来报告参加，工会设备，有茶室、浴室、救济工作、识字教育等，会员按月缴纳会费三角。

此外，工会还有车夫义勇军的组织，所有三百余会员，全体参加军训。但不久国民政府实行清党，竟下令解散工会组织，并拟将三百余名受军训车夫，全数编入正规军，调赴前方作战，因之，工会负责人及全体会员极不满意，表示拒绝，从此工会遂告解散，其他车夫亦不敢有所活动，总计工会成立，前后约有五六个月之久。

车夫运动受此严重打击后，遂致无形消沉，直到一九三〇年（民国十九年），始有陈国梁、何武山等呈文上海市府，要求准许组织工会，保障车夫权益，但市府批复不准，于是仍无结果。

到一九三三年（民国二十二年）秋季，公共租界方面车夫何武山、徐竹林、朱凤祥、仓公文等发起组织车夫救济会，并得工部局许可成立，那时他们第一个口号，要求将每天车租小洋十三角减至十角，另缴救济会经费一角。

救济会拟举办：1. 车夫子女教育；2. 车夫死亡救济；3. 施药；4. 冬季施衣施米；5. 救济年老失业车夫。

关于要求减收车租问题，工部局久欲发展外商的大资本的交通企业，如电车、公共汽车，故对人力车业，采取缔的态度，时思打击车商，此时逢车夫中有减租的呼声，故乘机对车夫深表同情，并经工部局批准，准许于一九三三年八月一日起，实行减租。不料一般平日以吸收车夫膏血自肥的车商，见一旦收入减少，表示反对减租，仍须按照原价征收，于是在八月九日，有车夫三百余人，齐赴工部局请愿，要求车商实行减租。同时，车商也积极活动，破坏车夫团结，分化车夫阵线，他们一面利用封建同乡帮派关系，以重价二千元，收买车夫领袖孟金城劝其停止活动，一方面收买车夫败类，间接唆使无知车夫，将各马路上黄包车胎放气，或捣毁车辆，致有车夫三百余人被捕，送解法院。而车商方面，反以鼓动风潮，罢工扰事，损毁车辆妨碍营业等罪，向法院起诉；结果有二人被判徒刑三月，有八十余人被判一星期至一月的徒刑，自八月九日起，租界黄包车停业二天半。

一般车夫经济斗争的积极，与要求组织代表车夫阶级利益团体的迫切，工部局是注意到了。但它决不愿上海有一个真正代表上海十万车夫利益团体的成立，因为这团结力量的伟大，究竟使上海统治阶级感到害怕，因此，在一九三三年十一月份，自救济会停止活动之后，又由车夫朱谋才、仓公文等，继续组织，并呈请市党部、社会局登记，但结果市局不允所请。于是，朱谋才向工部局请求登记，工部局为统治整个租界车夫起见，遂正式宣布成立“人力车夫互助会”，将车租（二十四小时）规定为大洋八角五分（内五分充互助会经费）。

互助会设有理事十二人，内计工部局三人，车务二人，纳税会三人，市商会三人，教育界一人，后闻车商亦参加二人，但没有车夫理事。

理事以下设有保管委员会，由工部局董事会车务处及市商会各推一人，负责保管经济（并无车夫参加）。

互助会设有三科，计分：1. 教育科，2. 救济科，3. 调查科。

教育科办理车夫子女教育。

救济科设有医药救济（开始只设西医，后经车夫要求，遂增添中医），死亡救济（车夫死亡，可领取救济费十四元）和浴室、茶室、阅报室、宿舍（每夜收铜元六枚）、食堂（饭一碗铜元六枚，菜汤一碗六枚）。

调查科调查车夫死亡疾病。

互助会总会设于虹口嘉兴路小菜场楼上，并另设分会四处：

1. 麦根路泰来里二十号；2. 法租界贝勒路恒庆里；3. 南市小南门青龙桥；4. 闸北沪太路。

互助会有干事职员约七十人，会役约六十人，其待遇如下：

总干事月薪三百五十元（外加车马费津贴五十元，

交际费津贴五十元），副干事月薪二百二十元（津贴不详）。各科职员及主任月薪，自六十元起至一百八十元止，会役月薪十八元。

一九三四年三月一日，工部局为限制车夫人数，并计划逐渐消灭车辆起见，故规定车夫四万人（每辆平均四人），须至车务处登记拍照。领取执照，方准拉车。同时，乘机将老弱和眼睛不便的车夫，宣告淘汰，一般车夫虽表不满，但在工部局与互助会压迫之下，终于屈服。

车夫对于互助会全系少数上层分子包办，表示非常不满，故于一九三四年八月，由仓公文、朱凤祥、徐竹林、何武山等二十人，呈文工部局要求车夫参加理事及经济保管，并要求将互助会改组，结果得到工部局许可，准许车夫四人参加正副理事，计正理事为仓公文、何武山，副理事为朱凤祥、周维高。这些人虽自己参加进去，但即忘记阶级利益，故互助会仍为十足官办工会。那时，车夫方面，为保障本身权益及加强团结力量，同时，又有一部分车夫，在车商之背景下，故曾共同于一九三五年秋季在牯岭路六十六号组织车夫协会，由徐竹林任主席，夏怀祥任副主席，划分上海为四区，每区推定干事一人，负责联络，计分：

东区（杨树浦）朱日昌

西区（曹家渡）戴如贵

南区（南市）杨兴友

中区（英法租界）马泰智

协会成立未久，即有三千余车夫前来登记，参加人数异常踊跃。不料互助会方面，见车夫协会日益发展，车夫团结日渐巩固，遂大起妒忌，认为若不早日消灭“协会”，则日后对于四万车夫难以操纵统制，故总干事张澄瀛（大学生出身，基督教徒）积极于拉拢车夫，破坏协会，并收买车夫理事仓公文、朱凤祥、徐竹林、何武山四人，时常请客宴会，并以每人月支津贴二十五元为酬，唆使他们提议撤销车夫协会。不幸四车夫理事，竟然为了私人地位，忘记本身阶级立场，甘心出卖四万车夫利益，他们终以车夫总代表名义，提议取消车夫协会。

各区车夫闻讯，一致反对取消“协会”，但互助会已表示不承认协会有代表车夫资格，于是各区车夫以互助会经费，全由车夫血汗供给，但车夫竟毫无主权，今该会甚至忍心破坏车夫组织，养虎为患，事之不平，莫甚于此，因之，遂有车夫三千余人，齐赴嘉兴路互助总会，实行武力接收，要求互助会移交车夫自行办理。遂与干事大起冲突，捕房闻讯，急派警备车及大批探捕前往镇压，当时有四十余车夫被捕，内有三人被判徒刑三月（二十二人被判缓刑三月）。

经此事变后，车夫协会继续存在，不允取消。但互助会利用政治势力，以不发拉车执照为要挟，强迫车夫签名“反对车夫协会，一致赞成取消”，于是，车协在重重压迫下，遂无形解散。

一九三七年五月，再由车夫十四人具名发起组织车夫福利会，并经市府核准成立。是以他们一方面积极筹备找寻会址，并等待市政府发给许可证，不料不久“八·一三”沪战爆发，会务遂无法进行。

过去由于工部局与车商间的矛盾，而曾发生互助会与车夫协会的对立，前者提出减低车租，后者提出取消互助会会费，彼此各号召一部分车夫，作为攻击对方的实力，而车夫在这些口号之下，常作阿斗太子，这是非常值得警惕的。

无可否认的，互助会成立后，对于车夫，虽谋得一些利益（如限制车主任意抬高车租），但互助会的确有很大的缺点：第一，互助会丝毫没有负起教育，组织，训练车夫的责任。第二，应该减低会费，全部会费，应全数用于车夫本身福利事业，节省一切不必要的开支，办事人员更不应滥支高薪，消耗公款。第三，车夫有良好意见向会方提议，会方应尽量采纳，不应置之不理。第四，互助会应由车夫推举真正热心代表，负责管理，并聘请社会上热心专家为顾问，互助会不该是一个长期由外界操纵包办的官僚机关。

第五节　结论

最后，我们对黄包车这种落后的交通企业，虽没有什么留恋，但它今天究竟还是一个民族企业，而且有关十余万人的生活，所以，在上海工部局对上海社会经济还没有通盘计划的时候，我们不能让其受到破坏。车商与车夫应该联合一致，共谋生存，然而车商不能专以剥削车夫为事，而要注意改良他们的生活，减低车租，不代替官办互助会强迫车夫交会费。此外，上海的教育界，不该永久为少数人的专利品，应该为一般劳苦同胞尽一些教育的天职。其次，上海的救亡团体，应多派热心干部，深入车夫部门，去领导他们，把他们训练组织起来，虽则这工作是万分艰苦的，但我们为了国家民族，为了劳苦大众的福利，应有克服一切困难的决心。至于车夫本身，应该自动以公司为单位组织起来，谋自己的解放，更是迫切的事。

第二十三章　上海两租界工部局工人

第一节　产业历史的发展与现况

自从先进资本主义国家的势力侵入中国以后，上海成为国际贸易的枢纽，于是就在五口通商的条约定立之后，上海即有若干地域划为租界。

既然有了租界——外人在华根据地，当然要把它经营起来，使它发扬滋长成为能驱策中国内地的心脏。两租界工部局的诞生，是负起心脏的建设责任的。

没有问题的，外国势力的在华发展，也伴随着这心脏建设的发展，它由狭小的范围，逐渐逐渐地扩大了。现在两租界大概包括下面几个单位：

路务处　垃圾处　卫生处　花园处　机器间　石子厂　马车间　房子间　瓦筒厂　打样间　总写字间

共计职工五千余人，成为上海有数的市政企业了。

第二节　行政管理

最高的行政机关为工部局，下面就是各处，间，厂。这些单位直接由公董局指挥工作。公董局的督办下面是各单位的主任，再其次为总看工——看工——工人。打样间是设计工程的神经，很为重要的。督办权力颇为集中，平时他有一切决定权，各主任只能请求督办允许，主任及总看工只能决定某种限度的事务。

各单位均设有写字间，总理该单位庶务，揆其性质亦类似其他产业部门之“工务处”与“事务处”之分立也。

第三节　职工数目、性别、年龄、籍贯

（一）**人数**　因为工部局各单位很散漫，并且也都各自独立的，笔者既不是门内人，也没有很多朋友可以探问，这样当然知道得不十分详细了。不过我们知道，各单位工作过分忙碌时，均用临时工人。

（二）**性别**　工部局做工都是男人，没有女人的，原因不外工部局的这种粗重生活，用男子对局方有利些。其次中国廉价的劳动力，他们尽可以拣些年壮力健的男工为他们服务了。

（三）**年龄**　没有看见有童工，或者五六十岁的老年人在工部局做工的。理由大概也和不用女工一样，那种挨苦的生活，不是老弱少幼的人能够胜任的。现在在那里工作的工人，都是在二十岁以上，五十岁以下的壮年劳动者，其中尤以二十五岁到四十岁的占绝对多数。工部局的工友们，他们人生一世最可宝贵的一段光阴，被最低的工钱糟蹋了！

（四）**籍贯**　本地人占多数，其次是山东人，再次算江北和安徽人。本地人他们过去看不起工部局这种普通苦工生意的，但是，现在经济的发展，逼得谁也不能由自己的兴趣去选择工作了。到近年来有不少本地人饥不择食地到工部局做生活了，他们多数落在路政处，花园处，卫生处工作。山东老乡在各单位都有散布，号称中国人最能克苦的江北老乡，他们确实受委屈地在垃圾处工作，虽在别的单位也个别地散布有江北人，但垃圾处却是他们的大本营。安徽老乡，在各单位都有，人并不多。还有宁波老乡，他们人数虽少，但是占着非常重要的机器间。一九三一年的大罢工，他们是打先锋的，那种勇敢坚决为大众争福利的精神，真使人佩服。

第四节　工作时间及劳动状况

职工的工作时间，原则规定：1. 职员每天工作六小时；2. 工人每天工作八小时。但事实上职员往往每天工作七小时以上（华籍职员如此），工人工作九小时以上的。战后法租界人数增加，工部局的工作繁重了起来，尤其是垃圾处与卫生处的工作格外繁忙，但局方不肯添人，只把繁重的工作，迫着仅有的工人去做，因此垃圾处工人早晨五点钟工作起，一直到深夜也还有嚓——嚓锹垃圾的声音，这是延长工作时间的表现。还有我们知道工部局的职工们，他们的工作范围是整个的租界，职工们的食宿处，往往与他们的工作离开很远，所以，规定着早晨七点钟上工，而很多五点钟就要起身了，吃了饭要跑很远的路才能到工作地呢。吃午饭是上午十一点半散工，到下午一点钟上工，其中虽有两个钟头的间隔，但都给跑路花去了。下午五点半散工，等到工作器具等东西安置妥当，归家总是六点敲过了。这样事实上每个在工部局做工的工人，每天都得支出十三个钟头以上的时间。至于那些所谓“S工”的工人，连礼拜天也没有休息，真是一年到头三百六十五天，天天做工！

上面已经把工部局职工每天的工作时间讲过了，现在来讲一讲工部局职工的劳动状况。工部局的工人，虽不像其他产业工人完全受机械的支配，但他们的劳动痛苦只有比其他工人更甚。我们大家可以看见，那些筑马路的路工，他们一天到晚，抬、扛、敲、打、掘、铲、肩的工作，有时背着千万斤重的“铁滚子”拉辗着路面，真够累人的。还有扫地的清道夫（亦可说苦工都如此），他们无论冬夏，不管晴雨，总是研手砥足做着苦的生活，炎暑与寒冬，日晒与雨淋，并不比机器侵蚀人体来得弱啊！至于垃圾处的工人，天天与腐朽的垃圾打交道，不卫生的气氛时时钻入他们的肺腑，妨害了身体的健康。说到汽车和机器间的工人，他们正式与现代的机器接触，当然又有特殊条件，法租界机器间在一九三一年斗争后，局方对他们很压迫，过去工作“闲”用一百多人，现在工作加倍忙，反只用七十几个工人了，使工人的劳动强度一刻也不好放松。

第五节　职工的待遇

没有进工部局做工的时候，总以为工部局的生意是“好差事”，那些已经看见工部局的工人在非常痛苦的环境中工作的人，也还是说这差事“稳是稳”的，其实真是天晓得！当“好差事”的人，还会像“瘪三”一样过生活吗？“稳是稳”的，还有时时被开除失业的危险吗？讲到职工的待遇问题，那是更气人！谁不知道工部局的企业，比任何企业来得稳当，来得赚钱，谁也不能挖它的生意，假如要加捐加税，只要一道命令就行了，谁也不能反抗它。这些年头里，工部局的职工们，天天和这片土地打交道，什么修马路啦，造公园啦，种树木啦，栽花草啦，把租界这片土地装扮得多美丽漂亮啊！市面一天天繁盛了，住户也一天天密集起来。这些职工们血汗的劳动，不知替工部局招来了多少洋钿与钞票！

然而工人们所得到的只是贫困与饥饿啊！抗战以后，那更是不得了，市面不知振兴了几倍，任何角落都塞满了人，空地也多变成洋房和工厂了。税，捐，照的各项收入，也大大地增加了。比之战前，恐怕多一倍也不止吧！但工人们得到的又是什么呢？是加倍的辛苦，贫困和压迫。虽说今年七月局方加过一成工资，但与步步增高的生活程度相比，那还是相差太远，实际工资仍然是大大的降低了。而且这次加工资也不很合理，那些大薪俸的外籍职员，加得特别多，华籍职员加得不多，工人加得最少，这样贫苦工人的所得未免太少了啊！现在试将职工各项待遇，举法租界为例写在下面：

（一）工资

甲、职员	法籍 华籍	150—500 元 35—100 元
乙、工人	普通长工 普通临时工 铜匠 开汽车	17—30 元 每日 5 角 5 分 25—70 元 30—60 元

以上这一工资表，只是混统的写法，它是按月计算，前面是最低数，后面是最高数。

看了上面这个简单的工资表，觉得不平等的待遇的差额太大了，苦工的生活太痛苦了。假如拿它比较起来，就是华籍职员相差五倍，苦工和法籍职员比，最起码的也要差十倍，就是相差二十倍，三十倍的也是多数。想起大家都是人，都是同在一个工部局服务的，有这样天与地的差别待遇，未免使人痛心不平。当然我这样说，并不是主张把这些高俸的职员们，要降低一些待遇，而是希望法租界工部局应把华籍职工待遇提高起来，特别是把那些千辛万苦的劳工大众的生活改善改善！

局方的规定，每年职工们是有薪加的，但是分出多等多级来。例如老长工（一九三一年斗争以前进工部局的）过一个年头加七角，新长工（一九三一年斗争后进局的）每年加三角五分，所谓“S 工”的临时工，任你做了多久，除每天拿五角五分工钱外，什么待遇也没有了，他们做一天拿一天工钱，苦工中他们是更苦的了。假如以待遇的差别来作人数的比例，那么这三种待遇的工人——老长工，新长工，S 工（临时工）数目上是相仿佛的。

（二）**年节赏升工休假**　实任职工（长工）每年可

以拿年节赏一个月（即全年工资十二分之一），假如你今年请过三个月的假，或者是今年五月才升上长工的，那年节赏就须打折扣了。总归是合乎十二分之一的原则，但临时工虽然整年在局里做工也是没有的。说到升工，只有格外的工作时间才有的，比如说：规定每天做八小时工，今天做了九小时，这额外的一个钟头可以加倍升工，计算方法：A. 按日计算者，月薪数目 /30×2；B. 按时计算者：（甲）职员，月薪数目 /（30×6）×2；（乙）工人，月薪数目 /（30×8）×2。休假：除每逢礼拜天休假外，全年还有十天给假日，这十天给假日是不扣工资的，但你一年到头不请一天假，局方也不另给工资的。但是工人总把这十天假日留着有要紧事情时才用它的。所以往往一年留到头，年关快到，想着自己无须再留了，才去告假休息，可是这时告假的人多啦，而每次告假只准五人，还须早一个礼拜五去预先声称，下礼拜内才能休息，手续怪麻烦的，因此有些工人怕这种麻烦，就白白给局方便宜这十天的也不少，局方见到这种有利可图的情形，当然更把请假的事情作难起来。一年还有十四个休息日，那是一月一日，三月十二日，三月二十九日，复活节后一日，五月一日，五月五日，圣母升天瞻礼日，圣神降临瞻礼后一日，七月九日，七月十四日，十月十日，十一月十一日，十一月十二日，十二月二十五日。以上这些休假日，若因为工作忙碌，局方可以自由决定工人不休息，工资是加倍计算，听说以前是双倍发给，即连原有工资为三倍，可是现在革掉了一倍了。

（三）**米贴**　名义上是有的，事实上很难做到，假如做到数目也很小，恐怕那时工人也因米粮太高不适于生存了！不像英商电车公司那样。米没有贵到十八元二十元，可是其他什么东西都贵好几成，甚至有增加几倍的——像房租，生活并不因米没有贵到那种程度，就不痛苦了，反而只有艰难万分。现在工部局的工友们，谁不叫痛苦呢？假如能有英电那样米贴的规矩，那是好多了。兹将米贴的章程写在下面：

如米价（自上月十六日至本月十五日之中等米价）每石在十四元至十六元之内者，则每月津贴一元，如米价每石在十六元至十八元之内者，则每月津贴一元半，米价每石在十八元至二十元之内者，则每月津贴二元，米价在二十元以上者，则每月津贴二元半。

（四）医药　局方是有医药设备的，事实上有了医药设备，对局方很为有利，因工人生病若能得适当医治，或在未病之先有个预防，这样工人请病假或缺职等妨害工作的事情无形减少了，这就是增加了生产。但是，局方订定的职工享受医药章程里面，有几条是很欠妥当的，例如：第二条，“职工家属不能享受医药之权利”。说起来现在工部局任职的华人，都是痛苦的，特别是那些做苦工的人，他们一个月的工资，非常有限，一家人饭也吃不饱，那能再有钱给家里人医病呢？并且正因为他们的生活苦，家属老少生病是常有的事，工人们常常会因为家属生病没有医药费这件事受熬累，这样就也妨害工作了，未知局方曾注意及此否？还有第九条，“病假扣薪办法：第一月，不扣薪；第二月，扣半薪；第三月，给半薪后就停薪”。请大家想想看，一个工人生了病，无论他的家属或他的本身，生活上只有步步痛苦的，越生病越受到刻薄的待遇，这是不应该的吧！至于第十条，“职工病了六个月而未治愈者则须解雇”，那更说不过去了。

（五）退职金与抚恤金　这两种待遇，完全因工人给主人平时贡献某项程度的劳力，一旦工人死亡或年老退职了，一离开职务，生活就成为问题。既然资本家在那个工人身上赚过不少钱，换句话说，工人给资本家赚过很多钱，创造过很多财富，像牛马一样。现在他老了或者他死去了，一生一世他既然都为资本家赚钱，那么到这种地步，叫资本家“拔根毫毛”是应该的了。同时退职金和抚恤金，也是鼓励工人工作的一种方法，在远远的地方摆着这么一个希望，职工平日就可能更刻苦忠心的工作了。据悉法工部局规定：职工未满六十岁而自动退职的，没有退职金可拿。照例职工身体十分不好，已不能担负工部局工作了，本可拿一点退职金的，但是现在也很简单的开除了事。但在一九三一年斗争以前进局的老职工们，有时碰巧可能拿到一点退职金，数目是没有一定的。至于抚恤金，规定是按照《国民政府工厂法》办理的，但事实上，死了一个人只拿五十元棺材费，职员稍为多一点。

（六）惩罚　局方管理华负章程这样规定着：1. 谴责；2. 不得加薪；3. 暂时扣薪；4. 降职或调差；5. 革职。但是，实在往往不按照规定的（就算这规定是对的吧）！法国人时常会以外国火腿奉送的，看见工人一点事情做得不好，打骂罚钱一起都会来的，“洋大人”他们根本不耐心在工作地指导工作，一天骑着脚踏车只来巡阅几次，可是，他们要“报功”，这样就拿出虎狼一般凶猛的手段来对待工人。战后因为要加紧工作，更压迫得厉害了，现在动不动就是罚钱和开除，工友们大家天天在心里叫着苦。因为抢饭吃的人多，向工部局荐人这件事，现在是非常兴旺的，那些在候补“美缺”的人，难免要巴结一下荐头人，为着要给自己的职位早天谋到，故此就发生对荐头人孝敬礼物或钱财这件事。近来，有些“面子人”是把工部局的“职位”当商品出卖的。所以那些无力孝敬“面子人”的工人，往往借着一点小过被开除了，这是“面子人”营业的关系哟，总之，现在流行着的惩罚有三种：打骂，罚钱，开除。每个工人都为这三条毒蛇而提心吊胆的。

第六节　工人的负担

一般讲，工部局工人的负担都很重，他们多半是农村里失了生活依据的农民，和一部分城市失业的工人。他们的一家，往往要完全依靠在工部局做工的一个人去养活的，长工多数有家属，并且大半都在上海的。普通一个工人，总要“挑”四人以上的生活担子，请大家想想吧，米珠薪桂，寸地寸金的上海，他们要以这样微少的收入，去开支一家的生活，其痛苦的程度可以想见了。

笔者看见的，他们有种特殊的负担——“送人情”的负担，大头脑，小头脑，一年到头喜事、寿事、丧事是很多的，来一张帖子，至少要花两只洋，甚至有四元八块的，因为要头脑巴结生活呀！职员们如此，工人之间也效尤了。自己弟兄间发帖子的事情亦是很普遍的，这笔负担实在很重，少算一点，也得在工人的全负担中占百分之二十光景。

第七节　生活概况

工部局的工人，一般讲，他们还是在较落后的境域里生活着。他们守旧，他们安于现实，他们还迷信命运，他们还惯于那种刻苦耐劳的生活，现在且把他们的实际状况写在下面吧。

（一）**衣**　服装是相当复杂的，因为生活困苦和工作的粗重，所以也并不怎样整齐。蓝黑的褂是他们普通的服装，但是，他们有的穿着警察的大衣，巡捕的制服，学生与工人的衣裳，然而这些都是人家穿旧了不要穿的，在旧衣铺或旧货摊上，他们以较贱的代价买来的。他们间或也有套把新衣，这是预备作客或有事穿的，但那些最苦的“临时”工友们，根本连这一套也是没有的。局方对工人服装的问题，是不管的，不像电车公司和公共汽车公司那样会发给工人制服，局方只发给工人一件“号衣”背心，这号衣只尽了以示区别的作用，并不能为工人解决温暖问题。号衣可分为四种：路政处的扫地工人，是红底白字；筑路工是红底蓝字；垃圾处是黄底黑字；卫生处是黄底白字。

（二）**食**　他们“食”的问题，据悉吃包饭的人是很少的，多数是自己起伙，因为许多人的家属都在上海。就是没有家属的光身汉，亦是早上烧好一锅饭，吃了去上工，午饭带到工作地去，在老虎灶里泡点开水，带点咸菜买包果肉，马马虎虎的就地吃一顿，晚饭又回家里来吃。但也有人在饭摊上吃的，这就得看工作地为转移，很少固定性了。他们吃些什么呢？当然，不会像大人先生们那样有大鱼大肉吃，普通粗劣的饭菜是他们的食粮。面食亦是重要食品之一，但本地帮的工人是少吃的。

（三）**住**　平房，草屋与阁楼是最普通的住房，战前，他们多数分居于南市及法租界，相当散居的，战后，都逃进租界了，在目前这住的问题也非常苦恼他们的。薛华立路及卢家湾一带是工部局工人最多聚居的地区。

（四）**信仰**　说到信仰，他们多数还相信菩萨，存着一种迷信，以为自身的痛苦生活，是因为命运不好，他们还未曾觉悟到现社会这种贫与富不均的现象，是因为社会制度的不良，有一种人在压迫自己剥削自己的缘故。有一部分本地帮的工人，他们相信天主教，但总没有相信佛教那么普遍。

（五）**嗜好**　烟酒赌三者是他们普遍的嗜好，尤其是赌，简直成为恶习惯了，虽然他们的收入并不多，而赌起来倒是很大量的，主要是赌“牌九”。“几百铲”的铲马将倒还有点不高兴。因赌博而负债的人很多。除去赌博为他们的主要嗜好以外，其次，就要算到烟了。但抽烟比赌博终较好一点，以“金钱眼”着想，他们不会花几块或几角钱去买一盒烟的，而只是抽几支普通的香烟罢了。没有问题的，烟这一门嗜好，也是伤脑伤肺的。酒，多数工人只吃它一点疏松疏松疲劳，因为他们的工作太劳苦了。但也有少数的工人，有时会喝得酗酗沉醉的，幸而尚不多见。

（六）**婚丧** 照例还是守旧的。结婚多数还是凭着媒人去撮合，但因为买卖婚姻需要一大笔金钱，现在也流行自由婚姻了，可是亦保持旧式婚姻的仪式。张筵请客，坐花轿，拜天地这类事是很多的。因为上海地方举行婚事的条件太不容易了，一般的还是在乡下举行的多。不过我们要知道，法工部局的工人，多数是所谓“半路出家”的，往往在乡下就已经娶亲了，他们之中有家属的这样多，大概就是这个缘故吧？因为农村的婚姻负担要比城市简便些。至于丧事，他们没有条件大模大样的所谓“阔”的，死了一个人，就是给他们拖下一注债，假如是工人的家属死了，那么就要增加该工人的负担，假如是工人死了，那简直就是掘断了生活的命根。因此对丧事，一般的都很简便，一个人死了，买一口棺木，叫几个和尚道士，一敲就送会馆或墓地里去了。恐怕“本地帮”的人对丧事要铺张一点，因为大多葬了就永固的，并且不像“客帮”人的旅居孤独，他们有众多亲戚的吊唁与乡土风俗的习惯。

（七）**娱乐**　大概谈不到什么娱乐，根本就缺乏娱乐的条件。金钱，时间，环境三者，他们都没有具备，辛辛苦苦所拿到的工钱，还不够活命糊口，时间又不为他们自己所有。有家属的，一回家就有妻子儿女缠着，要他帮忙做这样那样，虽然他们也非常需要找一点娱乐，去忘记因工作所受的疲劳，去陶冶因受各种压迫而生出的郁闷与焦苦的性情，但事实上，那能办到呢？局方既没办有工人俱乐部，工人自己也没有组织娱乐团体，所以娱乐这件事是很缺乏的。但是少数工人有时也到先施，永安这些大公司的娱乐场去逛逛，至于踢球、音乐、弹琴、吹箫等等娱乐，就很少看见了。

（八）**休息与交际**　他们礼拜日休息下来，因平日工作辛苦了，有的一睡就是半天，有的凑这一天去干些活儿，以帮助家计的（譬如本地人就帮助种地），而多数人是勤勤竞竞地料理家务的事，当然也有部分的去游玩或别种休息的。他们与亲戚，朋友，同乡，同事的交际相当亲密的，平时互相往来谈谈，喝杯茶，假如有在邻舍隔壁的同事，那么真可配称“自家人”，喝酒，吃饭这种事，当然很多。有什么婚丧喜事，彼此互相庆吊与送些贺仪，他们是讲义气与人情的。拜把弟兄，拜先生，拜老头子这些交际也有的，并且还相当多哩！

第八节　文化生活

工部局的工友们，文化水准是很低的，不识字的占多数，普通识字的，大概有百分之二十，比较能看报写信的，恐怕只能在一百人之中，批出十个八个吧。具体一点讲，打样间，机器间，路政处，卫生处，这几个单位的工人，比其余的单位要好一点，但是也不怎样多。

他们的文化这样落后，是有原因的，第一因为他们多数是文盲，幼时没有受教育的条件；第二，他们的工作与文化的联系性比较松弛，读书识字这类事情，对他们是较为“次要”的，何况又缺乏学习的条件，所以在参加做工之后，就不能像其他产业工人那样求文化的开拓。

工人文化水准的高低，对抗 × 民族解放工作，及对工部局的服务上，是有极大关系的。现在怎样来推高这些工人的文化水准呢？我想首先应由法工部局当局负起责任来；其次就是文化工作者以及和法工部局工人有联系或友谊的人，亦应责无旁贷的负起指导与教育的任务来。

第九节　工人活动

工部局——这一市政企业，它和其他产业不同。生产企业，是把千百工人集合在工场里工作的，而工部局是把工人们分散去做各色各样的工作，在这里仿佛使工人不能看见自己是在被人剥削，因为表面上看去，工部局的工作只是单纯的服役，而不是直接生产的事业。工作的散漫性，成分的落后性，生活的重压，管理的严格等等条件，使工部局的工友们，还落在急进形势的后面，连互助会和储蓄会也没有一个。

帮派在前面已经讲过，大概分为四帮：第一，本地帮；第二，山东帮；第三，江北帮；第四，安徽帮。本地帮和山东帮势力最大，但他们并不依势去欺侮人，帮口冲突是很少的，自己内部不起磨擦，挑拨者少了机会。且工人不向局方有事，工人的统一对局方是有利的，当然亦乐得少制造工人的对立了。他们拜老头子、拜先生、拜把弟兄等等的封建组织，有是有的，但他们仍是散漫还没有结成什么坚强的组织。

第十节　救国活动

现在可说没有什么救国活动，但他们的爱国热情非常的高，虽说有很多是看不懂报的，但是他们喜欢问别人："打得怎样了？今天敌人死脱多少？""我国军队什么时候打到上海来？"

有时报纸载着好消息，他们就像小孩似的跳跃欢喜，他们仇恨 ×× 鬼，他们也咬牙切齿的痛恨汉奸，他们有的想当游击队去，他们天天在希望自己的中国军队早一天打回上海来。

有一次，笔者曾与他们之中几位，谈起救国的事情，情绪都是很好的，他们明白中国军队退出上海后，自己的生活一天天痛苦起来，局方对他们是更压迫了，他们知道这种更进一步压迫的来由，是自己政府军队不在上海的缘故。（当然也了解本身没有团结，这是最大的弱点。）

然而，他们既有爱国的热情，既有因生活痛苦，日趋觉悟的救国思想，为什么没有救国的行动呢？我以为第一，他们的生活还相当稳固，尚能够比较稳固地过苦日子，同时也受生活重担的压抑，这样就产生保守心理，怕活动的现象也就发生了。第二，他们的文化程度太落后，还缺乏健全的觉悟与认识，他们还没有把握住救国工作是怎样做的这个问题，这是从他们言语中看出的。"我们有什么力量救国呢？救国要靠军队与政府的哟。有'主'投的话，当游击队去！"从这几句话中，就明显的可以看出，他们未曾认识到团结自己的力量就是最切实的救国工作。第三，外界对他们的接触很缺乏，他们不知人家怎样在做救国工作的，看不见轰轰烈烈的活动，以为别人也是静寂不动的了。第四，法工部局对付工人活动的态度欠好，总是采取严厉管束的政策，不管这一工人活动正当不正当。其实这种态度是要不得的，假如能给工人以正当活动，对局方也是有好处的。

我所看到的大概有上述几点，至于怎样来克服这些问题，我认为只有法工部局改变对付工人的态度，与全体法工部局华籍职工的努力，以及热心救亡工作者多方面热心来进行，使法工部局工友发扬过去斗争精神贡献给祖国！

第二十四章　上海各业职员

第一节　职员与工人阶级

我们通常所称的职员，是指在经济，文化，政治等机关中，从事非筋肉劳动的服务人员。它常常包含了很多的阶层，工厂里面，上至经理工程师，下至办公室的练习生，都是职员。大小商店里面的经理、店员、学徒，政府机关的工务员，报馆的编辑人等等，也都可以称做职员。一般讲来，在这筋肉劳动与精神劳动并不统一的社会中，职员的劳动多少偏向于精神劳动的一面，因此职员这一层，多少带有知识分子的意味，虽然事实上店员、练习生、学徒等等的劳动，常常带有很多的筋肉劳动。

职员虽然分布于一切经济，政治与文化的机关中，但其中最大多数集中于经济机关。公务员，编辑人等等，数目比较少，而且本质上与经济机关中的职员也有不相同之点。特别在上海，职员这一阶层的绝大多数是在工厂，商行，交通机关，金融机关之中。在这些经济机关中，职员与工人的地位，实在是差不多的，因为他们同样是雇佣劳动者，同样为资本的利润而服役，他们劳动的方式，虽然有相当的差异，他们的利益，实在是相互一致的。

在资本主义高度发展的国家，由于工人与职员之间，精神劳动与肉体劳动的差异相对的减少，由于工人阶级文化水平相对的提高，工人阶级与职员的关系很密切，这即从那些国家内职工运动中，工人与职员常常共同参加一个职工会，为了争取职工的福利而举行罢工运动时，工人与职员常常采取一致的行动等等，都可表现出来。法国的总工会的会员中，包括了公务员联合会，保险业职员联合会等职员的组织，法国在一九三五年，一九三七年几次大罢工中，各业职员与工人更共同参加大罢工，即是一个极好的例子。至于社会主义的苏联工人与职员更是密切无间的共同工作，共同娱乐，更无丝毫阶级之分了。

中国的工人阶级与职员，在一切方面的差异与距离，显得特别大些。一般工人，不是仇视职员，便是对职员客气，他们所以仇视职员，是因为工厂里的管理员与办事员，处处帮助经理，厂长来剥削他们，欺凌他们。他们所以对职员客气，是因为他们看到，职员是社会上比他们好似高一等的人物。至于职员呢，除了少数人以外，确实有人把工人看得比他们低下些，不管他们自己的经济状况有时还不及工人。这就使得工人与职员，在一切运动中联合起来的就会减少，就使中国的“职工”划分为“职员”与“工人”了。

为什么中国会产生这种情形呢？这是因为中国近代产业的兴起，还只有二三十年的历史，在农村分化的过程中，工人阶级多数来自贫农，职员多数来自地主富农。前者所受教育较少，后者所受教育较高，加以我国需要复杂技术知识的熟练劳动者的产业较少，这就形成工人与职员间文化水平的偏差度相当的大。中国传统的社会习惯，重视长衫阶级，轻视劳动阶级，于是无形中划分职员与工人为两个不同的阶层。自然，在产业落后的我国，职员与资本家及经理之间，所保持的封建关系比较更浓厚些，以致经济上的统治者，容易故意把工人与职员划分开来，以便驾驭职员去统治工人，也足以加深工人与职员两者之间的距离。例如许多产业，禁止职员与工人来往，谈话，交际。

从社会地位与职工福利的观点上讲，工人与职员是绝不能划分开来的，他们结果会属于同一阶层，也应该属于同一阶级。虽然工人是直接的价值生产者，而职员除最少数高级职员如经理工程师可以参加分配工人所生产的剩余价值外，普通一般职员，或者为附属生产过程中价值的生产者，或者为商业资本家保障分取剩余价值。因此，职员的劳动，也是我们这社会的经济构造中所不可缺少的一部分，同是被剥削者，在目前一般讲来，职员拥有较高的文化水平与技术知识，这些文化与技术知识，帮助了资本家获得利润，但也帮助了社会的生产。明天，同样的文化与技术知识，将会发挥更多的社会生产的福利，也会帮助职员与工人在文化技术上消灭现有的偏差度。至于就职工运动的利益上讲，职员与工人两方面，合作则互利，分离则大家不利，这已经从一九二五年——一九二七年的职工运动得到证实，也已从一九二七年来十几年中的运动得到证实，更无须详细说明了。

这就是我们在研究上海职员以前，所应该首先做出的结论："职员与工人阶级是不可分离的，职员是工人阶级的兄弟。"

第二节　上海集中了那些职员

上海职员的数量，居全国各地的第一位。粗略的估计一下，人数约在二三十万左右。这些职员分布在那些机关里面的呢？

如果从上海经济发展的过程来说，应该说上海职员最初是分布在旧式商店与外商企业里面的，因为在帝国主义势力还未侵入中国以前，中国只有范围很小的商业资本经济，一百年前，英法在鸦片战争以后开始在华经商，上海出现了外商的进出口洋行，棉纺织及烟草工厂，以及他们的金融机关银行保险公司等。这时所谓职员，只有旧式商店与外商企业中的华人职员两部分，而这两者之间，一般讲来，接触很少，根本似乎属于两个社会中间的人物。三四十年前，开始出现了民族资本经济，于是从旧式商店职员和新式学校学生中吸收了一部分人去，形成了许多民族资本的产业，银行和大商店的职员层。另一方面，随着上海经济的发展，商业的集中，外商企业与旧式商店也跟着增多起来，到现在为止，上海二三十万的职员，除了一小部分分布于市政机关，警察机关中外，一般讲来，就是分布于洋行，资本主义化的民族资本经济组织和旧式商店中的。

在上述三个部分的中间，大概旧式商店的职员，所占数目最大。因为上海的经济构造，虽然已经资本主义化了，但集中的程度，一般说来还相当低，若干种原料与商品的贩卖，以致一小部分的手工业制造，还都在旧式商店手中。至于供给日常消费品的许多小商店，更到处都是，所有这些旧式商店的职员，估计起来，人数至少有十三四万。其次，外商企业包括外商的进出口洋行，工厂，交通事业，银行，保险公司等等的职员，所占数额也当在十万左右，人数较最少的，还是资本主义化的民族经济机关，连同工厂，商店，银行等等，全数在内，职员数额，大概不过四五万人。至于其他各种机关的职员，不会超过一二万人。

以上各部分的职员，各有不同的出身与来源，从而他们的生活习惯，意识形态也各各不同。可是经过二三十年来，中国经济，政治，文化上的种种变革，使不同部门的职员，比较的已有了在某种程度内的团结一致与联系。

第三节　旧式商店的职员

上海的旧式商店，一般可以分成以下各种行业：

（一）属于衣料贩卖的：

棉花业　棉纱棉布业　绸缎丝茧业　针织棉织业　衣料零售业　西服军服业

（二）属于食料贩卖的：

粮食业　茶叶业　地货业　南货业　酱园业　药材及参燕业　饮食业（酒馆、饭馆、茶食等）　烟兑业

（三）属于建筑及装置用品贩卖的：

木材业　五金业　电料业　木器业

（四）其他：

柴炭煤业　日用品（牙刷、化妆品等）业　钟表眼镜业　印刷业　文具书籍业　旅馆业　照相及照相材料业　其他各业

在以上各种行业中，无形中还可以分做高下的等第，职员的劳动条件与待遇也就跟着不同。一般说来，做批发生意的商店比做零售生意的商店范围要大些，职员的待遇也要好些，如棉布批发庄比衣料零售业高出一等，粮食批发庄比米店高出一等都是。当然，大的零售商店常常兼做批发生意，而大的批发店家也时时自设门市部，但其间的区别，一般讲是存在着的。因之，旧式商店职员生活最苦的是一些零售店的店员。

零售店的店员们，每天的工作时间平均在十二小时以上。早上八时开门做生意，晚上至少八点才能停止营业休息。在营业时间以内，不管有没有生意，总是不能离开店门一步，至多只能看看报纸，不准看书，也不准写信，营业十分繁忙的季节（大概在春秋二季，衣料零售业等秋季尤忙），十二小时的工作时间之内几乎是一刻没有休息的。至于薪工多则每月十余元，少则每月二

三元，遇到生意好加上年底分红，中等职员平均每月所得不会超过三十元，小职员则有一二十元已经很好了。至于生意坏的时候，除了微小得可怜的薪水以外，其他则什么都没有。职员的膳宿，多数由店内供给，膳食多半很刻薄，睡觉大多是摊地铺。

批发商店职员的劳动条件比较好些，营业时间也短些。营业范围很大的批发店家（如棉纱布业，粮食业等）赚钱多的时候，职员有时可以分到相当多的分红，但这类店家，在旧式商店中只占了极少数的一部分。

旧式商店的职员，大都要经过“学徒”这一阶段，学徒的年龄，大半在十四五岁到十八九岁左右，年轻的甚至十二三岁就去学生意。进店做学徒的人，多数只受了一些私塾教育或初小教育，受过高小的教育的人就很少，照一般的办法，学徒要三年才满师，但时间延长至四年五年的也有。他们在学生意期间，没有薪水，只有“月规钱”，这是预备你剪发洗澡的，每月约一二元，多不过三元，少至四五角钱。初年的学徒，要给经理与职员装饭，预备洗脸水，上排门，下排门，倒痰盂，甚至给老板娘抱孩子。总之学徒要起身特别早，睡觉特别迟，但所做的事，与他所要学的东西是无关的。一直等到三年满师了，才派些不重要的事情做，算是升做职员，但是薪金比一般职员还特别低，在我国旧有文献上，描述学徒苦痛的很多，这些苦痛直到现在还存在着并没有消去。

学徒制度，决定了旧式商店职员的几个特质。第一个特质是旧式店员们所受的学校教育特别少。据不很正确的统计，在衣料零售业的职员中，高小未毕业者占百分之八十至九十，初中毕业的占百分之一至二，未受新式学校教育的占百分之十左右。要注意，店员们的来源是学校教育最发达的上海和江浙，而且职员这一阶层，相对的讲，应该属于知识分子的一层的。第二个特质是，旧式店员与经理老板之间存在着一种封建的关系，他们之间有着“师生”的名分，不仅仅是雇佣者与被雇佣者。这种情形，在封建时代的欧洲行会组织中也是有的。商会资本当它还未变成产业资本的附庸时，便是封建时代的产物，店员与老板之间，存在着经济以外的关系，自然也是事理所必然。

因为旧式商店组织上有以上的特点，所以店员与老板之间有着一种家族的关系。在那里，有着一种稀特的惯例，未结婚的店员，或虽已结婚而家眷不在一起的店员，纵在营业时间以外，不准跑出去。假使有人时常跑出去，那叫做“脚头散”，等于“不守规矩”。老板之所以限制店员出去，是因为店员如果一直留在店内，可以照料店事，同时如果店员们时常跑出去玩，说不定会养成他们挥霍的习惯，弄得舞弊卷逃。这种惯例，在很多行业内施行得很严格，有些行业比较好些。但初级店员与学徒不准出去，则几乎是一律的。

于是店员们的视域与思想，不得不因生活范围的狭小而狭小起来。他们终日所见所闻所做，不外是这一种货物与那一种货物，这一个行市与那一个行市，除此以外，读些“秋水轩尺牍”、“书算大全”等等已算是勤奋之至了。空闲时的文艺鉴赏，则不外乎《三国志》、《西游记》、《七侠五义》等等之类的东西。他们很缺少世界眼光，其中落后的一部分，则只要自己生活过得去，民族与国家的运命，他们也不加关心。当然，旧式店员们这一种特别狭小的生活与思想的小圈子，部分的被决定于商业资本本身的封建性质。自从经过了“一·二八”

战争与“八·一三”战争惨痛的教训，大部分店员已异常关切国家的命运，特别是这二年来的抗战，所予他们思想上影响尤为大。

由于旧式商店的零细与分散，店员们不如大产业职员之能在生产中受到合理化的技术训练，他们的群集生活的习惯，也随而没有很好养成的机会。他们一般的文化娱乐生活并不充足，旧历新年假期，看戏，赌钱是普通的娱乐，即有机会跑出店门时所有的娱乐也不外这些，其中如跑街之类，开旅馆，玩女人的也不少。至于集团的正当的文化娱乐生活，极端缺乏，体育生活则几乎没有。这就影响他们缺乏团结起来，为改良他们自己的生活而努力。一九二七年三月前后，大部分行业的店员曾有工会的组织，也曾经得到生活改善的部分的胜利。几个月以后，这些工会名存实亡，再到后来索性连仅存的名义都取消了。自此长长的十几个年头中，旧式的店员没有任何的职工组织。一九三七年抗战爆发以后，上海抗敌后援会曾有组织各员工战时服务团的计划，规定各业同业公会为一总单位，以主席为服务团的首长。各店铺为一基本单位，以经理为首长。把全体店员都组织在战时服务团之中。但计划还未实现，国军即已西撤。两年以来，旧式店员参加到各种业务团体中的为数很多，也已有个别行业，组织起自己的文化娱乐团体来。抗战的火焰，民族革命的锻炼，生活上的煎逼，已经使旧式店员们从商品与算盘，转移眼光于国家与民族的运命，已经使他们从自己狭小的生活圈子，走向团结与组织的道路了。

不能否认，旧式商店职员们是零细与分散，保守与落后，但在上海职员中他们所占的比例是如此的大，就使他们不得不成为职员救亡运动的中坚力量。因为如果旧式店员站在职员救亡运动之外，职员运动就不得不成为残缺不全，充其量只有一半作用的东西了。

第四节　外商企业职员

因为外商企业大部分称做洋行，所以外商企业职员，习惯上总称做“洋行员”。

上海的外商企业，以他们所属国籍来分，可以分做英美德法日等几个国家，其中英商企业势力最大，美日两国次之，法商企业限于法租界一隅，德商企业限于进出口贸易，工业投资极少。总说起来，外商企业通行文字为英语，法语日语次之，德国的企业一般的也通行英语，所以德语范围很狭隘。至于少数其他国籍的商行，势力很微，一般讲并不占重要地位。

外商企业，以他们的营业性质来分，可以分做进出口商行，一般工业品制造（烟草，棉纺织等），交通事业（轮船公司），市政公用事业（如电车，公共汽车，电力，自来水，瓦斯等），金融机关（银行，保险公司，地产公司）等等，范围很多很广，其中范围大的外商企业，兼带做多种营业的很多。如英商怡和洋行，有各种进出口贸易，轮船业纱厂，毛纺织厂等即是。而因为外商企业的资本非常雄厚，营业范围很广，每一企业雇佣的职员数量也很多。如上述怡和洋行全部职工，当在万人以上，除去工人，职员的数目，至少也有一二千人。至于雇佣三四十个职员的进出口洋行，一般已经是小洋行了。

外商企业采用西方资本主义的管理方法，与他们特别用于殖民地经营的巧妙办法，因之，中国职员的薪金一般的比较旧式商店要高些，但除固定薪给以外，没有什么分红之类的额外报酬。同时企业内管理十个初级职员以上的高级职员大都只用洋人而不用中国职员，洋人的薪水都用洋币（英镑美金等）计算，折合国币后，比较中国职员的薪水要高出四五倍，多至十余倍。外国职员地位既高，薪水又大，日常享用，中国职员是望尘莫及，而公事上对于中国职员的颐指气使实足显出洋大人的威风。这样一种管理方法，使中国职员一方感到洋行员的生活比华商机关要好些，因而死心塌地的给他们做事情，另一方面，高的职员既多用外国人，这使中国职员永久处于被指挥的地位，技术的掌握都在外国人手里，来防止他们这些企业的“太阿倒持”，自然这种情形，不仅在上海，在香港、印度东北都是完全一样的。

为了外商企业通用英语，法语，日语，中国职员应该学习一些外国语言才能成为一个“有用”的职员，所以外国人在上海设有特别的教育洋行员的教育机关。公共租界工部局办的格致公学、聂中丞公学、华童公学与若干私立的学校，如圣芳济学校，一些什么英语专修学校等等，都是训练洋行员的机关，某些教会学校，也尽了这些使命。法租界有许多法商的企业与工部局巡捕房等机关，需要通法语的洋行员，于是有了一所中法学校与震旦大学。所有这些学校，除了教会学生以英语、法语，与一些不能算做专门技术的专门技术，如打字、会话等以外，其他关于中文的教育材料便尽量采用“四书五经”等东西，凡关于近代我国民族运动的材料都尽量避免，上海的洋行员，多数就是经过这些学校特别训练出来的。

上面那些经过特别训练的洋行员，他们的出身，与所以会去受那些特别训练的机缘，也表示出中国社会的某些特征。一般的说，洋行员中年青的一代，他们的亲属中总有一个或一个以上的洋行员，或者是外国人的仆人，马夫，阿妈之类的长辈。他们上一代的亲属曾经给外国人做过事情，于是或者是外国人“眷念”他们的功绩，给他们的子弟以上进的机会，把他们送进洋行或者送进训练洋行员的机关；有时是他们上一代的亲属，为子弟谋出路，于是特别把他们训练成为一个洋行员，所有外商企业，并且采用了与旧商店同样的选拔职员的方法。他们大批吸收会讲几句英语的，家庭非常清寒的年轻人做类似仆人的练习生，进行适当的洋行员训练，但做了几年以后，就提拔他们做职员。这样初级职员的薪金都极其低，做了七八年事的职员，薪金才不过三四十元。大规模的洋行，分工很精密，初级职员的职务，不过是些机械的工作，高级职员既多数是外国人，中国职员自无须很好的技术训练，升仆人为职员，在外国人看来既不会改低办事的效率，又可以节省经费，还可以使职员十分感谢外国人提拔的恩典，不应该说这是一种非常“高明”的方法吗？

经过上述各种训练之后的上海洋行华员，便形成了若干共同的特点：第一，他们都懂得外国语，他们在大产业中做职员，但他们不能掌握职业上的技术。他们是西方资本主义特别创造出来的办公室中的劳工，同时西方资本主义又阻止他们学习资本主义中一切优良的科学方法。第二，因而他们的文化水准一般的都不高，他们虽然懂得外国语，但是他们绝不会利用这工具去学习，甚至于外国人特别办的他们自己的机关报与杂志，如《字林西报》，与《商业与金融》（*Finance and Commerce*）也不会读。他们一般的对于国际贸易，金融，产业等等，都没有什么了解。第三，他们自己对于外国人有些愤怒，但生活上对于外国人的依赖性很强，民族革命的意识不很高。第四，因为几十年来外商企业在华始终取得了统治地位，并且因为国际资本强力的支持，企业的倒闭破产很少听到，形成他们自己职业地位相对的稳固，因此幻想他们的职业，可以十年二十年的做下去，于是进取心比较少，要是说有进取心吧，只有在他们刚进洋行的时候，拼命再念些英文，上海人对于洋行员有一个很带侮辱性的称呼“洋行小鬼”，实在是指以上各种特点而言的。

由此所影响于洋行员的日常生活是怎样的呢？一般的，他们都在自己职业与家庭生活中打圈子，因而带了另一种对于国家与民族命运的不大关心。但因他们与外国人生活享受不均的强烈对比，他们大部分收入很低，家庭负担很重，于是这个月的收入，上个月已经花完。每到发薪这一天，买东西所赊的账，零星的借款一还，薪水已经完了，下个月开始，重新再借债过日子，至于收入比较高的人们，开房间，打麻雀，跳舞，也是今天不管明天，于是据说借印度人“印子钱”（极厉害的高利贷）的洋行员为数并不很少。

洋行员的业余生活中，群集生活也占相当的地位。若干大洋行中，职员人数较多的，常常有些体育的组织，如球队之类，但规模较大的文化娱乐组织则一般较少。应该说洋行员的群集生活，比较旧式商店职员要多些，组织起来的可能性也大些。这是因为他们的工作时间比较固定，也比较短的缘故。

洋行员生活上的以上特点，在经过了上海二次战争以后，已经起了很大的变化，特别是“八·一三”抗战一起，虹口、杨树浦、闸北、南市各地居室被毁，财产损失的很多。而二年来国际局势的变化，与各国在华贸易与投资的大量损失，所给他们失业的威胁，也是百年来历史所无。深刻的民族觉醒与严重的生活威胁，已使洋行员不得不卷入抗战救亡的漩涡中去，这是洋行员阶层中新的现象。

严格的讲，职员运动在洋行员方面的发展，也已经有了相当时期的历史。一九二五年——一九二七年几次大罢工的时候，上海个别洋行的职员曾参加了这一罢工运动。一九三二年“一·二八”左右，上海洋行员曾

有洋行员抗 × 会的组织，“八 · 一三”抗战以后，上海各外商企业的职员参加募捐救济，救护的为数很多，到了现在，十余年来民族革命运动的传统相当深入于洋行员这一阶层，自觉的起来进行救亡的职员运动已经远为普遍，并且已经开始了他们自己的组织了。

由于我国半殖民地的特征，外商企业及其雇佣的职员为数极多，特别上海是英美各国殖民地经营的中心，今天 ×× 帝国主义在武装占领了江浙各地以后，对于上海及其附近的“开发”会特别加强起来，这就使职员运动中洋行员所负的责任特别重大。应该说洋行员本身具备着大产业中锻炼出来的集体观念，他们不是零细分散的一群，他们特别有可以组织起来的一切前提与条件的。

第五节　日商企业职员

在外商企业机关中，特别值得提一下的是日商机关职员，一般说来，日本在沪的经济势力，不如英商那样的根深蒂固。战前日本在沪经济机关，势力特别大的是纱厂，其次是进出口贸易，其他还有航运业与银行，此外如英美商特别占优势的市政工业，地产投资，烟草工业等，日本人没有很大的势力。二十六年十一月国军西撤以后，××帝国主义纵然用尽方法进行它的“中支经济振兴”，设立了华中振兴会社，但由于它脆弱的经济势力与我国工商界的拒不合作，成就还极有限。其中只有没收了的苏浙内河航行，上海国际无线电台等比较还算有些“成就”，××帝国主义在沪经济势力的脆弱，尤其因为在沪的投资少，因而上海日商企业职员人数，也比较占少数了。

上海日商企业职员人数的稀少，还因为日本在沪经济机关，使用日本人的比例较之英美商人使用英美人的比例大。××帝国主义一般说是帝国主义体系中落后的薄弱的一环，他们对华的经济特别穷极无聊，所以他们在上海经济力量虽然较弱，而日本在沪侨民，即在战前，也居外人在沪侨民人数的第一位，于此可见日商机关的中下级职员，也多使用日本人而少用中国人。估计起来上海日商机关职员，总数不会超过一万多人。

这不到一万的日商机关职员又可以分做二个部分：

一部分是抗战以前已经设立的日商企业职员；另一部分是战事发生后日本所夺取的我国民族工业的职员。前一部分在战事发生以后，许多英勇的牺牲职业，拒绝为日本人工作，其中也有很少的一部分落后的人们，在国军西撤以后，到战区内跟了日本人去发横财。日本在沪的华人间谍，就有许多由这类人充当。至于我国在沪的民族企业，被日本人用武力接收的，接收时都曾有过英勇的全部撤退的事情，如交通部上海国际电台上海电报局，上海市银行等。前两个机关，日本人在接收时，职员全部退出，以至后来到无法经营的地步。后者因为职员撤退缘故，日本人无法接收，这些被接收的机关，与战后日本人机关新录用的职员与旧有继续任事的职员，大多数是为了无法维持生活才不得不勉强为日本人工作。他们受了抗战的血的洗炼，必不可免的将成为总反攻时期驱逐 ×× 帝国主义出上海的一个有力力量。一般地来说，日商企业内华籍职员的待遇，要比英美企业里差一些，同时地位亦比较不稳固，华人的地位，时时容易被鲜人台人所替代。自从“九 · 一八”以后，华人在日商企业内工作，始终是不安心的。

第六节　民族资本经济机关中的职员

中国的民族资本经济，一般说是从外商企业与商业资本二者中孕育出来的东西，它的历史，最多不过四十年。比较大规模的发展，还是从一九一四年欧战以后才开始的。就在这短短二十五年中间，民族资本还遭受了不少的挫折，所以纵然在这民族资本集中地的上海，民族资本经济机关的职员，总数还远低于外商企业或旧式商店。

民族经济机关职员，所受的学校教育比较的多。这所谓学校教育，是指一般的公立或私立学校，如省立或私立中学等等。大概他们的教育程度，以初中毕业为普通，初中以上毕业的也还不少。自然，其中另一部分从旧式商店转过来的人们，他们的出身与旧式店员无异，不过为数颇少。而需要职员很多的企业，大批招收年青人当练习生的；练习生的教育程度，有高小毕业也已经很够了。

这一部分职员，比较旧式店员与洋行员，民族观念要深刻些。因为第一，中国的民族资本虽然对于帝国主义有深刻的依赖性，但在许多地方不得不与帝国主义，特别与××帝国主义有深刻的矛盾，这足以影响与刺激职员们民族革命的情绪；第二，他们中间年青的一代，曾经亲自在学校内经历或参加近十余年来的反帝群众运动，这些运动当时确曾震撼了他们，所以他们具有比较深刻的民族革命传统。但以上只是比较的说法，应该承认，民族经济机关中的职员，不过在民族观念上比较洋行员与旧店员进步些，他们一般的意识形态，还是完全小资产阶级性的。

关于民族资本经济机关职员们的生活情形，还可以分做下列几个部分来说明：

（一）**民族工厂的职员**　民族产业资本的职员估计起来不过二三万人，人数分布于纺织、烟草、橡胶、火柴，以及各种小规模工厂制造厂中。他们中间的一部分在工厂内工作，与工人很接近，另一部分在管理处工作，做的是普通的事务。大的工厂中，发展得比较早的，新职员的录用，都用招考的制度，投考的资格，练习生须为初中毕业，因而职员的教育程度与出身比较的一律。同时那些工厂内部的管理方法，极端资本主义化的也很多。一部分工厂，录用职员依靠情面的也很不少，甚至老板是那省人，职员即充斥了那省人，这些地方的管理方法，大率不甚严格。

职员的劳动条件，在管理处的大概每天工作八小时，六小时的也有。在工厂里面做事的，因为工人工作时间很长，所以每天也要做十小时或十二小时的工作。薪水制度各机关不同，有的采取洋行的方法，除固定的薪给之外，不另发给分红，有的采取旧式商店分红制度，其中以采用分红制度的为多。

职员的所得连年底所可得的分红在内，有三十元一月薪水的，已经算做中级职员，小职员不过一二十元的薪水。自然薪额高低，各厂不同。一般说来，厂愈大的薪水愈高，厂愈小的薪水愈低。平均数目，大概：练习生十元以下，初级职员二十元左右，中级职员三十元左右。

上海各华商工厂所处地域距离很辽远，同一行业的厂家又很稀少，因此很少组织行业制的业余团体的。就职工运动的利益讲，同一工厂的职工，应该废除职员与工人的界限，共同组织各厂自己的职工会，才能发挥强大的力量。

（二）**大商店商行职员**　大商店商行职员，是指新式大规模的商品运输公司与大规模的百货公司而言。我国规模极大的商品运输公司，不过华南米业公司等几家，他们在营业上有足以左右市场的能力，但他们所雇职员为数极少。职员人数最多的，应该首推那几家百货公司了。

上海著名的百货公司如永安，先施等公司，每家职员都在六百人以上，而且因为百货公司最基本的售货员，无须复杂的劳动技术与文化水准，所以他们的薪水都很低。据说有一家百货公司中，全体六七百职员中间，四分之一是月薪三四元的练习生，二分之一是月薪八元至十八元的普通职员，就是说，这公司中四百五十个职员，每月薪水不到四千五百元。四分之三的职员，平均薪水每人每月不过十元，可见百货公司职员薪水之低了。

这样低额的薪水，即加上公司所供给的膳宿（部分职员不供宿），每月也不过十一二元至二十元。工厂里面，即使是不熟练工人的工资，有时也会比他们高些。

旧商店的薪水虽然很低很低，但那里还存在着一种封建关系，还存在着一种可以分红的希望，还存在着一种“将来也去开一家小店”的希望。可是在这里是什么希望也没有的，有吗？就是做了一年，加一元半元的薪水而已。

劳动条件，每天工作十一至十二小时，练习生与初级职员，大都住宿在公司所供给的寄宿舍内，膳食由公司供给。但营养一般不很足够。每天工作完毕后，进补习学校念书的很多，其余时间，因为没钱做正当娱乐，所以闲荡马路的很多。

（三）**金融机关**　金融机关的职员，如银行保险公司等，特别是银行，被大家看做很高贵的职业。拿几个大银行来讲，待遇确也很不坏。如中国银行的初年练习生，每月就有三四十元的薪水，可以与小机关的高级职员相比较。行员的住宿，银行又可以低廉的价格供给，甚至每天办公时间前后，有载客大汽车在行与宿舍间往来接送，行员连车钱都无须耗费。造成的结果，便是行员们一天到晚的勤劳行务，一部分人则过着糜烂的业余生活，多数打牌，少数玩女人。但是如此优越的待遇，究竟是少数。许多大银行的行址很华丽，设备很舒适，练习生每月仅有七八元的薪水，一般中级行员每月不过五六十元的薪水，到底还占多数，比较起来，银行员较之工厂职员自然要舒适些，这舒适的程度还是有限的。

因为银行业的当局，比较的注意关于一般金融经济问题的研究与教育，也还有部分银行员相当注意职业技术的研究。此外，银行职员的一般文化水准，比较他业职员也似乎高。这因为他们大都是中等学校的毕业生，教育程度比较高的缘故。

保险业职员与银行职员大抵差不多，但各个人的文化气息低些，商业气息高些。

就职工组织来说，一九二七年上海曾有银行业职工会的组织，很快就取消了。最近数年，银行保险两业职员的业余团体有很大的发展，到现在止，人数均已到达一千以上了。

第七节　上海职员运动之回顾与前瞻

回溯上海职员运动的历史，应该说在一九二五至二七年时已经有了先声。那时上海旧商店的各行业，都组织了职工会，商务印书馆的职员并且与工人携手英勇的参加了闸北的巷战，许多外商企业的职员，在“五卅”运动中与工人阶级合作进行罢工运动。但这一个时期，上海的职员，一般说来是在浩大的工人阶级斗争中间，被号召了参加这一民族革命的，上海职员本身革命的自觉，实在还嫌很薄弱的。

一九二七年以后，上海职员在饱受了革命运动的锻炼，与不断的加入了自学校进入职员生活的革命知识分子后，于是纵然政治上有了一个很长的沉静时期，上海职员中仍逐渐形成了进步的革命的势力，其间予上海职员以最大的政治刺激的则是一九三〇年与三一年的“九·一八”，“一·二八”事变，与以后无数 × 帝国主义侵略与进攻的历史。

“九·一八”与“一·二八”两次事变，所予全国民众的刺激是如此的大，以致曾掀起了一九二七年以后所未有的许多城市中的反 × 运动。在中国爱国主义的民族主义的运动，曾不能不使运动连结于国际主义，所以就是这一九三一年、一九三二年的政治生活，使在小资产阶级中拥有多数读者的《生活周刊》，及其后身《新生》、《大众生活》、《永生》等杂志，把反 × 斗争联系到国际主义上来，连同后此创刊的《世界知识》与《读书生活》等杂志，把职员的文化政治教育提到较高的阶段。一九三三与一九三四年，全国民众遭受了政治上最苦闷的时期，就在这时候，申报图书馆，申报补习学校（后来的量才图书馆、量才补习学校）创办了，它对于职员文化政治教育的提高更起了很大的作用。

到一九三五年十二月，华北学生的两次示威行动，卷起了全国救亡运动空前的高潮，加上过去三四年内文化政治上的基础，使大批的职员，参加了救亡运动。一九三六年一月，上海职业界救国会成立，上海职员第一次有了他自己大规模的综合的政治团体。直到一九三七年“八·一三”抗战爆发为止，职业界救国会一直是上海各救亡团体的中心力量。这时候，职业界救国会一般说来有二个特点：第一，它与当时一般救亡团体相同，只包含了许多先进的职员，因此范围比较狭窄；第二，它在成分上并不全部是职员，还有许多工人在内，因此可以说这时期的职业界救国会，是工人与职员的综合救亡团体。之所以这时候没有工人阶级的救亡团体，除了当时许多政治上与技术上原因之外，工人阶级与工商界的矛盾比较尖锐，也曾相当阻碍它的成立。

“八·一三”抗战以后，上海各独立的职员救亡团体，曾联合组织了职业界救亡协会，当时曾发行《救亡周刊》一种。国军西撤以后，公开的救亡工作不得不停顿起来，但职员们自己努力于展开自己的阵地，与工商界合作以进行种种直接间接的抗战工作，自然没有停顿过一天的。

我们假如研究一下过去十余年职员运动的历史，应该指出，一九二七年时代的职员运动，实在是当时整个职工运动的一部分。自一九三七年起，职员运动是在民族革命的高潮中兴起的。它曾经对于抗战尽了极大的推动作用，同时也锻炼了职员自己。可是在整个这一时期，职员运动并未把改善职员生活当做自己主要任务之一，这就使职员运动本身不能动员广大的职员群众参加抗战工作，运动本身因而非常狭隘。最近二年，职员运动比较的已特别注意于改善职员的业余生活，因而得到了较大的成就，这一经验，是应该善于运用与善于发挥的。

更应该指出，带有民族革命传统的职员运动，它仍旧不得不是职工运动的一部分。这不仅因为目前整个职工运动都服从于“抗敌高于一切，一切服从抗敌”的原则，也因为职员中间很大的一部分（华商与洋商的工厂职员）只有在与工人们共同行动时才能发挥更大的作用，更因为整个职员层与工人阶级同样是雇佣劳动者，他们与工人阶级在利益上，在组织上是不能分离的缘故。

三联经典文库第二辑简目

《游击战教程》　明凡 / 著

《游击战术纲要》　陶剑青 / 编著

《汪精卫卖国的理论与实践》　钱俊瑞 / 著

《抗战以来》　韬奋 / 著

《陕行纪实》　楚云 / 著

《随军散记》　沙汀 / 著

《被日寇囚系半载记》　王研石 / 著

《倭营历险记》　房沧浪 / 著

《活跃的新西北》　田影 / 编著

《保卫华北的游击战》　刘清扬　陈北鸥等 / 著

《徐州突围》　《徐州突围》编委会 / 编

《沦亡的平津》　长江　小方等 / 著

《淞沪火线上》　胡兰畦等 / 著

《瞻回东战场》　长江　罗平 / 著

《东线的撤退》　胡兰畦等 / 著

《抗战中的西北》　徐盈 / 著

《鲁闽风云》　徐盈等 / 著

《西线生活》　西北战地服务团集体创作

《中国解放区见闻》　［美］福尔曼著 / 朱进译

《全面抗战论》　潘汉年 / 著

《日本的间谍》　范士白自述 / 尊闻译

《日本大陆政策的真面目》　国难资料编辑社 / 编

《民众动员论》　李公朴 / 著

《中国外交史》　钱亦石 / 编著

《太平洋军事地理》　蒋震华 / 著

《世界经济地理讲话》　思慕 / 著

《列强军力论》　［德］马克斯·威纳尔著 / 宾符　仲持　梅益等译

《近代国际关系史》　张铁生 / 著

《太平洋现势手册》　沈志远　石啸冲 / 编著

《近代世界政治史》　钱亦石 / 著

《从战争到和平——一九四五年的世界政治》　乔木 / 著

《战后日本问题》　思慕 / 著

《最近一年间的国际动态（1946.7–1947.6）》　《东北日报》社 / 编

《论政党》　翟放 / 著

《法与宪法》　韩幽桐 / 编著

《中华民国宪法刍议》　罗家衡 / 著

《民主·宪法·人权——作之民》　费孝通 / 著

《宪法论初步》　潘念之 / 著

《对反民主的抗争》　韬奋 / 著

《农村改进的理论与实际》　江恒源 / 著

《上海产业与上海职工》(上下)　朱邦兴　胡林阁　徐声 / 合编

《陶行知教育论文选辑》　陶行知著 / 方与严编

《中国通货膨胀论》　杨培新 / 著

《中国及其未完成的革命》　H·普拉特著 / 蒋天佐译

《中国的建设问题与人的训练》　卢作孚 / 著

《论中国特殊性及其他》　艾思奇 / 著

《中国经济问题讲话》　钱俊瑞　徐雪寒　王渔邨　姜君辰　骆耕漠 / 合著

《中国经济的道路》　许涤新 / 著

《中国财政之病态及其批判》　孙怀仁 / 著

《官僚资本论》　许涤新 / 著

《五四运动之史的评价》　陈端志 / 著

《中国通史简编》(上下)　中国历史研究会　范文澜 / 主编

《论文学的工农兵方向——读〈在延安文艺座谈会上的讲话〉》　雪苇 / 著

《中国近代史（上编　第一分册）》　武波 / 编著

《文学百题》　傅东华 / 编

《中国史学之进化》　周谷城 / 著

《论民族形式问题》　胡风 / 著

《论批评》　荃麟等 / 著

《中国史纲》(第一卷上下、第二卷上下)　翦伯赞 / 著

《近代中国思想学说史》(1–4)　侯外庐 / 著

《中国政治思想史》（上下）　　吕振羽 / 著

《中国哲学史纲要》　　向林冰 / 著

《中国政治史讲话》　　钱亦石 / 著

《中国社会经济史纲》　　王渔邨 / 著

《新财政学大纲》　　千家驹 / 著

《太平天国革命运动论文集——金田起义百周年纪念》

华北大学历史研究室 / 编

《理性与自由——文化思想批评论文集》　　胡绳 / 著

《战斗者的诗人》　　黄药眠 / 著

《国语文法》　　曹朴 / 著

《教育哲学》　　张栗原 / 著

《妇女问题讲话》　　杜君慧 / 著

《婚姻 · 子女 · 继承》　　沙千里 / 著

《性教育新论》　　布士克　雅各生合著 / 董秋斯译

《狱中杂感》　　杜重远 / 著

《七人之狱》　　沙千里 / 著

《爱迪生传》　　伍况甫 / 译

《歌德自传》（上下）　　歌德著 / 思慕译

《尼赫鲁自传》　　［印度］尼赫鲁著 / 毕来译

《列宁传》　　［苏］凯尔任采夫著 / 企程　朔望译

《罗斯福总统传》　　C. Mackenzie 著 / 张尚之译

《托尔斯泰传》（1–3）　　［英］阿尔麦 · 莫德著 / 徐迟译

《革命文豪高尔基》　［美］亚历山大 · 康恩著 / 韬奋编译

《鲁迅纪念特辑》　新中国文艺社 / 编

《回忆鲁迅先生》　萧红 / 著

《人民文豪鲁迅》　平心 / 著

《亡友鲁迅印象记》　许寿裳 / 著

《鲁迅思想研究》　何干之 / 著

《鲁迅研究》　夏征农 / 编

《过来的时代：鲁迅论及其他》　雪峰 / 著

《电影戏剧表演术》　洪深 / 著

《日常心理漫谈》　［美］约瑟夫·查斯特罗著 / 曾宝施译

《心理常识漫话》　朱智贤　杨云美 / 著

《读书的方法与经验》　王任叔 / 著

《美国黑人生活纪实》　［美］加德维尔　斯坦倍克著 / 董秋斯译

《初访美国》　费孝通 / 著

《事业与成功》　［美］马尔腾著 / 汪原放译

《萍踪寄语（初集）》　韬奋 / 著

《一生的幸福前途——〈生活周刊〉信箱选集》　生活书店 / 编选

《深刻的印象》　生活周刊社 / 编

《海外的感受》　生活书店编译所 / 编

ISBN 978-7-108-04590-4

9 787108 045904 >

定价：108.00元